Saki – Charles
für Peter.

Friedrich Torberg

Die Tante Jolesch

Die Erben der Tante Jolesch

Friedrich Torberg

Die Tante Jolesch

oder

Der Untergang des Abendlandes
in Anekdoten

Die Erben der Tante Jolesch

tosa

Mit Genehmigung der F. A. Herbig Verlagsbuchhandlung GmbH, München
Umschlag von HP unter Verwendung des Postkartenbildes von Fritz Schönpflug
»Karlsbad für brave Kurgäste«, © by Postkartenverlag, Wien

Printed in Austria

Inhalt

Die Tante Jolesch

Die Erben der Tante Jolesch

Anhang

1. Buch

Die Tante Jolesch

Für Milan Dubrovic,
den Freund noch von damals her

ZUM GELEIT

Dies ist – ich sag's lieber gleich und auf die Gefahr hin, des Schielens nach der »Nostalgiewelle« verdächtigt zu werden – dies ist ein Buch der Wehmut. Es schöpft aus einem Erinnerungsbrunnen, den ich noch gekannt habe, als er (im doppelten Verstand des Wortes) gebraucht wurde. Und wenn ich die Augen schließe, um besser an meine Kindheit zurückdenken zu können, ans Elternhaus und an den ersten Schulgang, an Köchinnen und Kinderfräulein, an Liechtensteinpark und Peregrinimarkt, die Grottenbahn im Prater und die Menagerie in Schönbrunn; an Spaziergänge und Ausflüge mit Meiereien und Jausenstationen; an die sommerliche Ischler Esplanade; an die Besuche auf den Gutshöfen meiner ausgedehnten väterlichen Verwandtschaft in Böhmen; an die ungarischen Flüche, die mein Großvater mütterlicherseits unsrer Familie vererbt hatte; an Einspänner und Fiaker und Pferde-Omnibusse (auch »Stellwagen« genannt, weil man sie durch ein Handzeichen anhalten, also »stellen« konnte); an die als »Elektrische« oder »Tramway« bezeichnete Straßenbahn mit ihren manchmal noch offenen Beiwagen und den im Wageninneren plakatierten Zeichnungen, die den Damen drastisch nahelegten, ihre Hutnadeln zu sichern; an die gestaffelten Signale, wenn ein Zug von seiner Ausgangsstation abfuhr: zuerst eine Trompete aus dem dritten Wagen, dann eine Trillerpfeife aus dem zweiten, und schließlich vom Kondukteur des Leitwagens ein selbstbewußtes »Fertig!«, das schon ins Klingelzeichen des Motorführers überging – wenn ich an all das mit geschlossenen Augen zurückdenke, will mir beinahe scheinen, als gehörte ich selbst zur schemenhaft vorüberziehenden Reihe derer, für die der alte, längst stillgelegte

Brunnen meiner Erinnerungen noch eine Quelle lebendiger Versorgung war.

Von dieser Vision bleibt mir mit offenen Augen immerhin so viel übrig, daß ich – und das ist kein fröhlicher Gedanke, das ist schon ein Teil der eingangs erwähnten Wehmut –, daß ich wahrscheinlich einer der letzten bin, der nicht nur um jenen Brunnen weiß, sondern aus eigener Kenntnis auch die von ihm Versorgten noch im Gedächtnis hat. Sie waren in den Ländern des einstigen Habsburgerreichs beheimatet, sie bildeten einen wesentlichen Sektor des schwarzgelben Kulturkreises, und sie repräsentieren somit zwei garantiert untergegangene Bestandteile des Abendlandes: die k.u.k. Monarchie und ihr jüdisches Bürgertum. Ich vermerke das für den Fall, daß mißtrauische Leser den Untertitel dieses Buches allzu anspruchsvoll finden.

Die Tante Jolesch, die dem Buch als Haupttitel voransteht, hat wie alle anderen, von denen hier die Rede sein wird, wirklich gelebt und hat – auch das gilt für alle anderen – die hier wiedergegebenen Aussprüche wirklich getan. Oder doch die meisten von ihnen. Den und jenen habe ich ihr wissentlich unterschoben, weil sie ihn getan haben *könnte*. Denn die Tante Jolesch war, um mit Christian Morgenstern zu sprechen, keine »Person im konventionellen Eigen-Sinn«, sondern ein Typus. Fast in jeder der großen, vielgliedrigen, über Wien und Prag, über Brünn und Budapest, über die österreichische und die ungarische Reichshälfte verzweigten Familien gab es entweder eine Tante oder eine Großmutter, deren treffsichere, teils witzige und teils tiefgründige Aussprüche von der ganzen Verwandtschaft zitiert wurden. Tatsächlich: die Schöpfung dieser »Aphorismen zur Lebensweisheit« fiel fast immer den Frauen zu. Die Männer waren vollauf damit beschäftigt, Geld zu verdienen, den sozialen Aufstieg der Familie zu betreiben und gegebenenfalls für einen aus der Art geschlagenen Sohn oder Neffen zu sorgen, der sich irgendeiner künstlerischen oder sonstwie brotlosen Laufbahn verschrieben hatte.

Die Zeit der Emanzipation, der gesellschaftlichen Gleichberechtigung und Gleichbewertung (die in der Praxis niemals völlig zustande kam) war erst kurz zuvor angebrochen und sollte bald darauf schon wieder zu Ende gehen. Sie dauerte nicht länger als ein knappes Jahrhundert, sie hatte Platz für drei oder höchstens vier Generationen, und sie ließ den Männern keinen Atem als den zur Wahrnehmung und Ausnützung ihrer Chancen. Folgerichtig waren es auch hier wieder die Frauen, die einen allzu heftigen Wahrnehmungs- und Ausnützungseifer zu bremsen suchten, sich allzu hastigen Assimilationsbestrebungen entgegenstemmten und an ihren instinktiven Begriffen von Tradition und Pietät auf eben jene Weise festhielten, die dann auch in ihren lebensnahen und lebensklugen Aussprüchen zur Geltung kam. Es war ein sozusagen internes Matriarchat, das sich aus alledem ergab. In ihrem eigenen kleinen Bereich glich die Stellung einer Tante Jolesch beinahe der eines östlichen Wunderrabbi, den man um Rat und Hilfe anging und dessen Überblick über die Fährnisse des Daseins ringsum respektiert wurde. (Leider bestand darin auch schon die einzige und weit entfernte Parallele zu dem von Grund auf anders strukturierten Ostjudentum).

Nun verhält es sich nicht etwa so, daß der Typus der Tante Jolesch in all seinen Ausprägungen, mit all seiner Ausstrahlung und all seiner Atmosphäre auf den bisher anvisierten Geschichtsabschnitt, also auf die verhältnismäßig geruhsamen Jahrzehnte vor dem Fin de siècle und unmittelbar hernach, beschränkt geblieben wäre. Wohl lag in jenem Abschnitt seine Wurzel, nicht aber seine Hochblüte. Die entstand – sonst hätte ich sie ja nicht erleben können – in der vom nahenden Verfall schon überschatteten Zeit zwischen den beiden Weltkriegen, in einer Zeit der Euphorie und des letzten leuchtenden Aufflackerns eines Lebensstils, der sich aus dem zusammengebrochenen Österreich gerettet und erhalten hatte, bis er dem größeren und endgültigen Zusammenbruch anheimfiel.

In diesen zwanzig Jahren zwischen 1918 und 1938 habe ich zu sehen, zu denken und schließlich zu schreiben begonnen. Ich war 10 Jahre alt, als Wien aufhörte, eine Kaiserstadt zu sein. Ich war noch keine 25, als die braune Sintflut über Deutschland kam und ihren dreckigen Gischt in die Nachbarländer herüberzuspritzen begann. Ich war ein Dreißigjähriger, als sich die Auflösung der österreichischen und dann der tschechoslowakischen Republik vollzog, als ich in die Schweiz emigrierte und mich im folgenden Jahr, beim Ausbruch des Zweiten Weltkriegs, freiwillig zum Militärdienst in Frankreich meldete, zu einem ruhmlosen Militärdienst, der acht Monate später mit einer unheroischen, wenn auch nicht ganz ungefährlichen Flucht nach Spanien und Portugal endete. Immer, seit ich denken kann, war die Zeit aus den Fugen und steuerte auf einen Untergang zu, immer, schon als Kind, habe ich ihn gespürt, war ich mir seines Herannahens bewußt, und je deutlicher er mir bewußt wurde, desto intensiver habe ich mich dem Geschenk der noch verbleibenden Zeitspanne hingegeben, der Gnadenfrist, die einer zum Untergang verurteilten Epoche noch zugemessen war. Angefangen von meiner Kindheit unter der Herrschaft eines Monarchen, der 1848 den Thron bestiegen hatte, über die Jahre im Wien der Ersten Republik und später des Ständestaats, über die Jahre im Prag Masaryks und seines Nachfolgers Beneš, bis zur Fäulnis und Agonie eines kapitulierenden Frankreich: immer sah ich etwas zerbröckeln, was mir lieb war, immer stand mein Leben im Zeichen eines Untergangs. Wäre es zu weit hergeholt, wenn ich von hier aus meine Neigung erklärte, selbst in einer so verdächtig langen Gnadenfrist wie der seit 1945 anhaltenden schon wieder einen Untergang zu wittern?

Indem ich ihn – weit jenseits jeglichen Oswald Spenglers – in den Titel dieses Buches einbeziehe, denke ich weniger an seine eklatanten, für jedermann ersichtlichen Vorzeichen politischer, sozialer oder ideologischer Art, weniger an einen historischen Prozeß, dessen Analyse den professionellen Geschichtsmißdeutern überlassen bleibe. Ich denke vielmehr an ein Untergangssymptom, welches sich darin äußert, daß in unserer technokratischen Welt, in unsrer materialistischen Kommerz- und Konsumgesellschaft die Käuze und Originale aussterben müssen.

Von ihnen und nur von ihnen soll in diesem Buch gehandelt werden. Sie sind es, deren Profile ich hier nachzuzeichnen versuche, um sie aus Sentenzen und Anekdoten noch einmal auferstehen zu lassen, die Namenlosen so gut wie die Namhaften, die Tante Jolesch und den Onkel Hahn so gut wie die Literaturgrößen von Polgar bis Molnár, den Herrn Spielmann und den Religionslehrer Grün so gut wie den Professor Steiner vom »Prager Tagblatt« und den Wiener Rechtsanwalt Hugo Sperber. Sie alle hat es gegeben, und es gibt sie alle nicht mehr, weder sie noch die Gefilde und Kulissen, in denen sie sich bewegten, nicht die Kaffeehäuser und Redaktionen, nicht die Familientische und Sommerfrischen, nichts. Es gab sie bis zum Ausbruch des Zweiten Weltkriegs, und in ein paar letzten Zuckungen – ähnlich wie ein Huhn, dem man den Hals umgedreht hat, ein paarmal noch mit den Flügeln schlägt – gab es sie bis in die Emigration hinein. Seither gibt es sie nicht mehr. Der Brunnen, aus dem ich schöpfe, ist unwiederbringlich versiegt. Bald wird niemand mehr da sein, der ihn noch aufzufinden wüßte.

Dies ist – ich sag's zum Abschluß noch einmal – ein Buch der Wehmut. Vielleicht hätte ich ein Buch der Trauer schreiben sollen, aber die möchte ich doch lieber mit mir allein abmachen. Wehmut kann lächeln, Trauer kann es nicht. Und Lächeln ist das Erbteil meines Stammes.

Die Tante Jolesch persönlich

Was nun die Tante Jolesch selbst betrifft, so verdanke ich die Kenntnis ihrer Existenz – und vieler der von ihr überlieferten Aussprüche – meiner Freundschaft mit ihrem Neffen Franz, dem lieben, allseits verhätschelten Sprößling einer ursprünglich aus Ungarn stammenden Industriellenfamilie, die seit langem in einer der deutschen Sprachinseln Mährens ansässig und zu beträchtlichem Wohlstand gelangt war. Franz, bildhübsch und mit einer starken Begabung zum Nichtstun ausgestattet (das er nur dem Bridgespiel und der Jagd zuliebe aufgab), muß um mindestens zwölf Jahre älter gewesen sein als ich, denn er hatte bereits am Ersten Weltkrieg teilgenommen und wurde von seinen gleichaltrigen Freunden auch späterhin noch scherzhaft als »Seiner Majestät schönster Leutnant« bezeichnet. Ich war wiederholt auf dem mährischen Besitz seiner Familie zu Gast – »Ein Narr, wer kein Gut in Mähren hat«, hieß es damals in einem zynisch-selbstironischen Diktum jener Kreise – und blieb ihm bis zu seinem arg verfrühten Tod herzlich verbunden. Die einrückenden Deutschen hatten ihn 1939 als Juden eingesperrt, die befreiten Tschechen hatten ihn 1945 als Deutschen ausgewiesen. Man könnte sagen, daß sich auf seinem Rücken die übergangslose Umwandlung des Davidsterns in ein Hakenkreuz vollzog. Er verbrachte dann noch einige Zeit in Wien und übersiedelte schließlich nach Chile, wo er bald darauf an den Folgen seiner KZ-Haft gestorben ist. Die Tante Jolesch hat das alles nicht mehr erlebt.

Franz war ihr Lieblingsneffe, und es fügt sich gut, daß einer ihrer markantesten Aussprüche mit ihm zusammenhängt – mit ihm und mit zwei unter Juden tief verwurzelten Gewohnheiten. Die eine besteht in der Anrufung des göttlichen Wohlwollens für einen demnächst auszuführenden Plan, etwa für eine Reise, die man »so Gott will« morgen antreten und von der man nächste

Woche »mit Gottes Hilfe« zurückkehren wird, außer es käme »Gott behüte« etwas dazwischen, vielleicht gar ein Unglück, und »Gott soll einen davor schützen«, daß dies geschehe. Nicht minder tief sitzt, wenngleich ohne religiöse Verankerung, das jüdische Bedürfnis, einem schon geschehenen Mißgeschick hinterher eine gute Seite abzugewinnen. Die hier zur Anwendung gelangende Floskel lautet: »Noch ein Glück, daß ...« und kann sich beispielsweise auf eine plötzliche Erkrankung beziehen, die nur dank rascher ärztlicher Hilfe zu keiner Katastrophe geführt hat: »Noch ein Glück, daß der Arzt sofort gekommen ist«; oder es kann »noch ein Glück« sein, daß bei dieser Gelegenheit ein andrer gefährlicher Krankheitskeim entdeckt und entschärft wurde.

Nun hatte Neffe Franz, als er einmal von einer Autoreise heimkehrte, unterwegs einen Unfall erlitten, bei dem er zwar mit dem Schrecken und gelinden Blechschäden davongekommen war, der aber dennoch am Familientisch ausgiebigen Gesprächsstoff abgab, teils weil sowohl Autobesitz wie Autounfälle damals erst im Anfangsstadium standen, also Seltenheitswert besaßen, teils weil man noch nachträglich um Franzens heile Knochen bangte. Immer wieder wollte man hören, wie er die drohende Gefahr – sein Wagen war auf einer regennassen Brücke ins Schleudern geraten – von sich abgewendet hatte, immer wieder hob Franz zu erzählen an, schmückte die Erzählung mit neuen Details und erging sich in neuen Analysen.

»Noch ein Glück«, schloß er einen seiner Berichte ab, »daß ich mit dem Wagen nicht auf die Gegenfahrbahn gerutscht bin, sondern ans Brückengeländer.«

An dieser Stelle mischte sich die Tante Jolesch erstmals ins Gespräch. Sie hatte bis dahin nur stumm und eher desinteressiert zugehört (denn ihrem Franz war nichts geschehen, und das war die Hauptsache). Jetzt hob sie mahnend den Finger und sagte mit großem Nachdruck:

»Gott soll einen hüten vor allem, was noch ein Glück ist.«

Sie hat in ihrem Leben viel Zitierens- und Beherzigenswertes gesagt, die Tante Jolesch, aber nie wieder etwas so Tiefgründiges.

Vom gleichnamigen Onkel weiß die Fama nur wenig zu melden, und selbst dies wenige verdankt er seiner Frau, der Tante. Er war das, was man in Österreich – um den hoch- und reichsdeutschen Ausdruck »Geck« zu vermeiden – ein »Gigerl« nannte, legte noch in hohem Alter Wert auf modische, nach Maß angefertigte Kleidung und bestand darauf, daß der Schneider zu diesem Behuf »ins Haus« käme. Als das zwecks Anfertigung eines Überziehers wieder einmal der Fall war, fuhr die Tante Jolesch mit nicht just gefühlsbetonter Entschiedenheit dazwischen:

»Ein Siebzigjähriger *läßt* sich keinen Überzieher machen«, erklärte sie. »Und wenn, soll ihn Franzl gleich mitprobieren.«

Der historischen Übersicht wegen sei vermerkt, daß es zu den sozusagen feudalen, vom Adel übernommenen Usancen des reichgewordenen Bürgertums gehörte, bestimmte Dienstleistungen »im Haus« vollziehen zu lassen, statt den Vollzugsort aufzusuchen. Nicht nur Schneider und Modistin, nicht nur Hut- und Schuhmacher ließ man zu sich ins Haus kommen, sondern – und das sogar täglich inklusive Sonntag – auch den Raseur. Er wurde dementsprechend gut bezahlt und dementsprechend schlecht behandelt. Besonders arg trieb es in dieser Hinsicht der wohlbestallte Pardubitzer Fabrikant Thorsch, Vater des in Berlin und nachmals in Hollywood erfolgreichen Filmschriftstellers Robert Thoeren. Er setzte seinem (obendrein jüdischen) Raseur namens Langer jahrelang mit allen erdenklichen Launen und Mucken zu, und Langer ließ sich das jahrelang gefallen – bis es ihm eines Tags zu dumm wurde. Mitten im Einseifen hörte er plötzlich auf, packte wortlos sein Zeug zusammen und verschwand. Der prompt engagierte Nachfolger nahm zwar die Schikanen seines neuen Kunden willig und ohne Widerspruch hin, aber er rasierte ihn schlecht und wurde alsbald entlassen. Der nächste wiederum beherrschte zwar sein Fach, nicht aber sich selbst: er reagierte gleich auf die erste Beschimpfung so heftig, daß es zur sofortigen Lösung des Dienstverhältnisses kam. Der vierte, mit dem Herr Thorsch es versuchte, entsprach sowohl als Raseur wie als Beschimpfungsobjekt allen Anforderungen, nur entsprach er ihnen nicht mit der nötigen Regelmäßigkeit, erschien manchmal zu spät, manchmal gar nicht und verfiel desgleichen der Kündigung. Herr Thorsch sah sich immer unausweichlicher von der Einsicht bedrängt, daß es für Langer keinen brauchbaren Ersatz gab.

Um diese Zeit kam mein Freund Thoeren, was er von Berlin aus gelegentlich tat, zu kurzem Aufenthalt ins Elternhaus und staunte nicht wenig, als ihm auf der Treppe sein Vater begegnete, in formeller Besuchskleidung, mit Cut, Melone, Stock und Handschuhen.

»Wohin gehst du, Papa?« fragte er verdutzt.

Die Antwort erfolgte in gewichtigem, beinahe feierlichem Tonfall:

»Mein Sohn – im Leben eines jeden Mannes kommt einmal der Tag, an dem er entweder um Entschuldigung bitten oder sich selbst rasieren muß. *Ich* geh mich entschuldigen.«

Es ist kein Zufall, daß beide Formulierungen, sowohl die des Herrn Thorsch wie jene der Tante Jolesch, aus einer durchaus persönlichen Situation eine allgemeine Lebensregel ableiten. Beide, sowohl der warnende Hinweis auf den schicksalsschweren Tag, der im Leben eines jeden Mannes einmal kommt, wie die nüchterne Feststellung, daß sich ein Siebzigjähriger keinen Überzieher machen läßt, stellen Schlüsse dar, die unabhängig von ihren spezifischen Voraussetzungen zu Recht bestehen wollen. (Darin liegt ja auch ihre wenn schon nicht beabsichtigte, so doch keineswegs unfreiwillige Komik.)

Dieses Streben nach Allgemeingültigkeit situationsbedingter Erkenntnisse trat überhaupt gern zutage, wie etwa in dem lapidaren Ausspruch der Tante Jolesch:

»Ein lediger Mensch kann auch am Kanapee schlafen.«

Es handelte sich hier natürlich nicht um die Fähigkeit eines Unverheirateten, auf wenig bequemer Lagerstatt des Schlafs zu genießen, sondern um die Frage, ob man ihm das zumuten darf. Nach Ansicht der Tante Jolesch durfte man. Das Problem entstand, als zu einem der häufigen Familientage im Hause Jolesch so viele Gäste angesagt waren, daß Not an Unterkunft drohte und daß jedes halbwegs geeignete Möbelstück als Bett herhalten mußte. Und die Tante Jolesch entschied, daß diese Notbetten eher für Alleinstehende geeignet wären als für den männlichen oder gar weiblichen Teil von Ehepaaren. Ein lediger Mensch kann auch am Kanapee schlafen, ein verheirateter offenbar nicht.

Wenn nach soliden Gastereien, nach opulenten Mahlzeiten und ausgedehnten Plauderstunden im weiträumigen »Salon« die letzten Besucher endlich verabschiedet waren, streifte die Tante Jolesch noch lange umher, rückte Fauteuils zurecht, zupfte an Tischtüchern, säuberte sie von unziemlich abgelagerten Speiseresten, von achtlos verstreuter Asche, die es auch vom Teppich wegzukehren galt, schüttelte den Kopf über die von verschüttetem Wein oder Kaffee hervorgerufenen Flecke, sammelte Zigarren- und Zigarettenstummel ein, die in manches Häkeldeckchen ein Loch gesengt hatten, und murmelte mißbilligend immer wieder:

»Ein Gast ist ein Tier.«

Sie sprach das allerdigs nicht hochdeutsch aus. Sie sagte: »E Gast is e Tier.« Sie bediente sich jenes lässigen, anheimelnden, regional gefärbten Jargons, der (vom richtigen »Jiddisch« weit entfernt) noch Reste des einstmals im Ghetto gesprochenen »Judendeutsch« aufbewahrte und eben darum in den nunmehr besseren Kreisen streng verpönt war oder gerade noch innerhalb der häuslichen vier Wände toleriert wurde. Seine öffentliche Pflege beschränkte sich auf die in Budapest und Wien florierenden Jargonbühnen, die noch bis 1938 über ganz hervorragende Komiker verfügten. In widerwärtig verstümmelter Form grassierte dieser Jargon in antisemitischen Witzen und tut das wohl auch heute noch. Als Verständigungsmittel ist er ausgestorben, weshalb er im folgenden ab und zu eines Kommentars bedürfen wird. Auch möchte ich gleich an dieser Stelle anmerken, daß ich bei der Wiedergabe bestimmter Redewendungen, Ausdrucksweisen und Tonfälle in hohem Maß auf das sprachliche, ja sprachmusikalische Verständnis des Lesers angewiesen bin. Ich kann hier nur die Partitur liefern; der Klang will ergänzt sein.

Verstöße gegen das Hochdeutsche und dessen Grammatik wurden übrigens nicht nur von der Tante Jolesch und ihresgleichen begangen. Wenn sie »am Kanapee« sagte statt korrekt »auf dem Kanapee«, so war das eine in vielen deutschen Dialekten übliche Sprachverschleifung, die sich zumal in Österreich eingebürgert hat und von so ernstzunehmenden Autoren wie Heimito von Doderer und seinem Schüler Herbert Eisenreich sogar im Druck beibehalten wird. Die Tante Jolesch sagte ja auch nicht »auf dem Land«, sondern »am Land«:

»Am Land kann man nicht übernachten«, lautete eine von ihr geprägte Sentenz, die mit »Land« ungefähr alles meinte, was nicht »Stadt« war, und wo es infolge zurückgebliebener Wohnkultur keine akzeptablen Nächtigungsmöglichkeiten gab. Der Begriff »Land« wäre hier sinngemäß durch »flach« zu ergänzen, bezog sich also nicht auf die vorwiegend gebirgigen Sommerfrischen (siehe diese), obwohl auch für sie die Wendung galt, daß man »aufs Land« ging – hier jedoch in positivem, durch gute Luft und Gottes freie Natur gekennzeichnetem Unterschied zur Stadt.

Das verweist uns auf eine weitere Eigenheit der Tante Jolesch, nämlich auf ihre höchst reservierte Einstellung nicht nur zum »Land« in beiderlei Sinn, sondern auch zu Städten jeglicher Art, Größe, Schönheit und Berühmtheit, ja zum Ortswechsel schlechthin. Schon die Reisevorbereitungen, mit denen man doch niemals rechtzeitig fertig wurde, widerstrebten ihr:

»Abreisen sind immer überstürzt«, sagte sie.

Und mit den Reisen als solchen wußte sie erst recht nichts anzufangen. Zwar gehörte es – ähnlich wie die Gepflogenheit, Schneider und Raseur »ins Haus« kommen zu lassen – fast unerläßlich zum guten Ton und zur gehobenen Lebenshaltung, möglichst weite und kostspielige Reisen zu unternehmen, sich mit dem Besuch möglichst vieler attraktiver Städte ausweisen zu können und durch die Berichte darüber im Bekanntenkreis möglichst viel Neid zu erwecken – aber für die Tante Jolesch hatte das alles keinen Reiz. Auch an den diesbezüglichen Gesprächen, am genießerischen Austausch von Erfahrungen und Vergleichen pflegte sie sich nicht zu beteiligen. Ein einziges Mal griff sie mit einer abschließenden Feststellung ein:

»Alle Städte sind gleich, nur Venedig is e bissele anders.«

Rein äußerlich erinnert das an eine Formulierung ungesicherten Ursprungs, als deren Schöpfer abwechselnd irgend jemandes Tante, Onkel oder Großvater auftritt und die in der Emigration häufig zitiert wurde: »Ich bin überall a bissele ungern.« Aber die Ähnlichkeit kommt übers Phonetische nicht hinaus. Wenn die beiden Aussprüche überhaupt etwas gemeinsam haben, dann höchstens einen gewissen Mangel an Fernweh. Er ist nicht entscheidend. Entscheidend, und zwar zugunsten der Tante Jolesch, ist die tiefe Skepsis allem Unbekannten gegenüber, ist die Abneigung, sich für Fremdes nur der Fremdheit halber zu begeistern, ist das gesunde Vertrauen in die eigene Wahrnehmung und das eigene Urteil, das sich von keiner Kulisse und keinem Klischee blenden läßt. (Die englische Sprache kennzeichnet diese Haltung ebenso unnachahmlich wie unübersetzbar mit »down to earth«.)

Gern würde ich der Tante Jolesch einen Ausspruch zuschreiben, den sie aus zeitlichen Gründen leider nicht getan haben kann. Es tat ihn die alte Frau Zwicker, die 1938 mit ihrer Familie nach New York emigrierte und in Riverdale, einer weit außerhalb der Stadt gelegenen Wohnsiedlung, bescheidene Unterkunft im ersten Stock eines Reihenhauses fand. Dort saß Frau Zwicker stundenlang am Fenster, sah in der Ferne die undeutlichen, dunstverhangenen Konturen der Skyline (die sie vielleicht für eine Fata Morgana oder für sonst etwas Irreales hielt), sah in der Nähe den träg und schmutzig dahinfließenden Hudson, sah zum Bersten gefüllte Abfallkübel und streunende Katzen, hörte das Lärmen spielender Kinder und dachte an vergangene Zeiten.

Ein gleichfalls emigrierter Freund der Familie kam vorbeigeschlendert:

»Na, wie gefällt's Ihnen in New York, Frau Zwicker?« fragte er zum Fenster hinauf. Und bekam von Frau Zwicker eine Antwort, in der unmutige Verwunderung über die dumme Frage mitschwang:

»Wie soll es mir gefallen am Balkan?«

Das könnte wahrlich auch die Tante Jolesch gesagt haben. Aber sie hat um diese Zeit nicht mehr gelebt.

Sie ist 1932 gestorben, friedlich und schmerzlos, von Ärzten betreut, von der Familie umsorgt, zu Hause und im Bett – wie damals noch gestorben wurde (und wie es bald darauf so manchem ihrer Angehörigen nicht mehr vergönnt war).

Kurz vor dem Ende offenbarte sich ihr Charakter und ihre Lebensweisheit in einem letzten Ausspruch, mit dem sie das Geheimnis ihrer weithin berühmten Kochkunst preisgab – und zu dem eine in jeder Hinsicht passende Vor-Geschichte gehört.

Gleich allen wahren Köchinnen, die ihre Kunst im häuslichen Gehege ausübten – es wird von ihnen noch die Rede sein –, war auch die Tante Jolesch ausschließlich auf die Genußfreude und das Wohlbehagen derer bedacht, denen sie ihre makellos erlesenen Gerichte auftischte. Es sollte den anderen munden, nicht ihr. Sie selbst begnügte sich damit, ihren Hunger zu stillen. Als man sie einmal nach ihrer Lieblingsspeise fragte, wußte sie keine Antwort.

»Aber du mußt doch schon draufgekommen sein, was dir am besten schmeckt«, beharrte der Frager.

Nein, um solche Sachen kümmere sie sich nicht, replizierte ebenso beharrlich die Tante Jolesch (wobei sie in Wahrheit nicht »Sachen« sagte, sondern »Narreteien« und genau genommen »Narrischkaten«).

Der Wißbegierige ließ nicht locker und spitzte nach einigem Hin und Her seine Frage vermeintlich unentrinnbar zu:

»Also stell dir einmal vor, Tante – Gott behüte, daß es passiert – aber nehmen wir an: du sitzt im Gasthaus und weißt, daß du nur noch eine halbe Stunde zu leben hast. Was bestellst du dir?«

»Etwas Fertiges«, sagte die Tante Jolesch.

Wäre es nach den Verehrern ihrer Kochkunst gegangen, dann hätte sie sich als Abschiedsmahl ihre eigenen »Krautfleckerln« zubereiten müssen, jene köstliche, aus kleingeschnittenen Teigbändern und kleingehacktem Kraut zurechtgebackene »Mehlspeis«, die je nachdem zum Süßlichen oder Pikanten hin nuanciert werden konnte: in der ungarischen Reichshälfte bestreute man sie mit Staubzucker, in der österreichischen mit Pfeffer und Salz. Krautfleckerln waren die berühmteste unter den Meisterkreationen der Tante Jolesch. Wenn es ruchbar wurde, daß die Tante Jolesch für nächsten Sonntag Krautfleckerln plante – und es wurde unweigerlich ruchbar, es sprach sich unter der ganzen Verwandtschaft, wo immer sie hausen mochte, auf geheimnisvollen Wegen herum, nach Brünn und Prag und Wien und Budapest und (vielleicht mittels Buschtrommel) bis in die entlegensten Winkel der Pußta –, dann setzte aus allen Himmelsrichtungen ein Strom von Krautfleckerl-Liebhabern ein, die unterwegs nicht Speise noch Trank zu sich nahmen, denn ihren Hunger sparten sie sich für die Krautfleckerln auf, und den Durst löschte ihnen das Wasser, das ihnen in Vorahnung des kommenden Genusses im Mund zusammenlief. Und ein Genuß war's jedesmal aufs neue, ein noch nie dagewesener Genuß.

Jahrelang versuchte man der Tante Jolesch unter allen möglichen Listen und Tücken das Rezept ihrer unvergleichlichen Schöpfung herauszulocken. Umsonst. Sie gab's nicht her. Und da sie mit der Zeit sogar recht ungehalten wurde, wenn man auf sie eindrang, ließ man es bleiben.

Und dann also nahte für die Tante Jolesch das Ende heran, ihre Uhr war abgelaufen, die Familie hatte sich um das Sterbelager versammelt, in die gedrückte Stille klangen murmelnde Gebete und verhaltenes Schluchzen, sonst nichts. Die Tante Jolesch lag reglos in den Kissen. Noch atmete sie.

Da faßte sich ihre Lieblingsnichte Louise ein Herz und trat vor. Aus verschnürter Kehle, aber darum nicht minder dringlich kamen ihre Worte:

»Tante – ins Grab kannst du das Rezept ja doch nicht mitnehmen. Willst du es uns nicht hinterlassen? Willst du uns nicht endlich sagen, wieso deine Krautfleckerln immer so gut waren?«

Die Tante Jolesch richtete sich mit letzter Kraft ein wenig auf:

»Weil ich nie genug gemacht hab . . .«

Sprach's, lächelte und verschied.

Damit glaube ich alles berichtet zu haben, was ich zur Ehre ihres Andenkens zu berichten weiß.

Ein kleiner Nachtrag noch, der diesem Andenken keinen Abbruch tun wird: die Tante Jolesch war nicht schön. Zwar drückten sich Güte, Wärme und Klugheit in ihrem Gesicht zu deutlich aus, als daß sie häßlich gewirkt hätte, aber schön war sie nicht. Tanten ihrer Art waren überhaupt nicht schön. Ein Onkel meines Freundes Robert Pick hatte etwas so Häßliches zur Frau genommen, daß sein Neffe ihn eines Tags geradeheraus fragte: »Onkel, warum hast du die Tante Mathilde eigentlich geheiratet?« Der Onkel dachte eine Weile nach, dann zuckte er die Achseln: »Sie war *da*«, sagte er entschuldigend.

Von solch exzessiver Häßlichkeit konnte bei Tante Jolesch nun freilich keine Rede sein, und sie ihrerseits hat nach »schön« oder »häßlich« erst gar nicht gefragt, für sie fiel das unter den gleichen Begriff von »Narrischkeiten« wie die Frage nach ihrer Lieblingsspeise. Sie war davon durchdrungen, daß man derlei Äußerlichkeiten nicht wichtig zu nehmen hatte, und wer das dennoch tat, setzte sich ihrem Tadel, wo nicht gar ihrer Verachtung aus. Als einer ihrer Neffen auf Freiersfüßen ging und zum Lob seiner Auserwählten nichts weiter vorzubringen hatte als deren Schönheit, bedachte ihn die Tante Jolesch mit einer galligen Zurechtweisung: »Schön ist sie? No und? Schönheit kann man mit *einer* Hand zudecken!«

Nein, sie hielt nicht viel von Schönheit, bei Frauen nicht und schon gar nicht bei Männern. Und so schließe denn dieses Kapitel mit einem Ausspruch, der die Tante Jolesch nicht nur in sprachlicher Hinsicht auf dem Höhepunkt ihrer Formulierungskraft zeigt:

»Was ein Mann schöner is wie ein Aff, is ein Luxus.«

Damit kommen wir zu einem wichtigen sprachtheoretischen Exkurs.

Exkurs über die vielfältige Bedeutung des Wörtchens »was«

Um die vielfältigen Funktionen, die das unscheinbare Wörtchen »was« ausüben kann, wenigstens annähernd zu klären, müssen einige Anekdoten aus dem ihnen zugedachten Rahmen herausgelöst und vorweggenommen werden; hoffentlich schadet das weder ihnen noch dem Rahmen.

In der abschließend zitierten Äußerung der Tante Jolesch kommt dem »was« komparative Bedeutung zu, genauer: die Bedeutung einer zu Vergleichszwecken herangezogenen Qualität. Eine grammatikalisch korrekte (und somit unbrauchbare) Fassung des Satzes hätte etwa zu lauten: »Jedes Ausmaß männlicher Schönheit, das die Schönheit eines Affen übersteigt, ist ein Luxus.«

Mit einem anders gearteten »was« konfrontiert uns jene bildungsbeflissene junge Dame der Prager Gesellschaft, die sich stets zu ihrem Blaustrumpf-Dasein bekannte und jedem, der es hören wollte, hochnäsig zu verstehen gab, daß geistige Werte ihr höher galten als leichtfertige Abenteuer:

»Was andere Mädchen Verhältnisse haben, geh *ich* in Vorträge!«

Hier dient das »was« einem quantitativen Vergleich (keinem qualitativen wie bei der Tante Jolesch). Bezöge es sich nur auf den Zeitaufwand, so hätte zur Not auch ein bläßliches »während« ausgereicht. Aber das füllig ausgreifende »was« umschließt viel mehr, umschließt *alles, was* andere Mädchen nicht nur an Zeit, sondern an Planung, Interesse und persönlichem Einsatz für die Männerwelt aufwenden. Sie, die Sprecherin, betreibt den gleichen Aufwand für Bildungszwecke.

Zweien »was« auf einmal begegnen wir in dem nun folgenden Ausspruch, der gleichfalls in Prag entstanden und gleichfalls weiblichen Ursprungs ist. Seine Schöpferin besitzt noch aus anderen Gründen ein gewisses Recht auf Unsterblichkeit. Es handelt sich um die alte Kisch.

Die alte Kisch – heimlich auch »Eichel-As« genannt, weil sie der dick vermummten, mit überkreuzten Armen vor einem Ofen hockenden Weibsfigur glich, die auf den sogenannten »doppeldeutschen« Spielkarten den Winter symbolisiert – war die Mutter des »rasenden Reporters« Egon Erwin Kisch und war der Prototyp eines matriarchalisch herrschenden Familienoberhaupts, vor dem nicht nur die Söhne, sondern noch die entferntesten Verwandten sich angstvoll neigten.

Es gibt da eine schon oft erzählte Geschichte, die allmählich die Patina historischer Wahrheit angesetzt hat. Sie spielt in den wirren Umsturztagen nach dem Ersten Weltkrieg, als ein Trupp der damals in Wien gebildeten »Roten Garde« unter Führung von Egon Erwin Kisch ins Redaktionsgebäude der »Neuen Freien Presse« eindrang und als im Stiegenhaus Paul Kisch, Wirtschaftsredakteur der »Presse«, seinem rotgardistischen Bruder entgegentrat:

»Was willst du hier, Egon?«

»Das siehst du ja. Wir besetzen eure Redaktion.«

»Wer – wir?«

»Die rote Garde.«

»Und warum wollt ihr gerade die Presse besetzen?«

»Weil sie eine Hochburg des Kapitalismus ist.«

»Mach dich nicht lächerlich und schau, daß du weiterkommst.«

»Paul, du verkennst den Ernst der Lage. Im Namen der Revolution fordere ich dich auf, den Eingang freizugeben. Sonst . . .!«

»Gut, Egon. Ich weiche der Gewalt. Aber eins sag ich dir: ich schreib's noch heute der Mama nach Prag.«

Verläßlichen Berichten zufolge soll Egon Erwin Kisch daraufhin das Zeichen zum Rückzug gegeben haben.

Damit dürfte die Gestalt der alten Kisch in ihrer ganzen furchtgebietenden Größe umrissen sein. Und wenn man sich jetzt noch etliche Jahre zurückversetzt, in die Jünglingszeit Egon Erwins, der damals auf den zärtlichen Rufnamen »Egonek« hörte, wird man ermessen können, mit welch bangen Gefühlen er eines späten Abends heimwärts schlich, nachdem er in einem übel beleumundeten Kaffeehaus – seines judenfreundlichen Besitzers wegen »Café zum Schabbesgoj«* geheißen – von Falschspielern hochgenommen und um seine gesamte Barschaft erleichtert worden war. Natürlich mußte er das seiner Mutter gestehen, und natürlich erwartete er ein Donnerwetter.

Die alte Kisch jedoch nahm seine Beichte gelassen auf und begegnete ihr mit jenem »was«-trächtigen Ausspruch, auf den wir eigentlich hinsteuern wollten; sie sagte:

»Was setzt du dich hin Karten spielen mit Leuten, was sich hinsetzen Karten spielen mit dir?«

Um das zweite »was« brauchen wir uns nicht weiter zu kümmern; es ist ein verschlampter Relativanschluß, wie er – ähnlich dem schon erwähnten »am« (statt »auf dem«) – von vielen deutschen Dialekten anstelle des bestimmten Artikels praktiziert wird.

Uns interessiert das erste »was«. Es hat mit dem »was« der Tante Jolesch und dem des Prager Blaustrumpfs nichts zu tun, dient keinem Vergleich und keiner Antithese, sondern steht für »warum« oder »wozu«, und zwar mit einem unüberhörbar kritischen, ja verächtlichen Unterton: »Was fällt dir ein?« oder »Was soll das?«

Im übrigen schlägt der Ausspruch der alten Kisch, so originell er formuliert ist, in eine keineswegs originelle Kerbe (und läßt sich eben darum in vielen Situationen anwenden).

So wird vom Fürsten Metternich berichtet, daß er den jüdischen Bankier Eskeles wieder einmal um eine größere Staatsanleihe anging und ihm beim Abschied als besonderen Huldbeweis eine vertrauliche Mitteilung machte:

»Ich wollte Ihm noch etwas sagen, Eskeles. Man berichtet mir,

---

* »Schabbesgoj« war die im Ghetto und seiner unmittelbaren Nachfolge gebräuchliche Bezeichnung für den nichtjüdischen Helfer, der am Sabbat (»Schabbes«) in frommen jüdischen Häusern die kleinen Arbeiten und Handgriffe verrichtete, die den Juden aus religiösen Gründen (Sabbatruhe) verboten waren.

daß Sein Sohn Jakob sich in liederlicher Gesellschaft herumtreibt, mit Diversanten und allerlei umstürzlerischem Gesindel. Seh Er doch zu, daß das aufhört. Er versteht mich, nicht wahr? Und morgen bringt Er mir also das Geld.«

Der Bankier Eskeles hielt im devoten Rückwärtsschreiten inne:

»Das muß ich mir noch einmal überlegen, hochfürstliche Gnaden.«

»Wie? Warum?« Metternich runzelte die Brauen. »*Was* muß Er sich überlegen?«

»Ob ich einem Staat, der vor meinem Kobi Angst hat, Geld borgen soll . . .«

In jüngerer Zeit war es Anton Kuh, der den Ausspruch der alten Kisch zu praktischer Anwendung brachte. Im Februar 1938, nach der Rückkehr des österreichischen Bundeskanzlers Schuschnigg von seinem verhängnisvollen Besuch bei Hitler, hatte Kuh im Freundeskreis einen Plan entworfen, wie Österreich dem drohenden Zugriff der Nazi vielleicht doch noch entgehen könnte. Auf irgendwelchen Wegen bekam der österreichische Unterrichtsminister Pernter Wind davon und bat Anton Kuh, ihn mit diesem Plan vertraut zu machen. Kuh tat es, ging nach Hause, packte seine Koffer und verließ Österreich noch am selben Tag. Wie er später freimütig zugab, war ihm die alte Kisch eingefallen. Zu einer Regierung, die sich mit ihm, Anton Kuh, hinsetzte, hatte er kein Vertrauen mehr.

Von Onkeln, Neffen und Rabbinern

Nach einem Exkurs hat man bekanntlich dorthin zurückzukehren, wo man stehengeblieben war. Wir sind bei der Tante Jolesch stehengeblieben und kommen nunmehr zum Onkel Hahn.

Es kann keinem Zweifel unterliegen, daß der Onkel Hahn eine ungleich farbigere Figur war als der Onkel Jolesch. Der Onkel Jolesch war eine Art Prinzgemahl und wäre ohne die gleichnamige Tante gar nicht vorgekommen. Der Onkel Hahn hat sich selbständig und in eigenem Recht anekdotischen Rang erworben.

Die Kenntnis dieser zwar wenigen, aber wichtigen Anekdoten verdanke ich meinem 1969 verstorbenen Freund Ernst Deutsch. Er hatte sie aus seinen Prager Jugendjahren aufbewahrt und wußte sie vortrefflich zu erzählen – wie er überhaupt einen (nicht nur passiven) Humor besaß, den man in diesem großen, leidenschaftlichen Tragöden, wenn man ihn nur von der Bühne her kannte, schwerlich vermutet haben würde. Ich sage mit Absicht: »nur von der Bühne her«, nicht: »als Schauspieler«. Denn in Schauspielerkreisen wußte man sehr wohl von seinem Witz und kolportierte manchen Beleg dafür, zum Beispiel eine Geschichte aus der Zeit um 1920, als der fulminante Aufstieg des jungen Ernst Deutsch durch einen einzigen Durchfall – in Gutzkows »Königsleutnant« – verunziert wurde. Kurz nach diesem (auf ein Gastspiel in Leipzig beschränkt gebliebenen) Mißerfolg trat Deutsch ein Engagement am Hamburger Schauspielhaus an, wo ihn der Doyen des Ensembles mit wuchtiger und würdiger Père noble-Attitüde empfing:

»Wie schön, daß Sie zu uns gekommen sind, mein lieber junger Freund. Übrigens habe ich Sie schon auf der Bühne gesehen.«

»Ich weiß«, bestätigte Deutsch. »Als Königsleutnant.«

»Ach? Wieso wissen Sie das?«

»In *der* Rolle hat mich *jeder* gesehen«, lautete die freundliche Erklärung.

Die bekannteste Deutsch-Anekdote geht auf eine Berliner Inszenierung des »Kaufmanns von Venedig« zurück, in der Albert Bassermann den Shylock und Ernst Deutsch den »königlichen Kaufmann« Antonio gab (der Shylock wurde erst Jahrzehnte später zu einer seiner großen Altersrollen). Als nun bei der öffentlichen Generalprobe die als Anwalt verkleidete Porzia mit der Frage: »Wer ist der Kaufmann hier und wer der Jude?« die Gerichtsverhandlung im letzten Akt einleitete, wandte sich Deutsch, seine einmalige Extempore-Chance nützend, in keineswegs Shakespearescher Diktion zum Richtertisch: »Sie werden lachen, Herr Doge – ich bin der Kaufmann.«

Mir selbst hat er in den langen Jahren unsres freundschaftlichen Umgangs unzählige Heiterkeiten beschert, an die ich um so dankbarer zurückdenke, als sie uns oft genug über die gar nicht heiteren Talsohlen der Emigrationszeit hinweghalfen. Ernst Deutsch, dessen Gattin Anuschka ihm und seinen Freunden eine wunderbare Betreuerin war, hat diese Zeit souverän gemeistert, hat seine lächelnde Gelassenheit nie verloren. Zornig, beinahe böse sah ich ihn nur ein einziges Mal: als er das Copyright an den Geschichten vom Religionslehrer Grün geltend machen mußte, das ich irrtümlich Franz Werfel zugeschrieben hatte. Darauf komme ich noch zurück. Jetzt soll vom Onkel Hahn die Rede sein.

Der Onkel Hahn – dem Jüngling Ernst ein Onkel mütterlicherseits – lebte in Prag, und zwar im Unfrieden mit seiner Familie, die eines der schönen, alten Bürgerhäuser in der damaligen Tuchmachergasse bewohnte. Er dürfte diesen Unfrieden vorsätzlich herbeigeführt haben, denn er war, das ging aus den Schilderungen seines Neffen klar hervor, ein unleidlicher, rechthaberischer Querulant. Ob zuerst er mit der Familie oder zuerst die Familie mit ihm nichts zu tun haben wollte, steht dahin – jedenfalls hatten sie nichts miteinander zu tun, was jedoch Onkel Hahns Bedürfnis, über das Treiben der mißliebigen Verwandtschaft auf dem laufenden zu bleiben, nicht etwa dämpfte, sondern steigerte. Dies machte sich der ständig geldbedürftige Neffe listenreich zunutze, indem er sich in regelmäßigen Intervallen bei dem in einem andern Stadtteil wohnenden Onkel einfand und durch raffiniert hinhaltende Gesprächsführung die Neugier des streitsüchtigen Eigenbrötlers so lange zu steigern verstand, bis ihm ein finanzieller Lohn für ihre Befriedigung sicher war. Mit der Zeit verknappte sich dieses Verfahren zu folgendem Einleitungsdialog:

»Was tut sich in der Tuchmachergasse?« fragte der Onkel.

»Nichts«, antwortete der Neffe.

»*Zum* Beispiel«, sagte der Onkel, deponierte je nach Laune 50 Heller oder eine Krone auf dem Tisch, lehnte sich im Ohrensessel zurück und lauschte gierig dem Familientratsch.

Ernstens korrupte Erbötigkeit ging so weit, daß er seinen Onkel, der ihm als Geldquelle ebenso unentbehrlich war wie er dem Onkel als Informationsquelle, nicht nur auf Spaziergängen und ins Kaffeehaus begleitete, sondern in Notfällen sogar zum samstäglichen Gottesdienst, wo Onkel Hahn – und dazu brauchte er einen willfährigen Partner – an der Predigt des Rabbiners jedesmal etwas auszusetzen fand. Diese Predigten folgten in Aufbau, Stil und Tonfall einer Tradition, die von den führenden Rabbinern des 19. Jahrhunderts geprägt worden war (und noch in meine eigene Jugendzeit hineinreichte): es war eine Mischung aus guttural gebändigtem Pathos und frei fließendem Schmalz, aus milder Drohung und eifernder Beschwörung, aus Demut und Grollen – jeder dieser gelehrten Gottesdiener hielt sich für einen aus dem Alten Testament in die Neuzeit verschlagenen Propheten und stand mit seinen biblischen Vorfahren gewissermaßen auf du und du. Zu den unumstößlichen Eigenheiten ihrer Kanzelreden gehörte die Verwendung von Zitaten aus der Heiligen Schrift, zuerst im hebräischen Original und dann in deutscher Übersetzung, damit auch die minder bibelfesten Gemeindemitglieder es verstünden.

An einem Samstag nun, an dem der Onkel Hahn mit seinem Neffen Ernst in der Synagoge erschienen war, predigte der Rabbiner über die Pflicht zum Wohltun, wetterte wider Verschwendung und Prunksucht, kam auf die gottgefälligen Aspekte der Sparsamkeit zu sprechen (weil man dann nämlich einem Bedürftigen jederzeit helfen könne) und zog mit erhobener Stimme biblische Unterstützung heran: »Hat uns doch schon der Prophet Jesaja mahnend zugerufen ...« (folgte der Originaltext des Zurufs) »... was soviel bedeutet wie: Spare in der Zeit, dann hast du in der Not!«

Da aber wandte sich der Onkel Hahn mißbilligend an die Umsitzenden:

»Das hab ich schon *viel* früher gesagt!«

Seine weitaus erheblichste Äußerung – und zugleich ein bedeutsames Zeugnis für das historische Kontinuitätsbewußtsein des Juden – erfolgte anläßlich eines Kinobesuchs. Man gab die erste, von Cecil B. de Mille geschaffene Verfilmung der »Zehn Gebote«, die zu den Marksteinen der Hollywooder Stummfilm-Ära zählt und nicht nur durch den monströsen Aufwand ihrer Bauten und Massenszenen Aufsehen erregte, sondern (zumindest in der Fachwelt) auch durch die zugleich primitive und geniale Art, wie de Mille den Durchgang der Kinder Israels durchs Rote Meer bewältigte: er ließ in das spielzeuggroße Modell eines ausgedörrten Flußbettes von beiden Seiten Wasser einschütten und kurbelte den Ablauf ein zweitesmal rückwärts, was in der vergrößerten Filmprojektion den zwingenden Eindruck einer nach beiden Seiten sich teilenden Wasserflut ergab. Im Film watschelten dann einige hundert Statisten mit aufgeklebten Vollbärten durch ein wirkliches Flußbett, und als der letzte draußen war, wurde wieder das Modell einkopiert, über dem sich die Wogen schlossen. Das Bild blendete langsam aus. Im Kino herrschte die Stille weihevoller Ergriffenheit.

Und in diese Stille hinein ließ sich laut und deutlich der Onkel Hahn vernehmen:

»Also *so* war das *nicht!*«

Bevor ich die Brücke betrete, die von Ernst Deutsch zum Religionslehrer Grün führt, habe ich zur Stilistik rabbinischer Predigten eine eigene Reminiszenz beizutragen. Sie stammt aus meinen frühen Gymnasiastenjahren in Wien (die späteren in Prag haben mir auf diesem Gebiet nichts mehr eingebracht, dafür aber sehr viel anderes), sie stammt, um es genau zu sagen, vom sogenannten »Jugendgottesdienst«, der immer am ersten Sonntag im Monat stattfand und an dem die jüdischen Schüler – in der offiziellen Terminologie schonungsvoll als »Schüler mosaischen Glaubensbekenntnisses« bezeichnet – vollzählig teilnahmen. Sie taten das nicht etwa aus Frömmigkeit, sondern weil die Teilnahme eine Verkürzung der Unterrichtszeit um zwei Stunden bedeutete. Gelegentliche Stichproben ließen es wenig ratsam erscheinen, sich auf dem Weg zur Synagoge zu verkrümeln, was im Ertappungsfall streng geahndet wurde. Aber auch davon abgesehen war es immer noch besser, statt des Geographie- oder Lateinunterrichts eine Predigt über sich ergehen zu lassen.

Und eine dieser Predigten begann der uns zugeteilte Rabbiner Nußbaum, dessen blumiges Timbre mir bis heute vergnüglich im Ohr geblieben ist, mit folgenden Worten:

»Meine andächtigen jungen Zuhörer! Ich möchte nicht zu weit zurückgreifen in der Geschichte unseres Volkes. Es geschah im Jahre zweitausendeinhundert *vor* der üblichen Zeitrechnung . . .«

Was damals geschah, ist mir leider entfallen. Ich weiß nur noch, daß der behutsame Rabbi nicht zu weit zurückgreifen wollte.

Es wird jetzt eine Entschuldigung fällig, und vermutlich nicht zum letztenmal. Der Ansturm von Erinnerungen, dem ich hier ausgesetzt bin, wird mich wohl noch öfter in die nahezu unausweichliche Zwangslage bringen, vom Hundertsten ins Tausendste zu geraten; hoffentlich kann ich die Nachsicht des Lesers dadurch abgelten, daß ihn das Tausendste ebensowenig langweiligen wird wie das Hundertste.

Die Geschichte, die sich mir eben jetzt im Zusammenhang mit der »üblichen Zeitrechnung« und dem jüdischen Kalender aufgedrängt hat, wurde mir vor etlichen zwanzig Jahren von George London berichtet, dem amerikanischen Baßbariton, der damals am Beginn seiner leider viel zu früh abgeschlossenen Karriere stand (und der, nebenbei, ein großartiger Erzähler jiddisch-amerikanischer Geschichten ist). Er will vom Nebentisch her mit angesehen und mit angehört haben, was sich eines Tags zur Lunchzeit in einem der nobelsten Nobelrestaurants der New Yorker Park Avenue zutrug:

Im Lokal erschienen zwei unverkennbar orthodoxe Juden, blickten verwirrt um sich, wurden des offenkundigen Irrtums, der sie hierhergeleitet hatte, zu spät gewahr und nahmen zögernd Platz. Um ganz bestimmt keinen Verstoß gegen die rituellen Speisegesetze zu begehen, bestellten sie nur wenig und garantiert Unverfängliches, nämlich Gervais und Obstsalat – eine Bestellung, die der Kellner mit kaum verhohlenem Nasenrümpfen entgegennahm. Noch nasenrümpfender reagierte der Sommelier, als sie ihm die Weinkarte ungelesen zurückreichten und als der Mutigere von beiden sich nach verlegener Pause zu der Frage aufraffte, ob man in diesem Lokal auch koscheren Wein bekommen könnte? Womöglich von der bestens bekannten, unter Aufsicht des ehrw. Oberrabbinats stehenden Firma Manischewitz?

Er werde versuchen, so etwas herbeizuschaffen, äußerte sehr von oben herab der Sommelier.

Tatsächlich brachte er nach einer Weile in silbernem Eiskübel das Gewünschte.

Der Besteller zog die Flasche hervor, prüfte das Etikett und wandte sich an den ausdruckslos dastehenden Kellermeister:

»Sagen Sie – war 5712 ein guter Jahrgang?«

Zurück zum Hundertsten, zu den Geschichten vom Religionslehrer Grün – und vorher noch rasch zu dem zornigen Anspruch, den Ernst Deutsch auf das Urheberrecht an diesen Geschichten geltend machte. Der Anspruch besteht zu Recht. Den Zorn hatte ich hervorgerufen, als ich in einem von gänzlich anderen Dingen handelnden Gespräch ahnungslos und unschuldig die Bemerkung einflocht, das eben Gesagte erinnere mich an eine Geschichte, die mir Franz Werfel von seinem Religionslehrer Grün erzählt hatte, ich weiß nicht, ob du ihn kennst, Werfel kopiert ihn übrigens ganz ausgezeichnet, zumindest habe ich diesen Eindruck . . . und weiter kam ich nicht. Schon während meiner letzten Worte hatte sich das Mimenantlitz immer bedrohlicher verfärbt und begann bereits leicht ins Violette zu spielen – jetzt donnerte sein Besitzer los, mit jener metallisch dröhnenden Stimme, die er sonst nur für seine wuchtigsten Bühnenausbrüche einsetzte:

»Was heißt das: ob ich ihn kenne? Wovon sprichst du? Der Rebbe Grün war *mein* Religionslehrer, nicht der vom Werfel! Und was heißt das: der Werfel kopiert ihn? Eine Unverschämtheit! Er kopiert nicht den Rebbe Grün, er kopiert *mich,* wie ich den Rebbe Grün kopiere! Auch seine Geschichten kennt er nur von mir! Merk dir das gefälligst!«

Hätte ich behauptet, nicht er, Ernst Deutsch, habe 1917 in Dresden Hasenclevers »Sohn« zum Triumph geführt, sondern Fritz Kortner – ich hätte damit kein größeres Ungewitter auf mein Haupt laden können. Und es war, das mußte und muß ich zugeben, des Anlasses wert. Denn die Geschichten vom Rebbe Grün gehören zu den Köstlichkeiten des Altprager Anekdotenschatzes, wurden von Ernst Deutsch und – kaum wage ich's anzufügen – dank seinem großartigen Imitationstalent auch von Franz Werfel meisterhaft erzählt und teilen das Schicksal aller auf erzählerische Meisterschaft angewiesenen Geschichten: sie lassen sich schriftlich nur schwer und verlustreich wiedergeben.

Der Religionslehrer Grün, dem der Titel »Rebbe« in geringschätziger, in bübisch herabwürdigender Absicht zuteil wurde, nicht etwa aufgrund einer rabbinischen Befugnis oder gar um einer Gelehrsamkeit willen, wie sie unter Ostjuden durch die Anrede »Reb« beglaubigt wird – der Rebbe Grün unterrichtete also an einigen der deutschsprachigen Prager Gymnasien die Schüler mosaischen Glaubensbekenntnisses in »Religion und biblischer Geschichte«. Diese schon an sich wenig beneidenswerte Tätigkeit wurde ihm noch dadurch versauert, daß er einer sonderbaren Art von Gedankenflucht unterlag, die ihn dem Hohn der mosaischen Schülerschaft in weit höherem Ausmaß preisgab, als es im Unterrichtsfach Religion, in dem man bekanntlich nicht durchfallen konnte, ohnehin die Regel war. Unter andrem äußerte sich seine Gedankenflucht – womit sie bedenklich nahe an Schizophrenie herankam – durch zwei völlig verschiedenartige

Tonfälle: der eine, geruhsam und salbungsvoll, galt dem Lehrstoff, mit dem zweiten, nervös und manchmal bis zum Umkippen gereizt, setzte er sich gegen die Störungsversuche der Schüler zur Wehr.

»Und die Kinder Israels«, so hieß es im Vortrag, »zogen durch die Wüste und lagerten sich an einer Zisterne ...«

Ein Schüler, Interesse am Unterricht heuchelnd, meldet sich mit der Frage:

»Bitte, Herr Professor, was ist das, eine Zisterne?«

Grün gibt sich den Anschein, nichts gehört zu haben:

»Und als die Kinder Israels gelagert waren, erhob sich aus ihrer Mitte ...«

»Bitte, Herr Professor, wenn ich nicht weiß, was eine Zisterne ist, kann ich dem Unterricht nicht folgen«, beharrt der Wißbegierige.

Von jetzt an schwankt Grün sowohl gedanklich wie stimmlich zwischen dem Bemühen, den Vortragsfaden wiederaufzunehmen, und dem fast ebenso hoffnungslosen Versuch, den Störenfried zurechtzuweisen, ohne ihm die vorgeblich benötigte Auskunft zu verweigern:

»Also die Kinder Israels hatten sich auf ihrem Zug durch die Wüste ... er weiß nicht, was eine Zisterne ist ... hatten sich an einer Zisterne gelagert ... kommt herauf bis in die siebente Klasse und weiß es nicht ... und wie sie so gelagert waren ... wirklich eine Schande, nächstes Jahr soll er maturieren und fragt: was ist eine Zisterne? ... erhob sich unter den Kindern Israels ... aus ihrer Mitte ... mitten in der Wüste ... erhob sich ...« (in jähem Diskant auf den artig stehengebliebenen Frager losfahrend:) »Eine Zisterne ist ein Loch im Orient!!«

Es konnte jedoch geschehen, daß ihm seine Gedanken auch ohne Mithilfe seitens der Schüler durcheinander gerieten. Als klassisches Beispiel eines solchen Wirrsals darf der Beginn seines Vortrags über die Makkabäer gelten:

»Der Stammvater des Geschlechtes der Hasmonäer, aus welchem die Makkabäer hervorgingen, war Mattatias. Mattatias hatte fünf Söhne: Eleasar ... Juda, später Juda Makkabi genannt ...

Jochanan ... nein, Jochanan war der älteste, also Jochanan ... Juda ... Simon ... Jochanan ... aber der war ja schon da, ich mein' den Jonatan ...« (er geriet in immer heftigeres Schwimmen und kehrte, um Ordnung in die Reihenfolge zu bringen, an den Anfang zurück:) »Mattatias hatte fünf Söhne. Sie hießen der Reihe nach ... Jochanan ... Simon ... Juda ... eigentlich der wichtigste, weil er später Juda Makkabi genannt wurde ... Jonatan ... nein, Eleasar ...« (erneuter Anlauf, wieder vom Anfang an:) »Mattatias hatte fünf Söhne. Jochanan war der älteste, aber Juda war der wichtigste ... und dazwischen Simon ... fehlt mir noch der fünfte ... Eleasar hab ich schon ...«

Er verstummte, überschlug in Gedanken ein letztesmal die noch vorhandenen Möglichkeiten und verkündete mit endgültiger, unwidersprechlicher Entschlossenheit:

»Mattatias hatte fünf Söhne: Juda, Simon und Eleasar.«

Jahre später, als Ernst Deutsch – mittlerweile zu einem Star des Berliner Theaters avanciert – zu einem Gastspiel nach Prag kam, begegnete er auf der Straße seinem einstigen Religionslehrer, der jetzt bereits ein wohlerworbenes Recht auf Senilität besaß. Deutsch blieb stehen, zog grüßend den Hut und hatte die Genugtuung, daß der alte Rebbe Grün ihn tatsächlich erkannte:

»Ernst Deutsch, nicht wahr?«

»Jawohl, Herr Professor.«

»Wo leben Sie jetzt?«

»In Berlin.«

»In Berlin ... so, so ... Was zahlen Sie dort?«

Da er eine Antwort nicht abwartete, sondern freundlich nikkend weiterging, wird ewig ungeklärt bleiben, ob er die Wohnungsmiete gemeint hat, die allgemeinen Lebenskosten, die Kultussteuer oder was sonst.

*

Daß für die Angehörigen israelitischer Gemeinden das Zahlungsmoment eine bedeutende Rolle gespielt hat (und daß es sie dort, wo solche Gemeinden noch existieren, nach wie vor spielt), darf als bekannt vorausgesetzt werden. Es trat unter vielen Aspekten auf, von denen dem Aspekt der Wohltätigkeit stärkstes Gewicht zukam – nicht etwa, weil Wohltun Zinsen trägt (was ein zutiefst unjüdischer Gedankengang wäre), sondern weil es die Erfüllung eines göttlichen Gebots bedeutet, für die man keinen Dank zu erwarten hat; im Gegenteil muß man nach jüdischer Auffassung dem Empfänger der Wohltat dafür dankbar sein, daß man von ihm die Möglichkeit zu einer gottgefälligen Handlung geboten bekam. Dies nebenbei und vielleicht zum richtigen Verständnis eines Großteils der sogenannten »Schnorrer«-Witze (zumindest jener, die tatsächlich der jüdischen Mentalität entsprechen).

Es wurde also für alle möglichen guten oder gutgemeinten Zwecke geschnorrt, es gab, je nach Größe der betreffenden Gemeinde, zahlreiche Organisationen, die sich mit nichts andrem beschäftigten, und der Aufwand ihrer Werbetätigkeit – Briefe, Broschüren, Veranstaltungen, Lotterien – stieg mit der Höhe der jeweils einzutreibenden Summe.

So konnte es nicht fehlen, daß der »Verein zur Unterstützung bedürftiger jüdischer Hochschüler« eine Broschüre herausgab, um zur Errichtung einer „Mensa Academica Judaica« für jene Studenten aufzurufen, die sich in den vorhandenen Studenten-Ausspeisungen nicht verköstigen konnten oder wollten. Unterstützungsvereine solcher Art gab es in allen Universitätsstädten der Monarchie und ihrer Nachfolgestaaten; der hier in Rede stehende Verein befand sich zufällig in Wien, hätte sich jedoch ebensogut in Prag oder Krakau oder Czernowitz befinden können. Die genaue Ortsangabe erfolgt teils aus Gründen der historischen Akribie (die ich nach bester Möglichkeit zu wahren bestrebt bin), teils weil sie zugleich eine Quellenangabe darstellt: es ist mein Freund und Altersgenosse Walter Engel, Sohn des damaligen Präsidenten der Wiener Israelitischen Kultusgemeinde (und später Spiritus rector der »Literatur am Naschmarkt«, Wien berühmtester Kleinkunstbühne), der mir ein mit jener Broschüre zusammenhängendes Kindheitserlebnis zur Verbuchung anvertraut hat.

Die Broschüre, sorgfältig redigiert und ausgestattet, begann – wie es dem bildungsfrohen Geist jener Tage gemäß war – mit einem Zitat, und zwar mit einem Zitat in englischer Sprache: *Knowledge is power.* Nun konnte zwar Klein-Engel damals schon lesen, aber des Englischen war er unkundig. Vielleicht hatte er irgendwann gehört, daß die Armut von der Powerteh kommt, vielleicht auch nicht – jedenfalls buchstabierte er sich die englischen Worte so zurecht, wie sie geschrieben waren, sprach sie leise vor sich hin und fand ihren Inhalt vollkommen einleuchtend: ein offenbar aus dem Osten stammender Student namens Knowledge ist power, und man muß etwas für ihn tun.

Das Bestreben, auch in sprachlicher Hinsicht höher hinauszuwollen – ein im Grunde gesellschaftlicher Ehrgeiz, wurzelnd noch in den Anfängen der Emanzipation – trieb die seltsamsten Blüten und bewog beispielsweise die Zuwanderer aus den östlichen Teilen der Monarchie, gelegentlich in ein völlig unmotiviertes Hochdeutsch zu verfallen, das zumal in Verbindung mit ihrer üblichen Ausdrucksweise fast schon archaisch wirkte.

Hierher gehört der Ratschlag, den mir mein Nachbar in der sogenannten »Heißluftkammer« eines Wiener Dampfbads – die Institution der Sauna gab es damals noch nicht – ungebeten zuteil werden ließ:

»Wenn Sie herauskommen aus der Heißluft, sollten Sie immer essen eine Orandsche«, ermahnte er mich in einer ihm durchaus angemessenen Diktion und fügte mit Nachdruck hinzu: *»Das labt!«*

Vermerkenswert ist auch der zornige Ausruf, den ein Kartenspieler in einem Kaffeehaus der Leopoldstadt (des II. Wiener Gemeindebezirks, der fast ausschließlich von Juden bewohnt war), an einen lästigen Kiebitz richtete:

»Herr!« rief er. »Über Ihnen werde ich noch müssen von dem Kaffeehaus *meiden!*«

Schärferen Ohren wäre es übrigens nicht verborgen geblieben, daß er »von *den* Kaffeehaus« sagte statt »von *dem*« – eine Deklinationsverschlampung, die gründlicherer Analyse wert wäre, vor allem im Hinblick auf den Unterschied zwischen der östlichen und der böhmisch-mährischen Verwechslung des Dativs mit dem Akkusativ. Dieser Unterschied trat auch in den regionalen Mißhandlungen der Umlaute hervor; sie unterlagen etwa bei einem Tschechen vom Typus Schwejk anderen phonetischen Gesetzen als bei einem Redakteur des »Prager Tagblatts« und klangen im Wiener Vorstadtdialekt anders als im Jargon des Czernowitzers. Fritz Grünbaum, der blitzgescheite, profund gebildete Meister-Conférencier und klassenbewußte Brünner, plante einmal eine Dissertationsarbeit »Über die mährische Abneigung gegen das Dativ-M« und konstituierte den Mustersatz: »An liebsten sitz ich in Kaffeehaus.«

Aber das würde zu eben jenem sprachlichen Exkurs zurückführen, von dem wir doch – mühsam genug – zum Thema zurückgekehrt sind. Bleiben wir beim Thema.

Von mürrischen Käuzen (nebst Personal)

Der Typus des kompromißlosen Eigenbrötlers, wie er aufs eindrucksvollste vom Onkel Hahn verkörpert wurde, war in den Kreisen der hier anvisierten Bourgeoisie und im Randbezirk ihrer Bohème keine Seltenheit. Er mußte nicht unbedingt mit seiner Umwelt zerfallen sein, er konnte – solange sie sich des ohnehin aussichtslosen Versuchs enthielt, ihm ihre Konventionen aufzwingen zu wollen – ein durchaus friedfertiges Auslangen mit ihr finden und wurde dann nicht bloß toleriert, sondern gehätschelt: als willkommenes Objekt eines Mäzenatentums, das ihn insgeheim um seine eigenwillige Lebenshaltung beneidete und sich an ihm für manche selbstverschuldete Einbuße schadlos hielt. Verfügte er außerdem noch über Witz oder Wissen, über exotische Erfahrungen oder ein im Ansatz steckengebliebenes Talent, dann um so besser. Aber es genügte auch schon, wenn er mürrisch war.

Glückliche Umstände haben mir einmal sogar Einblick in das praktisch als nichtexistent geltende Liebesleben dieser Spezies gewährt, zu einer Zeit, da sich das meine auf leid- und lyrikgetränkter Pubertätsbasis abspielte. Ein akuter Fall meines Leidens begab sich eines Sommers in Alt-Aussee, zu dessen Stammgästen (auf Kosten wohlhabender Freunde) seit vielen Jahren der Dr. jur. Heinrich Frankel gehörte, laut eigener, stolzer Aussage »Wiens ältester Konzipient« und bar jeglichen Ehrgeizes, es jemals bis zur Advokatur zu bringen. Er muß damals schon beträchtlich über 50 gewesen sein, und der trostreiche Zuspruch, den er mir auf einem langen Spaziergang angedeihen ließ, atmete zu ungefähr gleichen Teilen den Duft des von ihm hochgeschätzten Enzianschnapses und die Weisheit des Alters. Um mich von der Nichtswürdigkeit des weiblichen Geschlechts im allgemeinen und der Unsinnigkeit meines Liebeskummers im besonderen zu überzeugen, entwickelte er mir seine erfahrungssatte Lebensphilosophie, die sich auf merkwürdige Weise den in seiner Jugend von Wedekind und Karl Kraus verfochtenen Thesen annäherte und ungefähr darauf hinauslief, daß »Liebe« in der bürgerlichen Welt immer und überall etwas Käufliches sei und daß man sie deshalb besser gleich in der deklariert käuflichen Form genießen solle, das wäre die sauberste Lösung, und die habe er sich schon frühzeitig zu eigen gemacht. Er möchte sie auch mir empfehlen, um mich vor künftigen Enttäuschungen zu bewahren. Denn alle Weiber, einschließlich der sogenannten anständigen, seien im Grunde Dirnen.

Ich schwieg – nicht etwa aus Zustimmung, sondern weil ich dem um gut drei Jahrzehnte Älteren nicht widersprechen wollte.

Nur einmal im Leben, so fuhr er nach einer kleinen Pause fort, sei ihm eine Ausnahme von der Regel begegnet, eine Ballbekanntschaft, die ihn hernach, von Wein und Walzerseligkeit beschwingt, in ihre Wohnung mitgenommen hatte, er sehe sie noch vor sich, wie sie im Negligé an ihrem Toilettentisch mit dem dreigeteilten Spiegel saß, um die Spangen und Haarnadeln aus ihrer hochgesteckten Frisur zu entfernen, indessen er vom Kanapee dahinter seine selig erwartungsvollen Blicke unverwandt auf sie gerichtet hielt. Und da hätte sie sich lächelnd zu ihm umgedreht und gesagt:

»Aber bilden Sie sich nichts ein, Doktor – mich kann *jeder* haben.«

Heini Frankel war am Ende seines Berichts angelangt. Versonnen blickte er ins sommerliche Ausseer Land, ehe er abschließend hinzufügte:

»Das war die einzige anständige Frau, mit der ich's in meinem ganzen Leben zu tun hatte.«

Trinkfreudigkeit und Geringschätzung der Frauen gehörten auch zu den Wesenszügen des im übrigen völlig anders gearteten Dschingo Deutscher – wie er mit seinem richtigen Vornamen geheißen hat, weiß ich nicht, ich habe ihn auch bald wieder aus den Augen verloren, behalte ihn jedoch aus zwei Gründen in verehrungsvoller Erinnerung: er war einer der ersten Leistungsschwimmer und Wasserballspieler Österreichs, hätte beinahe an der Stockholmer Olympiade von 1912 teilgenommen und zählte somit zu den Pionieren eines Sportzweigs, in dem auch ich – beträchtlich später – einige Lorbeeren eingeheimst habe (für den oder jenen versprengten Leser meines Romans »Die Mannschaft« wird das nichts Neues sein, die anderen müssen sich halt damit abfinden); und überdies, oder eben darum, war Dschingo Deutscher der Held und Urheber der wahrscheinlich verblüffendsten Zeitungsüberschrift, die jemals in einer »Gerichtssaal«-Rubrik erschienen ist. Sie lautete:

»Ich habe hier nicht gebadet – ich bin nach Hause geschwommen.«

Und das kam so:

Bald nach dem Ersten Weltkrieg begann sich an der Donau, im Gebiet Klosterneuburg, der Badeort Kritzendorf zu etablieren, der in den folgenden Jahren großen Aufschwung nahm. Zunächst jedoch bestand er nur aus ein paar Badehütten, manche nicht viel mehr als geräumige Umkleidekabinen, andere bereits mit etlichem Komfort ausgestattet und Vorläufer der nachmals so beliebten Wochenend-Bungalows. Ein mit Dschingo Deutscher befreundetes Ehepaar besaß eine solche Badehütte und hatte ihn dorthin eingeladen. Ob die Einladung in Vergessenheit geraten war, ob Dschingo sich im Tag geirrt oder sich einfach zu spät eingefunden hatte – gleichviel: als er, schon in der Abenddämmerung, die Badehütte erreichte, fand er sie versperrt, und der menschenleere Strand machte eine Suche nach den Besitzern von vornherein überflüssig. Nun verhielt es sich damals mit den Verkehrsmitteln zwischen Wien und den Vororten äußerst dürftig, Autobusse gab es noch nicht, Privatautos und Taxis hatten Seltenheitswert, und der zur Bahnstation zurückgekehrte Dschingo mußte feststellen, daß der letzte Vorortezug nach Wien bereits abgegangen war. Nochmals suchte er die Badehütte auf, in der irrationalen Hoffnung, daß seine Gastgeber mittlerweile dort aufgetaucht wären oder daß sie geschlafen hätten und ihn jetzt einlassen würden. Natürlich war nichts dergleichen der Fall, und Dschingo stand außer vor der beharrlich verschlossenen Badehütte auch vor der Frage, wie er jetzt von Kritzendorf nach Wien kommen sollte. Wenn er nicht auf der Roßauerlände, einer Uferzeile des Donaukanals, gewohnt hätte, wäre ihm wohl nichts andres übriggeblieben als ein stundenlanger, beschwerlicher Rückweg zu Fuß. So aber besann er sich seiner Schwimmer-Vergangenheit, entledigte sich, vom Dunkel der anbrechenden Nacht geschützt, seiner Kleidung, formte sie zum Bündel, das er durch eine offene Oberluke in die Badehütte praktizierte, und warf seinen immer noch mächtigen, wenn auch leicht verfetteten Körper in die Fluten der Donau. Am Nußdorfer Wehr stieg er in den Donaukanal um, und kurz vor Mitternacht sah der an der Brigittabrücke diensthabende Wachebeamte eine nackte, triefend nasse Männergestalt ans Ufer klimmen. Er schritt pflichtgemäß ein und tat das mit einer Frage, die bei sogenannten »Perlustrierungen«, d. h. bei der Anhaltung verdächtiger Personen, üblich ist. Er fragte – und Dschingo Deutscher vergaß an diesem Punk seines Berichts niemals die Feststellung, daß das für ihn schon die eigentliche Pointe der Geschichte sei –: »Haben Sie Papiere bei sich?«

Die Antwort erfolgte unter abfälligen Bemerkungen über den mangelnden Intelligenzgehalt der Frage, und da der Angehaltene, wie es später im Protokoll hieß, auch sonst »ein renitentes Verhalten an den Tag legte und durch unglaubwürdige Angaben die Amtshandlung ins Lächerliche zog«, wurde er an Ort und Stelle verhaftet und nach Bedeckung seiner Blößen durch den Polizeimantel auf die nächste Wachstube gebracht. Dort erwies sich die unglaubwürdige Angabe, daß er in einem nahe der Brigittabrücke gelegenen Mietshaus wohne, als zutreffend, und mangels irgendwelcher Zeugen in der nächtlich ausgestorbenen Gegend konnte ihm weder eine Erregung öffentlichen Ärgernisses noch ein Vergehen gegen das öffentliche Sittlichkeitsgefühl zur Last gelegt werden. Anderseits konnte und wollte man ihn auch nicht ungeschoren davonkommen lassen. Infolgedessen beschuldigte man ihn wenigstens des »Badens an verbotener Stelle«, und gegen diese Anschuldigung verantwortete sich Dschingo Deutscher mit dem eingangs als Zeitungsüberschrift zitierten Argument, das jetzt schon nicht mehr so verblüffend wirkt. Er hatte tatsächlich nicht gebadet. Er war tatsächlich nach Hause geschwommen.

*

Die leider flüchtig gebliebene Bekanntschaft mit Dschingo Deutscher wurde mir durch unsern gemeinsamen Freund Ernst Stern vermittelt, zu dem ich während meiner Jugendzeit in denkbar intensivstem Kontakt stand und der meine Entwicklung nicht unerheblich beeinflußt hat (er war um einige Jahre älter als ich). Ob er eigentlich in die Reihe der hier zu schildernden Sonderlinge gehört, weiß ich nicht; ich wüßte allerdings auch keine andre »Reihe«, in die er gehören würde – womit schon angedeutet ist, daß er eine ganz und gar einmalige Persönlichkeit war, ein Mischprodukt aus Intelligenz, Begabung und moral insanity, geistreich bis zum Zynismus und insgesamt eine so vielfältig schillernde Erscheinung, wie sie schon damals nur an der Außenseite einer morbiden Gesellschaft gedeihen konnte und wie sie heute kaum noch vorstellbar oder glaubhaft zu machen ist. Er stammte aus gutbürgerlicher Familie, bewegte sich mit einer Anmut, die zu seiner hünenhaften Gestalt in merkwürdigem Kontrast stand, legte größten Wert auf gute Manieren und befliß sich, schon um seine Sprachkenntnisse zu demonstrieren, einer von Fremdwörtern durchsetzten Ausdrucksweise, für deren witzige Verschraubtheit nur das Englische eine zutreffende Bezeichnung hat: sophisticated. Als ich ihn kennenlernte, war er – und das ist ein weiterer Grund, warum ich ihm in Anschluß an Dschingo Deutscher meinen Tribut zolle – ein erfolgreicher Schwimmer, gehörte ebenso wie ich dem jüdischen Sportklub »Hakoah« an, der in beinahe allen Sportzweigen österreichische Meister stellte, wechselte dann zum Ringkampf über, den er später, zumal in Zeiten der Geldnot, auch professionell betrieb (einen wirklichen Beruf hat er niemals ausgeübt), holte sich einen andern, recht dubiosen Teil seiner Einkünfte vom Kartenspiel – und arbeitete insgeheim an einer erkenntnistheoretischen Schrift, die gegen Bertrand Russell und die Logistiker des »Wiener Kreises« um Schlick und Carnap gerichtet war (ihren Stammtisch im Café Herrenhof nannte er

»Zum weisen Russell«). Kenner der Materie, denen er Einblick in seine Arbeit gewährte, zeigten sich höchst beeindruckt und prophezeiten ihm eine große Zukunft.

Mir hat er solchen Einblick natürlich nicht gewährt, dafür war ich ihm zu dumm und ungebildet. Der Philosoph in ihm offenbarte sich mir höchstens dadurch, daß er mich manchmal, wenn mein Liebeskummer ihm gar zu sehr auf die Nerven fiel, einem Spezialgriff unterzog, der im Fachjargon als »einfacher Nelson« und unter jugendlichen Raufbolden als »Schwitzkasten« bekannt ist: mit dem linken Arm umklammerte er mein Genick und drückte mir den Kopf nieder, mit der rechten Hand hielt er mir Schopenhauers »Über die Weiber« vors Gesicht und zwang mich, einige Absätze laut vorzulesen.

Diese Spannweite seines Wesens, diese Polarisation von brutaler Körperlichkeit und hochgestochenem Intellekt kam zu besonders fröhlicher Geltung, als im Zirkus Renz wieder einmal ein Turnier der Berufsringer stattfand und als Ernst Stern, geschmückt mit dem Beinamen »der jüdische Herkules«, in einem der wenigen nicht geschobenen Kämpfe den gefürchteten deutschen Meister Kornatz besiegte, noch dazu im allerletzten Moment, denn jener war schon drauf und dran, ihm die »Brücke« – eine riskante Verteidigungsposition – »einzudrücken« und fand sich plötzlich durch eine ebenso riskante »Roulade« Sterns auf beide Schultern gelegt. Das Turnier hatte seine Sensation, und Stern wurde hernach in der Kabine von einem Rudel aufgeregter Journalisten umdrängt und befragt. Was er sich denn in diesen letzten entscheidenden Sekunden gedacht habe, wollte einer wissen. Stern gab bereitwillig Auskunft (deren Ironie dem Frager verborgen blieb):

»Es war wirklich sehr unangenehm«, sagte er. »Von oben preßte mir dieser Kornatz die Luft ab, von unten spürte ich die Matte immer näher kommen. Und da hab ich mir gedacht: ein Jud' gehört ins Kaffeehaus.«

Dort – und zwar im Café Herrenhof, dem Mittelpunkt des Wiener Literatur- und Geisteslebens – verbrachte Ernst Stern tatsächlich den größten Teil seiner Zeit, entweder in gewinnbringende Pokerpartien oder in platonische Debatten verstrickt, zwischendurch wohl auch im benachbarten Café Central gastierend, wo er, der nebstbei ein hervorragender Schachspieler war, den im berühmten »Schachzimmer« seßhaften Großmeistern einen willkommenen Übungspartner abgab. Schamvoll erinnere ich mich eines Nachmittags, an dem er mich und einen gemeinsamen Freund ins Café Central beordert hatte, und da er sich beträchtlich verspätete, vertrieben wir uns die Wartezeit mit einer Schachpartie. Das sollte uns zwei Dilettanten übel bekommen. Der müßig herumsitzende Großmeister Tarrasch schrieb die Partie meuchlings mit, und als Stern eintraf, wurde sie von ihm und Tarrasch zum Gaudium der übrigen Matadore nicht bloß nachgespielt, sondern im Stil der Fachzeitschriften auch kommentiert: »Offenbar handelt es sich hier um eine Variante der erstmals 1913 in Göteborg verwendeten Réti-Zuckertort-Eröffnung«, hieß es etwa beim vierten Zug, mit dem ich praktisch bereits in eine Mattstellung geraten war, und da mein Partner nichts dergleichen tat, wurde mit todernster Sachlichkeit vermerkt, daß Capablanca in seinem Weltmeisterschaftskampf gegen Lasker auf einen ähnlichen Zug durch Aufreißen des Königsflügels reagiert hätte . . . Es ist, wie gesagt, eine schamvolle Erinnerung.

Übrigens legte Ernst Stern im Schachzimmer des Café Central – und soviel ich weiß: nur dort – eine Bescheidenheit an den Tag, die ihm sonst gänzlich abging und die er in Diskussionen, wenn deren Niveau ihm mißbehagte, durch unverhohlene Arroganz ersetzte. »Unterlassen Sie Ihre tölpelhaften Einwände«, wandte er sich mit schläfriger Stimme und gelangweilter Miene an einen ihm unerwünschten Gesprächsteilnehmer. »Ich ästimiere das nicht.« Und wenn der andre fortfuhr, folgte alsbald eine zweite, energischere Ermahnung: »Sie sind mir lästig, mein Herr. Entfernen Sie sich ungesäumt, sonst müßte ich Sie mit Brachialgewalt des Tisches verweisen.« Was manchmal in der Tat geschah, zum hilflos glotzenden Erstaunen des Betroffenen, der die Warnung – schon ihrer vermeintlich spaßhaften Formulierung wegen – nicht ernst genommen hatte.

Was nun diese Formulierungsmanier betraf (mit der Stern –

siehe das Kapitel Dr. Sperber – nicht ganz vereinzelt dastand), so habe ich mich oft gefragt, wie sie denn etwa auf einen Uneingeweihten gewirkt haben mochte, auf einen zufälligen Zeugen solcher Verbal-Akrobatik und solcher Szenen – denn sie ergaben sich immer wieder. Einer ihrer Schauplätze war das »kleine« Café de l'Europe, zum Unterschied von seinem pompösen Vorgänger und Nachfolger nicht am Stephansplatz selbst, sondern in der angrenzenden Jasomirgottstraße gelegen und von uns als spätnächtliches Stammcafé frequentiert, im Anschluß an die um Mitternacht erfolgende Sperrstunde des Café Herrenhof. Das bis vier Uhr früh geöffnete »de l'Europe« – auf das ich in andrem Zusammenhang noch zurückkomme – gehörte drei Brüdern namens Blum, von denen man den einen überhaupt nicht und den zweiten nur fallweise zu sehen bekam. Der dritte, Jozsi, fungierte als eigentlicher Geschäftsführer, war rührend um unser Wohl besorgt und noch zu früher Morgenstunde bereit, uns jeden kulinarischen Wunsch zu erfüllen, indessen die Obsorge seines jüngeren Bruders, der ihn gelegentlich vertrat und kurzweg »der falsche Blum« hieß, sich auf das Angebot von Eiernockerln beschränkte, zu etwas andrem reichte entweder seine Phantasie oder seine Beziehung zur Köchin nicht aus. Als er uns eines Nachts wieder seine höchst mangelhafte Betreuung angedeihen ließ und auf unsre in Abständen wiederholte Frage, was es denn heute zu essen gebe, mit unbekümmerter Beharrlichkeit die schon mehrmals zurückgewiesenen Eiernokkerln offerierte, erhob sich Ernst Stern zu seiner ganzen Kolossalgröße und richtete die folgende Warnung an ihn:

»Blum! Die Zahl der von mir angebrunzten Kaffeesieder ist Legion. Noch *ein* Mal das Wort ›Eiernockerln‹ ausgesprochen – und ich habe sie um einen vermehrt!«

Nach beendeter Ansprache setzte sich Stern wieder hin, Blum schlich geduckt in die Küche, um Wiener Schnitzel mit Erdäpfelsalat in Auftrag zu geben, und der Gesichtsausdruck der Umsitzenden verriet deutliche Zweifel, ob sie denn auch richtig gehört hätten oder ob sie nicht vielleicht träumten.

Diese Möglichkeit mußten sie wohl auch in Betracht ziehen, als sich eines Nachmittags – Stern und ich hatten einander zu dieser ungewohnten Stunde zufällig am Stephansplatz getroffen – folgendes zutrug:

In der Tür des Café de l'Europe erschien ein männlicher Koloß, wurde vom Besitzer mit einem zärtlichen »Servus, Ernstl!« begrüßt, schritt jedoch ohne Gegengruß an ihm vorbei und auf den Bäckereikellner zu, der das Tablett mit den diversen Torten, Kuchen und Mehlspeisen gerade vor sich her trug. Der Koloß ergriff einen Apfelstrudel, verschlang ihn stehend (was der Kellner ohne das geringste Anzeichen von Verwunderung geschehen ließ), zog aus seiner Brusttasche ein Papier hervor, entfaltete es wie zur Verlesung einer Rede, erklärte mit weithin schallender Stimme: »Ich degradiere das Café de l'Europe hiermit zur Steh-Mehlspeishalle – gezahlt wird *nicht!*« und verließ das Lokal, des Besitzers nicht achtend, der ihm abermals »Servus, Ernstl!« zurief.

Ich gäb' was drum, wenn ich nur wüßt', was sich die Gäste des Café de l'Europe bei dieser Szene gedacht haben. Aber meine Neugier wird, anders als die des Gretchen im Faust I, ewig ungestillt bleiben.

Zu vermerken wäre noch eine Episode aus der Nacht zum 1. Mai 1933, an dem in Wien nicht nur die Sozialdemokraten ihren traditionellen Mai-Umzug veranstalteten, sondern – zum erstenmal – auch die Nationalsozialisten eine entsprechende Erlaubnis bekommen hatten. Es war ohnehin eine unheilschwangere Zeit, der kurz zuvor in Deutschland erfolgte Machtantritt Hitlers bewirkte in Österreich wachsende politische Spannungen, die Polizei hatte für den 1. Mai höchste Alarmbereitschaft, an der Oper und anderen wichtigen Straßenkreuzungen waren spanische Reiter errichtet worden, und die zu erwartenden Unruhen ließen schon in der Nacht deutliche Vorzeichen erkennen.

Zu unsrer Runde im Café de l'Europe gehörte damals auch ein junger sozialdemokratischer Funktionär, dessen wichtigtuerisches Gehaben uns arg zu schaffen machte und der unser aller Sympathien für seine Partei auf harte Proben stellte (da er heute noch lebt, bleibe sein Name ungenannt). In jener Nacht unternahm er immer wieder nervöse Inspektionstouren, gab sich den Anschein, mit vertraulichen Gängen zur Parteizentrale beauftragt zu sein und hüllte sich bei seiner Rückkehr jedesmal in bedeutungsvolles Schweigen, das jedoch – zu seiner schlecht verhohlenen Enttäuschung – allseits ignoriert wurde.

Beim dritten oder vierten Mal tat ihm Ernst Stern den Gefallen und wandte sich fragend an ihn, in einem Tonfall, mit dem man Schwachsinnige oder introvertierte Kinder zu Äußerungen ermuntert:

»Na, mein Lieber – was wird denn morgen passieren?«

Der endlich Interpellierte hob langsam die von der Last seiner Geheiminformationen niedergedrückten Schultern:

»Tja – bin ich ein Prophet?«

»Im Gegenteil«, sagte Stern. »Sie sind ein Sozialdemokrat.«

Das eigentlich Reizvolle an dieser Replik ist weniger ihr naheliegender Witz als vielmehr die Schlüssigkeit, die ihr innewohnt, als der scharfe Blick für die sich anbietende Antithese. Eine letzte Anekdote mag veranschaulichen, was ich meine.

Wenn ihm ein Tischgespräch langweilig wurde oder in Nichtigkeiten zu verplätschern begann, hatte Ernst Stern nicht die geringsten Hemmungen – und nicht die geringste Schwierigkeit –, am Tisch einzuschlafen. Von Zeit zu Zeit wachte er auf und gab eine bissige Bemerkung von sich, dann fielen ihm die immer ein wenig geschlitzten, von sanftem Fett unterpolsterten Äuglein wieder zu, und er schlief friedlich weiter, oft eine halbe Stunde lang und vielleicht im Besitz eines im Schlaf wirksamen Gespürs dafür, ob und wann ein Aufwachen sich lohnte.

Eines Nachts im Café de l'Europe schien das ganz und gar nicht der Fall zu sein. Die Diskussion hatte sich längst in bedeutungsloses Geplauder und vereinzelte Dialoge aufgelöst, und mein Gesprächspartner erzählte mir ohne besonderen Anlaß von seinem am Nachmittag erfolgten Besuch bei einem Universitätsprofessor, draußen in Penzing, in der Hadikgasse, also weit jenseits des Stadtgebiets, in dem wir uns normalerweise bewegten. Nun hatte auch ich – und dieses Zusammentreffen erschien mir immerhin merkwürdig – ein paar Tage zuvor jemanden in der Hadikgasse besucht, konnte mich aber nicht besinnen, wer das war. Ich wollte es unbedingt herausbekommen, dachte angestrengt nach und begleitete diese unerhebliche Tätigkeit mit den Worten:

»Hadikgasse ... Hadikgasse ... dort wohnt doch *noch* jemand ...«

Möglicherweise hatte ich zu laut gesprochen und den neben mir schlafenden Ernst Stern aufgestört – jedenfalls hob er den Kopf, sah mich vorwurfsvoll an und sagte:

»Natürlich wohnt dort *noch* jemand. Sonst wäre es ja keine Gasse, sondern ein Leuchtturm.«

Wenn ich ein Musterbeispiel für das präzise Funktionieren eines Denkapparates anzuführen hätte, würde ich diesen Satz anführen. Er steht für ungefähr alles, was mich an meinem Freund Ernst Stern fasziniert hat und weshalb ich ihn so schmerzlich vermisse (ein Nazi-Mordkommando brachte ihn ums Leben). Daß er nicht unbedingt in die Reihe der hier zu schildernden Sonderlinge gehört, habe ich vorausgeschickt. Aber er gehört unbedingt in dieses Buch.

*

Als eindeutiger Sonderling ist Herr Buchsbaum zu verzeichnen, ein Freund unsrer Familie und ebenso wie der Onkel Hahn der klassische Typ des alten Junggesellen. Er teilte sein Dasein mit einer ebenso alten böhmischen Wirtschafterin namens Karolin' (auf der ersten Silbe betont) und mit einem Dackel namens Waldi, hauptsächlich mit dem Dackel, auf den infolgedessen – schon um sich für die Vernachlässigung durch Herrn Buchsbaum zu rächen – auch Karolin' ein Übermaß von Gefühlen konzentrierte, ohne daß die gemeinsame Liebe zu Waldi eine Linderung der Feindschaft zwischen ihr und Herrn Buchsbaum bewirkt hätte, geschweige denn eine Annäherung. Im Gegenteil führte diese Konstellation zu einem Verkehrsritual, das an festgefrorener Feindseligkeit nichts zu wünschen übrig ließ. Ich habe der stereotypen Abwicklung dieses Rituals mehrmals beigewohnt, wenn ich Herrn Buchsbaum auf einem seiner Spaziergänge mit Waldi traf und nach Hause begleitete.

Die Feindseligkeiten wurden dadurch eingeleitet, daß Herr

Buchsbaum von seinem Wohnungsschlüssel keinen Gebrauch machte. Er läutete. Offenbar wollte er die mit reichlichen Krampfadern versehenen Karolin' zu einem Fußmarsch aus der Küche durch das langgestreckte Vorzimmer nötigen. Karolin' öffnete, und gleich in der Türe erfolgte die stürmische Begrüßung zwischen ihr und Waldi. Der Dackel sprang an Karolin' empor, Karolin' liebkoste den Dackel und ließ eine wahre Sturzflut von Koseworten auf ihn niedergehen, wobei der Überschwang der Zärtlichkeiten sogar ihren scharfen tschechischen Akzent ein wenig milderte. Von Herrn Buchsbaum nahm sie demonstrativ keine Notiz. Für sie existierte nur Waldi:

»No da bist du ja Waldili no wie ich mich frei daß du wieder da bist gelt du freist dich auch hast scheen Gasse gemacht und jetzt bist wieder bei deiner Karolin' und wir freien sich beide nicht wahr braves Hundi gutes Hundi no ja schon gut Waldili schon gut . . .«

So sprudelte es ohne Unterbrechung minutenlang, während Herr Buchsbaum stumm und von Karolin' hartnäckig ignoriert daneben stand. Reglos wartete er das Versiegen des Redeschwalls ab, dann wandte er sich mit einem unnachahmlich galligen Lächeln an Karolin':

»Und *mich* können Sie im Arsch lecken«, sagte er.

Er sagte es regelmäßig, er sagte es seit Jahren jedesmal, und mit der gleichen Regelmäßigkeit sorgte Karolin' dafür, daß er es sagen konnte. Beide dachten sich kaum noch etwa dabei, beide schienen nur noch einer zur Formalität entarteten Gewohnheit zu folgen, deren Sinn und Ursprung ihnen längst entfallen war. Auf solche oder ähnliche Weise, denk ich mir, muß das spanische Hofzeremoniell entstanden sein.

*

Obwohl den vorangegangenen Abschnitten ein deutlicher Mangel an konsequentem Aufbau eignet, haben sie mir immer noch eine Menge von Anhaltspunkten erübrigt, die dringend nach Ergänzungen verlangen. In dieser steten Nötigung und Lockung zum Apropos wurzelt ja die kaum zu bewältigende, der Nachsicht des

Lesers bereits empfohlene Schwäche einer Berichterstattung, wie ich sie hier versuche: sie gerät immer wieder an Erscheinungen, an Typen, an Situationen und Atmosphären, zu denen aus meiner Erinnerung sofort und zwangsläufig etwas organisch Dazugehöriges auftaucht und vermerkt sein will. Es ist in der Tat ein organischer Defekt, der sich einer straffen Struktur dieser Aufzeichnungen entgegenstellt und dem sich am ehesten durch Fußnoten beikommen ließe – bestünde dann nicht wieder die Gefahr eines andern Defekts, der schon manch ein wissenschaftliches Werk unlesbar gemacht hat: daß nämlich die Fußnoten sich am Ende zu größerem Umfang auswachsen als der eigentliche Text.

Nun, dies hier ist kein wissenschaftliches Werk, sondern ein im Grunde erzählerisches. Und darum mag ihm erlaubt sein, die Fußnoten gewissermaßen in den Text zu verarbeiten, dem sie organisch zugehören. Vielleicht erweist sich sogar, daß es seinem Vorsatz, Erzähltes und Gesprochenes wiederzugeben, gerade durch diese ein wenig diffuse Art der Wiedergabe gerecht wird und daß hinter der scheinbaren Unordnung eine wenn schon nicht organische, so doch natürliche Ordnung waltet: die des Erzählens.

Zum Beispiel gehört zu Herrn Buchsbaums unversöhnlicher Wirtschafterin die Köchin Fanny, gleichfalls aus Böhmen stammend (wie seinerzeit der überwiegende Großteil österreichischen Hauspersonals) und viele Jahre lang in der Familie meines Freundes Hans Zeisel ein nicht wegzudenkendes Faktotum. Fannys Starrsinn war von wesentlich gutmütigerer Art als der ihrer Kollegin Karolin'. Er äußerte sich hauptsächlich darin, daß sie unter allen Umständen das letzte Wort behalten mußte.

Als ich einmal von einem längeren Spaziergang mit Freund Hans zu ihm nach Hause kam, antwortete Fanny auf die übliche Frage, ob in der Zwischenzeit etwas los gewesen sei:

»Die Freilein Bademacher hat ang'rufen und laßt ausrichten, daß sie morgen nicht kommen kann.«

»Danke schön, Fanny«, sagte Hans. »Es ist mir sehr wichtig, das zu erfahren. Die Dame heißt übrigens Rademacher.«

Fanny zuckte die Achseln:

»*Mir* hat's g'sagt Bademacher.«

Von allen jemals behaltenen letzten Worten dürfte dieses das behaltenste sein.

Ich würde es mir nie verzeihen, wenn ich jetzt nicht jener alten Kammerfrau der Fürstin Sch. gedächte, Anna geheißen und Andulka gerufen, von der noch heute unter den Enkeln der Fürstin die schönsten Geschichten umlaufen; einige davon liefen bis zu mir, und wenigstens eine möchte ich wiedergeben.

Natürlich stammte auch Andulka – wie das Fürstenhaus selbst – aus Böhmen, natürlich war auch sie in jahrzehntelangem Dienst zu einem Mitglied des Hausstandes geworden, und daß man eines Tages auf sie würde verzichten müssen, lag außerhalb des Vorstellbaren. Doch nahte dieser Tag unweigerlich heran, die alte Andulka wurde krank, und es war die Krankheit zum Tode. Die nicht viel jüngere Fürstin kam täglich zu ihr, saß an ihrem Bett, umsorgte sie, tröstete sie. Hauptgegenstand des Trostes waren Andulkas trübe, an Selbstvorwürfe grenzende Überlegungen, was denn die alte Fürstin ohne sie anfangen würde:

»Jetzt muß ich Durchlaucht bald verlassen . . . wo doch Durchlaucht so an mich gewöhnt sind . . . und jetzt bleiben ganz allein zurück . . . gnädigste Durchlaucht Gemahl sind tot, Gott hab ihn selig . . . und Kinder sind anderswo . . . wie soll das werden, wie soll das werden . . .«

Kein Zuspruch half und keine Versicherung, daß es mit dem Alleinsein nicht gar so schlimm bestellt wäre, daß nicht nur Kinder und Enkel, sondern auch Freunde und lang erprobte Hausleute bereit stünden – die alte Kammerfrau schüttelte nur immer wieder den Kopf. Sie konnte sich nicht damit abfinden, daß es für sie nicht mehr zu tun gäbe oder daß es jemand andrer an ihrer Stelle täte.

Plötzlich – ganz kurz bevor sie diese Welt verließ – ging ein Leuchten über ihr Gesicht:

»Aber vielleicht kann ich Durchlaucht bei Auferstehung behilflich sein«, flüsterte sie.

Es ist eine schöne, eine redlich rührende Geschichte. Und das

Schönste daran: daß sie beide, Fürstin und Kammerfrau, von ganzem Herzen an diese Möglichkeit glaubten.

Noch rasch ein Nachtrag zum Thema Auferstehung:

Das zehnjährige Töchterchen eines mir befreundeten Ehepaars hatte über dieses Thema eine Schularbeit zu schreiben und entwarf mit der betörenden Gegenständlichkeit ihrer kindlichen Phantasie ein Bild des Jüngsten Gerichts, Gott der Herr auf seinem Wolkenthron, vor ihm die Scharen der Auferstandenen, hinter ihm die von Engeln bewachte Himmelspforte ... und dann kam eine Wendung, in der ein vermutlich vom Religionsunterricht übernommenes Bibelpathos mit einer unverkennbar vom Familientisch übernommenen Phraseologie zu einer seltsamen Personalunion zwischen Papa und Gottvater führte:

»Zu denen, die zu seiner Rechten standen, sprach Gott der Herr: Tretet ein, ihr meine Gesalbten! Zu denen aber, die zu seiner Linken standen, sagte er: Gehet weg, denn ihr machet mich alle nervös!«

Kulinarisches Zwischenspiel

Vom Hauspersonal ist es nicht weit zur Hausfrau und von der Köchin nicht weit zur Wichtigkeit der Kochkunst, die in den arrivierten Bürgerhäusern – wie schon anhand der Tante Jolesch dargetan – eine überragende Rolle gespielt hat, sowohl innerhalb der Familie wie nach außen hin. Es gab Hausfrauen, deren Lebensehrgeiz sich ausschließlich auf die Gastlichkeit ihres Hauses und auf die Qualität ihrer Küche richtete. Mit erstklassigen Lieferanten und einer erstklassigen Köchin war's da bei weitem nicht getan, es mußte noch ein hohes Maß von persönlichem Einsatz und Verantwortungsgefühl hinzukommen. Hausfrauen dieser Art gingen gemeinsam mit der Köchin (der sie an Schulung und Können nichts nachgaben) auf den Markt, wählten und prüften die einzukaufenden Materialien mit größter Sachkenntnis, standen stundenlang am Herd, um die Zubereitung des Gastmahls nicht etwa bloß zu überwachen, sondern tatkräftig mitzugestalten. Jeder Gang, der dann auf den Tisch kam, war ein kulinarisches Meisterwerk, jeder Gast, der am Tische saß, wußte sich in der Obhut der wachsamen Hausfrau, die ihre Blicke unauffällig umherschweifen ließ, ob denn auch alles in Ordnung wäre, nichts blieb ihr verborgen, schon erging an das bereitstehende Serviermädchen der stumme Wink, ein Weinglas nachzufüllen, schon hatte sie am unteren Ende der Tafel den Unglücklichen erspäht, der vom Hinterteil der gebratenen Gans ein schwer zu behandelndes Stück erwischt hatte, schon kam mit freundlichem Lächeln ihr rettendes Aviso: »Herr Popper, ich sehe, Sie plagen sich ... Minna!« und schon servierte Minna einen saftigen, fleischigen Bügel. Wahrlich, man durfte zufrieden sein, die Gäste mit der Hausfrau und die Hausfrau mit sich.

Eine der idealen Repräsentantinnen dieses Hausfrauentypus lebte in Prag und hieß Frau Löwenthal. Da in Prag zwischen

»gut geführtem Haus« und guter Position in der gesellschaftlichen Hierarchie die denkbar stärkste Wechselwirkung bestand, rechnete man sich's (vom Genuß ganz abgesehen) zur Ehre an, im Hause Löwenthal eingeladen zu sein und machte sich eine dementsprechende Ehre daraus, die Löwenthals ihrerseits einzuladen. Bisweilen, zumal während der Hochsaison, wechselten Einladungen und Gegeneinladungen einander fast täglich ab, so daß Frau Löwenthal alle Mühe hatte, sowohl ihren Verpflichtungen als Gast wie ihren Pflichten als Gastgeberin gewachsen zu bleiben.

Und so geschah es denn, daß sie eines Tags – noch unterm Druck der vorangegangenen Strapazen und in Gedanken schon bei den bevorstehenden – am gastlich gedeckten Tische Platz nahm, ein wenig geistesabwesend in der aufgetragenen Vorspeise zu stochern begann (es handelte sich, meinem Gewährsmann zufolge, um gratinierten Karfiol mit Sauce hollandaise) und den ersten Bissen zum Mund führte.

Im selben Augenblick wich ihre Geistesabwesenheit jähem Entsetzen. Sie erbleichte, sie errötete, sie schob mit schamhaft gesenktem Kopf den Teller von sich und sagte in die von ihrem auffälligen Verhalten hervorgerufene Stille:

»Meine Herrschaften, ich muß Sie um Entschuldigung bitten. *Was* da passiert ist, kann ich mir nicht erklären – wahrscheinlich waren die letzten Tage zuviel für mich –, aber wie immer dem sei: *essen* kann man das *nicht.* Ich bitte um Entschuldigung.«

Und blickte auf und sah, daß sie in einem andern Hause eingeladen war.

Der Bericht verschweigt, ob es ihr geglückt ist, ihre Bitte um Entschuldigung derart umzufunktionieren, daß sie von den Gastgebern akzeptiert wurde.

Einen andern, häufigeren Hausfrauentyp, auf minder noblem Niveau geplagt, aber darum nicht minder zu respektieren, verkörperte die Mutter von Frau Elsa Brod geb. Taussig, der Gattin meines verehrten väterlichen Freundes Max Brod. Für die Geplagtheit der Mutter Taussig sorgten außer dem Töchterchen Elsa nicht weniger als sechs Söhne, die der früh verstorbene Vater Taussig in jeweils einjährigen Intervallen gezeugt hatte und die – laut schwesterlicher Aussage – durchwegs von wilder, ungebärdiger Wesensart waren. An Sonn- und Feiertagen versammelten sie sich einträchtig um den mütterlichen Herd, wobei die Eintracht auch in der Art zutage trat, wie sie ihr Mißfallen an den Produkten dieses Herdes kundgaben. Eine solche Kundgebung hat mir Frau Elsa in erinnerungssatter Stunde geschildert.

Es saßen also die sechs ungeschlachten Brüder reihum am Mittagstisch, und es brachte die Mutter Taussig aus der Küche die dampfende Suppenterrine, daraus sie mit dem großen silbernen Schöpflöffel die Portionen verteilte. Und es rochen die Brüder Taussig an den gefüllten Tellern, die vor ihnen standen. Dann nahmen sie laut schlürfend eine Kostprobe. Und dann erhoben sie sich der Reihe nach, schütteten den Inhalt ihrer Teller wortlos in die Terrine und setzten sich wieder auf ihre Plätze.

Am Kopfende des Tisches aber saß die Mutter Taussig, nickte bei jedem Teller resigniert vor sich hin und quittierte das ergangene Urteil mit dem melancholischen Seufzer:

»Wieder zurück . . .«

Sie soll, behauptet Tochter Elsa, in ihrer Gottergebenheit einem weiblichen Hiob geglichen haben.

Einer der sechs Brüder hatte sich – noch zu des Vaters Lebzeiten – von einem Aufenthalt in Paris allerlei Modetorheiten mitgebracht, darunter Schuhe aus Schlangenleder (von Vater Taussig mit der Bemerkung mißbilligt: »Schuh hast du an wie ein Tier!«) und eine Vorliebe für Artischocken, was nun vollends als mondäne Verstiegenheit gewertet wurde. Da jedoch die Brüder Taussig gewohnt waren, ihre Wünsche durchzusetzen, scheute die leidgewohnte Mutter nicht Mühe noch Kosten, das für Prager Verhältnisse tatsächlich ein wenig exotische Gemüse herbeizuschaffen und es dem anspruchsvollen Sohn zum allsonntäglichen Mittagmahl zu servieren. Daran gewöhnte sich allmählich auch das skeptische Familienoberhaupt, ohne indessen seine abweisende Haltung zu ändern. Wie tief sie in ihm verwurzelt war, erwies sich, als man sich eines Sonntags um den Tisch versammelte und die Artischocke noch nicht auf dem üblichen Platz stand:

»Mutter!« rief da der Vater Taussig in die Küche. »Wo ist das Gestrüpp für den Buben?«

*

Über den Komiker Armin Berg darf ich im hier gegebenen Rahmen leider nichts Eigentliches berichten, obwohl ich vieles und hinreißend Komisches über ihn zu berichten wüßte. Er stammte, gleich etlichen anderen Sternen des Wiener Theater- und Cabarethimmels, aus Brünn (»aus *bei* Brünn«, wie sein Kollege Fritz Grünbaum in echtbürtiger Brünner Arroganz zu beharren liebte), und er genoß allüberall, wo im einstmals habsburgischen Bereich die von ihm gepflegte Abart der deutschen Sprache verstanden wurde, höchste Popularität. Vielleicht wird mir noch eine spätere Gelegenheit vergönnt sein, ihn und seine Artverwandten gebührlich zu würdigen; hier komme ich nur am Rande, an *seinem* Rande, auf ihn zu sprechen, nur aus dem unentrinnbaren Zwang des Apropos. In kulinarischer Hinsicht nämlich (er war mit einer Französin verheiratet) kam dem Hause Berg, das in der sozialen Hierarchie wohl näher zu Taussig als zu Löwenthal lag, allererster Rang zu – freilich nur an einem einzigen Tag im Jahr und freilich mit auswärtiger Unterstützung. Das will erläutert sein.

Was den Tag betrifft, so war es der 24. Dezember, genauer: der Abend dieses Tages, der Weihnachtsabend, an dem Theater und Vergnügungsstätten jeder Art geschlossen blieben und den die Angehörigen der Gauklerzunft, weil es ihr einziger freier Abend war, zugleich als vorweggenommenen Silvester feierten. In der wirklichen Silvesternacht gab es für sie nichts zu feiern; da mußten sie, die meisten sogar an mehreren Stellen, auftreten. Und so hatte sich allmählich die Tradition entwickelt, daß der Heilige Abend, ohne dadurch geradewegs entheiligt zu werden, vor allem als einmaliger Anlaß zu sonst kaum durchführbaren Zusammenkünften und Gastereien wahrgenommen wurde.

Der üppigsten eine, wo nicht die üppigste, fand alljährlich im

Hause Berg statt, und zwar unter kolossalem Andrang, nicht nur weil Armin Berg sich auch unter seinen Kollegen ungewöhnlicher Sympathie erfreute, sondern eben jener Unterstützung wegen, die er von auswärts angefordert hatte: eigens für diesen Abend kamen aus Brünn seine Schwestern herbeigeeilt, drei an der Zahl, von kleinem, stämmigem Wuchs und weithin berühmt für ihre Kochkunst, die sie einem gemeinsam geführten Restaurant zugute kommen ließen, einem der beliebtesten in Mährens freßfreudiger Hauptstadt. Der Volksmund nannte es – in Anlehnung an das Wiener Nobelrestaurant »Zu den drei Husaren« und in Ansehung der besonders ausgeprägten Gesäßpartien seiner Besitzerinnen – »Zu den sechs Arschbacken«, und manch ein Gourmet soll um ihretwillen ernsthaft erwogen haben, nach Brünn zu übersiedeln. Am Weihnachtsabend aber kamen sie selbst, kochten Köstlichkeiten über Köstlichkeiten, verließen die Küche nur, um aufzutischen oder abzuräumen, und zeigten sich der Flut der Gäste mit bewundernswerter Umsicht gewachsen.

Die Flut rollte in drei großen Wogen heran, deren erste, aus einem Halbdutzend namentlich Geladener bestehend, bereits um acht Uhr zum richtigen Abendessen erschien. Etwa zwei Stunden später begannen alle jene einzutreffen, die entweder – was zumal für Ehepaare mit Kindern zutraf – im eigenen Heim Bescherung und Schmaus veranstaltet hatten oder zuvor einer andern Einladung gefolgt waren. Ihr Strom wurde allmählich dünner, erhielt jedoch gegen Mitternacht durch die dritte Woge kompakten Auftrieb, ja selbst zu noch späterer Stunde wurden vereinzelte Neuankömmlinge registriert. Und während dieser ganzen Zeit, also von acht Uhr abend bis in den frühen Morgen, sorgten die emsigen Schwestern fast pausenlos für immer neue Verköstigung, schleppten bald einen riesigen Topf mit Erbsensuppe herbei, bald einen ebensolchen mit Gulasch, bereicherten zwischendurch das ohnehin schon überreiche Angebot mit heißen Würsteln oder kalten Platten, mit kunstvoll gefüllten Eiern oder raffiniert zusammengestellten Salaten, und ruheten nimmer.

Mir selbst wurde an einem 24. Dezember der frühen dreißiger

Jahre die Gunst zuteil, dem auserwählten Kreis der schon für acht Uhr Eingeladenen anzugehören, sowie das Glück, daß ich neben einen alten Nachtmahl-Routinier zu sitzen kam, der mir jedesmal, wenn ich einem Gang (oder auch nur einer Beilage) voreiligerweise ein zweitesmal zusprechen wollte, unterm Tisch einen Tritt ins Schienbein versetzte, um meine Gier zu bremsen und mich zu ermahnen, den kommenden Genüssen – über die er aus Erfahrung Bescheid wußte – die nötige Aufnahmsbereitschaft freizuhalten. Ich bin ihm bis heute dankbar.

Unter denen, die an jenem Abend von Anfang an dabei waren, befand sich auch Fritz Imhoff, der große Volksschauspieler, der das Pech gehabt hat, ein Zeitgenosse des noch größeren Hans Moser zu sein, sonst wäre er der größte gewesen. Als Fresser war er es. Jedenfalls übertraf er in dieser Eigenschaft alle damals Anwesenden einschließlich der später Eingetroffenen. Er widmete sich den Gerichten, die für einen jeweils neuen Schub von Gästen auffuhren, mit einer so rasanten Herzhaftigkeit, als wäre auch er eben erst angekommen, und zwar hungrig.

Um zwei Uhr früh war es soweit, daß niemand mehr weiterkonnte, wirklich nicht. Die geräumige Wohnung war vom leisen Stöhnen der Angeschlagenen erfüllt, die sich glasigen Blicks ihrer Erschöpfung hingaben und als einzige Nahrungszufuhr nur noch Mokka, Magenbitter oder Speisesoda akzeptierten. Fritz Imhoff saß mit gelockertem Kragen und ebensolchem Hosenbund schwer atmend in einer Ecke. Der Eindruck eines groggy gegangenen Boxers wurde noch dadurch verstärkt, daß seine neben ihm stehende Frau ihm mit einem großen, weißen Handtuch Kühlung zufächelte.

Plötzlich öffnete sich die Tür, und aus der Küche erschienen die drei Schwestern, jede auf hocherhobenen Händen ein großes Tablett mit Gansleberbrötchen tragend. Sie glichen von ferne, sehr von ferne, weiblichen Epheben, wie sie vielleicht bei einem Gastmahl des Imperators Titus als jüdische Kriegsbeute Verwendung gefunden hatten, und sie schritten, die länglichen Tabletts mit der leckeren Last herausfordernd balancierend, unter kurzbeinigem Steißgewackel durch den Raum.

Imhoff hatte die müden Augenlider über seinen Schlitzaugen nicht ohne Mühe spaltbreit geöffnet und sah, was da auf den Tisch gestellt wurde. Ein verzweifeltes Ächzen entrang sich seinem überfüllten Innern:

»Tse«, machte er. »Das wird ja net zum Derscheißen sein, morgen . . .«

Keine derartigen Ängste bedrängten Herrn Penižek, den Mitinhaber eines führenden Wiener Pelzhauses, als er sich einmal zu längerem Geschäftsbesuch in London aufhielt. Ob die englische Küche seither schmackhafter geworden ist, steht hier nicht zur Debatte – damals, um 1930 herum, war sie von allgemein anerkannter Ungenießbarkeit und folglich eine rechte Qual für Max Penižek, der die gewohnten Freuden der österreichisch-ungarisch-tschechisch-jüdischen Kost von Tag zu Tag schmerzlicher entbehrte.

Endlich bescherte ihm ein offenbar gottgewollter Zufall den Anblick eines koscheren Restaurants, das er denn auch sofort betrat, erlöst wie ein verirrter Hochtourist, dem sich unversehens eine Schutzhütte öffnet. Er speiste ganz vorzüglich und wollte – aus purem Nachholbedarf – die sättigende Mahlzeit mit einer Portion Käse krönen.

Zu seinem Erstaunen reagierte der Kellner auf die vermeintlich harmlose Bestellung mit gerunzelten Brauen: da müsse er erst den Chef fragen, murmelte er und entfernte sich in Richtung Kassa, wo ihn der Chef, das Käppchen der Frommen auf dem Haupt, mit leidender Miene erwartete. Penižek sah die beiden in ein gebärdenreiches Gespräch verwickelt, über dessen Bedeutung er vergebens rätselte und nach dessen Abschluß der Kellner mit dem Bescheid zurückkam: er bedaure, aber man serviere hier keinen Käse.

Das müsse ein Irrtum sein, widersprach Max Penižek, denn er habe deutlich gesehen, daß der Gast, der bis vor kurzem am Nebentisch gesessen sei, sehr wohl einen Käse serviert bekommen hätte. Und auch er selbst möchte jetzt einen Käse haben.

Abermals berief sich der Kellner auf die Notwendigkeit einer

Rückfrage beim Chef. Und während er den Weg zur Kassa antrat, begann Herrn Penižek des Rätsels Lösung zu dämmern: er war, trotz Zugehörigkeit zur jüdischen Glaubensgemeinschaft (woran auch sein Äußeres keinen Zweifel ließ), mit den rituellen Speisegesetzen nur mangelhaft vertraut und hatte nicht bedacht, daß der Genuß sogenannter »milchiger« Speisen verboten war, wenn man kurz zuvor »Fleischiges« gegessen hatte. Das aber hatte Herr Penižek getan.

Nun, wenigstens wußte er jetzt, worum es ging, und als der Kellner ihm die Mitteilung überbrachte, daß ihm der Käse auf Grund des vorangegangenen Fleischgenusses verweigert werde, konterte Herr Penižek mit dem gewissermaßen sachkundigen Argument: der Herr am Nebentisch hätte ein Roastbeef verzehrt und nachher trotzdem einen Käse bekommen, also möge man gefälligst auch ihm einen solchen bringen, und bitte rasch!

Ungerührt beharrte der Kellner auf einer neuerlichen Beratung mit dem Chef; sie erfolgte mit gesteigerter Lebhaftigkeit und unter deutlichen Anzeichen des Mißmuts über den Urheber der entstandenen Komplikation. Der Mißmut machte sich auch im Gehaben des Kellners bemerkbar, als er Herrn Penižek wissen ließ: es träfe zwar zu, daß der Herr am Nebentisch zuerst Fleisch und dann Käse serviert bekommen habe, aber der Herr am Nebentisch sei kein Jude gewesen, so daß die jüdischen Speisegesetze für ihn keine Geltung besaßen.

Zum Teufel, erboste sich jetzt Herr Penižek, für den es inzwischen zur Ehrensache geworden war, die rituelle Verschwörung zu durchkreuzen, zum Teufel, rief er, auch er sei kein Jude und damit Schluß und her mit dem Käse!

Er werde den Chef fragen, replizierte mit steinernem Gesicht der Kellner.

Diesmal verlief das Gespräch an der Kassa ganz kurz. Allem Anschein nach beschränkte sich der Kellner darauf, die Behauptung des Gastes, daß er kein Jude sei, an den Chef weiterzugeben.

Der Chef rückte sein Käppchen zurecht, entstieg dem Kassenverschlag, kam bedrohlich langsam an den Tisch geschlurft und faßte Herrn Penižek prüfend ins Auge. Dann stach er mit spitzem Zeigefinger nach seinem Gesicht:

»*No* cheese!« entschied er.

*

Aus einem der reichsten Bezirke des kulinarischen Raums, aus dem der jüdischen Mehlspeisen, stammt ein Begriff, der weit über seinen Ursprung hinaus symbolhafte Bedeutung erlangt hat und den zu registrieren schon deshalb geboten erscheint, weil er sich im Alltagsleben häufig anwenden läßt. (Anwendbarkeit, wir wissen es bereits aus zahlreichen Beispielen, ist ein gesuchter Aspekt jeglicher Anekdote, Situationspointe oder Wortprägung. Erst das Gleichnis schafft den Wert.)

Was »Zores« sind, weiß jeder bessere Mensch und weiß es, wenn er ehrlich ist, aus eigener Erfahrung. »Zores«, aus dem Hebräischen über das Jiddische so tief in unsern Sprachgebrauch eingedrungen, daß man sie beispielsweise in der Wendung »Gib ihm Saures!« gar nicht mehr erkennt, sind ein Pluraletantum und bedeuten auf deutsch ganz einfach »Sorgen«.

Was »Fladen« sind, dürfte weniger bekannt sein. Es wäre irrig, bei diesen »Fladen« an die Kuh zu denken. Sie sind das jüdische Gegenstück zur Fächertorte, gehören ursprünglich eher zum polnischen als zum böhmisch-mährischen Gastronomiebereich und bestehen aus mehreren übereinandergeschichteten Lagen oder Fächern, die wiederum nichts mit dem zu tun haben, womit man sich Kühlung zufächelt (obwohl das nach dem Genuß einer richtigen, geilen Fladentorte dringend ratsam wäre). Die einzelnen Lagen werden aus Mohn sowie aus verschiedenartig präparierten Obstsorten hergestellt, immer mit einer dünnen Teigschicht dazwischen und manchmal noch mit Schokolade versetzt. Je vielfältiger die Fächer, je raffinierter ihre Zusammenstellung, desto höher die Qualität der Fladentorte. Und wenn nun eine Hausfrau (etwa Löwenthalscher Prägung) an den Rand einer weithin merkbaren Verzweiflung gerät, weil sie sich trotz stundenlangem Nachdenken nicht entscheiden kann, ob sie jetzt noch eine Lage gedünsteter Birnen dazutun soll oder nicht doch lieber gestoßene Nüsse, dann bezeichnet man die Sorgen, von denen sie da gepeinigt wird, als Fladenzores.

Es gibt solcher Fladenzores viele. Im Grunde sind *sie* gemeint, wenn man einem Menschen, der seine Umwelt mit ihnen belästigt, halb tadelnd und halb neidig zuruft: »*Ihre* Sorgen möcht ich haben!«

Die Fladentorte gehörte zu den Spezialitäten, für die das Restaurant Neugröschl im II. Wiener Gemeindebezirk berühmt war. Noch berühmter war es für die Person seines Besitzers, eines Originals von seltener Urwüchsigkeit und ebensolcher Grobheit, die an seiner vierschrötigen Gestalt nachdrückliche Stützung fand. Es war nicht gut, Herrn Neugröschl zu widersprechen oder sich sonstwie mit ihm anzulegen. Wenn ein Stammgast gelegentlich fragte (und nur ein Stammgast durfte das überhaupt riskieren): »Herr Neugröschl, was gibt's denn heute besonders Gutes?« und wenn Herr Neugröschl antwortete: »Was auf der Karte steht«, dann tat der Stammgast am klügsten, den schroffen Bescheid hinzunehmen und nicht etwa aufzumucken, wie ein Verwegener es einmal tat: »Dazu hätte ich Sie ja nicht fragen müssen«, murrte er und empfing die prompte Replik: »Nicht? Was fragen Sie dann so blöd? Von mir aus müssen Sie erst gar nicht herkommen!« Denn Herr Neugröschl konnte auf Gäste mühelos verzichten. Er hatte ihrer übergenug.

Auch ich durfte einmal einer garantiert echten Neugröschl-Grobheit teilhaftig werden. Ich war gemeinsam mit einem Freund zum Mittagessen gekommen, mit Absicht ein wenig spät: wir hofften auf raschere Bedienung, wenn der übliche Andrang vorüber wäre. Tatsächlich fanden wir bei unserm Eintritt nur noch zwei oder drei Tische besetzt, und als auch diese sich geleert hatten, waren wir die einzigen, die noch essen wollten.

Aber wir warteten vergebens auf einen Kellner, dem wir das hätten sagen können. Offenbar hatten wir uns übermäßig verspätet, und es war bereits die Essenszeit für das Personal angebrochen.

Ungefähr zehn Minuten mochten vergangen sein, als die zweiflügelige Milchglastüre, die zur Küche führte, von innen aufgestoßen wurde. Herr Neugröschl erschien im Lokal, näherte sich unserem Tisch und blieb, wenn auch mit nur undeutlich gemurmeltem Gruß, so doch mit deutlich fragendem Gesichtsausdruck vor uns stehen.

»Herr Neugröschl«, sagte ich zaghaft, »wir sitzen jetzt schon seit einer Viertelstunde hier und möchten gerne etwas bestellen. Wäre das möglich?«

Daraufhin wandte Herr Neugröschl sich wortlos um, schritt zur Küchentüre zurück, öffnete sie vermittels eines wuchtigen Tritts gegen den einen Flügel und rief so laut, daß auch wir es hören konnten, in die Küche hinein:

»Was ist denn? Zwei lausige Gäst' sind da und nicht einmal bedient werden sie?!«

Ich versage mir – wie bei so vielen ähnlichen Gelegenheiten – eine Wiedergabe der wienerisch-jüdischen Dialektmixtur, deren er sich bediente. Der Leser mag sie nach Möglichkeit erahnen, erfühlen oder (in günstigen Fällen) erinnern. Das käme auch der nun folgenden Geschichte sehr zustatten, die sozusagen das Paradigma der Behandlung darstellt, die Herr Neugröschl seinen Gästen angedeihen ließ und die auf einer Umkehrung des im Gastgewerbe üblichen Leitsatzes beruhte, demzufolge der Gast immer recht hat. Bei Herrn Neugröschl hatte der Gast immer unrecht.

Die Geschichte, die das auf einmalig überzeugende Art bestätigt, wurde von so vielen Seiten berichtet und herumgeboten, daß sich die Frage nach ihrer historischen Wahrhaftigkeit erübrigt. Sie weist die unverkennbaren Merkmale einer weitaus höher einzuschätzenden inneren Wahrhaftigkeit auf, und es gab eine Zeit, da sie in Wien so populär war, daß ihre Schlußwendung den Rang eines Zitats erreichte. Heutzutage würde man sicherheitshalber wohl erst erklären müssen, daß »Kaiserschmarrn« eine beliebte Wiener Mehlspeise ist (bestehend aus kleingerissenem, mit Zibeben angerichtetem Palatschinkenteig) und daß die »Zwetschgenröster« – im eigenen Saft gedünstete Pflaumen – als des Kaiserschmarrns klassische, aber keineswegs einzig zulässige Beilage gelten.

Die Geschichte beginnt damit, daß eines heißen Sommertages ein Gast des Restaurants Neugröschl zum Abschluß seines Menus einen Kaiserschmarrn bestellt.

»Was dazu?« fragt der Kellner, unter der Einwirkung der Hitze – die überhaupt eine gewisse Knappheit des Dialogs zur Folge hat – noch mürrischer als sonst.

»Ein Kompott.«

»Was für ein Kompott?«

»Egal.«

Nach einer angemessenen Frist serviert der Kellner den Kaiserschmarrn mit einer Portion Zwetschgenröster als Beilage; er will sich entfernen, wird jedoch vom Gast zurückgehalten:

»Herr Ober, ich habe als Beilage ein Kompott bestellt.«

Der Kellner, mit entsprechender Handbewegung:

»Da steht's ja.«

»*Was* steht da?«

»Ihr Kompott.«

»Das sind Zwetschgenröster.«

»Eben.«

»Was heißt eben? Wenn ich ein Kompott bestelle, will ich keine Zwetschgenröster.«

»Warum nicht?«

»Weil Zwetschgenröster kein Kompott sind!«

»Zwetschgenröster sind kein Kompott?« fragt mit provokanter Überlegenheit der Kellner.

»Nein!« brüllt der Gast.

»Zwetschgenröster *sind* ein Kompott.« Jetzt hebt auch der Kellner die Stimme.

»Zwetschgenröster sind *kein* Kompott! Rufen Sie mir den Chef!«

Das erweist sich als überflüssig. Herr Neugröschl, angelockt durch die immer lauter gewordene Auseinandersetzung, die bereits vom ganzen, dicht gefüllten Lokal mit größter Aufmerksamkeit verfolgt wird, ist an den Tisch getreten und fragt nach der Ursache des Lärms. Selbstverständlich fragt er den Kellner und nicht den Gast, dem er mit einer scharfen Handbewegung Schweigen gebietet.

»Der Herr hat Kaiserschmarrn mit Kompott bestellt«, berichtet der Kellner, »und ich hab ihm Zwetschgenröster gebracht.«

»No also.« Mit gerunzelten Brauen mustert Herr Neugröschl den widerspenstigen Gast. »Was will er dann noch?«

»Er sagt, Zwetschgenröster sind kein Kompott.«

»Was sagt er?« Herr Neugröschl tritt dicht an den Beschuldigten heran. »Das haben Sie wirklich gesagt?«

»Natürlich«, antwortet der Gast.

»Sagen Sie's noch einmal.«

»Zwetschgenröster sind kein Kompott.«

Daß er von Herrn Neugröschl niemals recht bekommen wird, muß ihm längst klar gewesen sein. Aber was ihm jetzt passiert, hat er ganz gewiß nicht vorausgesehen: Herr Neugröschl, der Hitze wegen in Hemdsärmeln, krempelt dieselben hoch, packt ihn mit der einen Hand am Genick, mit der andern um die Taille und befördert ihn mit dem Ruf: »Zahlen brauchen Sie nicht, Sie sind mein Gast!« zur Tür hinaus.

Dann – und das ist der eigentliche Kern der Geschichte – pflanzt sich Herr Neugröschl mitten im Lokal auf, seine Blicke schweifen in die jäh verstummte Runde der Gäste, die sich ängstlich über ihre Teller ducken, und seine Stimme klingt unheilkündend, als er Anlauf nimmt:

»Es sind *noch* ein paar da, die sagen, Zwetschgenröster sind kein Kompott!« Und schüttelt drohend die erhobene Faust: »Aber ich kenn sie alle!!«

Daß Neugröschls Konkurrenten ihm nicht wirklich gefährlich werden konnten, bekundet eine Geschichte, die aus dem geographisch wie ideologisch nahe zu Neugröschl gelegenen Restaurant Tonello berichtet wird. Dort erschien zu früher Mittagsstunde ein Gast und bestellte Scholet, jenes ungemein fetthaltige, schwer verdauliche Meisterwerk jüdischer Kochkunst, das von Heinrich Heine in frevler Schiller-Parodie als »schöner Götterfunken« besungen wurde.

Der Kellner kam aus der Küche zurück und bedauerte: das Scholet sei noch nicht fertig.

»Was?« rief der enttäuschte Gourmet. »Halb eins und noch kein Scholet? Bei Neugröschl wird schon gerülpst!«

Von den übrigen jüdischen Eßlokalen behauptete sich am weitaus besten der sogenannte »Würstel-Biel«, eine Selchwarenhandlung mit angeschlossenem Speisesaal, wo man außer den hauseigenen Erzeugnissen auch noch andere Gerichte bestellen konnte. Zum Unterschied von Herrn Neugröschl, wenn auch aus ähnlich mürrischer Veranlagung, trat Herr Biel mit seinen Gästen in keinerlei Kontakt. Ab und zu sah man ihn im Hintergrund des Lokals auftauchen und übellaunig die Kassa kontrollieren (die ihm zu übler Laune gewiß keinen Anlaß gab) – dann verschwand er wieder im Comptoir, ohne jemanden eines Blicks gewürdigt zu haben. Von Eingeweihten hörte man, daß er trotz zufriedenstellendem Geschäftsgang mit seinem Leben unzufrieden war, und manche Anzeichen sprachen dafür, daß er seinen Beruf verfehlt zu haben glaubte. Sie sprachen aus den von ihm textierten Plakaten, die – teils gereimt, teils in jeder Hinsicht ungereimt – an den Wänden des Lokals hingen. Er verkehrte mit seiner Kundschaft sozusagen per Plakat.

Von den gereimten waren es besonders zwei, die seiner abgeschnürten lyrischen Ader zur Geltung und sogar zu einer gewissen Popularität verholfen hatten:

Willst du essen gut und viel,
Mußt du gehn zum Würstel-Biel.

Schon Hamlet fragte einst, so geht die Sage:
To Biel or not to Biel, das ist die Frage.

Diese beiden markigen Sinnsprüche wurden auch als Inserate verwendet, indessen Biels Prosa sich auf das eigentliche Lokal beschränkte und nicht ohneweiters verständlich war:

»Die P. T. Gäste werden ersucht, das Essen nicht auf den Boden zu werfen«, lautete eine an mehreren Stellen angebrachte Warnung, die den Eindruck entstehen ließ, daß die Gäste, wenn sie an einem Gericht etwas auszusetzen fanden, kurzen Prozeß machten und es mit entrüstetem Schwung zu Boden schleuderten. Dem war nicht so. Vielmehr bewirkten Qualität und nierige Preise des Bielschen Angebots, daß der ohnehin nicht sehr geräumige Speisesaal immer gesteckt voll war und die runden Tische weit über ihre Kapazität ausgenützt wurden. Wenn nun an einem Tisch, der maximal fünf Personen halbwegs auskömmlichen Platz geboten hätte, ihrer sechs oder sieben saßen, konnten sie im solcherart eingeengten Aktionsradius ihren Tellern nur dadurch die nötige Aufnahmsfähigkeit sichern, daß sie die verbliebenen Knochen und sonstigen unbrauchbaren Reste möglichst unauffällig unter den Tisch fegten. Und dies wurde ihnen von Herrn Biel – statt daß er für mehr Platz oder rasches Abräumen gesorgt hätte – mittels Plakats untersagt.

Noch komplizierter verhielt es sich mit der Aufschrift einer Tafel, die das P. T. Publikum auf die Sonntagssperre aufmerksam machte. In jedem andern Lokal hieß es ganz einfach: »Sonntag geschlossen.« Bei Biel hieß es: »Jeden Sonntag den ganzen Tag geschlossen«, und ich habe lange über die Entstehungsgeschichte dieser einigermaßen überladenen Form gerätselt. Wahrscheinlich hatte sich auch Herr Biel, als die einschlägige Vorschrift der Gewerbeordnung erschien, zuerst mit einem simplen »Sonntag geschlossen« begnügt. Da aber drangen seine gierigen Stammgäste zu dem schwer Zugänglichen vor und fragten, ob er nicht wenigstens zu Mittag oder nicht wenigstens am Abend aufmachen könnte, um sie zu verköstigen. Herr Biel verneinte und hielt das in einem entsprechend erweiterten Wortlaut fest: »Sonntag den ganzen Tag geschlossen.« Auch ein erneutes Drängen, dann wenigstens nur jeden zweiten Sonntag zu schließen, wies Herr Biel zurück, womit die Textfassung ein für allemal gegeben war: »Jeden Sonntag den ganzen Tag geschlossen.«

Ich wüßte nicht, wie sie anders zustande gekommen wäre. Ich sehe die aufgeregten Beschwerdeführer vor mir, höre sie auf Herrn Biel einsprechen, höre seine kurzen, von scharf akzentuierenden Gesten begleiteten Ablehnungsworte, die in der oben zitierten Schlußformel ihren endgültigen Ausdruck fanden. Und noch selten hat mir ein an sich korrekter deutscher Satz so massiv entgegengejüdelt wie dieser.

Nur weil es schade wäre, wenn sie verlorenginge, sei hier – sozusagen »als Gast« – eine kulinarische Anekdote festgehalten, zu der ich höchstens insofern eine persönliche Verbindung anmelden darf, als ich mit dem Sohn ihres Helden befreundet bin. Der Held ist Leo Slezak, Wiens unvergessener Operntenor und Filmliebling, und die Richtigkeit der Anekdote wurde mir von seinem Sohn Walter bestätigt (der sich mit einer höchst erfolgreichen Karriere im amerikanischen Film und Fernsehen ausweisen kann, also ein rares Exemplar darstellt: er ist als Sohn eines berühmten Vaters aus eigener, origineller Begabung, ohne am väterlichen Namen zu schmarotzen, auch seinerseits berühmt geworden).

Leo Slezak gastierte häufig in München und speiste dort mit Vorliebe in einem kleinen jüdischen Restaurant, dessen Besitzer die große Ehre sehr zu schätzen wußte. Als er seinen prominenten Stammgast wieder einmal händereibend mit der Frage umdienerte: »Herr Kammersänger, was werden wir heute essen?« antwortete Leo Slezak kurz und entschieden:

»Gänse.«

Am Kartentisch

In der Reihe der mürrischen Käuze – denen in gewissem Sinn ja auch die Herren Neugröschl und Biel beizurechnen sind – fehlt noch der alte Schwarz, zum Unterschied vom Onkel Hahn und vom Herrn Buchsbaum kein Junggeselle, sondern Witwer (und Vater einer unverheiratet gebliebenen Tochter, von der sogleich die Rede sein wird).

Der alte Schwarz, wohlhabend und weißhaarig, auf Grund seiner Weltgewandtheit und eines langjährigen Aufenthalts in England von seinen Freunden zärtlich »Old Black« geheißen, war ein leidenschaftlicher Opernhabitué und ein noch leidenschaftlicherer Kartenspieler. Im Bridge zählte er zur österreichischen Spitzenklasse, nahm erfolgreich an internationalen Turnieren teil und akzeptierte auch für Kaffeehaus-Partien nur die besten, von ihm als halbwegs gleichwertig anerkannten Partner. In diesem Zusammenhang verstand er keinen Spaß (den er sonst sehr wohl verstand). Wer sich mit Old Black an den Kartentisch setzte, mußte darauf gefaßt sein, von ihm nicht nur besiegt, sondern geschulmeistert, gehöhnt und überhaupt wie ein Anfänger behandelt zu werden – ganz abgesehen von dem mit Sicherheit zu erwartenden Geldverlust, der nicht selten ein Ausmaß annahm, auf das die Verlierer mit unverhohlenem Mißmut reagierten. Den alten Schwarz störte das nicht. »Schimpferint, dum zahleant«, pflegte er zu sagen und variierte damit das politische Credo des Römerkaisers Caligula: »Oderint, dum metuant« – mögen sie mich hassen, wenn sie mich nur fürchten. Nun, gehaßt wurde der alte Schwarz gewiß nicht. Aber von Furcht war der Respekt, den man ihm entgegenbrachte, nicht ganz frei. Man buhlte um sein Lob und bangte vor seinem Tadel. Er war, kurzum, der allseits anerkannte Meister.

Auf diese Qualifikation konnte seine unverheiratet gebliebene

Tochter Therese keinerlei Anspruch erheben. Auch sie oblag dem Bridgespiel, tat es jedoch in einer Weise, die dem Sinn und der Würde des Spiels, wie es die wirklichen Bridgespieler verstanden, eitel Hohn sprach und von der ein Aphoristiker des Kartentisches zu der bemerkenswerten Formulierung inspiriert wurde: »Frauen spielen nicht Bridge, sie spielen Bridgespielen.« Zwar traf das ohne Zweifel auch auf viele ihrer Geschlechtsgenossinnen zu, aber keine von ihnen hatte den alten Schwarz zum Vater. Fräulein Therese Schwarz hatte ihn. Und zu allem Unglück frequentierten sie beide auch noch dieselbe Bridgestube.

Es konnte nicht ausbleiben, daß das Verhältnis zwischen Vater und Tochter immer schlechter wurde – bis eines Tages der alte Schwarz die Leiterin der Bridgecercles wissen ließ, daß er nicht mehr in eine gemeinsame Partie mit seiner Tochter eingeteilt werden möchte. Und als er ihr auch noch untersagte, ihm zu kiebitzen, hatte die Atmosphäre eine Gespanntheit erreicht, die es den beiden unmöglich machte, sich gleichzeitig in der Bridgestube aufzuhalten. Durch Vermittlung der Bridgedame kam eine Art Entflechtung zustande: jeweils um sechs Uhr abend sollte die Aufenthaltszeit der Tochter enden und die des Vaters beginnen. Natürlich ergaben sich alsbald Betriebsunfälle, einmal ging die Tochter zu spät, einmal erschien der Vater zu früh, es kam zu unerquicklichen Szenen und schließlich zu einem Ultimatum des alten Schwarz: entweder er oder sie. Die Bridgedame, die auf ihren Star und stärksten Anziehungsfaktor nicht verzichten konnte, entschied sich begreiflicherweise für den Vater. Das war, ebenso begreiflicherweise, nun wiederum der Tochter zuviel: sie kündigte nicht nur der Bridgedame die Freundschaft, sondern zog aus der väterlichen Wohnung aus, und das Ende war, daß die beiden kein Wort mehr miteinander sprachen.

War es das Ende? Für eine Strindbergsche Tragödie hätte es vielleicht ausgereicht – für eine restlos überzeugende Demonstration des Übergewichts, das dem Kartenspiel über alle anderen menschlichen Regungen zukommen kann, war noch ein Nachspiel vonnöten, ein makabres, tatsächlich von Nöten bewirktes Nachspiel.

Jahre vergingen. Der März 1938 brachte die Annexion Österreichs durch das Naziregime und brachte schwere Zeiten für die österreichischen Juden, viel schwerere, als es sich vorerst noch absehen ließ – hier ist nicht der Ort, dies alles zu schildern, hier handelt sich's um den alten Schwarz und um den Versuch seiner wenigen noch in Wien verbliebenen Freunde, ihm über die schwere Zeit hinwegzuhelfen. Daß es dafür kein besseres, ja schlechterdings kein andres Mittel gab als Bridge, war klar. Da aber die Kaffeehäuser den Juden nicht mehr offenstanden, mußten die Partien für den alten Schwarz in Privatwohnungen arrangiert werden. Und sowohl die Zahl der geeigneten Wohnungen wie die Zahl der geeigneten Partner schrumpfte immer bedrohlicher zusammen. Bald konnte der nun schon hochbetagte Herr es nicht mehr riskieren, das Haus zu verlassen, und nur noch mit größter Mühe fanden sich drei akzeptable Bridgepartner, die das Risiko auf sich nahmen, ihn zu besuchen.

Zu den akzeptablen Partnern gehörte seine Tochter Therese selbstverständlich nicht. Zwar hatte sie – notgedrungen, nicht etwa aus Kindesliebe – wieder in der väterlichen Wohnung Quartier genommen, aber daraus entstanden keine weiteren Kontakte. In stummer, grußloser Unversöhnlichkeit lebten die beiden nebeneinander her, und als ein Beherzter die erste leise Andeutung vorzubringen wagte, ob man denn nicht die Thesi mitspielen lassen könnte, das wäre doch am einfachsten und würde die wachsenden Schwierigkeiten, überhaupt noch eine Partie zusammenzukriegen, auf sozusagen natürlichem Weg beseitigen – da wies der mit den Jahren noch bockiger gewordene alte Schwarz das Ansinnen schroff zurück; er würde, so erklärte er, lieber gar nicht mehr Bridge spielen als mit seiner Tochter.

Nicht lange danach sah er sich mit dieser Alternative tatsächlich konfrontiert. Die beiden letzten Getreuen machten ihm klar, daß ohne Thesis Mitwirkung keine Partie mehr zustande käme. Sie hätten auch schon mit Thesi gesprochen, und an ihr würde es nicht scheitern.

Der alte Schwarz brach zusammen, erbat sich Bedenkzeit und

wich nach langen inneren Kämpfen der Gewalt: er sei bereit, sich mit seiner Tochter an den Bridgetisch zu setzen, aber das wäre auch schon alles, wozu er bereit sei. Keine Versöhnungszeremonien, keine Sentimentalitäten, keine Wiederaufnahme des persönlichen Verkehrs. Nur Bridge.

Die Partie begann. Es fügte sich so, daß Vater und Tochter zusammen gegen die beiden anderen zu spielen hatten. Es wurde gemischt. Es wurde abgehoben. Es wurde geteilt. Und Thesi spielte die erste Karte aus.

Die schicksalsschwangere Stille, in der das alles vor sich ging, hielt noch ein paar Sekunden an. Dann schüttelte der alte Schwarz verzweifelt den Kopf:

»Also, meine liebe Thesi«, sagte er, »*das* Regime ist auch noch nicht erfunden, wo du nicht möchtest sofort das Blödeste ausspielen!«

Es waren die ersten Worte, die er nach jahrelangem Schweigen an seine Tochter richtete (und es sollten die letzten bleiben).

Übrigens war es auch seine einzige Stellungnahme zum Nationalsozialismus.

Daß der ständige Aufenthalt im Kaffeehaus sich nicht eben förderlich auf die Gesundheit auswirkt, ist eine bekannte Tatsache, die – viele Jahre zuvor – auch der alte Schwarz zu spüren bekam. Er klagte über Kopfschmerzen, seine rosigen Bäckchen nahmen eine bläßliche Farbtönung an, sein Gleichmut wich immer öfter einer deutlichen Nervosität, und sogar seine Grobheit ließ nach.

»Old Black«, sprachen seine Freunde, »es muß etwas geschehen. Wir haben beschlossen, daß du nach Gastein fahren wirst.«

»Wozu?«

»Zur Kur.«

»Ich denke nicht daran.«

»Es würde aber deiner Gesundheit und deinen Nerven sehr guttun, Old Black.«

»Es würde mir gar nicht guttun.«

»Weil du keine Bridgepartie hättest?«

»Vielleicht würde ich sogar eine finden. Aber was mach ich bis dahin?«

»Was man eben in einem Kurort macht.«

»Richtig. Und gerade deshalb fahre ich nicht nach Gastein.«

»Sei nicht kindisch, Old Black. Warum willst du nicht fahren?«

»Das kann ich euch ganz genau erklären. Also ich steh in der Früh auf, und weil ich die Kur mache, geh ich zuerst auf nüchternen Magen spazieren. Dann kommt das Frühstück. Dann geh ich ins Kurmittelhaus oder in die Trinkhalle oder wie das heißt und tu etwas für meine Gesundheit. Dazu gehört ein anschließender Spaziergang. Dann komm ich wieder ins Hotel zurück, mittlerweile war die Post schon da, und ich lese die Zeitungen. Dann geh ich in Gottes Namen *noch* einmal spazieren. Und dann denk ich mir: jetzt wär gut Mittagessen – und da ist es erst halb zehn. Ich fahre nicht nach Gastein.«

Ob das in Wahrheit nur ein Vorwand für den befürchteten Entgang der Bridgepartie war oder nicht – kürzer und präziser ist die lähmende Trostlosigkeit eines Kuraufenthalts wohl niemals geschildert worden.

*

Natürlich ging es nicht in allen Kurorten (und nicht einmal in Badgastein) so trostlos zu, wie es der alte Schwarz wahrhaben wollte; manche von ihnen warteten mit einer Fülle anregender Betätigungsmöglichkeiten auf, für die dann wiederum der Kurgebrauch als Vorwand herhalten mußte. Karlsbad etwa oder Bad Ischl wurden vom Publikum nicht unbedingt ihrer heilkräftigen Quellen wegen aufgesucht und galten nicht nur als Kurorte, sondern als besonders attraktive Sommerfrischen. Aber das ist schon wieder ein andres und eigenes Kapitel. Es wird als solches behandelt werden.

Jetzt sind wir beim Kartenspiel, und jetzt ist es Zeit, die schier übermenschliche Opferbereitschaft des echten Kartenspielers, das unantastbare Primat, das er den Karten selbst vor seinem eigenen

Fleisch und Blut einräumt, durch eine weitere Geschichte zu belegen.

Diesmal handelt sich's nicht (wie beim alten Schwarz) um eine volljährige Tochter, sondern um einen minderjährigen Sohn. Er gehörte dem Ehepaar Feldmann, trug den unter Juden eher ungebräuchlichen Vornamen Toni, mochte zur Zeit der Handlung etwa zehn Jahre alt sein und war, um es kurz zu sagen, ein widerlicher Balg. Daß er meistens ungewaschen und immer ungekämmt einherkam, sommersprossig und auf zwei für sein Alter erstaunlich ausgereiften Plattfüßen, daß er nicht grüßte und für einen Gruß nicht dankte – das alles hätte sich noch ertragen lassen, wären Herr und Frau Feldmann nicht gar so demonstrativ überzeugt gewesen, ein Prachtexemplar der Menschheit hergestellt zu haben, und hätten sie ihn nicht mit all der Affenliebe, zu der jüdische Eltern einem einzigen Sohn gegenüber fähig sind, verzogen und verwöhnt. Toni durfte sich einfach alles erlauben, und er ließ sich nur selten etwas entgehen. Noch heute denke ich mit Ingrimm an den Tag zurück, als ich seinem Vater eine dringende telephonische Nachricht übermitteln wollte und das Pech hatte, an Toni zu geraten: er hob den Hörer ab, imitierte mit beharrlichem »Tü-tütü-tütü« das Besetztzeichen und war durch nichts zu bewegen, die Verbindung aufzunehmen.

Auch wenn Gäste ins Haus kamen, litten sie unter Tonis Exzessen, die von seinen Eltern mit wohlwollendem Schmunzeln verfolgt und als Ausdruck seiner frühzeitig entwickelten Persönlichkeit interpretiert wurden. Nicht einmal vor der an jedem Donnerstag stattfindenden Tarockpartie machte er halt, und der Papa mochte sich auch dann nicht zum Eingreifen entschließen, wenn das geniale Kind unter den Tisch kroch, die Hosenaufschläge der Spieler mit Asche und Zigarettenresten füllte, ihre Schuhbänder durchschnitt oder ähnlich erfindungsreichen Unfug trieb.

Eines Nachmittags aber trieb er's zu bunt. Sei es, daß Papa Feldmann im Verlust und folglich mißgelaunt war, sei es, daß er (in Abwesenheit von Frau Feldmann) den Augenblick gekommen sah, endlich einmal den Herrn hervorzukehren – jedenfalls erhob er sich plötzlich mit energischem Ruck, packte seinen Sohn an der Hand und führte ihn aus dem Zimmer. Nach einigen Minuten kam er allein zurück, nahm seinen Platz wieder ein, fragte: »Wer teilt?« – und die Partie nahm ihren erstmals ungestörten Fortgang, den niemand am Tisch durch voreilige Fragen oder sonstige Bemerkungen gefährden wollte.

Erst als die Partie beendet, die Abrechnung durchgeführt und die Zahlungsprozedur vollzogen war, erkundigte sich einer der Teilnehmer:

»Sagen Sie, Feldmann – was haben Sie eigentlich mit Ihrem Buben gemacht, daß er uns nicht mehr gestört hat?«

Herrn Feldmanns Antwort erfolgte zwar in keinem einwandfreien Deutsch, aber mit einwandfreier Klarheit (und offenbarte ein Ausmaß von väterlicher Selbstüberwindung, wie es eben nur ein Kartenspieler aufbringen kann):

»Ich hab ihm onanieren gelernt.«

Nicht nur auf Lieblingskinder, auch auf Lieblingstiere erstreckte sich dieser Heroismus – manchmal allerdings nur widerwillig, wie im Fall des Bridgespielers und Hundebesitzers Lewkow. War Toni Feldmann ein widerlicher Balg, so darf man Herrn Lewkows Boxerhund Gogo getrost als widerlichen Köter bezeichnen. Die übrigen Unterschiede verschwimmen, denn auch Herr Lewkow sah in seinem Gogo ein Spitzenprodukt aller Hunderassen, verzog und verwöhnte ihn, ließ ihm alles durchgehen, was man einem Hund nicht durchgehen lassen soll, überschüttete ihn mit Liebesbeweisen und nahm ihn selbstverständlich auch in die Bridgestube mit, die er täglich aufsuchte. Dort hockte Gogo speichelnd und knurrend zu Füßen seines Herrn, verfiel von Zeit zu Zeit in ein völlig unmotiviertes, keifendes Gebell, kläffte die Neuankömmlinge an, fuhr nachdenkenden Spielern meuchlings an die Waden und machte sich im ganzen Lokal, besonders aber bei Lewkows unmittelbaren Partnern im höchsten Grad mißliebig. Am häufigsten richtete sich Gogos Aggressivität gegen einen mit Lewkow befreundeten, gleichfalls aus dem Osten der einstigen Monarchie zugewanderten Spieler namens Torczyner, auf den Gogo offenbar eifersüchtig war und der schon manch ein zerfetztes Hosenbein zu beklagen hatte, ja einmal sogar eine schmerzhafte, wenn auch ungefährliche Bißwunde.

Vergebens beschwerten sich die Insassen der Bridgestube bei deren Leiterin, vergebens wurde Lewkow von seinen Partnern bestürmt, das abscheuliche Vieh entweder zu Hause zu lassen oder strenger zu behandeln. Lewkow tätschelte ihm zärtlich die Flanken, kraulte ihm den Kopf, wischte sich lächelnd den Schleim ab, der ihm dabei auf die Hand geträufelt war und zeigte sich im übrigen unzugänglich.

Indessen wurde Gogo immer gereizter und bösartiger, so daß selbst die Geduldigsten sich zu energischem Einschreiten veranlaßt sahen:

»Lewkow, was Ihr Hund aufführt, ist nicht normal. Mit dem stimmt etwas nicht. Führen Sie ihn zum Tierarzt, und lassen Sie ihn untersuchen. So geht's nicht weiter.«

Eine Zeitlang ging's trotzdem noch so weiter, dann wich Lewkow den Drohungen seiner Mitspieler, andernfalls die Partie aufzulösen, und ging zum Tierarzt. Dort wurde festgestellt, daß mit dem Hund tatsächlich etwas nicht stimmte. Er litt an einer krankhaften Überfunktion der Geschlechtsdrüsen und mußte kastriert werden.

Lewkow zögerte die Operation immer wieder hinaus. Schließlich – zermürbt von den drängenden Fragen, die ihn täglich in Empfang nahmen, und von den ultimativ verschärften Drohungen, daß man die Anwesenheit eines unkastrierten Gogo nicht länger dulden würde – entschloß er sich zu dem nie wieder gutzumachenden Schritt und Schnitt.

Als er am Abend dieses hauptsächlich für Gogo trübseligen Tages seine Teilnahme an der Bridgepartie telephonisch absagte, jedoch keinen Grund angab, wurde – zwecks Erforschung der näheren Umstände – Torczyner in die Wohnung seines Freundes entsandt.

Lewkow selbst öffnete und geleitete ihn ins Wohnzimmer.

In einem Fauteuil lag Gogo, mit einem Verband um die operierte Stelle und zutiefst niedergeschlagen, richtete sich jedoch, als

Torczyner eintrat, knurrend empor und schien auf ihn losspringen zu wollen.

Schreckensbleich fuhr Torczyner zurück.

»Sie brauchen keine Angst mehr zu haben«, beruhigte ihn Lewkow. »Er ist schon kastriert.«

Torczyner, immer noch schlotternd, wandte sich zur Türe:

»Ich hab ja nicht Angst, er will mich vögeln – ich hab Angst, er will mich beißen.«

Und damit war der Sachverhalt unwidersprechlich zurechtgerückt.

*

Nichts auf Erden, absolut nichts, ist dem Kartenspieler so unvorstellbar wie der freiwillige Verzicht auf sein Lieblingsspiel oder auf die ihm gewohnte Partie. Das Beharrungsvermögen, das er da entwickelt, kann auch durch noch so große, noch so ständige Verluste nicht erschüttert werden. Ein gelegentlich auftretender Katzenjammer vergeht, ein gelegentlich – zumal nach schweren Geldeinbußen – geäußerter Vorsatz, nie wieder spielen zu wollen, ist nicht ernst zu nehmen.

Denken wir zum Beispiel an Poldi Singer, dessen ganzes Sinnen und Trachten dem Kartenspiel galt, der sein im Antiquitätenhandel mühsam erworbenes Geld ausschließlich ins Kartenspiel investierte und der es schlechterdings für unmöglich hielt, daß ein Mensch auf irgend etwas andres als aufs Kartenspiel Wert legen könnte. »Habt ihr schon gehört – der Pollak macht eine Indienreise«, verlautbarte jemand am Kaffeehaustisch, und prompt erkundigte sich Poldi Singer: »Um *was* zu spielen?« Denn selbst eine Indienreise konnte in seinen Augen nur zum Zweck einer Kartenpartie unternommen werden. Übrigens hatte er mit dieser Frage eine Formel geprägt, die lange Zeit als Synonym für »Wozu?« verwendet wurde: »Morgen treffe ich Herrn X.« – »Um was zu spielen?«

Poldi Singer spielte besonders gerne Poker, und Kenner dieses reizvollsten aller Hasardspiele – des einzigen, bei dem nicht unbedingt der Valeur des Blattes entscheidend ist – werden aus Erfahrung wissen, daß einer, der gerne Poker spielt, eben darum verlieren muß.* Poldi Singer verlor. Er verlor ständig, und da er nicht aufhören konnte, verlor er immer mehr, was seinen Mitspielern – die ja außerdem mit ihm befreundet waren – immer peinlicher wurde. Man versuchte ihn gewinnen zu lassen, aber er verlor.

Er verlor auch an jenem Abend, da die Partie in seiner Wohnung immer wieder verlängert wurde, um ihm eine Chance zu geben, und er hatte am Ende – es kam erst in den frühen Morgenstunden – eine so hohe Summe verloren, daß die Gewinner (zu denen ausnahmsweise auch ich gehörte) sich vor Verlegenheit krümmten, als sie das Bargeld für die von ihnen angehäuften Jetons entgegennahmen. Niemand wußte etwas zu sagen oder zu tun, niemand wollte sich als erster mit dem gewonnenen Geld entfernen, alle hockten schweigend um den Tisch herum.

Bis Poldi Singer sich erhob, bleich und verwüstet stand er da, seine Stimme zitterte:

»Meine Freunde, ihr werdet gewiß verstehen, was ich jetzt sage. Es ist genug. Ich schwöre – und ihr seid Zeugen – ich schwöre bei der Seligkeit meiner Eltern, daß ich nie wieder Poker spielen werde. Nie – wieder – im – Leben«, wiederholte er mit dramatischer Betonung auf jedem Wort und schöpfte tiefen Atem. »Außer natürlich«, setzte er stockend hinzu, »wenn ich Hausherr bin und wenn das Zustandekommen einer Partie von meiner Mitwirkung abhängt, also wenn ich damit den Geboten der Gastfreundschaft folge.« Abermals ein Atemholen, abermals eine kleine Pause – dann, in jähem Entschluß, leise, aber deutlich hörbar: »Und bei sonstigen Gelegenheiten.«

Denn die Seligkeit seiner Eltern wollte Poldi Singer nicht aufs Spiel setzen.

Ähnlich in der Struktur, nicht ganz so tragisch in der Exposition und von überragender Prägnanz in der Auflösung ist die Geschich-

* Alfred Polgar hat die Roulettespieler in zwei Kategorien eingeteilt: die einen spielen zum Vergnügen, die anderen, weil sie das Geld brauchen; zwangsläufig – so Polgar – geht nach einiger Zeit die erste Kategorie in die zweite über. Mit den Pokerspielern verhält es sich ähnlich.

te der Karlsbader Pokerpartie, die mir von einem Teilnehmer berichtet wurde, von dem (schon im kulinarischen Zusammenhang vorteilhaft aufgetretenen) Pelzmagnaten Max Penižek.

Die Karlsbader Pokerpartie fand in der Sommervilla des angesehenen Prager Rechtsanwalts Dr. Krasa statt und durfte füglich als *die* Karlsbader Pokerpartie gelten, denn es gab ihrer mehrere, eine davon mit so namhaften Teilnehmern wie Franz Molnár und Max Pallenberg. Aber bei keiner andern spielten so gute Spieler um so hohe Einsätze. Dr. Krasa – ich spreche aus eigener, in Prag gesammelter Kiebitz-Erfahrung – war ein ganz hervorragender Pokerspieler, diszipliniert, instinktsicher und von einem geradezu märchenhaften Einschätzungsvermögen für die Stärken und Schwächen seiner Gegner, denen er sich denn auch anhaltend überlegen zeigte. Die Partie begann immer schon am Nachmittag und dauerte bis weit über das in der Villa Krasa servierte Abendessen. Die drei oder vier Mitspieler pflegten vorher im »Pupp« die Jause einzunehmen und erreichten von dort, auf einem gesundheitsfördernden Spaziergang durch den Kaiserpark, den Ort der Handlung, wo sie ein nahezu sicherer Geldverlust erwartete. Er war manchmal höher und manchmal weniger hoch, manchmal verloren sie alle und manchmal nur zwei oder drei – aber Dr. Krasa verlor niemals. Dr. Krasa gewann immer.

Man sollte es nicht glauben: nach einiger Zeit wurde es den Verlierern zu dumm. Und als sie eines Sommernachmittags, die Jacketts an den geschulterten Spazierstöcken befestigt, durch den sonnendurchfluteten Kaiserpark ihrer Opferstatt zustrebten, hielten sie auf einer waldartigen Lichtung plötzlich inne, sahen einander an und stellten fest, daß sie doch eigentlich Idioten wären, dem Dr. Krasa jeden Nachmittag ihr Geld abzuliefern. Und kreuzten die Hände ineinander wie einst die Eidgenossen auf dem Rütli und verschworen sich feierlich, während der restlichen Wochen ihres Aufenthalts nicht mehr Poker zu spielen. Und in das weihevolle Schweigen hinein sagte Max Penižek:

»Schon *gar* nicht bei schönem Wetter!«

Es war der seltene Fall einer Bekräftigung, die den Schwur in Wahrheit rückgängig machte.

Damit, daß diese Geschichte in Karlsbad spielt, wäre einerseits ein klagloser Übergang zum Thema Sommerfrische geschaffen, anderseits ist zu berücksichtigen, daß sie ebensogut »in der Stadt« spielen könnte – »Stadt« als pauschaler Gegenbegriff zum »Land« verstanden, auf das man »ging« oder »fuhr«. Mit der Frage: »Wohin gehen Sie heuer aufs Land?« war eindeutig die Wahl des Ferienortes gemeint, für den man sich entschieden hatte, nicht etwa eine Fußwanderung größeren Umfangs und flachen Charakters.

Auch die kleinen Episoden, die ich im folgenden aus Bad Ischl zu berichten habe, sind keineswegs an eine Sommerfrische gebunden, sondern in erster Linie an einen Kartentisch, er stehe wo immer. Allerdings fällt dem Ort der Handlung insofern eine etwas größere Rolle zu, als die Träger der Episoden ihrerseits an Ischl gebunden waren, und zwar lebenslänglich. Es handelt sich um die Brüder Emil und Arnold Golz, zwei erfolgreiche Bühnenautoren, am erfolgreichsten mit den betulichen, im jüdischen Kleinbürgermilieu angesiedelten Lustspielen, die sie der grandiosen Gisela Werbezirk auf den Leib schrieben, einer Schauspielerin von unvergleichlicher Persönlichkeitswirkung . . . ach, ich gerate schon wieder auf verbotenes Terrain, oder zumindest auf ein von hier aus unzugängliches, gekennzeichnet durch eine Warnungstafel mit der Aufschrift: »Vorläufig kein Eintritt. Vielleicht später.«

Aber von den Brüdern Golz darf und muß ich schon jetzt ein wenig sprechen.

Die Brüder Golz waren nicht nur Brüder, sondern Zwillinge, und nicht nur Zwillinge, sondern derart eineiige, daß sie einander tatsächlich wie ein Ei dem andern glichen. Es war völlig unmöglich, sie voneinander zu unterscheiden, und sie taten auch noch alles dazu, um dieses unverschämte Spiel der Natur mit arger List auf die Spitze zu treiben. Der eine war kurzsichtig – infolgedessen trugen beide Monokel. Der andre war schwerhörig – infolgedessen legten beide die Hand ans Ohr, wenn man mit ihnen sprach. Und sie waren immer bis ins kleinste Detail gleich gekleidet.

An diesem Umstand versuchte ich einmal einzuhaken und fragte möglichst beiläufig den einen (welchen nur, welchen), ob sie auch immer zur gleichen Zeit ihr Tagwerk begännen? Nein, wurde mir bedeutet, da lägen oft Stunden dazwischen. Wie käme dann die völlige Gleichheit in der Kleidung zustande? forschte ich weiter und hoffte den Befragten damit zu der Antwort zu verleiten, daß er dann eben dem Arnold – oder dem Emil – entsprechende Anweisungen zurückließe, und da hätte ich endlich gewußt, mit welchem ich sprach. Aber die Antwort, die ich zu hören bekam, lautete:

»Wer früher aufsteht, legt dem Bruder heraus, was er anziehen soll.«

Und da wußte ich wieder nichts. So war's ja auch beabsichtigt.

Überflüssig zu sagen, daß sich um die Brüder Golz zahllose Anekdoten ranken, manche echt, manche erfunden, alle auf ihre nicht unterscheidbare Zwillingshaftigkeit bezogen und keine hierher gehörig. Die einzige mir bekannte Ausnahme bezieht sich auf die Popularität der beiden Brüder und gehört allenfalls deshalb hierher, weil sie in Ischl spielt und weil die Brüder Golz zu Ischl gehört haben. Sie waren aus dessen sommerlichem Bild so wenig wegzudenken wie der Kaiser Franz Joseph selbst (auf den ja Ischls einzigartiger Rang unter den österreichischen Sommerfrischen zurückgeht). Dieser Ausnahms-Anekdote zufolge hätte der Kaiser gelegentlich eines Morgenspaziergangs auf der Esplanade die Brüder Golz leutselig ins Gespräch gezogen, und unter den Vorübergehenden sei flüsternd die Frage entstanden: »Wer ist der alte Offizier, der dort mit den Brüdern Golz steht?«

Wo die Brüder Golz in Wien ihre Tarockpartie hatten, weiß ich nicht (selbstverständlich »hatten« Kartenspieler, die etwas auf sich hielten, ihre Partie an einem bestimmten Ort und nirgends sonst) – in Ischl war es kein richtiges Kaffeehaus, sondern die berühmte Konditorei Zauner. Dort, im Hinterzimmer, pflegten die Brüder Golz immer am Nachmittag des Tarocks, mit wechselnden Partnern, meistens Angehörigen der Operettenbranche, die in Bad Ischl, dem kaiserlichen Hof nacheifernd, ihre traditionelle Sommerresidenz aufgeschlagen hatte (wovon die als Museum eingerichtete Lehár-Villa und der Oscar Straus-Kai noch heute Zeugnis ablegen).

Zu den Usancen der Operettenbranche gehörte der Ehrgeiz ihrer kommerziellen Lenker, sich mit möglichst hohen Aufführungsziffern zu brüsten, bei deren Errechnung es nicht gerade pedantisch zuging. Besonders Hubert Marischka, Direktor und Star des altehrwürdigen »Theaters an der Wien«, stand diesbezüglich im Ruf einer gewissen Großzügigkeit. Daraus erklärt sich die Bemerkung des einen der Brüder Golz (oder war es der andre?), als die Endabrechnung einer Tarockpartie 189 Punkte zu seinen Gunsten ergab:

»Bei Marischka sind das 200«, sagte er.

Auf ihn oder seinen Bruder geht auch ein Ausspruch zurück, der nachmals anderen Spielern zugeschrieben oder von ihnen usurpiert und als urheberrechtlich nicht geschütztes Allgemeingut behandelt wurde. Er stammt aber von ihm oder seinem Bruder und erfolgte nach mißtrauischer Kontrolle einer Abrechnungssumme, die unter großen Schwierigkeiten, gestützt auf viele Vergewisserungen und vergleichende Angaben der Partner, endlich fixiert worden war. Daraufhin also nahm der eine der beiden Brüder Golz die mit wirren Zahlenkolonnen bedeckte Schreibtafel an sich, rechnete das Ganze noch einmal durch und verkündete, oder wie es in den klassischen Homer-Übersetzungen heißt: und sprach die geflügelten Worte:

»Meine Herren – es stimmt. Da muß sich jemand geirrt haben.«

Auch sonst gab es bei den Ischler Verrechnungen häufig Komplikationen, die von den Spielern – wie wir zu ihrer Ehre annehmen wollen: spaßeshalber – durch Zerstreutheit, irrige Angaben der von ihnen erzielten Punkte und ähnlich unlautere Manöver noch gesteigert wurden. Sei's aus purem Übermut, sei's, weil man sich davon einen umfassenden Überblick über das Auf und Ab von Gewinn und Verlust erhoffte, sei's, weil die vielfach wechselnden Partner der einzig stabilen Brüder Golz dieses System bevorzugten – eines Tags wurde beschlossen, die am Ende jeder Partie errechneten Summen nicht sofort auszuzahlen, sondern sie in einer von den Brüdern Golz zu führenden Buchhaltung aufzuzeichnen und nach Ablauf einer bestimmten Frist eine Generalabrechnung vorzunehmen. Die Folgen waren verheerend. Binnen kurzem entartete die als einfach gedachte Buchhaltung nicht bloß zur doppelten, sondern zu einer drei- und vierfachen, Gewinne wurden von einem Spieler an den andern zediert und gegen einen vorangegangenen Verlust angerechnet, Verluste wurden übertragen und durch einen Gewinn von dritter Seite ausgeglichen, eine vierte schaltete sich mit einem vom vorletzten Mal übriggebliebenen Restbetrag ein – es ging kreuz und quer und derart durcheinander, daß ein Bruder Golz, nachdem er die Gewinn- und Verlustsummen der soeben abgeschlossenen Partie verbucht hatte, einen längeren Blick über die angesammelten Ziffern schweifen ließ und sich mit folgenden Worten an Oscar Straus wandte:

»Oscar, gib dem Beda siebzehn Schilling, dann ist mir der Leopoldi nix mehr schuldig.«

Von diesem Tag an wurde wieder nach jeder Partie bar ausgezahlt.

In der Sommerfrische

Wir sind bereits in der Sommerfrische, und nicht in irgendeiner, sondern in der klassischen Sommerfrische des alten Österreich, in Ischl. Was ihr diesen Rang verschafft hat, wissen wir – *wann* das der Fall war, also wann Ischl von Kaiser Franz Joseph zur Sommerresidenz gekürt wurde, mögen Wißbegierige in den diesbezüglichen Nachschlagewerken erkunden, die ihnen auch Auskunft geben werden, seit wann sich Ischl »Bad Ischl« schreibt. Das tut es ja wirklich nur im Schreibgebrauch. Im Sprachgebrauch heißt es Ischl, und das mit Recht. Denn Ischl – anders etwa als Bad Nauheim, das noch von keinem Menschen jemals »Nauheim« genannt wurde – bedarf des Bades nicht und hat seiner niemals bedurft, um sich Geltung und Anziehungskraft zu erwerben. Dafür sorgte der kaiserliche Hof und ein kaisertreues Bürgertum, das sich nichts Schöneres wünschte, als mit dem geliebten Monarchen die Sommerfrische zu teilen, und das alljährlich aus allen Gauen des Habsburgerreichs, vornehmlich aber aus der Haupt- und Residenzstadt Wien herbeigeströmt kam, um sich diesen Herzenswunsch – den man heute wohl eher herzlos als »Statussymbol« bezeichnen würde – zu erfüllen. Die sich's leisten konnten, besaßen in Ischl eine Sommervilla. Die's ihnen ein paar Monate lang gleichtun wollten, mieteten sich eine solche (oder wenigstens ein Stockwerk darin). Aber man wohnte, was manche sogar für nobler hielten, auch im Hotel oder in Privathäusern, vorausgesetzt, daß sie über jenen für den Ischler Baustil typischen Balkon verfügten, von dem man die diversen Trachtenumzüge sehen konnte, die festlichen Aufmärsche an Kaisers Geburtstag, das große Feuerwerk am Vorabend, und vielleicht hatte man einmal Glück und sah gar den Kaiser selbst. Das war es, und nicht die Schlammbäder oder die Heilquellen, weshalb man nach Ischl auf Sommerfrische ging.

In der Regel wurde »mit Wirtschaft« auf Sommerfrische gegangen, nicht nur nach Ischl, sondern überallhin, wo man für die Zeit von Ende Juni bis Anfang September entsprechende Räumlichkeiten bezog. »Man« bedeutete die ganze Familie, zeitweilig mit Ausschluß des Vaters (der sich ja auch im Sommer ums Geschäft, um die Kanzlei, um die Ordination oder um sonstwelche beruflichen Obliegenheiten kümmern mußte), dafür aber mit Einschluß der Köchin, die sowieso als Familienmitglied galt. Und »mit Wirtschaft« bedeutete alle zur mehrmonatigen Führung eines Haushalts erforderlichen Geräte, unter denen weder Kaffeeservice noch Salatbesteck, weder Besen noch Staubtücher fehlen durften. Je nach Anzahl und Anspruch der weiblichen Familienmitglieder kam eine mehr oder minder reichhaltige Garderobe hinzu, Wäsche und Kleidung für sonniges und regnerisches Wetter, Spielzeug für die Kinder, Studienmaterial für den Ältesten, Tennis-, Bade- und Wanderausrüstung und was es eben an vermeintlich Unentbehrlichem geben mochte. Die Atmosphäre einer Übersiedlung, die aus alledem entstand, verstärkte sich noch durch die Ungetüme von braunen oder grünen Rohrplattenkoffern, in denen das ganze Zeug verstaut wurde, durch die mit abweisenden Überzügen versehenen Sitzmöbel, vor allem aber dadurch, daß diese zeitraubenden Vorkehrungen den normalen Haushaltsbetrieb fast völlig zum Erliegen brachten und daß man an den letzten Tagen vor der Abreise die Mahlzeiten nicht mehr zu Hause einnahm, sondern im Restaurant.

Ich erinnere mich sehr genau an den seltsam erregenden Schwebezustand dieser Übergangstage, in denen man gewissermaßen gleichzeitig zu Hause und auf Sommerfrische war. Ich empfand sie als die schönsten der Ferienzeit überhaupt, besonders wegen der Mahlzeiten im Restaurant, wo ich plötzlich gefragt wurde, was ich essen wollte und sogar selbst bestellen durfte. Es waren die einzigen Tage im Jahr, die mir Gelegenheit boten, meinen Appetit nach eigener Wahl zu befriedigen. Daß dergleichen zu Hause nicht in Betracht kam, schien mir durchaus natürlich. Aber bisweilen hatte ich das dumpfe Gefühl, daß nur deshalb »mit Wirtschaft« auf Sommerfrische gegangen wurde, um es auch dort zu verhindern.

Ob Ischl auf die Bezeichnung »Perle des Salzkammerguts« tatsächlich Anspruch hatte oder hat, bleibe dahingestellt – ich für meine Person, kaum daß dieselbe der elterlichen Verfügung nicht mehr unterlag, habe mich für Alt-Aussee entschieden; aber das halte jeder, wie er will, die Auswahl ist groß genug, und darum geht's mir nicht.

Mir geht es um die tatsächlich einmalige Atmosphäre, die sich in Ischl akkumuliert hatte und noch bis tief in die Zwischenkriegszeit wirksam blieb, obwohl es längst keinen kaiserlichen Hof mehr gab und die Kaiservilla nur noch als Glotzobjekt des Fremdenverkehrs fungierte;

mir geht es um die tatsächlich einmalige Struktur des Publikums, das sich hier Jahr um Jahr zusammenfand, dessen Angehörige sich einen Sommeraufenthalt anderswo als in Ischl nicht vorstellen konnten und an diesem Vorstellungsmangel immer noch festhielten, auch als seine Motive beim Teufel waren und die Immernochfesthalter wohl gar nicht mehr wußten, warum sie gerade nach Ischl kamen;

mir geht es, genau genommen, um ein Ischl, das immer nur während der Sommermonate Wirklichkeit wurde und mit dem eigentlichen, mit dem Ischl des übrigen Jahres ungefähr soviel zu tun hatte wie die Philharmoniker mit ihren Notenpulten ... oder doch mit den Noten selbst? Konnte sich jene sommerliche Wirklichkeit vielleicht nur in Ischl entfalten?

Eine müßige Frage, und schon deshalb nicht zu beantworten, weil ihre Voraussetzungen nicht mehr gegeben sind. Zwar kommen auch heute noch Sommergäste nach Ischl, denen neuerdings sogar »Operettenwochen« geboten werden, und an der Schönheit der Landschaft hat sich so wenig geändert wie an der Qualität der Konditorei Zauner. Aber die Sommergäste sind keine Sommerfrischler mehr, kommen größtenteils aus der benachbarten Bundesrepublik und meistens nur für wenige Tage, mit großen Autobussen, im Rahmen einer von organisationstüchtigen Reisebüros veranstalteten Salzkammergut-Tour;

die Operettenwochen finden im großen Saal des Kurhauses statt, nicht im Kurtheater, das längst zum Kino degradiert ist und das der Kaiser einmal mitten in der Vorstellung verließ, weil ihm die junge Adele Sandrock gar nicht gefiel (ich selbst habe dort als sehr jugendlicher Theaterenthusiast noch die Niese und den Jarno bewundern dürfen); die Komponisten und Textdichter der aufgeführten Operetten kann man weder vorher noch nachher hofhalten sehen, weder bei Zauner noch im »Stüberl« des nach der Kaiserin benannten Hotel Elisabeth (heute ein Krankenhaus), bestenfalls kann man – sofern sie nicht in einem KZ umgekommen sind – ihre Gräber besuchen, und in den ersten Jahren nach 1945 konnte man bei Zauner oder in der Halle des Hotel Post noch ein paar Überlebende aus dem Kreis der ehemaligen Ischler Sommergäste sitzen sehen und konnte wenigstens noch hören, wie der eine dem andern mit diskretem Fingerzeig nach einem dritten zuraunte: »Dort sitzt der Schwager vom Granichstaedten« oder: »Der jetzt hereinkommt, war früher der Anwalt von Schanzer und Welisch«, die gab's in den ersten Jahren nach 1945 noch, die Randfiguren der einstigen Komponisten-Glorie, die Boten zum Thron der Librettistenpaare, und es gab noch welche, die sie erkannten, und inzwischen gibt's die alle nicht mehr, nicht einmal sie;

und aus dem Musikpavillon auf der Esplanade, die noch immer entlang der Traun verläuft, erklingt kein Vormittagskonzert der Kurkapelle André Hummer, kein Divertissement aus dem »Rastelbinder« und keine Ouvertüre zu Boieldieus »Kalif von Bagdad«, im Esplanaden-Café der im Innern des Ortes gelegenen Konditorei Zauner erholen sich keine vom Spaziergang ermüdeten Advokaten und Industriellen und Kunstmäzene, es mopsen sich keine Kinder an der Hand ihrer Gouvernanten, es wandeln keine Vertreter des Geisteslebens gebärdenreich diskutierend nebeneinanderher, es ist vorbei mit der Esplanade, vorbei mit allem, was einstmals Ischl war, mit seiner einmaligen Struktur und Atmosphäre, es ist vorbei.

Daß Struktur und Atmosphäre überwiegend jüdisch determiniert waren, bedarf keiner Unterstreichung mehr und wird an dieser Stelle nur als Übergang zu einem Ausspruch des Komikers Armin Berg angeführt:

»Es gibt 500 Millionen Chinesen auf der Welt und nur 15 Millionen Juden«, sinnierte er vor sich hin. »Wieso sieht man in Ischl nicht *einen* Chinesen?«

Ein unerschütterlich getreuer Stammgast Ischls war Heinrich Eisenbach, geographisch und künstlerisch der gleichen Gegend zugehörig wie Armin Berg und zweifellos ihr höchstwertiges Produkt (Karl Kraus pries ihn als einen der großen Charakterdarsteller des zeitgenössischen Theaters). Eisenbach kam Sommer für Sommer und unternahm Tag für Tag den gleichen Spaziergang: auf eine schon etwas weiter entfernte Anhöhe mit Jausenstation und Aussichtswarte, zu Ehren der Erzherzogin Sophie und des nach zwei Seiten sich öffnenden Panoramas »Sophiens Doppelblick« geheißen. An diesem Spaziergang ließ sich Eisenbach durch kein noch so schlechtes Wetter hindern, und selbst als eines Sommers der berüchtigte Salzkammergutregen kein Ende nahm, machte der unverdrossene »Doppelblick«-Liebhaber, mit Wettermantel, Kapuze und Schirm bewehrt, sich täglich auf den Weg. Wochenlang war er der einzige Gast, der im Jausenlokal seinen Kaffee einnahm, wochenlang erstieg er als einziger die Aussichtsterrasse und spähte vergebens rundum, ob sich nicht vielleicht irgendwo eine Art Lichtblick böte.

Da, eines Tages, entdeckte er oben einen offensichtlich Fremden, dem man daheim den Besuch von »Sophiens Doppelblick« als besonders lohnend empfohlen haben mochte und der jetzt völlig verloren dastand, nicht wissend, was es ihm sollte.

Eisenbach nahm ihn wortlos an der Hand, führte ihn zur entgegengesetzten Barriere, deutete ins undurchdringlich regenverhangene Grau und sagte im Ton eines Fremdenführers:

»Von hier aus, mein Herr, haben die alten Juden den Dachstein gesehen.«

Die wichtigsten Äußerungen fielen natürlich in den peripathetischen Diskussionen auf der Esplanade. Der folgende Dialogfetzen war vielleicht das Ende, vielleicht der Anfang eines Gesprächs über die letzten Dinge:

»Also wie ist das – *gibt* es ein Fortleben nach dem Tod oder nicht?«

»Mein Onkel Willomitzer sagt *nein.*«

Das ist wenigstens klar. Hingegen wird sich nie eruieren lassen, welche Auseinandersetzungen oder Überlegungen zu dem Stoßseufzer geführt hatten, der sich dem einen von zweien Esplanadenbesuchern entrang, nachdem sie minutenlang schweigend auf einer Bank in der Nähe der Traunbrücke gesessen waren. Meinem Gewährsmann zufolge hatte man zunächst gar nicht den Eindruck, daß die beiden zusammengehörten, und jedenfalls muß diesem Stoßseufzer zutiefst Pessimistisches vorausgegangen sein; er lautete:

»Ein Glück ist die Brücke überm Wasser!«

Zum besseren Verständnis des folgenden bedarf es zweier Vorbemerkungen.

Erstens muß man sich erinnern, daß zu jener Zeit die Bezeichnung »Tourist« kein Synonym für einen Träger des Fremdenverkehrs war; ein Tourist war jemand, der auf Berge stieg (wenn er auf hohe Berge stieg, war er ein Hochtourist).

Zweitens muß man über Moritz Frisch und seine Sprechweise Bescheid wissen. Moritz Frisch – übrigens der erste Verleger der »Fackel«, Vater des Übersetzers und Verlagsfachmanns Justinian Frisch und Großvater des bedeutenden, in Oxford lebenden Atomphysikers Otto Frisch – entwickelte beim Sprechen eine Verschleppungstaktik, die zeitgenössischen Berichten zufolge – ich selbst habe ihn nicht gekannt – Nerven und Geduld seiner Zuhörer auf arge Proben stellte. Abgesehen von der Mißachtung, die er den Umlauten entgegenbrachte und die er in der besonders gründlichen, ein wenig fettigen mährischen Variante praktizierte, begann er seine Sätze sehr, sehr langsam, legte zwischen die einzelnen Worte quälend lange Pausen ein, als bereite er die Entdekkung einer profunden Erkenntnis vor – und gab den Rest des Satzes in einem so unvermittelt rasenden Tempo von sich, daß man ihn nur mit Mühe verstand (wobei die Mühe in den meisten Fällen nicht lohnte). Musterbeispiel:

»Ich hab ...« (Pause nach langsamem Beginn) »... sehr ...« (noch langsamer) »... nicht gern ...« (noch längere Pause, ins Maßlose gesteigerte Erwartung der Zuhörer, *was* Moritz Frisch nicht gern hat – und da explodiert es auch schon:) »wenn der Mensch is bleed!«

Der Satz aber, der auf der Ischler Esplanade fiel, kam offenbar zustande, als Moritz Frisch – der ebenso langsam ging, wie er sprach – von seinem Begleiter zu etwas beschleunigter Gangart aufgefordert wurde und mit abwehrendem Kopfschütteln antwortete:

»Was is ... ein echter ... Tourist ... werden Sie *nie* sehn gehn schnell!«

Die nun folgende Geschichte – vielleicht die schönste von allen, die nur in Ischl und nur auf der Esplanade spielen konnten – verdanke ich meinem in der New Yorker Emigration verstorbenen Freund Viktor von Kahler (dem ich überhaupt viele Geschichten – zumal pragerischen Ursprungs – verdanke). Sie ist mir deshalb besonders lieb, weil sie mich an eine Episode in Joseph Roths »Radetzkymarsch« erinnert, die mir gleichfalls besonders lieb ist:

Manöver in Galizien. Der alte Kaiser reitet mit seiner Suite dem nächstgelegenen Ort zu. Es kommt ihm eine Delegation der dortigen Judengemeinde entgegen, angeführt vom Gemeinde-Ältesten, der auf einem Kissen den symbolischen Schlüssel vor sich her trägt und ihn dem Kaiser überreichen will. Der Kaiser hält an, nimmt die Huldigung entgegen und hört den hebräischen Worten, mit denen der Greis sie begleitet, bis zum Schluß aufmerksam zu. Als er das Zeichen zum Weiterreiten gegeben hat, wendet sich der nah hinter ihm reitende Fürst Kaunitz an einen andern Herrn der Suite: »Hab kein Wort verstanden, was der alte Jud g'redt hat.« Worauf der Kaiser sich umdreht und ihn mit sanftem Lächeln zurechtweist: »Er hat ja auch nicht zu Ihnen gesprochen, mein lieber Kaunitz.«

Soweit die erfundene Geschichte Joseph Roths, handelnd – für mein Gefühl zumindest – von jenem rührend selbstverständlichen

Einvernehmen, das sich zwischen zwei alten Männern ergeben kann, auch wenn sie nichts miteinander gemeinsam haben als ihr Alter.

Die authentische Geschichte von der Ischler Esplanade ist nicht meinem eingangs zitierten Gewährsmann passiert, sondern seinem Vater, dessen Freunde als Augenzeugen und Berichterstatter fungierten. Die aus drei älteren Herren bestehende Gruppe befand sich auf einem frühmorgendlichen Spaziergang und sah den Kaiser, der um diese frühe Stunde ein gleiches zu tun liebte, in Begleitung eines nicht identifizierten Adjutanten herankommen. Die beiden anderen Herren blieben stehen, zogen den Hut und verharrten in tiefer Verneigung – indessen der alte Baron Kahler, der auch nach seiner Nobilitierung ein frommer Jude geblieben war, einige Schritte zur Seite trat und den Hut nicht abnahm. Schon wollte der Adjutant auf den vermeintlich Respektlosen, dessen Lippen sich murmelnd bewegten, pflichtgemäß empört losfahren, als der Kaiser – in Fragen der Etikette sonst eher von pedantischer Strenge – abwinkte: „Lassen S' nur, lassen S' nur«, sagte er. »Das ist in Ordnung.« Und ging grüßend weiter.

Er kann unmöglich gewußt haben, daß jener den »Segensspruch beim Anblick eines gekrönten Hauptes« vor sich hinsprach und daß man dabei den Hut auf dem Kopf behalten muß. Aber vielleicht hat er etwas dergleichen geahnt.

Unter direkter Mitwirkung meines Freundes Viktor vollzog sich eine Begebenheit, die im heute üblichen Titeljargon etwa »Einschüchterung einer Köchin« heißen würde.

Ein Geschäftsfreund der Kahlers hatte ihnen für den Sommer seinen Palazzo in Venedig zur Verfügung gestellt, die Kahlers nahmen an und gingen entgegen aller Tradition nach Venedig auf Sommerfrische – mit Wirtschaft natürlich, also außer Papa, Mama und den Söhnen Viky und Felix auch die Köchin Mařenka. Während der langen Eisenbahnfahrt kamen die beiden bösen Buben auf den Gedanken, die Köchin Mařenka über das bevorstehende Reiseziel zu unterrichten:

»Weißt du, Mařenka, wir kommen jetzt in eine Stadt, wo die Straßen aus Wasser bestehen und wo es noch Menschenfresser gibt.«

Die Köchin Mařenka wollte sich vor Lachen fast ausschütten, nein, was den jungen Herren da schon wieder eingefallen sei ... Menschenfresser ... Straßen aus Wasser ... nein, so was ... und sie schlug sich prustend auf die dicken Schenkel.

Als man in Venedig ankam, eine Gondel bestieg und auf vielfältig verzweigten Wasserstraßen dem Palazzo zustrebte, verging ihr nicht nur das Prusten, sondern sie wagte sich während des ganzen Sommers nicht vor die Türe.

Zur Institution der Sommerfrische gehörten bestimmte Usancen wie das Ankunftstelegramm oder der Familienpfiff. Dieser, meistens ein Motiv aus einer Wagneroper, diente den Zusammengehörigen zur Standortbestimmung, wenn sie einander im Trubel eines Bahnhofs oder bei der Landung eines Ausflugsdampfers zu verlieren drohten. Das Telegramm verständigte den vorerst zu Hause verbliebenen Familienvater vom glücklichen Abschluß der Reise und begann unweigerlich mit den Worten »wohlbehalten eingetroffen«. Übrigens hatten Telegramme, von interurbanen Telephongesprächen ganz zu schweigen, damals noch etwas Aufregendes an sich, sei's feierlicher oder unheilkündender Art; sie achteten auf größte Sparsamkeit im Text und stellten im Bedarfsfall durch die Floskel »Brief folgt« genauere Mitteilung in Aussicht. (Berühmt gewordenes Beispiel eines solchen Bedarfsfalles: »seid besorgt brief folgt«.) Aus alltäglichen Anlässen wurde niemals telegraphiert. Es mußte ein außergewöhnliches Ereignis sein. Und die Ankunft in der Sommerfrische war ein solches.

Halten wir abschließend fest, daß unter den Gründen, aus denen man einen bestimmten Ferienort wählte, gesundheitliche Erwägungen, wenn überhaupt irgendwo, an letzter Stelle lagen. Das dokumentierte sich aufs schönste in jenem Sommer, da ein günstiger Zufall mehreren untereinander befreundeten Redakteuren des »Prager Tagblatts«, zu denen als jüngster auch ich gehörte, die unverhoffte Möglichkeit bot, zur gleichen Zeit Urlaub zu nehmen und gemeinsam auf Sommerfrische zu gehen. Nach längeren Beratungen kamen das Riesengebirge und Marienbad in die engere Wahl (Karlsbad war für die meisten von uns zu teuer). Die Entscheidung lag bei Rudi Thomas, dem stellvertretenden Chefredakteur (siehe diesen), der seine äußerst dürftige Beziehung zu Wald und Feld und Flur schon früher einmal auf die Formel gebracht hatte: »Was die Natur betrifft, genügt mir der Schnittlauch auf der Suppe.« Er plädierte mit folgenden Argumenten für Marienbad, das übrigens im Jargon der Prager Umlaut-Verächter auf der ersten Silbe betont wurde:

»Also schaut's, Kinder. Nicht daß Márienbad so scheen is – scheen is bald was. Aber es hat *sehr* gute Kaffeehäuser, wo man alle Zeitungen kriegt – in ein paar Restaurants kann man ganz anständig essen – das Theater ist gar nicht schlecht, besonders mit den Gastspielen im Sommer – man trifft Leute – und das bissel frische Luft muß man eben in Kauf nehmen.«

Die Prager Hierarchie

Es läge nahe, das Kapitel »Prag«, das sich jetzt anschließen soll, gleich mit dem »Prager Tagblatt« zu beginnen. Wenn ich auf diesen zwanglos zu bewerkstelligenden Übergang dennoch verzichte, so deshalb, weil das »Prager Tagblatt« die Gloriole all meiner mit Prag verbundenen Erinnerungen und Erfahrungen, den Gipfel meines ganzen in Prag verbrachten Lebensabschnitts darstellt – und am Gipfel kann man nicht gut anfangen; nicht einmal dann, ja dann erst recht nicht, wenn er sich auch in manch einer andern Hinsicht als solcher präsentiert, und wahrlich nicht nur mir. Für jenes Prag, das ich hier im Auge habe, für jenes seltsame Rassen- und Kulturkonglomerat, dessen deutsch-jüdisches Überbleibsel aus den Zeiten der Monarchie sich immer noch darauf berufen durfte, eine von Namen wie Kafka, Rilke, Werfel, Brod und Meyrink getragene Literatur hervorgebracht zu haben, über eines der traditionsreichsten deutschen Theater zu verfügen und wohl auch auf wirtschaftlich-finanziellem Gebiet eine unverhältnismäßig bedeutende Rolle zu spielen – für dieses Prag war das »Prager Tagblatt« so repräsentativ, daß es füglich selbst zu den Gipfelpunkten gerechnet werden darf, die es repräsentierte, und füglicher noch zu den Anhaltspunkten, von denen aus sich ein Bericht über Prag entfalten könnte.

Indessen möchte ich – im unverdrossenen, schon mehrmals gescheiterten Bemühen, meinen Reminiszenzen zu einer halbwegs geordneten Struktur zu verhelfen – doch lieber von einem der anderen (und nicht minder füglichen) Anhaltspunkte ausgehen, die sich bereits in früheren Kapiteln angeboten haben. Ich denke da vor allem an Frau Löwenthal, Prags prominente Gastgeberin, die im »Kulinarischen Zwischenspiel« ruhmbekränzt aufgetreten ist und mir schon dort Gelegenheit gab, auf die für Prag so überaus kennzeichnende Wechselbeziehung zwischen erstrangiger

Küche und erstrangiger gesellschaftlicher Position hinzuweisen, auf die hierarchische Strenge, mit der die Prager Gesellschaft eingeteilt wurde oder sich einteilte, denn außerhalb ihrer selbst hatte das alles keine Geltung, und innerhalb hielt sie sich für so unanfechtbar »gut«, daß sie den andernorts üblichen Begriff der »guten Gesellschaft« erst gar nicht akzeptierte und es bei bloßer »Gesellschaft« bewenden ließ. Der hier gegebene wie der hier behandelte Raum, dessen kulturgeschichtlicher Hintergrund immer nur von flüchtigen Blink- und Streiflichtern angeleuchtet werden kann, verschließt sich einem gründlicheren Eingehen auf diese nur in Prag beheimatet gewesene Mischung von Qualität und Snobismus, von kritischem Anspruch und provinziellem Eigendünkel. Der Chronist bleibt auf beispielhafte Ankedoten angewiesen, was ja a priori in seiner Absicht lag; hält er doch Anekdoten seit jeher für schlüssiger und aufschlußreicher als langatmige Analysen.

*

So ließe sich für die prekär ausgewogene Hierarchie, die beispielsweise im Bankwesen herrschte, kein besserer Beleg finden als jenes Gespräch, das aus dem Café Savarin am Graben berichtet wird, wo sich alltäglich nach dem Mittagessen, um das Erscheinen der »Abendzeitung« mit den Schlußkursen der Börse und den letzten Wirtschaftsnachrichten abzuwarten, die Prager Finanzgewaltigen zusammenfanden, die Präsidenten, Generaldirektoren und Prokuristen der großen Bankhäuser, *nur* der großen, denn die bescheidenen Privatbankiers, mochten sie sich noch so noblen und soliden Rufs erfreuen, hatten zu diesen Zusammenkünften keinen Zutritt und würden auf Befragen zweifellos erklärt haben, daß sie ihn gar nicht suchten.

Dort also, im Café Savarin, äußerte eines Nachmittags, während er seine Zigarre in Brand setzte, der als Aktienfachmann geltende Generaldirektor Winternitz von der Länderbank die nachlässig gemurmelten Worte:

»Trifailer wird man abstoßen müssen. Bevor sie fallen.«

»Woher wissen Sie das?« fragte ebenso beiläufig und kaum von der Zeitungslektüre aufblickend Herr Fanto, Prokurist der Merkurbank, wobei er zweifellos erwartete, daß die Information seines Kollegen aus Spitzenregionen käme und nicht etwa aus einem privaten Kleinbetrieb.

»Der Popper von Seelig hat's mir gesagt«, antwortete Winternitz.

Da nun das Bankgeschäft Seelig tatsächlich zu jenen zählte, die von den Großen zwar als durchaus honorig angesehen wurden, dies jedoch über die Achsel, löste Winternitzens Antwort einige Überraschung aus.

Es war Generaldirektor Hecht von der Unionbank, der ihr Ausdruck verlieh:

»Was ist los?« fragte er indigniert. »Seelig hat *auch* schon einen Popper?«

Natürlich bedeutete »Popper« in diesem Zusammenhang keine Person, sondern die Chiffre für einen Aktionsradius, der einem Unternehmen von der geringen Bedeutung des Seeligschen nicht zustand. Nach Herrn Hechts Auffassung hatte ein Bankgeschäft dieses Ranges offenbar nur aus dem Bankier zu bestehen.

Um eine konkrete Namens-Angelegenheit ging es im Fall des ehrgeizigen Bankbeamten Nelkenblum, der seinen Namen geändert haben wollte – wie das in jenen Jahren von den Inhabern ausgefallener oder komisch klingender und obendrein deklariert jüdischer Familiennamen häufig gewünscht wurde (meistens als Vorbereitung zur Taufe).

Herr Nelkenblum reichte also ein Gesuch um Namensänderung ein und wurde von der zuständigen Behörde aufgefordert, eine ausreichende Begründung für seinen Wunsch beizubringen.

Der Name Nelkenblum sei ihm in seiner Berufskarriere hinderlich, brachte Herr Nelkenblum bei.

Das müßten seine Arbeitgeber bestätigten, antwortete die Behörde.

Herr Nelkenblum begab sich zu seinen Arbeitgebern in die Direktion der Prager Kommerzbank, trug ihnen sein Anliegen vor und verließ das Direktionszimmer mit einem Dokument des folgenden Wortlauts:

»Auf Wunsch von Herrn Bernhard Nelkenblum bestätigen wir gerne die Notwendigkeit der von ihm angestrebten Namensänderung, da sich der Name Nelkenblum auf ein berufliches Fortkommen nachteilig auswirken könnte. (Gezeichnet) Feilchenfeld, Generaldirektor. Rosenblatt, Prokurist.«

Dazu gibt es eine Art Gegengeschichte, berichtet vom selben Gewährsmann, meinem schon mehrmals dankbar zitierten Freund Viktor von Kahler.

Der Sohn einer angesehenen Innsbrucker Familie, Jakob Tschurtschenthaler, hatte sich bereits in jungen Jahren als mathematisches und Finanzgenie zu erkennen gegeben und schien unausweichlich für eine Karriere im Bankwesen prädestiniert. Sie wurde ihm von befreundeter Prager Seite und prompt angeboten und durch lockende Bedingungen, zu denen u. a. eine Einladung nach Prag gehörte, noch attraktiver gemacht.

Tschurtschenthaler sah sich ein paar Tage lang in Prag um, entschied sich für die Annahme des Offers und reicht an Ort und Stelle ein Gesuch um Namensänderung ein. Er befürchtete, daß man einen Tschurtschenthaler in Prags Finanzkreisen nicht ernst nehmen würde. Fortan wollte er Taussig heißen.

*

An der Spitze der Prager Geldhierarchie stand unumstritten die Familie Plessnik. Sie hieß in Wahrheit anders, aber da es nicht nur eine sehr reiche, sondern auch sehr empfindliche Familie war, möchte ich mit ihren nach Übersee emigrierten Nachkommen um keinen Preis (den ich im Ernstfall nicht bezahlen könnte) in Konflikt geraten – wer weiß, vielleicht nähmen sie Anstoß an einer der Anekdoten, die sich um ihren Namen ranken, um ihren fast schon legendären Reichtum, der auf einem der großen Prager Bankhäuser und auf einem führenden Anteil an der Kohlenindustrie des Landes beruhte. Er wurde ihnen nicht geneidet, im Gegenteil, man war in Prag eher stolz auf die Plessniks, ähnlich wie in Frankfurt auf die Rothschilds, man gönnte ihnen das Geld und man gönnte ihnen – aber da wird wohl am besten eine Anekdote herhalten.

Sie spielt gleich vielen anderen informativen Prager Geschichten auf dem Graben, beim sonntäglichen Mittagskorso, zwischen einem alteingesessenen Prager und seinem von auswärts zu Besuch gekommenen Freund, den er über die ihnen begegnenden Persönlichkeiten (wie über alles sonst noch Wissenswerte) ins Bild setzt. Plötzlich bleibt er stehen und deutet auf die gegenüberliegende Straßenseite:

»Schau – dort drüben gehen die beiden Plessnik-Töchter!«

Alteingesessen wie er ist, weiß er natürlich über die konkurrenzlose Häßlichkeit der beiden Erbinnen Bescheid. Der Fremdling weiß es nicht, will sich die unverhoffte Chance, zwei derart millionenschwere Mädchen aus der Nähe zu sehen, nicht entgehen lassen, eilt hinüber, umkreist die gemächlich Dahinpromenierenden in diskreter Distanz, kehrt zu seinem Freund zurück und sagt nur drei Worte:

»Gott ist gerecht.«

Es gab auch einen Sohn und Stammhalter Plessnik, nennen wir ihn Tommi, aus dessen Kinderzeit die Prager Fama einige Geschichtchen festgehalten hat, die nicht verlorengehen dürfen. Ihre Wiedergabe stößt auf die von mir wiederholt beklagten lautmalerischen Schwierigkeiten, denn Tommi, ein verschlossenes, übellauniges Kind, tat seine kargen Äußerungen im Singsang des klassischen Prager Deutsch und mied schon frühzeitig jeglichen Umlaut wie die Pest. Ständig von Gouvernante, Miß, Hauslehrer und sonstigem Personal umhegt und umsorgt, wußte er sich mit einer bemerkenswert zweischneidigen Taktik gegen die permanente Betreuung zu behaupten: er nahm sie mit allen herkömmlichen Formeln der Fügsamkeit hin und tat hinter dieser Tarnung um so unnachgiebiger, was ihm gefiel.

Auf einer Kinderjause hemmungslos seiner Freßlust fröhnend und Torte um Torte verschlingend, besann er sich mittendrin auf die Rechenschaft, die er seiner Gouvernante – sie saß mit den anderen erwachsenen Begleitpersonen im Nebenzimmer – schuldig war und rief ihr durch die offene Türe zu:

»Freilich! Bis in einer kleinen Weile werde ich brechen!«

Nach diesem Aviso (das die pragerisch verkürzte Form von »erbrechen« anwandte) mampfte er weiter.

Ein Ferienaufenthalt an einem Salzkammergutsee muß bekanntlich zum Baden benützt werden, und diesmal war es die Miß, die ihn zu diesem Zweck ins Strandbad geleitete. Der widerstrebende Tommi, der so kälteempfindlich war, daß er sogar im Sommer Ohrenschützer trug, beugte sich nieder, pritschelte ein paarmal lustlos mit den Fingern in der klaren Flut, richtete sich wieder auf und entschied unter folgsam-spekulativer Verwendung der englischen Sprache (ohne deshalb den Prager Akzent zu vernachlässigen):

»Much too cold for a child!«

Selbst die leisen Ansätze von Temperament, die ihm gelegentlich unterliefen, wurden sofort mit der jeweiligen Aufsichtsperson koordiniert. Eine Auseindersetzung auf dem Kinderspielplatz im Prager Stadtpark endete nicht mit der Balgerei, die sich normalerweise entwickelt hätte, sondern mit der Erkundigung des gemessen herangetrabten Tommi:

»Bitte, Freilein, darf ich das Buberl dort anspucken – es will mir seinen Roller nicht borgen.«

Anläßlich eines Besuchs bei seiner Wiener Verwandtschaft öffnete sich ein rätselhafter Einblick in die Vorstellungswelt seiner Knabenseele. Man hatte ihn in den Wurstelprater geführt und ihm alles geboten, was der berühmte Rummelplatz an Attraktionen zu bieten hat. Tommi ließ sie gehorsam über sich ergehen, ließ weder Begeisterung noch Mißfallen erkennen und reagierte auch auf die aufmunternden Konversationsversuche seiner Begleitung äußerst wortkarg:

»Na, Tommi, wenn du einmal groß bist – möchtest du dann ein Ringelspielbesitzer werden?«

Tommi gab ein ausdrucksloses, jedoch langgezogenes Nein von sich.

»Möchtest du vielleicht Wagenführer auf der Hochschaubahn werden?«

»Naain.«

»Oder Steuermann auf der Wasserbahn?«

»Naain.«

»Also was möchtest du werden?«

»Hautarzt.«

Er war damals fünf Jahre alt, und das Rätsel hat sich niemals gelöst.

*

Mit dem vorhin erwähnten Gebrauch der Kurzform »brechen« bekundete Klein Tommi eine frühzeitige Beherrschung der pragerischen Terminologie, die sich auch sonst in allerlei Verknappungen und Verschlüsselungen gefiel und dem Uneingeweihten nicht ohneweiters verständlich war.

Wie sollte er sich zum Beispiel jene Frage deuten, die von einer Prager Hausfrau an eine andre gerichtet wurde und die da lautete: »Was schmieren Sie Ihrer um zehn?« Wie sollte er wissen, daß sich das auf den Brotaufstrich bezog, den die andre ihrem Stubenmädchen zum Gabelfrühstück bewilligte?

Auch wird erst auf Umwegen verständlich, daß »grün« (spr. grien) im Pragerischen fast das Gegenteil, nämlich ein blasses, ungesundes Aussehen bezeichnet. Und man sieht nicht einfach grün aus, man *ist* es. »Grien bist du heite«, lautete in solchen Fällen die teilnahmsvolle Feststellung.

Sie erfuhr eine bemerkenswerte Variante, als ein Jungverlobter seine ein wenig stubenhockerische Braut erstmals in die Wohnung eines Freundes mitbrachte: »Das ist meine Braut«, sagte er. »Schau dir an, wie sie grien is.« Die geringfügige Umstellung zweier Wörtchen ließ es beinahe als Tätigkeit erscheinen, grien zu sein, ja beinahe als Leistung. Im gleichen Tonfall hätte der Bräutigam auch sagen können: »Hör dir an, wie sie Klavier spielt.«

Die Verwendung von Schlüsselworten ohne Rücksicht auf ihren ursprünglichen Sinn konnte sogar zu einem kompletten Gegenteil führen, wie das in jener Familie geschah, deren Töchterchen an einer immer auffälliger werdenden Rückgratverkrümmung litt. Nach einigen erfolglosen Behandlungen zog man einen Spezialisten heran und führte ihm die Patientin vor.

»Steh schön grad, mein Kind«, mahnte die Mutter. »Damit der Herr Professor sieht, wie schief du bist.«

Vom ersten Besuch im Hause ihres jungverheirateten Sohns zurückgekehrt, berichtet die Mama einer Freundin über den perfekt geführten Haushalt, über die Harmonie, die zwischen den beiden jungen Leuten herrschte, über die Bemühungen der Schwiegertochter, ihr den Aufenthalt so schön wie möglich zu gestalten, jeden Wunsch hätte sie ihr von den Augen abgelesen, und überhaupt hätte alles bestens geklappt ... »Aber beleidigt hab ich mich *doch!*« schloß sie triumphierend ab.

Das wollte nicht heißen, daß sie sich etwa selbst eine Beleidigung zugefügt hatte. Es war ihr vielmehr gelungen, in der rastlosen Obsorge ihrer Schwiegertochter einen Makel zu entdecken, sich trotz allem schlecht behandelt zu fühlen und darob beleidigt zu sein. So besehen, war die Beleidigung also doch ihr Werk.

(Es könnte sich um die gleiche Schwiegermutter gehandelt haben, die ihrem Schwiegersohn am Weihnachtsabend zwei ausgesucht schöne Krawatten unter den Baum gelegt hatte, und als das junge Ehepaar am folgenden Abend zu ihr kam, verstand es sich für den Schwiegersohn von selbst, die eine der beiden Krawatten anzulegen. Schon in der Türe faßte ihn die Schenkerin mißbilligend ins Auge: »Ach?« machte sie. »Die andre hat dir nicht gefallen?«)

Eine Dame der Prager Gesellschaft, nach ihrer Beziehung zu einer andern befragt, antwortete – um so recht zu verdeutlichen, daß die andre als Verkehr für sie nicht in Betracht käme –:

»Mit der grüß ich mich nicht.« (Sie sagte natürlich »grieß«, aber ich muß jetzt allmählich darauf vertrauen dürfen, daß der Leser die korrekte Aussprache von selbst mitliest.)

Die grammatikalische Verstümmelung dieses Satzes ist nicht unbedingt zu verurteilen. Sie entsteht erst durch die Singularisierung der einwandfreien Pluralform: »Wir grüßen einander nicht«, die jedoch am Tatbestand weit vorbeigegangen wäre und ihm die Basis einer nicht gegebenen Gleichwertigkeit unterschoben hätte.

Die Befragte wollte ja klarstellen, daß *sie* es sei, die der andern nicht nur den Gruß verweigert, sondern obendrein keinen Wert darauf legt, daß jene sie grüßt. Wie hätte sie das ausdrücken sollen? Etwa durch ein farbloses: »Ich stehe mit ihr nicht auf Grußfuß«? Auch das wäre unzureichend gewesen. Die zitierte Wendung ist zwar grammatikalisch falsch, aber gesellschaftlich richtig.

Gegrüßt bzw. nicht gegrüßt wurde in erster Linie am Graben, einer der Hauptverkehrsadern der Stadt, rechtwinklig zum repräsentativ tschechischen Wenzelsplatz gelegen und Mittelpunkt des deutschen Gesellschaftslebens. (Abermals möchte ich dem Leser vertrauen und ihm den immer wieder fälligen Hinweis ersparen, daß mit der »deutschen Gesellschaft« eine fast ausschließlich deutsch-jüdische gemeint ist – die nichtjüdische, im Bezirk Kleinseite jenseits der Moldau konzentriert und größtenteils sudetendeutscher Abkunft, hatte mit alledem schon dank ihrer antisemitischen Neigungen kaum etwas zu schaffen.) Am Graben befanden sich die von der deutsch-jüdischen Gesellschaft bevorzugten Geschäftsläden, Kaffeehäuser und Restaurants, die führende deutsche Buchhandlung, das altrenommierte Hotel »Blauer Stern«, das »Deutsche Haus« und die übrigen Wahrzeichen einer heute bis in die Wurzeln ausgerotteten Existenzform. Und am Graben fand allsonntäglich in den späten Vormittagsstunden der Korso statt, auf dem Grüßen und Nichtgrüßen kultiviert wurde, wobei die im ersten Fall geübten Nuancen größte Bedeutung hatten. Wie tief der Grüßende den Hut zog und in welcher Entfernung er zum Gruß ansetzte, war für das Verhältnis zwischen ihm und dem Gegrüßten ebenso aufschlußreich wie für dessen gesellschaftliche Position; er seinerseits, der Gegrüßte, bekundete durch die Promptheit und Freundlichkeit der Erwiderung, in welchem Ausmaß ihm der Gruß willkommen war. Nicht selten bahnte sich auf solche Weise ein Rapprochement oder eine Abkühlung an, nicht selten geschah es, daß auf dem Grabenkorso geschäftliche, persönliche und sogar zwischengeschlechtliche Beziehungen entstanden oder zu Bruch gingen – wie denn überhaupt das Ende dieser segensreichen Institution, deren ungezwungene Ergiebigkeit in mancher Hinsicht sogar die des Kaffeehauses übertraf, innig betrauert werden muß. Der Korso hatte bis in die dreißiger Jahre bestanden, nicht nur am Graben zu Prag, auch auf der Wiener Ringstraße und am Budapester Donaukai und auf dem Hauptplatz noch der kleinsten Provinzstadt, die sich damit eines funktionierenden Gesellschafslebens vergewisserte. Selbst als flüchtiger Besucher fand man sich zur persönlichen Teilnahme gehalten, wurde während des Auf- und Abschlenderns vom jeweiligen Gastgeber über die Interna der jeweiligen Siedlung unterrichtet und konstatierte zu seiner wie zur eigenen Freude, daß Aussig oder Budweis oder Pardubitz über eine erstaunliche Anzahl hübscher Mädchen verfügte (erst bei längerem Aufenthalt kam man dahinter, daß es immer dieselben waren und ihrer höchstens drei).

Nirgends allerdings kamen dem Korso so fundamentale Funktionen zu wie in Prag. Als der am Sonntagmorgen von einer Weltreise zurückgekehrte Textilfabrikant Robitschek erfuhr, daß in der Zwischenzeit Gerüchte über seinen im Ausland erfolgten Tod kolportiert worden waren, hielt er es für das sicherste Dementi, sofort auf dem Grabenkorso zu erscheinen. Gleich der erste Bekannte, der ihm entgegenkam, blieb erschrocken stehen und glotzte ihn mit aufgerissenen Augen an. »Aha!« sagte Robitschek. »Sie waren *auch* nicht auf meinem Begräbnis!«

Gleichfalls am Graben begegnete Herr Keller, der kurz zuvor noch Kohn geheißen hatte, dem als Jeiteles geborenen Herrn Jessen und beging die Unvorsichtigkeit, ihn mit spitzem Hohn zu fragen:

»Wo jessen Sie heute zu Mittag, Herr Jeiteles?«

»Im Grabenkohn«, lautete die Antwort, der eine gewisse Eleganz nicht abzusprechen ist.

Selbstverständlich hatte auch Kommerzialrat Hugo Orlik, Herrenschneider der Prager Crème de la Crème, am Graben seine exklusiven Geschäftsräume, in die man nur durch hochmögende

Protektion und nach eingehender Prüfung Zutritt erlangte. Herr Orlik, immer um eine Kleinigkeit vornehmer als der vornehmste seiner Kunden, war der Bruder des namhaften, in Berlin ansässigen Malers Emil Orlik, der einem Bewunderer auf die Bitte, ihn in seinem Atelier besuchen zu dürfen, geantwortet haben soll: »Ein Atelier hat mein Bruder Hugo in Prag. *Ich* habe eine Werkstatt.«

Ob Hugos Anzüge oder Emils Bilder besser waren, wage ich nicht zu entscheiden. Aber Hugo war ohne Frage der größere Snob, einer der größten, die das »Prager Schmockkästchen« – so nannte es sich in koketter Selbstkritik – jemals aufzuweisen hatte. (Wie und warum »Schmock«, ursprünglich eine Figur aus Gustav Freytags Lustspiel »Die Journalisten«, zum Synonym für »Snob« geworden ist, dem sich die adäquaten Wortbildungen »verschmockt« und »Schmockerei« angegliedert haben: das wäre wieder einmal einer eigenen, hier leider nicht durchführbaren Untersuchung wert.)

Von kompetenter weiblicher Seite wurde mir versichert, daß Prag auch auf dem Gebiet der Damenmode Erstklassiges leistete und daß die Prager Haute Couture internationale Geltung besaß. Die kompetente Seite gehörte zur sogenannten »Haute Juiverie« – eine einleuchtende, keineswegs auf Prag beschränkte Bezeichnung für die finanz- und kulturträchtige, in manchen Fällen schon seit zwei oder drei Generationen geadelte Oberschicht des jüdischen Großbürgertums.

Eine andre zu dieser Schicht gehörige Dame, die ihren Sommeraufenthalt zwischen Nizza und Karlsbad zu teilen pflegte, hatte vom teuersten Prager Pelzsalon einen prächtigen Weißfuchsmantel geliefert bekommen, den sie – wie eine ihrer Freundinnen neidvoll vermutete – sicherlich nach Nizza mitnehmen würde.

»Nach Nizza?« entgegnete die Schmöckin. »Den heb ich mir für Karlsbad auf. In Nizza kennt mich doch niemand!«

Es war dieselbe, die einer Übersiedlung nach Dresden, von ihrem Gatten aus Geschäftsgründen erwogen, das Argument entgegensetzte:

»Was mach ich in Dresden? Wo mir doch schon Prag zu klein ist!«

Damit stand sie allerdings im Widerspruch zu einem Lokalpatriotismus, wie er in noch viel kleineren Städten als Prag gehegt wurde und beispielsweise in dem Stoßseufzer: »Göding ist *auch* nicht mehr, was es war!« zum Ausdruck kam.

Dies wiederum erinnert an die Äußerung eines Versicherungsagenten, der seine Tätigkeit aus Mährisch-Ostrau in die slowakische Kleinstadt Neutra verlegen wollte und von seinen Freunden gewarnt wurde, daß es dort »öd« sei (der Umlaut läßt sich in diesem Fall nicht gänzlich ausschalten, wechselt jedoch ersatzweise vom o zum a und nähert sich dem Klangbild »äd«).

»Neutra öd?« entgegnete der Gewarnte. »Wieso? Man nennt es auch Klein-Preßburg!«

Es sei vermerkt, daß die Kohlenmetropole Mährisch-Ostrau tatsächlich über ein beachtliches Kultur- und besonders Nachtleben verfügte, daß manch ein späterer Bühnenstar am dortigen Deutschen Theater seine Karriere begonnen hat, daß die mit dem »Prager Tagblatt«-Konzern verflochtene »Morgenzeitung« hohes journalistisches Niveau hielt und daß der ihr angeschlossene Buchverlag Kittl einem Teil der 1933 aus Deutschland verjagten Literatur eine Unterkunft bot, die den in Holland entstandenen Exilverlagen Allert de Lange und Querido nur wenig nachstand. Jedenfalls war Mährisch-Ostrau mit den zahlreichen anderen Städten proklamiert mährischer Landeszugehörigkeit nicht in einem Atem zu nennen. Wer etwa nach Mährisch-Weißkirchen, Mährisch-Trübau oder Mährisch-Gmünd verschlagen wurde, befand sich in der tiefsten Provinz und merkte alsbald, warum man diese Ortschaften unter der Einheitsbezeichnung »Mährisch-Selbstmord« zusammenfaßte.

Jetzt haben wir uns aber allzu weit von Prag entfernt und kehren eilends zurück, ins hunderttürmige, ins goldene, an den Ufern der von Smetana vertonten Moldau gelegene Prag, in die schönste Stadt nördlich der Alpen und wahrscheinlich eine der schönsten Städte überhaupt . . . ach ja.

»Prag wird durchflossen von der Nebbich, die sich schließlich doch in die Elbe ergießt«, heißt es bei Gustav Meyrink, der bekanntlich nur ein Wahl-Prager war und sich infolgedessen oder trotzdem eine gewisse kritische Einstellung zum goldenen Moldau-Mütterchen bewahrt hatte, als einziger auf weiter Prager Literatenflur. Kein Prager, ob Literat oder nicht – aber im Grunde war jeder ein Literat oder hielt sich dafür, auch wenn er nie eine Zeile veröffentlicht hatte, hielt sich sogar für einen besseren als die öffentlich anerkannten – bitt' Sie, wer ist schon der Werfel, sein Vater hat ein Handschuhgeschäft in der Mariengasse –, kein Prager, sage ich, hat jemals an Prag das geringste auszusetzen gefunden (indessen im vorgeblich gemütlichen Wien die böseste Selbstkritik zu Hause war, von Nestroy über Karl Kraus bis zum Qualtinger), kein Prager hat jemals gezögert, Prag für den Nabel der Welt und sich selbst für den Nabel Prags zu halten. Noch in jenem scheinbar abwertenden Urteil der Prager Gesellschaftslöwin, daß Prag ihr »zu klein« sei, lag die resignierte Überzeugung beschlossen, daß es leider nichts Größeres gäbe. Und siehe da – oder auf pragerisch »Und was tut Gott« –: in mancher Hinsicht traf das tatsächlich zu.

Am Graben, wo wir uns zuletzt aufhielten, lag auch das Café Continental, Prags Literaten- und Journalisten-Café. Ähnlich wie in Wien das »Herrenhof« die Nachfolge des »Central« angetreten hatte, war das »Conti« dem geschleiften, einstmals von den Jungprager Dichtern bevölkerten Café Arco nachgefolgt, ohne es jedoch an literarischem Ruhm zu erreichen. Näheres über das Café Arco findet sich bei Karl Kraus, Kurt Wolff, Max Brod, Willy Haas und Johannes Urzidil, dem letzten, 1972 verstorbenen Mitglied des »Prager Dichterkreises« (dem ich – eine für mich höchst schmeichelhafte Stelle in der Autobiographie Max Brods erlaubt mir diese Aussage – »als Hospitant« angehört habe).

Das »Conti« dürfte das einzige Kaffeehaus seiner Art gewesen sein, dessen Garderobier berühmter war als sämtliche Stammgäste. Ich habe ihn noch gekannt, den alten Hahn, und hatte noch die Ehre, meine durch den »Schüler Gerber« erworbene Lokalgeltung von ihm bestätigt zu bekommen, als er eines Abends meinen Mantel entgegennahm, ohne mir einen Garderobenzettel einzuhändigen. Daß dies als Geste der Anerkennung, als Aufnahme in die Reihe der Bevorzugten gemeint war, konnte keinem Zweifel unterliegen, denn Herr Hahn verteilte seine Garderobenzettel tatsächlich nur als Klassifikationsmerkmal. Zur Identifizierung der von ihm aufbewahrten Mäntel hätte er sie nicht benötigt. Er besaß ein exorbitantes Gedächtnis, wußte die Telephonnummern aller Stammgäste und der von ihnen am häufigsten gewünschten Verbindungen auswendig, merkte sich die Gesichter und, wenn sie prominent genug waren, die Namen noch so seltener Besucher und erkannte nach jahrelanger Pause auch Siegfried Wagner, der zu einer Aufführung seines »Bärenhäuters« nach Prag gekommen war und anschließend im Café Continental erschien.

Hahn half ihm diensteifrig aus dem Mantel.

»Schöne Sachen hab ich gehört von Ihrem Herrn Papa«, flüsterte er ihm dabei vertraulich zu.

Da es in der Umgangssprache das ziemlich genaue Gegenteil bedeutet, wenn man von jemandem »schöne Sachen« gehört haben will, reagierte Siegfried Wagner dementsprechend empört:

»Was erlauben Sie sich?« fauchte er. »Was soll das heißen?«

»Lohengrin ... Tannhäuser ... Parsifal«, ergänzte mit Unschuldsmiene der Garderobier Hahn.

Augenzeugen berichteten, daß der berühmte Sohn des noch berühmteren Vaters nicht etwa gelächelt oder gar gelacht, sondern sich lediglich mit einem nüchternen »Ach so« abgewendet habe. Ein Thema wie »Der Humor im Hause Wagner« wird schwerlich zum Gegenstand der Sekundärliteratur werden.

Daß im »Conti« auch des Schach- und des Kartenspiels gepflogen wurde und daß an den dazugehörigen Käuzen, Schnorrern und Mäzenen kein Mangel herrschte, versteht sich ebenso von selbst wie die nach strengen Regeln geordnete Besetzung der Stammtische und die endlosen Diskussionen – durchwegs Charakteristika, die eigentlich zu jedem Kaffeehaus gehören. Und ich frage mich, ob sie nicht besser in einem eigenen Abschnitt untergebracht wären, der das Phänomen »Kaffeehaus« als solches behandeln und mit Beispielen belegen wird. Anderseits überschneidet sich ein Posten der obigen Aufzählung mit dem Kapitel über das Kartenspiel, und die Prager Käuze könnten mit gleichem Recht einen Platz unter den schon geschilderten Sonderlingen beanspruchen. Auch das sind organisatorische Schwierigkeiten, die mir bei der Niederschrift dieses Buchs immer wieder begegnen und für die ich keine Lösung weiß, als in Gottes Namen weiterzuschreiben.

Dafür bietet sich das Stichwort »Diskussion« an, das zugleich über die Enge des Kaffeehauses hinausweist. In der Tat wurde Prags Geistesleben von einer schier unerschöpflichen Diskussionsfreudigkeit beherrscht, der jeder erdenkliche Anlaß willkommen war. Anton Kuh hat sie in einem parodistischen »Veranstaltungs-Kalender«, wie er jeweils am Wochenbeginn auf der Kulturseite des »Prager Tagblatts« erschien, durch die folgende fingierte Ankündigung gekennzeichnet:

»Donnerstag, 8 Uhr abend. Lese- und Redehalle liberaler Studenten.« (Die gab es wirklich.) »Lichtbildervortrag: Wer schläft mit Fräulein Bunzl? Anschließend Diskussion.«

Von Kuh stammt noch eine weitere einschlägige Äußerung, zu deren genauem Verständnis man lediglich wissen muß, daß ein im jüdischen Haushalt sehr beliebtes Weißgebäck (geflochten, mohnbestreut und von respektabler Größe) »Barches« heißt.

»Wenn man in Prag zum Nachtmahl eingeladen ist«, konstatierte Kuh, »wird schon bei der Suppe der Problem-Barches angeschnitten.«

Jener anschließend diskutierte Lichtbildervortrag beschäftigte sich nicht zufällig mit einer Frage des Geschlechtsverkehrs, der in Prag mit dem gleichen Eifer und der gleichen Breitenwirkung betrieben wurde wie die Diskussion. Die beiden Tätigkeitsgebiete wiesen gewissermaßen verfließende Grenzen auf. Über die je nachdem stabilen oder wechselnden Konstellationen im Prager Sexualbetrieb, über ruchbar gewordene Großtaten und über alles sonst noch Wissenswerte wurde nicht gerade Buch, aber doch Diskussion geführt, und zwar eine durchaus sachliche, weit entfernt von scheelem Neid oder schmierigem Tratsch. Es gab eine Art Rangliste weiblicher Attraktivität und männlicher Leistungsfähigkeit, jene war Kursschwankungen unterworfen, diese wurde in dem Zeitraum, auf den meine Erinnerungen sich beziehen, eindeutig von Fritz Krasa angeführt, und das ist nun fast ein eigenes Kapitel.

Fritz Krasa, seiner leuchtend roten Haare wegen »der rote Krasa« genannt, galt, um es kurz zu sagen, als Prags potentester Mann. Er heiratete rechtzeitig eine reiche Amerikanerin und folgte ihr in die Vereinigten Staaten, wo er vielleicht heute noch lebt – sollte das der Fall sein und sollten ihm diese Zeilen zu Gesicht kommen, dann möge er sie als spätes Zeugnis meiner Verehrung entgegennehmen, als Denkmal, das ich seiner sagenhaften Potenz schon immer errichten wollte. Er selbst hat nie ein Aufhebens von ihr gemacht, hat nie mit ihr geprahlt und geprunkt (was die Fama veranlaßte, sie ins Maßlose zu steigern), sprach nie von seinen Erfolgen oder gar davon, wie er sie erzielte – was nämlich keineswegs auf der Hand lag, denn der rote Krasa war weder besonders schön noch besonders gescheit, und ich habe an ihm auch keine Anzeichen eines besonderen Charmes, ja überhaupt nichts Verführerisches entdecken können. Wahrscheinlich lag es an dem tiefen, um nicht zu sagen: sittlichen Ernst, mit dem er auf die Sache konzentriert war, wahrscheinlich ging eine unwiderstehliche Strahlkraft davon aus, daß er nichts andres tat und an nichts andres dachte.

Diese Eingeleisigkeit zeigte sich mit schlechthin umwerfender Vehemenz auf einer Abendgesellschaft, zu der wir beide eingeladen waren. Irgend jemand schlug zur Überbrückung der entstandenen Langeweile das Ratespiel »Abstrakt oder konkret« vor, und der rote Krasa wurde als erster hinausgeschickt, um hernach den Begriff oder Gegenstand, auf den man sich geeinigt hatte, zu erraten.

Er begann, wie es den Regeln entsprach, mit der Frage:

»Abstrakt oder konkret?«

»Konkret«, lautete die Antwort, und prompt verkündete der rote Krasa, was ihm als einzig Konkretes einfiel:

»Das Glied!« jauchzte er. (Er gebrauchte einen derberen Ausdruck, aber der läßt sich hier noch vermeiden.)

Man bedeutete ihm, daß er auf falscher Fährte sei und sich etwas mehr Mühe geben müßte, um auf die richtige Lösung zu kommen.

Mißmutig stellte er die übliche zweite Frage:

»Männlich oder weiblich?«

»Männlich.«

»Also doch!« rief der rote Krasa, dessen Vorstellungskraft bereits an ihre Grenzen gestoßen war. Und als man seine Antwort abermals zurückwies, gab er auf.

Nicht daß ich es gewagt hätte, ihn darum zu bitten – freiwillig und spontan gewährte er mir einen wenn auch kärglichen Einblick in das Geheimnis seiner von mir so sehr bewunderten Verführungskunst. Es geschah stilvollerweise auf dem Grabenkorso. Der rote Krasa hatte eine herankommende Dame beziehungsvoll gegrüßt und war von ihr mit einem ungemein freundlichen Lächeln bedankt worden. Ein paar Schritte später wandte er sich an mich:

»Grießen mußt du«, sagte er. »So lange grießen, bis du sie im Bett hast.«

Ich konnte meine Zweifel, ob es wirklich keines weiteren Raffinements bedürfe, nicht überwinden und habe Krasas Ratschlag nie befolgt. Es blieb bei der Bewunderung.

Sie erreichte ihren Höhepunkt an einem Sonntagnachmittag, als wir uns in der Wohnung des »Prager Tagblatt«-Vizechefs Thomas (von dem schon die Rede war und noch die Rede sein wird) zum allwöchentlichen »jour fixe« versammelt hatten. Dem bunten, reizvollen, häufig durch Gäste aus dem Ausland angereicherten Kreis um Rudi Thomas gehörte auch der rote Krasa an, nicht in erster Linie seiner Potenz wegen (obwohl sie ihm selbst dort größten Respekt sicherte), sondern eher im Schlepptau seines Bruders, des Komponisten Hans Krasa, eines hochtalentierten Schönberg-Schülers, mit dem mich persönliche und künstlerische Beziehungen verbanden: von ihm stammte die Musik zu einer zeitkritischen Komödie des tschechischen Dichters und Zeichners Adolf Hoffmeister, die im Original »Mládi ve hře« (Jugend im Spiel) und in meiner deutschen Bearbeitung »Anna sagt Nein« hieß; beide Fassungen wurden gleichzeitig aufgeführt, die tschechische im Avantgardetheater E. F. Burians, die deutsche in der »Kleinen Bühne« des Prager Deutschen Theaters, und beide sind – man schrieb das Jahr 1936 – über Prag nicht mehr hinausgekommen, ebensowenig wie Krasas Oper »Onkelchens Traum«, der eine Erzählung von Dostojewski zugrunde lag. (Es sei noch eingefügt, daß Hoffmeister – nebstbei nach 1945 der erste tschechoslowakische Botschafter in Paris – vor wenigen Jahren verfemt und isoliert in Prag gestorben ist und daß Hans Krasa die Nazihaft in Theresienstadt nicht überlebt hat; und es sei noch hinzugesetzt, daß es mich zu Einfügungen dieser Art öfter und schmerzlicher drängt, als ich's den Leser merken lasse.)

Hoffmeister war nicht der einzige Tscheche unter den vielen originellen und begabten Erscheinungen, die Rudi Thomas um sich versammelte. Sie alle aufzuzählen würde freilich zu weit führen, jedenfalls zu weit weg von Fritz Krasa, der ja im Mittelpunkt dieser Betrachtung stehen soll. Auch an jenem Nachmittag wurde er ganz gegen seine Art und Absicht zum Mittelpunkt, als er plötzlich aus seinem Fauteuil zu Boden glitt und lautlos in Ohnmacht sank. Der Hausherr und ein anwesender Arzt trugen ihn ins Badezimmer, wo er alsbald erwachte und wo sich die Ursache seines Schwächeanfalls klärte: er hatte in den frühen Nachmittagsstunden, bis kurz vor seinem Eintreffen bei Rudi Thomas, den Geschlechtsverkehr ausgeübt, offenbar pausenlos oder doch mit gewaltiger Intensität, denn sein Bericht, der brockenweise aus dem Badezimmer hörbar wurde, enthielt den in bescheidenem, fast entschuldigendem Tonfall vorgebrachten Satz: ». . . und dann hab ich ohne große Lut die sechste Nummer gemacht . . .« Einem andern hätte man schon die Sechszahl nicht annähernd geglaubt. Dem roten Krasa glaubte man sogar, daß er sie ohne große Lust erreicht hatte.

Ich schließe dieses für den Durchschnittsbürger niederschmetternde Potenz-Kapitel mit einer Begebenheit, durch deren Aufzeichnung ich vom Statisten zum Chronisten werde. Die Statistenrolle war mir während des Geschehens zugewiesen.

Es geschah, daß gegen den roten Krasa eine Paternitätsklage eingebracht wurde, was in seinem gesamten Freundeskreis größte Aufregung und Anteilnahme hervorrief. Aus den Ratschlägen, die von allen Seiten auf den hart Getroffenen einströmten, kristallisierte sich als einzig brauchbarer die Expertise eines Rechtsanwalts heraus: um der Klage mit einiger Erfolgsaussicht zu begegnen, müßte Krasa, da er sich unmöglich auf mangelnde Potenz ausreden könne, mangelnde Zeugungsfähigkeit nachweisen, wozu es wiederum einer ärztlichen Bestätigung bedürfe, und zwar einer amtsärztlichen, nicht vom Hausarzt Dr. Jellinek oder von einem andern, der sich infolge persönlicher Bekanntschaft oder weichen jüdischen Herzens vielleicht willfährig zeigen würde. Das Kreischen der Hebel, die Krasa daraufhin in Bewegung setzte, mischte sich mit seinem immer lauteren Wehklagen zu einer unschönen Symphonie, die bald niemand mehr anhören wollte. Man fand, daß die ganze Sache nicht gar so tragisch wäre, daß es sich sozusagen um einen Betriebsunfall handle, wie er einem Mann von Krasas Regsamkeit nun eben zustoßen könne. Die Anteilnahme seiner Freunde ließ allmählich nach, und manche begannen sich schnöde von ihm abzuwenden.

Endlich, in wochenlanger, diskreter und darum doppelt mühsamer Forschungsarbeit wurde ein Amtsarzt ausfindig gemacht, der angeblich mit sich reden ließ. Er hörte auf den vertrauenerweckenden Namen Kalmus, hatte seinen Amtsbereich an der weniger vertrauenerweckenden Peripherie, im Arbeiterbezirk Žižkov, und da ich um diese Zeit der letzte war, der dem roten Krasa noch treu zur Seite stand, begleitete ich ihn hinaus.

Wir landeten in einer deprimierend häßlichen Gegend, fanden in einer düsteren Mietskaserne die Türe mit dem gesuchten Namensschild, mußten mehrmals klopfen, weil die elektrische Klingel nicht funktionierte, und wurden von Dr. Kalmus selbst empfangen, einem spitzbärtigen, zwickerbewehrten Männchen, verschmuddelt wie der graue Ärztekittel, den er trug und der vor undenklich langen Zeiten einmal weiß gewesen sein mochte. Das

Ganze, einschließlich der Ordinationsräume, war von einer nicht zu überbietenden Trostlosigkeit. Aber es standen ja keine ästhetischen Belange auf dem Spiel, sondern eine Vaterschaftsklage.

Dr. Kalmus gab wortkarg zu erkennen, daß er im Bilde sei, vollzog allerlei medizinische Prozeduren, brummte ab und zu etwas Unverständliches und wurde erst am Schluß der Untersuchung deutlicher:

»Und jetzt, Herr Krasa, brauche ich von Ihnen eine Samenprobe. Hier, bitte.«

Damit überreichte er ihm ein Präservativ und deutete auf den einzigen im Raum befindlichen Lehnsessel, ein abgeschabtes Möbelstück mit nur einer Armlehne, jedoch zwei herausragenden Sprungfedern.

Es war, gelinde ausgedrückt, ein schockierendes Ansinnen, aber im Interesse der Wahrheitsfindung – oder zumindest einer amtsärztlichen Bestätigung – mußte ihm Folge geleistet werden. Der um den Nachweis seiner Zeugungsunfähigkeit bangende Krasa nahm also seufzend Platz und begann sich um die Hervorbringung des Gewünschten zu bemühen. Dr. Kalmus ging mit auf dem Rücken verschränkten Händen im Zimmer auf und ab.

Als die Bemühungen Krasas, der nun wahrlich Besseres gewohnt war, nach einer geraumen Weile noch immer kein Resultat gezeitigt hatten, wurde Dr. Kalmus ein wenig ungeduldig:

»Also was ist, Herr Krasa? Sind Sie bald fertig?«

Mit waidwundem Blick sah der rote Krasa zu ihm empor:

»Herr Doktor«, flüsterte er gequät, »könnten Sie nicht wenigstens du zu mir sagen?«

*

Der einzige, von dem die Mär ging, daß er es mit dem roten Krasa aufnehmen könne – was einer zuverlässigen Kontrolle schon deshalb entzogen blieb, weil er sich in gänzlich anderen Kreisen bewegte –, war ein Handlungsreisender namens Konrad Klein, genannt Kiezek. Er stammte von böhmischen Landjuden ab, sah dementsprechend aus, nämlich wie ein ungeschlachter Bauernlümmel, legte auch die dazugehörigen Manieren an den

Tag und sprach, anders als sein verfeinertes Vorbild, mit derber Offenherzigkeit (und hartem tschechischen Akzent) von seinen sexuellen Heldentaten. Zum Beispiel antwortete er auf die Frage eines detailliert Wißbegierigen, wie lange er denn brauche, um seiner jeweiligen Partnerin zum höchsten Liebesgenuß zu verhelfen: »Also das erstemal passiert es ihr, wenn ich im Kaffeehaus rufe: Ober, zahlen!« Und auch ich habe einmal, allerdings indirekt, eine vielsagende Auskunft von ihm bekommen.

Ich plante eine Reise nach Frankreich und erkundigte mich bei Kiezek, der das ja von Berufs wegen wissen mußte, nach der besten Zugsverbindung. Er hatte sie sofort parat:

»Also am besten fährst du um 11 Uhr 15 ab Wilsonbahnhof. Da hast du in Köln zwei Stunden Aufenthalt, steigst aus, bist in ein paar Minuten drei Straßen rechts vom Bahnhof, wo die Huren stehen, gehst mit einer ins Hotel Schwarzer Adler –«

Der Ordnung halber sah ich mich zu dem Einwurf genötigt, daß ich nichts dergleichen beabsichtigte.

»Entschuldige«, sagte Kiezek ein wenig verstimmt. »Das ist eben *meine* Art zu reisen.«

Die Clientèle des am Wenzelsplatz gelegenen Café Urban, wo ich Kiezek Klein kennengelernt hatte, zeichnete sich durch eine deutsch-tschechische Mischung aus, wie sie sonst nur in privatem Rahmen zustande kam. Im Café Urban traf Kiezek Klein seine nichtjüdischen Geschäftsfreunde von auswärts, im Café Urban zwinkerte der Abgeordnete Stšíbrný, der in einem von ihm herausgegebenen Boulevardblatt gelegentlich auch antisemitische Töne anschlug, seinen jüdischen Tarockpartnern zu, und an dem größtenteils von Juden besetzten Stammtisch, der mir bei meinen späteren Besuchen in Prag Gastrecht gewährte, wurde gleichermaßen deutsch und tschechisch gesprochen. Es war eine lebhafte, fast immer wohlgelaunte, nicht unbedingt als »intellektuell« zu qualifizierende Runde. Die intellektuelle Komponente wahrten vor allem zwei damals junge Rechtsanwälte, von denen der eine, Dr. Franz Hajek, noch heute zu meinen Freunden zählt (er lebt in London, hat zu diesem Kapitel mancherlei Wertvolles beigetragen und sei hiermit bedankt). Über den andern, Dr. Arthur Wolf, kann ich nur im Rückblick berichten. Die beiden waren miteinander befreundet und zugleich in einen demonstrativ zur Schau getragenen Konkurrenzkampf verstrickt – jeder wollte erfolgreicher sein als der andre, jeder versuchte (in mitunter recht witziger Weise) den andern auszustechen, zu ärgern, zu provozieren:

»Ich mußte mir heute ein neues Postsparkassenkonto einrichten«, ließ Wolf sich vernehmen, als Hajek an den Tisch trat. »Auf das alte ist nichts mehr draufgegangen.«

Hajek sah seinen absichtsvoll übertreibenden Widersacher lange und nachdenklich an. Dann sagte er, als wäre es das Ergebnis der soeben vollzogenen Prüfung:

»Hitler hat evident unrecht. Es sind ja gar nicht alle Juden minderwertig. Minderwertig bist *du,* Wolf.«

Mit Hitler, der in Deutschland erst seit kurzem an der Macht war und den man außerhalb Deutschlands noch nicht recht ernst nehmen wollte, hat auch die folgende Episode zu tun. Die beiden Freunde verbrachten einen gemeinsamen Skiurlaub im Riesengebirge und unternahmen von der »Spindlerbaude« aus eine Abfahrt, die längs der im Zickzack verlaufenden Staatsgrenze angelegt war, so daß man niemals wußte, ob man sich gerade auf tschechoslowakischem oder reichsdeutschem Boden befand. Was Wunder, daß dem friedlich dahingleitenden Wolf plötzlich der Atem stockte, als er hinter sich den scharfen Zuruf »Jüdische Marxistensau!« vernahm. Schreckensbleich wandte er sich um – und mußte feststellen, daß der Rufer niemand andrer als Hajek war.

»Bist du verrückt?!« brüllte er ihm entgegen. »Was fällt dir ein?!«

Der inzwischen Herangekommene beruhigte ihn:

»Schau – wenn wir in der Tschechoslowakei sind, macht's nix. Und wenn wir in Deutschland sind – *ich* bin gedeckt.«

Die Erwähnung des Riesengebirges gebietet einen kurzen Seitenblick auf ein andres Mitglied der Urban-Runde, Richard Fleißig mit dem Beinamen »der Sprachreiniger«. Sein Reinigungskampf galt den vielen sinnentleerten Klischees, die sich in die Umgangssprache eingenistet hatten und von denen das achtlos verwendete Präfix »Riesen-« seinen ganz besonderen Widerwillen hervorrief. »Riesen haben keine Portionen«, berichtigte er, wenn jemand die »Riesenportionen« in einem neu eröffneten Gasthaus pries. Wer seine »Riesenfreude« über ein empfangenes Geschenk äußerte, mußte sich sofort belehren lassen, daß Riesen keine Freude haben. Sie hatten auch keine Hetz, keinen Wirbel, keinen Erfolg, sie hatten, Fleißig beharrte darauf, nur ein Gebirge, sonst nichts. Die Unerbittlichkeit, mit der er an seiner Manie festhielt, wurde ihm zum Verhängnis, als der Chef der Wäschefabrik, für die er arbeitete, ihn eines Tags zu sich rief:

»Herr Fleißig, Sie müssen mit unserer neuen Kollektion sofort in die böhmischen Bäder fahren – wie ich höre, herrscht dort ein Riesenbedarf.«

»Riesen haben keinen Bedarf, Herr Chef«, berichtigte tadelnd der Sprachreiniger Fleißig.

Und verlor seinen gut bezahlten Posten.

Dem Zahnarzt Dr. Schreier war das Interesse der am Stammtisch Sitzenden – und die Einladung an diesen – zuteil geworden, als er damit beschäftigt war, sich seinen Lieblingscocktail zu mixen: halb Cognac, halb Maggi-Suppenwürze. Auch seine kulinarischen Vorlieben wiesen ungewöhnliche Züge auf, und wer jemals eine Prager Selchwarenhandlung betreten hat, wird ihn verstehen. Diese stets überfüllten Verkaufsläden – Chmel, Kašpar, Koula und wie sie alle hießen – waren zugleich für einen raschen Imbiß eingerichtet: die dem Verkaufspult gegenüberliegende Längswand wies kleine Marmorvorsprünge auf (etwa den Klapptischchen eines besseren Eisenbahncoupés vergleichbar), an denen man im Stehen die unmittelbar frischen Erzeugnisse verzehren konnte. Sie wurden in verwirrender Zahl und Vielfalt angeboten – allein die »Párky« genannten Würstel gab es in drei verschiedenen Größen – und wurden von den einheimischen Kennern noch höher geschätzt als der weltbekannte Prager Schinken.

Wenn nun Dr. Schreier einen solchen Laden betrat und die Verkäuferin ihm die bestellten »Párky« übers Pult reichte, fragte sie automatisch: »Was dazu?« Damit meinte sie Brot, Semmeln oder Salzwecken. Die Antwort Dr. Schreiers lautete jedoch:

»Zehn Deka Speck.«

Und wenn seine Begleitung sich darob verwundert zeigte, folgte die Erklärung:

»Ich nähre mich von reinem Selchgift.«

Wie unter den Eßgewohnheiten des Pragers das Geselchte (in jeder Form), nahm unter seinen Trinkgewohnheiten das Bier einen hervorragenden Platz ein. Das damit verbundene Ritual entsprach ungefähr dem des »Heurigen« in Wien: ein Prager Biertrinker, sofern er diesen Titel verdiente, war nicht bloß auf eine bestimmte Sorte eingeschworen, sondern auf ein bestimmtes der zahlreichen Bierlokale (deren manche ihr eigenes Bier brauten). Wer an den »Flek« oder an den »Šnell« glaubte, hätte sich – Schwejk hin, Hašek her – niemals beim »Kelch« sehen lassen, ein Stammgast des »Heiligen Thomas« (gegr. 1492) oder des am Altstädter Ring gelegenen »Procházka« wäre niemals zum »Sojka« aufs Belvedere gegangen. Wodurch die Eigenprodukte der betreffenden Lokale sich von den großen Marken, vom Pilsner, Budweiser, Königgrätzer, Smichower und all den anderen unterschieden, entzieht sich mangels Pedigrés und Schulung meinem Urteilsvermögen. Ich darf mich weder einen Prager noch gar einen Prager Biertrinker nennen; ich fungiere hier lediglich als Berichterstatter.

Als solcher habe ich von einem pensionierten Sektionsrat zu berichten, der für seinen Biergenuß ausgeklügelte Vorbereitungen traf. Ich kannte ihn von einer unterhalb des Belvedereplateaus gelegenen Badeanstalt her, der »Militärschwimmschule« (dem Trainingsquartier meines Prager Schwimmklubs »Hagibor«). Dort erschien der Herr Sektionsrat i. P. während der Sommermonate täglich um 11 Uhr vormittag, legte sich in die Sonne, wohin sie am heißesten brannte, und blieb zwei Stunden lang liegen, eine Stunde auf dem Bauch, eine auf dem Rücken. Ohne seinen vor

Hitze geradezu dampfenden Körper mit dem Wasser in Berührung gebracht zu haben, erhob er sich pünktlich um eins, warf sich in die Kleidung und keuchte zum Belvedereplateau hinauf, wo er beim »Sojka« der ausführlichen Löschung seines Bierdurstes oblag.

»Das erste Glas muß *zischen*«, erklärte er genießerisch.

Ein andrer echter Biertrinker war Karl Tschuppik (siehe diesen). Er frequentierte in den Jahren seiner Tätigkeit beim »Prager Tagblatt« eine Vorstadtkneipe, von der er behauptete, daß man dort das beste Bier der Welt bekäme, und die folgende Geschichte hat eigentlich nur insofern mit Bier zu tun, als sie dort spielt. Indessen rechtfertigt sich ihre Wiedergabe auch aus sprach-ethnographischen Gründen: sowohl im bairisch-österreichschen wie im tschechischen Sprachraum verwendet man »haben, sein, werden, scheißen« als Hilfszeitwörter.

In jenem von Tschuppik frequentierten Vorstadtlokal, zu dessen Stammgästen auch der Pfarrer des Sprengels gehörte, entstand also eines Abends, an einem schon etwas bierseligen Tisch, ein Disput über das Alter der nahe gelegenen Kirche, wobei die Schätzungen von 100 bis zu 500 Jahren reichten. Als nicht einmal Tschuppik, obwohl ein gebildeter Herr Doktor, Auskunft geben konnte, raffte sich einer der Disputanten auf, trank sich noch etwas Mut an und näherte sich in devoter Haltung dem Pfarrer:

»Hochwürden«, fragte er, »wissen Sie vielleicht, wie lange die Tauben schon auf Ihr Gotteshaus scheißen?«

Man darf ohne Übertreibung behaupten, daß die Bildhaftigkeit, die der Umgangssprache des Tschechen eignet, sich hier zur blumigen Höhe antiker Tropen aufgeschwungen hat.

Die Urban-Runde bevorzuge Sojkas Bierhaus, auch seiner exzellenten Küche wegen, und weil man sicher sein durfte, in den ausgedehnten Gastzimmern jederzeit Platz zu finden. Am Ende des langgestreckten Vorraums, der die Kleiderablage beherbergte, saß während der starken Besuchsstunden in einem respektgebietend isolierten Großvaterstuhl der Besitzer des Lokals, Herr Bohumil Sojka. Böse Zungen wisperten, daß dieses Möbelstück nach Maß für ihn gezimmert worden war, um seine enorme Leibesfülle aufzunehmen. Herr Sojka konte sich vor lauter Bauch kaum rühren, geschweige denn nach anderer Wirte Art seinen Gästen zur Begrüßung entgegeneilen. Den meisten winkte er im Sitzen zu, akkreditierte Stammgäste ließ er an sich herantreten, um ihnen die Hand zu schütteln, und in extremen Ausnahmsfällen geschah es sogar, daß er sich zu diesem Zweck ächzend erhob. Es war die höchste Auszeichnung, die er zu vergeben hatte, und in einigen Ehrgeizlingen unter den Urban-Insassen keimte der Wunsch, ihm diese Auszeichnung zu entlocken, oder wie die eigens geprägte Wendung es ausdrückte: »den Sojka zu heben«.

Es wurde ein Preis ausgeschrieben, bestehend aus drei Mahlzeiten zu je drei Gängen mit je drei Bierbestellungen, die Konkurrenten kämpften erbittert um Sojkas Gunst, zweien von ihnen wurde sogar nachgewiesen, daß sie heimlich trainierten, d. h. allein auf ein Bier zum Sojka gingen, um sich ihm aufzudrängen – es half nichts. Über einen Händedruck aus dem Sitzen kamen auch sie nicht hinaus.

Da, eines Abends, während die anderen noch ihre Garderobe ablegten, mußten sie plötzlich sehen, daß Herr Sojka vor dem Sprachreiniger Fleißig stand, zwar ohne ihm die Hand zu schütteln, aber unleugbar von ihm »gehoben«. Bei der sofort vorgenommenen Überprüfung, die neben verschiedenen Zeugenaussagen auch eine Rückfrage bei Herrn Sojka umschloß, stellte sich jedoch heraus, daß Fleißig mit gesenktem Kopf auf Herrn Sojka losgerannt war – den also der pure Schrecken aus seinem Sitz hochgetrieben hatte. Fleißig wurde disqualifiziert, die Konkurrenz wurde abgeblasen, und keinem aus dem Café Urban ist es jemals gelungen, den Sojka einwandfrei zu heben.

Am Urban-Tisch hingegen hielt die Konkurrenz zwischen den Doktoren Hajek und Wolf unvermindert an. Um Hajeks Vorherrschaft zu erschüttern, faßte Wolf den Entschluß zu einem wagemutigen Unternehmen, das ihm Aufmerksamkeit und Respekt einbringen sollte: er ließ sich im soeben eröffneten sowjetischen

Reisebüro »Intourist« als Teilnehmer an der ersten für Ausländer veranstalteten Gesellschaftsreise in die Sowjetunion buchen. Unter den damals gegebenen Umständen (die man sich heute schwer vorstellen kann) hatte eine solche Reise tatsächlich etwas Abenteuerliches an sich; fuhr man doch – mangels jeglicher Präzedenz – in eine völlige Ungewißheit hinein.

Als es soweit war, erschien eine Delegation des Café Urban auf dem Wilsonbahnhof, um Wolf gebührlich zu verabschieden.

Wolf stand gerührt am Fenster, die Zugtüren fielen zu, letzte Signale erklangen, und aus der Schar der Abschiednehmer trat zum Zweck einer Ansprache Hajek hervor:

»Lieber Wolf«, sagte er, »du bist der erste von uns, der in die Sowjetunion reist, und wir alle sind tief beeindruckt von deinem Pioniergeist. Wie du sicherlich weißt, wurden in der Sowjetunion schon viele Menschen hingerichtet, aber noch nie ein Mitglied der Prager Advokatenkammer. In deinem Moskauer Intourist-Hotel erwartet dich ein Telegramm folgenden Wortlauts: ABHOLET BOMBEN KONTAKSTELLEN SIEBEN – TROTZKI. Gute Reise, Wolf.«

Die Reise nach Moskau dauerte immerhin zwei Tage.

Hajeks führende Position im Café Urban äußerte sich auch darin, daß die ausländischen Zeitungen, die dort in großer Zahl auflagen, erst dann »eingespannt« und zur allgemeinen Lektüre freigegeben wurden, wenn Hajek sie gelesen und in der rechten oberen Ecke paraphiert hatte. Er war ein geradezu fanatischer Zeitungsleser und konnte auf die tägliche Zufuhr einer bestimmten Menge von Druckerschwärze so wenig verzichten wie der Organismus eines Normalmenschen auf eine bestimmte Vitaminmenge. Als er sich einmal auf Betreiben seiner Freunde und seines Arztes eine längere Erholungsreise gönnte – sie führte ihn mit geruhsamen Zwischenaufenthalten durch Italien, bis nach Neapel, wo er eine Mittelmeer-Kreuzfahrt antrat –, ließ er sich hauptpostlagernd Neapel das »Prager Tagblatt« nachschicken, begab sich mit dem mächtigen Zeitungsstoß unterm Arm an Bord und – nachdem er sich in seiner Kabine installiert hatte – zum vorsorglich reservierten Deckstuhl, warf einen flüchtigen Blick auf die vorübergleitende Küste und drehte mit den Worten: »Ah was, ich komm schon noch einmal her« den Deckstuhl um. Dann, von keinen landschaftlichen Schönheiten abgelenkt, begann er das »Prager Tagblatt« zu lesen.

*

Eine wesentlich gelassenere Haltung zur Zeitungslektüre – und damit zum Tagesgeschehen schlechthin – nahm der alte Herr Spielmann ein, der kein Kaffeehausbesucher war, aber darum nicht gänzlich uninformiert durchs Leben gehen wollte. Er bezog das »Prager Tagblatt« in einer besonderen Art von Sub-Abonnement, nämlich durch den Kellner eines kleinen Cafés, der die abgelegten Exemplare sammelte und sie allmonatlich gegen ein sehr geringes Entgelt Herrn Spielmann übergab. Das durfte immer erst am Ende des Monats geschehn, und Herr Spielmann ließ das Bündel dann noch einen weiteren Monat lang liegen, so daß er sich frühestens am 1. Oktober das »Prager Tagblatt« vom 1. August vornahm. Da von Zeit zu Zeit – etwa wenn er auf eine Geschäftsreise gehen mußte – noch weitere Verzögerungen entstanden, verfolgte Herr Spielmann die Ereignisse mit einem durchschnittlichen Rückstand von 2½–3 Monaten. Das ersparte ihm manche Aufregung, ermöglichte ihm eine weise Distanz zu den Entwicklungen, denen seine nervöse Umwelt Tag für Tag entgegenfieberte, und setzte ihn andrerseits, wenn ihn ausnahmsweise einmal die Neugier überkam, in die Lage, sich nach dem Ausgang des betreffenden Falls zu erkundigen. Nur ein einziges Mal wurde ihm die Antwort verweigert; das geschah, als er im Mai 1933 einen Flüchtling aus Nazi-Deutschland fragte: »Was glauben Sie – wird Hitler an die Regierung kommen?«

Zwischen Herrn Spielmann und den letzten der noch zu schildernden Prager Käuze, den alten Rosenfeld, drängt sich mit Macht Herr Mendel, dessen Weisheit, anders als die rückwärtsgewandte des Herrn Spielmann, weit vorausblickte, sehr weit, prophetisch weit. Die Geschichte, die das belegt, spielt einige Jahre vor dem Ersten Weltkrieg; ihre Quelle ist ein Verwandter von mir, der mit Herrn Mendel befreundet war und sich etwas später in einer ganz ähnlichen Situation befand, nur daß er die Ähnlichkeit nicht wahrnahm.

Herr Mendel hatte als väterliches Erbe die Pacht einer fürstlich Liechtensteinschen Domäne in der Gegend von Böhmisch-Brod inne, war auf dem Gutshof geboren und aufgewachsen, kannte nichts andres und wollte nichts andres als dort leben, war tschechisch erzogen und tschechisch verheiratet und stand zu seiner tschechischen Umgebung, einschließlich des umfangreichen Dienstpersonals, im denkbar freundlichsten Verhältnis. Es lag ihm völlig ferne, sich etwa als Feudalherr zu gebärden und seine Angelegenheiten von Verwaltern oder sonstwelchen Beauftragten regeln zu lassen, im Gegenteil, er sah selbst nach dem Rechten und legte, wo es nottat, selbst Hand an, erhob sich im Sommer mit dem ersten Hahnenschrei, ritt auf seine Felder hinaus, besprach sich mit dem Vorarbeiter, »šafář« geheißen (eine slawisierte Form des deutschen »Schaffer«), sorgte für den klaglosen Ablauf des Tagwerks und erfreute sich allseitigen Respekts (der in althergebrachten Formeln zum Ausdruck kam).* Vor dem Ausreiten steckte Herr Mendel einen kleinen Imbiß zu sich – das eigentliche Frühstück, das seine Frau inzwischen vorbereitete, nahm er erst ein, wenn er nach Hause zurückkam.

Eines Morgens nun, als Frau Mendel ins Wohnzimmer trat, sah sie ihren Gatten, den sie noch auf dem üblichen Ausritt glaubte, am Schreibtisch sitzen und einen Brief schreiben. Ihre überraschte Frage beantwortete er mit einem »Ksch« nebst der dazugehörigen

* An manche der damals gebräuchlichen Formeln, die von beiden Seiten streng eingehalten wurden, erinnere ich mich noch aus meiner Kindheit, von sommerlichen Aufenthalten in Melnik her, wo zwei Brüder meines Vaters einen kleinen Besitz hatten. Man brachte meinen Schwestern und mir die nötigsten tschechischen Verständigungsbrokken bei und schärfte uns ganz besonders ein, männliche oder weibliche Feldarbeiter, an denen wir vielleicht vorüberkämen – gleichgültig, ob es die »unseren« wären oder fremde – mit »Pomáhej Pánbůh!« zu grüßen, worauf sie »Dejž to Pánbůh!« erwidern würden; in ein ebenso archaisierendes Deutsch übertragen, hieße das: »Helf euch der Herrgott!« – »Der Herrgott geb's!«

Handbewegung, wie sie im allgemeinen beim Verscheuchen von Haustieren Anwendung findet. Erst als er den Brief beendet und verschlossen hatte, setzte er sich zum Frühstück nieder.

»Was ist los?« fragte Frau Mendel, nun schon etwas dringlicher. »Was hast du da für einen Brief geschrieben?«

Herrn Mendels Antwort kam ruhig, bedächtig und unwidersprechlich:

»Ich habe der Liechtensteinschen Domänenverwaltung die Pacht gekündigt. Wir übersiedeln in die Stadt.«

»Warum, um Himmels willen?«

»Wie ich heute aufs Feld gekommen bin, hat mir der šafář nicht ›Küß die Hand, gnädiger Herr‹ gesagt, sondern ›Guten Morgen, Herr Mendel‹. Es ist vorbei.«

Ich habe Herrn Mendel nicht gekannt und weiß nichts weiter von ihm. Die Geschichte spielt 1910 oder 1911, als ich zwei oder drei Jahre alt war. Sie wird hier verbucht, weil sie einen einmaligen Fall von politischem Instinkt darstellt.

Übrigens habe ich auch den alten Spielmann nicht gekannt, obwohl das in zeitlicher Hinsicht ohneweiters möglich gewesen wäre. Leider war er ein unzugänglicher Griesgram, und lediglich Dr. Hajek, der sich irgendwie in sein Vertrauen geschlichen hatte, wußte bisweilen etwas von ihm zu berichten, Skurriles wie die Sache mit dem Sub-Abonnement oder originelle Aussprüche, deren Originalität zum Teil in einer eigenen Abart des pragerischen Idioms bestand. Sie zeugten durchwegs von Herrn Spielmanns unversöhnlichem Abscheu vor einer Gegenwart, die seiner immer wieder geäußerten Überzeugung nach keinem Vergleich mit den achtziger Jahren des vorigen Jahrhunderts aushielt. Damals war Herr Spielmann jung, lebfrisch, stets zu Späßen aufgelegt und kurzum »ein großer Ulk«, damals ging er gerne »schleifen« (wie man in Prag das Schlittschuhlaufen nannte), die Achter, die er lief, waren »gestickt und gestrickt«, alles war besser, schöner und größer, sogar die Krankheiten: »*Was* haben Sie? Angina haben Sie? In die achtziger Jahr' hab ich gehabt eine Angina – da hab ich gespuckt Blut und Eiter – *solche* Töpfe voll!« Auch über den

Niedergang des Theaters bestand für Herrn Spielmann kein Zweifel: »In die achtziger Jahr' hat man noch Theater gespielt. Heute? Nix wie Tingel und Tangel!«

Derlei sprachliche Eigenwilligkeiten beging Herr Spielmann keineswegs irrtümlich, sondern absichtlich, ja er erhob sie mitunter zur Regel: »Es heißt *der* Glied, aber *das* Abort. Um es verächtlich zu machen.« Und Hajeks Bericht zufolge reagierte Herr Spielmann auf den in Deutschland gerade ablaufenden Prozeß gegen einen Massenmörder nicht, wie zu erwarten war, mit dem höhnischen Hinweis, daß es in die achtziger Jahr' ganz andere Massenmorde gegeben hätte; vielmehr veranlaßte ihn das mitleidheischende Plädoyer des Verteidigers zu der nur scheinbar abwegigen Feststellung:

»Wissen Sie – wenn einer sieben bis acht Leute umbringt, ist er bei mir *schon* kein anständiger Mensch.«

Der Begriff des »anständigen Menschen«, zu jener Zeit noch fest im allgemeinen Sprachgebrauch verankert, wird hier durch einen merkwürdigen Kurzschluß mit der Bezeichnung »Mensch« gleichgesetzt, auf die ein Massenmörder nun eben keinen Anspruch hat. Das war es, was Herr Spielmann eigentlich ausdrükken wollte. Die Angehörigen seiner Generation nahmen die Begriffe noch beim Wort und zeigten sich wenig beeindruckt, wenn man jemandem nichts Konkreteres nachzurühmen wußte, als daß er »ein anständiger Mensch« sei. Das sollte sich, wie sie meinten, von selbst verstehen. »Wenn er nicht wär' anständig, möcht' man ihn einsperren«, pflegte sie zu sagen.

Noch kritischer, noch skeptischer, noch pessimistischer als beim alten Spielmann stand es um die Weltschau des alten Rosenfeld, den ich als letzten in der Reihe der griesgrämigen Prager Sonderlinge schon angekündigt habe. Er besaß ein Kaffeegeschäft in einem der verwinkelten Durchhäuser, auch »Passagen« genannt, die in Prag viel häufiger als in anderen altösterreichischen Städten anzutreffen sind und das Innere des einstigen Stadtkerns geradezu durchwuchern. Manche der in ihrem Halbdunkel untergebrachten Geschäftsläden waren noch richtige »Gewölbe« (im

Judendeutsch die Bezeichnung für eine Verkaufsstätte schlechthin), hatten etwas leise Unheimliches an sich und entsprachen den hygienischen Anforderungen der Neuzeit nur in sehr geringem Maß. Zum Beispiel mußten sich alle in einem solchen Durchhaus Beschäftigten mit einem einzigen Abort begnügen, zu dem in jedem Laden, an einem großen, dünnen Eisenring befestigt, ein Schlüssel an der Wand hing. Er hing auch an der Wand der Kaffeehandlung Rosenfeld und wird vor allem deshalb als erstes Beispiel herangezogen, weil er in der Tat – noch selten hat ein Klischee so gut gepaßt – der Schlüssel zum abgrundtiefen Pessimismus des Ladeninhabers ist. Mehr als einmal wurde der alte Rosenfeld dabei beobachtet, wie er, vom diesbezüglichen Drang getrieben, sich an den Schlüssel heranpirschte, innehielt, ihn mißtrauisch beäugte, ein paar Schritte zurückwich, abermals auf ihn zuschlurfte, die Hand nach ihm ausstreckte, die Hand wieder sinken ließ und schließlich, nach mehreren Wiederholungen seiner halbschlächtigen Versuche, mit einer resignierten Handbewegung und einem ärgerlich hervorgestoßenen »Besetzt!« endgültig aufgab.

Auch sonst stieß er immer nur das Allernötigste hervor, mürrisch, abrupt und einer etwaigen Replik sichtlich abgeneigt. Die Glückwünsche zu seinem 80. Geburtstag nahm er so widerwillig entgegen, als wären es vorsorgliche Beileidskundgebungen zu seinem demnächst erfolgenden Ableben. Einer aus der Gratulationscour schien zu ahnen, was in dem alten Mann vorging, und versuchte ihn aufzuheitern:

»Herr Rosenfeld, achtzig ist doch gar kein Alter. Schauen Sie den Hindenburg an – der ist sechsundachtzig und noch immer Reichspräsident!«

Der alte Rosenfeld zuckte die Achseln:

»Hindenburg. Kunststück. Sein Lebtag keine Sorgen gehabt.«

Von seinem Neffen Otto befragt, warum er nie geheiratet habe, schwang er sich – wenn auch nur ruckweise – zu einer Formulierung auf, die den ganzen Pessimismus seiner Lebensweisheit enthielt (und durch den Gebrauch des altjüdischen Ausdrucks für »Hure« noch wuchtiger wirkte):

»Ich? Heiraten? Ist mir nie eingefallen. Merk dir: alle Weiber, was man sieht, sind Chonten. Und was man *nicht* sieht«, fügte er nach einer kurzen Pause gnadenlos hinzu, »sind *auch* Chonten.«

Ich habe ihn noch gekannt, den alten Rosenfeld. Ich konnte gar nicht umhin, ihn zu kennen. Denn das Durchhaus, in dem sein Kaffeegeschäft lag, verband den Graben mit der Herrengasse, führte also unmittelbar zum Gebäude des »Prager Tagblatts«, zu dessen mit mir befreundeten Redakteuren auch Neffe Otto gehörte.

Und so – auf dem Weg durch die halbdunkle Passage – vorbei am Kaffeegeschäft des alten Rosenfeld, das ich in Begleitung seines Neffen oft genug von der nahen Redaktion aus aufgesucht habe – so bin ich endlich beim »Prager Tagblatt« angelangt.

Mit Genuss und Belehrung gelesen

Nie wieder ist mir auf so kleinem Raum eine so große Zahl von Käuzen und Originalen begegnet wie im alten »Prager Tagblatt«, nie wieder eine so einzigartig aus Witz und Wachheit, aus Begabung und Können gemischte Atmosphäre. Max Brod hat sie in seinem Roman »Rebellische Herzen« festzuhalten versucht. Es ist ihm, fürchte ich, nicht ganz geglückt. Und es wird wohl auch mir nicht glücken. Denn ein fundamentaler Wesenszug dieser Atmosphäre lag ja eben in der unnachahmlichen, unverwechselbaren persönlichen Note derer, die sie schufen, im Gehaben eines jeden einzelnen, in seinem Tonfall, seiner Terminologie ... es ist immer das gleiche Dilemma: all das eignet sich weit besser zur mündlichen als zur schriftlichen Wiedergabe, für deren Unzulänglichkeit ich wieder einmal um Nachsicht bitten muß.

Außer dem »Prager Tagblatt« erschien in Prag noch eine Reihe anderer deutschsprachiger Tageszeitungen: die an Jahren beträchtliche ältere »Bohemia«, deren absurd gemischter, nämlich großdeutsch-jüdischer Leserkreis nach 1918 empfindlich zu schrumpfen begann; die regierungstreue »Prager Presse«, die zum Ausgleich für ihren langweiligen offiziösen Teil ein paar literarisch erstrangige Mitarbeiter beschäftigte (vorübergehend auch Robert Musil als Wiener Theaterkorrespondenten); die unverhohlen deutsch-nationale, zur Henlein-Bewegung tendierende »Deutsche Presse«; und in späteren Jahren der als Boulevardblatt aufgezogene »Prager Mittag«. Von dieser erstaunlich reichhaltigen Garnitur besaß jedoch einzig das »Prager Tagblatt« überregionale Bedeutung. Es galt jahrzehntelang, vom Beginn des Jahrhunderts bis zum blutigen Ausbruch der Hitler-Ära, als eine der besten Zeitungen deutscher Sprache.

Und dieses gewichtige, gediegene, hochangesehene und, kurzum, seriöse Presseerzeugnis kam Tag für Tag auf eine Weise zustande, die mit dem Begriff »seriös« so gut wie nichts zu tun hatte. Seriosität figurierte im internen Sprachgebrauch der Redaktion als »tierischer Ernst« und war streng verpönt. Jeder wußte, worauf es ankam, und hatte seinen Spaß daran, das Seinige zum täglichen Gelingen beizutragen. Was an Arbeit und Einsatz dahintersteckte, sollte möglichst unbemerkt bleiben, ja man wollte sich's nicht einmal vor sich selbst eingestehen. Ehrgeiz wurde bereits als eine Unterabteilung des verpönten tierischen Ernstes betrachtet und tarnte sich, wofern er überhaupt vorhanden war, als spielerische Freude am Handwerk. Daß da gelegentlich auch etwas Zynismus mit einfloß, ließ sich nicht vermeiden. Aber weil er immer noch rechtzeitig in Selbstironie überging, wurde er niemals peinlich. Redaktionskonferenzen, langfristige Planungen, Ressortstreitigkeiten und ähnliche Wichtigtuereien gab es nicht. Sie wurden durch Improvisationstalent und ein nicht näher definierbares »Blattgefühl« ersetzt.

»Kinder«, wandte sich eines Nachts, mitten im Ersten Weltkrieg, der legendäre Chefredakteur Karl Tschuppik an die heftig Trinkenden und laut Debattierenden, die sein Zimmer besetzt hielten, »Kinder, es ist schon nach Mitternacht – in zwei Stunde erscheint das Blatt – laßt mich endlich arbeiten!«

Höhnische Zurufe wiesen ihn zurecht, die Diskussion ging weiter, Tschuppik kaute an seinem Schnauzbart und wurde allmählich nervös. Nach einer Weile nahm er aufs neue das Wort:

»Jetzt wird's aber höchste Zeit, Kinder. In einer halben Stunde umbrechen wir, und ich muß noch etwas schreiben!«

Es klang so dringlich, daß aus dem Kreis der ihn Umlagernden immerhin die Erkundigung kam, was er denn zu schreiben hätte.

»Einen Leitartikel«, sagte Tschuppik. »Der Kaiser ist gestorben.«

Ich habe Karl Tschuppik erst viele Jahre später in Wien kennengelernt und habe die obige Geschichte natürlich nicht an Ort und Stelle miterlebt. Sie ist eine von vielen, die gewissermaßen zum inneren Anekdotenschatz der Redaktion gehörten und die einem neu Hinzugekommenen, wenn man ihn für würdig befand, von den Altvorderen erzählt wurden. Das kam einer Art Geschichtsunterricht gleich oder der Einführung in eine geheime Ordensbrüderschaft. Man mußte nicht nur über Rang und Leistung, über Eigenheiten und Marotten der jetzigen Redakteure Bescheid wissen, sondern auch über die ihrer Vorgänger. Sonst gehörte man nicht dazu, sonst war man ein Externist im zweifachen Sinn des Wortes.

Eine andre dieser Geschichten handelte von Dr. Raabe-Jenkins, dem riesenhaften, in jeder Hinsicht ungefügen Chef der Sportredaktion, der nicht zuletzt für die chaotische Unordnung in seinem Zimmer berühmt war. Sie soll während der wirren Umsturztage des Jahres 1918 bewirkt haben, daß das Gebäude des »Prager Tagblatts« von der Plünderung durch eine Horde tschechischer Radau-Nationalisten verschont blieb. Die Eindringlinge rissen als erstes die Tür zu Raabes Zimmer auf und machten angesichts des wüsten Bildes, das sich ihnen bot, mit den Worten »Hier waren wir schon« wieder kehrt.

Von den zahlreichen Anekdoten, die sich um Raabe-Jenkins ranken, ist mir noch eine zweite in lieber Erinnerung. Sie handelt von seinem siegreichen Zusammenstoß mit einem Repräsentanten der Literatur, dem Dramatiker Paul Kornfeld, der von der Erfolgswelle des expressionistischen Theaters hochgetragen wurde und mit seinem Schauspiel »Die Verführung« (ähnlich wie Bronnens »Vatermord«, Hasenclevers »Sohn« und Werfels »Spiegelmensch« dem allseits beliebten Generationskonflikt gewidmet) zu einigem Ruhm gelangt war.

Die Bestätigung dieses Ruhms einzuheimsen, begab er sich ins »Prager Tagblatt«, wohin denn sonst, und pflanzte sich im »Oktogon« genannten Vorraum auf, von dem die Korridore zu den einzelnen Redaktionszimmern auszweigten. Der Oktogon – griechisch »Achteck«, was damals jedem Gymnasiasten geläufig war – diente den Redakteuren als eine Art Agora, griechisch Marktplatz. Dort standen diejenigen, die gerade nichts zu tun hatten, und die meisten hatten gerade nichts zu tun, plaudernd umher, dort tauschten sie die letzten Neuigkeiten aus, die sich manchmal sogar auf ihre Arbeit bezogen, dort trafen sie ihre Besucher, um sie weiterzuführen oder auch nicht, und dort also gedachte der Dramatiker Paul Kornfeld die fälligen Glückwünsche zu seinem Erfolg entgegenzunehmen. Sie wurden ihm wunschgemäß zuteil, manche herzlich, manche weniger herzlich, aber in irgendeiner Form gratulierte ihm jeder, der in seine Reichweite kam oder von ihm dazu genötigt wurde.

Auch als aus einem der Korridore Dr. Raabe-Jenkins auftauchte, machte sich Kornfeld für die erprobte Zeremonie bereit – und mußte erleben, daß jener achtlos an ihm vorbeistapfte.

Rasch gefaßt, lief er dem brummig in sich gekehrten Hünen nach, vertrat ihm den Weg und gab ihm eine Chance, die Unterlassung gutzumachen:

»Mein Name ist Kornfeld«, informierte er ihn mit erwartungsvoller Betonung.

Raabe-Jenkins sah auf, sah einen kleingewachsenen Brillenträger von exzessiv jüdischem Aussehen vor sich und sagte:

»No na, Khevenhüller.«

Dann stapfte er weiter.

Als Herausgeber des »Prager Tagblatts« zeichnete Dr. Rudolf Keller, der dieses Amt jedoch als lästige Nebenbeschäftigung zu empfinden schien. Sein Hauptinteresse galt einem schwer zugänglichen Gebiet der Biochemie, auf dem er sich durch eine grundlegende Arbeit größeres Ansehen verschafft hatte, als er es unter seinen Redakteuren genoß. Daß er hinter den Kulissen sehr wohl zu walten und besonders zu schalten wußte, ahnte man, bekam es aber kaum zu merken. Er mischte sich nur ganz selten in redaktionelle Angelegenheiten ein, noch seltener schrieb er einen Leitartikel, und wenn er in einem Redaktionszimmer erschien, geschah es fast immer zum Zweck einer liebenswürdigen Privatplauderei – die er so unvermittelt abbrechen konnte, als wäre ihm plötzlich innegeworden, daß er in diesem Zimmer eigentlich nichts zu suchen hatte. Man nahm ihm den abrupten Abgang nicht übel. Man wußte, daß er mit seinen Gedanken anderswo war.

In der Tat: Zerstreutheit gehörte zu Dr. Kellers hervorragenden Eigenschaften. Fast hätte er – auch äußerlich, mit seiner hohen, immer ein wenig vorgebeugten Gestalt und dem von einem wirren Haarkranz umrahmten Gelehrtenkopf – eine Vorlage für die Witzfigur des »zerstreuten Professors« abgeben können. Nur daß die Gedankensprünge, zu denen seine Zerstreutheit ihn trieb, sich bei näherem Zusehen als völlig logisch und folgerichtig erwiesen.

Ein leuchtendes Beispiel dafür ergab sich im Februar 1934, als er den mißglückten Aufstand der österreichischen Arbeiterschaft gegen das Dollfußregime zum Anlaß eines seiner seltenen Leitartikel nahm und den sozialdemokratischen Führern unverblümt vorwarf, sich in die Tschechoslowakei abgesetzt zu haben, während die von ihnen verlassenen Schutzbündler in aussichtslosem Kampf auf den Barrikaden standen und starben. Das waren schärfere Töne, als man sie vom »Prager Tagblatt« gewohnt war und als sie der politischen Linie des Blattes entsprachen. Am nächsten Tag erschien denn auch eine Abordnung der im Parlament vertretenen Deutschen Sozialdemokratischen Partei bei Dr. Keller, um Beschwerde zu führen. Keller, längst wieder mit anderen Dingen beschäftigt, lauschte den maßvollen, jedoch entschiedenen Vorwürfen des Delegationsführers ohne Widerspruch, lauschte (nun schon ein wenig abwesend) noch einem zweiten und dritten Delegierten, dann holte er Atem und brachte seine Entschuldigung vor:

»Meine Herren, Sie wissen doch, wie es in einer Redaktion zugeht – besonders an einem so aufregenden Tag – da herrscht ein entsetzliches Durcheinander – die Meldungen überstürzen sich – man weiß gar nicht, wo man zuerst hinhören soll – meine Herren: da kann es schon passieren, daß man einmal die Wahrheit schreibt.«

Ein ähnlich folgerichtiger Gedankensprung, der ihn in ein ähnlich unkontrolliertes Fazit ausgleiten ließ, erfolgte – freilich aus keinem prekären Anlaß – in meinem Arbeitszimmer. Dr. Keller war, wie er das häufig tat, grußlos eingetreten, die linke Hand am Rücken, in der rechten das neueste Heft der »Fackel«, in dem er noch minutenlang auf- und abgehend las.

»Schreibt ausgezeichnet, der Kraus«, murmelte er vor sich hin. »Wirklich ausgezeichnet.« Mit einemmal blieb er stehen und wandte sich zu mir: »Von dem müßte man etwas fürs Blatt bekommen. Ich höre, Sie kennen ihn. Versuchen Sie's doch!«

Und er entfernte sich, schon wieder in die Lektüre der »Fackel« vertieft – der er nichts andres entnahm, als daß der Kraus ausgezeichnet schrieb. Daß er niemals »fürs Blatt« schreiben würde, sondern höchstens gegen, hatte der Dr. Keller nicht bemerkt.

Als im Hause ruchbar wurde, daß Harry Klepetář, einer der jüngeren politischen Redakteure, vor der Verehelichung stand, öffnete sich plötzlich die Türe zu seinem Zimmer, Dr. Keller steckte den Kopf herein und sagte:

»Sie heiraten, Klepe? Sie werden sich wundern!«

Damit schloß er sowohl die Türe als auch die Gratulation.

Was nämlich seine eigene Ehe betraf, so schien sie nicht gerade eine Liebesehe zu sein. In einem jener Selbstgespräche, zu denen er sich gelegentlich in ein Redaktionszimmer verirrte, hatte Dr. Keller errechnet, daß angesichts des finanziellen Aufwands, den seine Gattin ihm abverlangte, und angesichts der Seltenheit, mit der er seine Ehe konsumierte, jede Konsumation ihn ungefähr 20 000 Kronen kostete; das aber, so befand er, sei zu viel und lasse ihn zweifeln, ob die Ehe als eine sinnvolle Institution zu betrachten sei.

Außerehelichen Vergnügungen war er hingegen bis ins hohe Alter zugeneigt; sie durften allerdings mit keinem übergroßen Zeitverlust verbunden sein. Als eine Dame seiner Bekanntschaft, um die er sich eines Abends vehement bemühte, ihm zu verstehen gab, daß sie eine rein freundschaftliche Beziehung vorzöge, wandte er sich bedauernd ab:

»Gnädige Frau«, sagte er, »für platonische Liebe bin ich impotent.«

Mit diesem Verhalten glich er sich aufs kollegialste der vom Redaktionsstab geübten Einstellung zum Geschlechtsverkehr an. Sie entsprach der schon geschilderten Einstellung der Prager Männerwelt im allgemeinen, wurde von den Redakteuren nicht nur ideologisch geübt, sondern auch praktisch, und die Verheirateten unter ihnen hatten den Vollzug dieser Übung vorsorglich gegen unliebsame Zwischenfälle abgesichert: in der am Hofeingang gelegenen Portiersloge befanden sich die Photographien sämtlicher Redakteursgattinnen, und wenn eine von ihnen vorbeikam, war der Portier gehalten, den betreffenden Gatten durch ein eigens verabredetes Telephonsignal vor der nahenden Gefahr zu warnen.

Dem Handelsredakteur Ginsberg widerfuhr es einmal, daß seine Frau, nachdem sie in der Mitte des Hofs angelangt und das Warnsignal bereits gegeben war, sich's anders überlegte, wahrscheinlich zum Zweck irgendwelcher Einkäufe kehrtmachte und eine Viertelstunde später abermals erschien, womit sie ein neuerliches Warnsignal auslöste. Ginsberg, der das erste – nach Überwindung einiger Schreckminuten – für einen Irrtum gehalten und sich inzwischen wieder ans Werk gemacht hatte, ließ ab davon, riß verzweifelt die Türe auf, und seiner Brust entrang sich einer der absonderlichsten Klagerufe, die jemals in den Korridoren des »Prager Tagblatts« widerhallten:

»Ich vögel auf einem Vulkan!«

Überflüssig zu sagen, daß auch die Gespräche im Oktogon wie in den einzelnen Zimmern sich hauptsächlich um diesen Gegenstand drehten. Bei Rudi Thomas, dem führenden Lebemann der Redaktion, war dieses Brauchtum so notorisch, daß Frau Milada Kratochvil – eine behäbige Tschechin mittleren Alters, die seltsamerweise der Inseratenabteilung vorstand – das Zimmer des Vizechefs nie anders als mit den stereotypen Worten betrat: »Von was wird geräädet? Vom Väägeln!« Sie sagte es ohne aufzublicken, sie sagte es auch, als einmal im Fauteuil gegenüber dem Schreibtisch eine distinguierte Dame saß, in der sie zu spät die Gräfin Nostitz erkannte, Tochter des Verlagsgründers Heinrich Mercy, Mitbesitzerin des Betriebs und somit auch ihre, Milada Kratochvils, Brotgeberin. Thomas erbleichte, die dicke Milada entfloh kreischend, die Gräfin gab sich den Anschein, nichts gehört zu haben, und der Zwischenfall blieb ohne Folgen.

*

Ich selbst kam mit dem »Prager Tagblatt« Ende der zwanziger Jahre in Berührung, beinahe von der Schulbank weg, einige Jahre nachdem ich mit meiner Familie aus Wien nach Prag übersiedelt war und knapp nach meinem Durchfall bei der Matura. Die Leitung der Kulturredaktion lag damals in den Händen Max Brods. Er hatte ein paar Gedichte und Kurzgeschichten von mir angenommen, lud mich zu einer Besprechung ein und stellte mich dem Chefredakteur Dr. Blau vor, der an meinen Beiträgen Gefallen fand und mich zur ständigen Mitarbeit aufforderte (sie gedieh nach und nach zu einer regelrechten Redaktionstätigkeit und später zum Posten eines Wiener Kulturkorrespondenten).

Rudi Thomas, der geschäftsführende Stellvertreter Dr. Blaus, dem ich zur weiteren Verwendung übergeben wurde, wollte mir offenbar die Lyrik und die ganze Literatur abgewöhnen und einen Reporter aus mir machen. »Auf Rotationspapier gehört sich keine Kunst«, pflegte er zwischen halbgeöffneten Lippen hervorzusäuseln. Er sprach immer sehr leise, aber mit unüberhörbarem Nachdruck und in ebenso unüberhörbarem Pragerisch, also unter sorgfältiger Umgehung jeglichen Umlauts. Die Wendung »gehört sich« war übrigens kein transitiv verstümmeltes »gehört«. Thomas wollte nicht etwa sagen, daß Kunst nicht auf Rotationspapier gehört. Er meinte tatsächlich, daß dergleichen eine Ungehörigkeit im Sinne schlechter Manieren sei, und er meinte das im Interesse des Rotationspapiers, nicht der Kunst. Für die hatte er nicht viel übrig. Der Journalismus ging ihm über alles, und vollends vor den Jüngern der Literatur empfand er keinerlei Hochachtung.

Sie waren – was dem Niveau und dem Ansehen des »Prager Tagblatts« nicht geschadet hat – unter den Angehörigen der Redaktion zahlreich vertreten, jeder zweite konnte sich mit einer Buchpublikation ausweisen, auch ich durfte mich mit meinem Erstlingsroman vom »Schüler Gerber« alsbald zu ihnen zählen, und schließlich war es auch bei Otto Rosenfeld soweit, dem schon erwähnten Neffen des gleichnamigen Kaffeehändlers. Nachdem er den Senf aus seinem Namen eliminiert hatte, veröffentlichte er unter dem Pseudonym Otto Roeld einen Roman und stellte sich mit einem Widmungsexemplar bei Thomas ein.

»Du darfst aber mit mir auch in Zukunft wie mit deinesgleichen verkehren«, ließ er sich nach der Überreichung leutselig vernehmen.

Thomas maß ihn mit einem geringschätzigen Blick:

»Das könnt dir so passen«, sagte er.

In Wahrheit sagte er, wie es das Prager Deutsch erheischte, nicht »könnt«, sondern »möcht«, ja er sagte, genau genommen, »mecht« und fügte noch ein halblautes »du Bleedian« hinzu.

Mit geradezu pedantischer Korrektheit wurde die Vermeidung der Umlaute von Professor Ludwig (»Lutz«) Steiner betrieben, dem hauptamtlichen Leitartikler des Blattes, einem Mann von immensem Wissen und integrer Geistigkeit. Er erfreute sich der persönlichen Zuneigung des großen Zeitungshassers Karl Kraus, der wohl um seinetwillen dem »Prager Tagblatt« eine gewisse Schonung angedeihen ließ und in vertrautem Kreis die Sprechweise Professor Steiners hinreißend kopieren konnte.

Was diese Sprechweise betraf, so hatte es mit ihr eine eigene und keineswegs oberflächliche Bewandtnis. Ihre komischen Effekte standen in unverkennbar selbstparodistischem Gegensatz zu der preziösen, barock verschnörkelten Terminologie des Sprechers, der einerseits durch übertriebenen Phrasengebrauch, andererseits durch denkbar ausgefallene Redewendungen gegen die Verödung und Sinnentleerung der Umgangssprache Front machte. Alltäglichem begegnete er mit langen, genüßlich skandierten Zitaten aus den Werken lateinischer und griechischer Autoren, wußte auch die deutsche Literatur von den Merseburger Zaubersprüchen bis hin zum »heheren Verwaltungsbeamten Geethe« jederzeit einzusetzen und alliterierte aus eigenem drauflos, daß es eine Lust war. Seine Lieblingsfloskeln lauteten: »Wie man zu sagen pflegt«, ». . . betone ich« und ». . . mechte ich einflechten«, und er gebrauchte sie grundsätzlich nur dort, wo sie nicht hinpaßten. Wenn er etwas »betonte«, war es eine Grußformel oder die Mitteilung, daß heute schönes Wetter sei; wenn er etwas »einflocht«, stand das vorgeblich Eingeflochtene allein auf weiter Flur; und wenn er einer Aussage sein »Wie man zu sagen pflegt . . .« nachschickte, handelte es sich mit größter Wahrscheinlichkeit um etwas nie zuvor Gesagtes.

Auf seine Grußformeln verwendete er nuancierten Bedacht. Angehörige des Setzereipersonals begrüßte er mit einschlägigen Fachausdrücken: »Fette Garmond, betone ich!« oder »Einzug links!«, den für die Titelei zuständigen Redakteur mit »Vier Cicero dreispaltig!«, und für die Verfasser der im jeweils heutigen Blatt erschienen Beiträge hatte er ein anerkennendes: »Mit Genuß und Belehrung gelesen!« Auf Kriegsfuß stand er mit dem in Österreich und den Nachfolgestaaten populären Gruß »Habe die Ehre«, nachlässig »Habbedjehre« ausgesprochen und meistens zu einem bloßen »Djehre« verkürzt. Das kränkte ihn. Im Bestreben, den zu kurz gekommenen Anfang des Grußes wieder in Geltung zu setzen, grüßte er seinerseits nur mit einem barsch hervorgestoßenen »Habbe«, das vom Begrüßten durch ein automatisches »Djehre« ergänzt wurde.

Zu einer versöhnlicheren Haltung den Umlauten gegenüber ließ er sich auch in fremden Sprachen nicht verleiten. Eines frostigen Wintertages kam er aus seinem Zimmer herausgestürzt, schüttelte die Fäuste gen Himmel und rief:

»J'accuse! Bei mir ist nicht geheizt!«

Selbstverständlich rief er »J'akkies«, und daß er zur Bekanntmachung eines so banalen Tatbestands das pathetische Anklagewort Emile Zolas heranzog, gehörte schon wieder zu seinen selbstironischen Tendenzen.

Die Geschichte, wie er zum »Prager Tagblatt« kam, ist für beide Teile gleichermaßen typisch. Professor Steiner hatte am Heinrichsgymnasium, einer der wenigen nach dem Ersten Weltkrieg noch übriggebliebenen deutschsprachigen Mittelschulen, Latein und Griechisch unterrichtet. Die Seitenfront des Gymnasiums lag parallel zur Seitenfront des »Tagblatt«-Gebäudes, mit einem schmalen Quergäßchen dazwischen, und wenn die wärmere Jahreszeit begann, öffnete man in beiden Häusern die Fenster. So kam es, daß die Insassen der günstig gelegenen Redaktionsräume auf den seltsamen Pädagogen aufmerksam wurden, der da in einem nah gegenüberliegenden Klassenzimmer seiner Lehrtätigkeit oblag, und sie taten, was sonst nur Sache der Schüler war: sie folgten dem Unterricht. Bald hatten sie heraus, daß jeder Schüler mit einem Spitznamen versehen war, daß immer wieder wilde Heiterkeitsausbrüche erfolgten und daß es der würdigen Lehrperson auf dem Katheder weniger um Würde ging als vielmehr (eigener Aussage zufolge) darum, »nicht nur zu belehren, sondern auch zu unterhalten«.

Dieses Prinzip erstreckte sich sogar auf die sonst so gefürchteten »Klassenbuch-Eintragungen«, schriftlich festgehaltene Rügen, die dem mangelnden Wohlverhalten des Schülers galten; sie konnten zu einer schlechten, das Jahreszeugnis verunstaltenden Betragensnote, zu Karzerstrafen und im Häufungsfall zum Ausschluß aus der Anstalt führen. Bei Professor Steiner taten sie nichts dergleichen, da er sie lediglich vortäuschte und den Text der fiktiven Eintragung unter lautem Jubel vorlas:

»Die Schielerin Natscheradetz beschäftigt sich mit der Lektiere fragwirdiger Gazetten« (sie hatte unter der Bank ein Modejournal gelesen), »wird von mir ertappt und versucht durch teerichtes Winseln meiner gerechten Empeerung zu entrinnen.«

Oder es vollzog sich die Einführung Ovids in den Lateinunterricht etwa folgendermaßen:

»In unserem Lehrplan erscheint nunmehr Publius Ovidius Naso, wahrlich ein bedeitender Publizist und mit Genuß zu lesen. Es beginne . . . in gemächlichem Plaudertone . . . aus beiden Backen Bleedheit blasender Bloch!«

Als die an den Fenstern versammelten Redakteure das hörten, stand es fest, daß man Professor Steiner »ins Blatt« bekommen müsse, und kurz darauf vertauschte er das Katheder mit einem Redaktionsstuhl.

Weder er selbst noch das »Prager Tagblatt« hatten es je zu bereuen. Seine weithin beachteten, auch im Ausland vielfach zitierten Leitartikel waren Musterbeispiele einer – wie man zu sagen pflegt – »sorgfältig ausgewogenen Gesinnung: halb revolutionär, halb reaktionär« (und in Wahrheit von echtem Liberalismus geprägt). Er schrieb sie auf eigens zugeschnittenem Papier, in gestochener Kurrentschrift und immer genau auf die Zeile lang genug, um die linke Spalte der ersten Seite zu füllen.

Eines Tages jedoch wurde die jahrelang erprobte Berechnung an einer neuen Setzmaschine zuschanden, deren Bleileiste für den Schriftgrad »Petit auf Borgis« um eine Kleinigkeit breiter geraten war als üblich – was sich im Satz zu einem Überschuß von sechs Zeilen summierte.

Verstört und verschreckt vom Noch-nicht-Dagewesenen, kam aus der Setzerei der Oberfaktor angekeucht:

»Herr Professor ... etwas Furchtbares ... der Leitartikel ist um sechs Zeilen zu lang ... was machen wir da?«

Professor Steiner wußte augenblicklich Rat:

»Die sechs Zeilen im Iebersatz stehnlassen und fir den morgigen Leitartikel aufheben!«

Zu seinem umfassenden Bildungsgut gehörten nicht nur die ständig zitierten Klassiker (bis tief ins Altertum hinein) – er war auch ein Liebhaber und wohlbeschlagener Kenner der deutschen Volksmärchen, aus denen zu zitieren er allerdings nur selten Gelegenheit fand. Eine solche bot ihm der als Redaktionsvolontär beschäftigte Leo Baum, Sohn des zu Unrecht in Vergessenheit geratenen Dichters Oskar Baum und seiner geringen Körpergröße wegen »der kleine Baum« geheißen (einen andern kleingewachsenen Externisten, der auf den ähnlich klingenden Namen Flaum hörte, nannte Professor Steiner, schon um Verwechslungen vorzubeugen, den »niedrigen Flaum«). Leo Baums Tätigkeit bestand vor allem darin, die vielen einlaufenden Zeitungen auf etwa zu recherchierendes oder anderweitig interessantes Material zu lesen, die betreffende Nachricht auszuschneiden und die kontrollierten Exemplare in den für sie vorgesehenen Regalen abzulegen. Eines

Nachmittags fehlte plötzlich ein großer Teil des Einlaufs und war trotz Baums lärmender Suche auch am nächsten Tag nirgends aufzufinden – bis Professor Steiner den irrtümlich in sein Zimmer geratenen Stoß entdeckte. Er eilte spornstreichs ins Oktogon und trompetete:

»Wo ist das Beimchen, das die gestrigen Blätter hat gewollt?«

*

Ich habe den Ausdruck »trompeten« nicht allein deshalb verwendet, weil er im vorliegenden Fall die Stimmlage Professor Steiners am besten charakterisiert, sondern weil er auch in seiner konkreten Bedeutung zum Betrieb des »Prager Tagblatts« gehört hat. Einer der Redaktionsdiener, Bečvár d. Ä., hatte einstmals beim k.u.k. Infanterieregiment Nr. 28, dem Prager Hausregiment, als Kompanietrompeter gewirkt und liebte es, sich während der schwachen Redaktionsstunden dieses Wirkens – vielleicht auch der alten Zeiten überhaupt – in melodischen Träumereien zu erinnern. Wer am Vormittag die Redaktion betrat, durfte nicht überrascht sein, wenn ihm statt eines stilvollen Geklappers von Schreibmaschinen Fučíks berühmter Achtundzwanzigermarsch entgegenklang, von Vater Bečvár auf der Trompete geblasen.

Als späterhin Sohn Bečvár für den Redaktionsdienst abgerichtet wurde, lautete der erste väterliche Ratschlag (den er mir aus gegebenem Anlaß verriet):

»Laß dich nicht hetzen, Josef. Wenn einer wirklich was braucht, wird er's auch zweimal und dreimal sagen. Nur beim Würstelholen – da muß es gehen ruck, zuck!«

Ebensowenig wie Bečvár darf sein dienstälterer, noch aus der Ära Tschuppik stammender Kollege Reisner übergangen werden, ein Veteran von stiller, nachdenklicher Wesensart, den man mehrmals beim Lesen von Büchern und sogar bei Theaterbesuchen beobachtet hatte. Das mochte dazu geführt haben, daß Tschuppik, als er sich einmal vom damaligen Direktor des Deutschen Theaters despektierlich behandelt fühlte, auf einen ungewöhnlichen Racheakt verfiel: zur nächsten Premiere, Lessings »Minna von Barnhelm«, entsandte er den Redaktionsdiener Reisner als Kritiker. Reisner zog sich mit Anstand aus der Affäre und schloß seine Besprechung (die unverändert im Druck erschien) mit dem denkwürdigen, alsbald zum Zitat avancierten Satz:

»Solche Stücke sollten öfters geschrieben werden.«

Wie man sieht, standen die Redaktionsdiener des »Prager Tagblatts« an schrulliger Eigenart kaum hinter den Redakteuren zurück – unter denen Professor Steiner zwar ganz gewiß das größte, aber bei weitem nicht das einzige Original war.

Da gab es den Nachtredakteur Karl Eisner, einen Fanatiker der Titel-Perfektion, der zumal für den »Aufmacher« mindestens dreißig Überschriften entwarf, ehe er, nach penibler Auszählung der Lettern und Zwischenräume, die richtige gefunden hatte. Während dieser Zeit war er nicht ansprechbar. Im dunklen Hintergrund seines Zimmers hockte ein Taubstummer, den er irgendwo aufgelesen hatte, und versorgte ihn mit Kaffee.

Da gab es den schon ein wenig betagten und nicht eben rührigen Lokalreporter Max Heller, ein besonders häufiges Opfer der »Schrapnelle«, die Chefredakteur Blau aus der Abgeschiedenheit seines Throngemachs auf die Redakteure losließ – kleine Zettel mit Anfragen, warum dies oder jenes unterblieben wäre, mit Mahnungen, dies oder jenes zu recherchieren, mit Lob und Tadel je nachdem, und alles in einer unleserlichen Stenographie, so daß auf Kosten der Redaktion ein eigener Entzifferer engagiert wurde. Über dem Schreibtisch des geplagten Max Heller aber prangte, eingerahmt und in der Zierschrift eines Kalligraphen, ein beruhigendes Goethe-Zitat:

Zwischen oben, zwischen unten
Schwebe ich zu muntrer Schau.
Ich ergötze mich am Bunten,
Ich erquicke mich am Blau.

Da gab es den trinkfreudigen Bohemien Michal Mareš, Jugendfreund Jaroslav Hašeks, deutsch und tschechisch dichtend und hauptberuflich Selchermeister, was ihm den Gebrauch einer Visitenkarte mit dem folgenden, an Hans Sachs gemahnenden Text ermöglichte:

Michal Mareš, welcher
Dichter ist und Selcher.

Eines Nachts, auf einem unserer Streifzüge durch seine Stammkneipen, leerte er ein bis zum Rand mit Arrak gefülltes Porzellangefäß, blickte mir tief in die Augen und sagte, ohne daß ich ihn irgendwie provoziert hätte:

»Ich bin kein Antisemit, weißt du. Aber das einzige, was die Juden wirklich erfunden haben, ist das kleine Bier.«

Und da gab es noch viele, viele andere, die es längst nicht mehr gibt und nicht mehr geben könnte, selbst wenn es das »Prager Tagblatt« noch gäbe. Ich habe es eingangs mit der Bezeichnung »alt« versehen. Sie will auf keinen Gegensatz zu einem nichtexistenten »neuen« hindeuten, sie hat sich mir unwillkürlich aufgedrängt, vielleicht weil meine Erinnerungen so lange zurückliegen, vielleicht weil ich meinerseits sehr jung an Jahren war, als ich zum »Prager Tagblatt« kam. Es könnte allerdings auch sein, daß dem »Prager Tagblatt« schon damals (und vermutlich seit jeher) etwas Altehrwürdiges anhaftete. Oder etwas Altmodisches. Aber das liefe, zumal aus heutigem Rückblick, auf eins hinaus. Und so mögen am Ende dieses Rückblicks nochmals die Worte stehen, die an seinem Anfang standen: Nie wieder . . .

Redaktionelle Nachbemerkungen

Es läßt sich nicht leugnen, daß da und dort, möglicherweise sogar in Deutschland, mit Sicherheit in Budapest, und – wie ich aus eigener Kenntnis weiß – auch in Wien zeitweilig Redaktionen vorhanden waren, die aufgrund einer gewissen Eigenart vielleicht den Anspruch erheben durften, mit der Redaktion des »Prager Tagblatts« zwar nicht in einem Atem, aber doch, nun ja, in einer Reihe genannt zu werden, wenngleich in einer weit auseinandergezogenen. Diese sehr entfernte Ähnlichkeit festzustellen, nehme ich schon deshalb keinen Anstand, weil sie in zwei konkreten Fällen – im Fall der »Stunde« und der »Wiener Sonn- und Montagszeitung« – an die Person Karl Tschuppiks gebunden ist, was mir die hochwillkommene Möglichkeit bietet, noch einiges über ihn auszusagen.

Im dritten Fall wird die Bindung durch meinen alten, in New York lebenden Freund Arthur Steiner bewirkt, den Amerika-Korrespondenten der heutigen »Kronen-Zeitung« und Redaktionsmitglied der einstigen, die sich von der journalistischen Geltung und vor allem von der Massenauflage ihrer Nachfolgerin nichts träumen ließ. Die ursprüngliche, um die Jahrhundertwende gegründete und während des Zweiten Weltkriegs eingestellte »Kronen-Zeitung« galt allgemein und mit Recht als »Hausmeisterblattl«, wollte auch gar nichts andres sein, wußte sich in restlosem Einklang mit den Bedürfnissen und dem Niveau einer kleinstbürgerlichen Leserschaft und war in ihrer Art ein unerreichbares Unikum. Als andere Zeitungen schon längst mit Photoreportagen arbeiteten, blieb die »Kronen-Zeitung«, noch immer dabei, das jeweils aufregendste Tagesereignis durch ihren Zeichner illustrieren zu lassen, dessen Produkt in sogenannter »Strichätzung« auf der Titelseite erschien. Dort prangte, in gleicher Ausführung, von Zeit zu Zeit auch das Porträt des glücklichen Gewinners, der in einem der regelmäßig veranstalteten Preisausschreiben durch das Los ermittelt worden war – ein Kleinrentner, ein pensionierter Schrebergärtner, eine Trafikantenwitwe oder ein Angehöriger eben jenes Hausbesorgerstandes, dem die »Kronen-Zeitung« ihren abwertenden Spitznamen verdankte.

An sich wäre es noch nichts Außergewöhnliches gewesen, daß aus einer solchen Verlosung einmal ein Feuerwehrmann als Sieger hervorging. Besondere Umstände brachten jedoch aus diesem Anlaß eine Stilblüte zustande, die selbst in der stilistisch keineswegs zimperlichen »Kronen-Zeitung« höchsten Rang erklomm.

Als nämlich der Redaktionszeichner und der mit dem üblichen Interview betraute Reporter sich auf die Spur des siegreichen Feuerwehrmanns machten, erwies sich, daß er kurz vorher in gefährlichem Einsatz gestanden war, noch mehr: er hatte bei der Löscharbeit so schwere Brandwunden erlitten, daß ihm die frohe Botschaft im Krankenhaus übermittelt werden mußte. Das durfte freilich weder den Zeichner noch den Reporter an der Erfüllung ihrer Aufgaben hindern. Und so kam es, daß der Bericht, der tags darauf neben dem Bildnis des Preisgekrönten in der »Kronen-Zeitung« erschien, mit dem wahrhaft monumentalen Satz begann:

»Ich fand den Glückspilz im Wasserbett.«

Aufs anschaulichste erzählte Freund Steiner von der konservativen Gestaltung des Blattes, etwa von den Versuchen, die lokale Berichterstattung zu modernisieren. Sie scheiterten an der Existenz eines uralten Lokalredakteurs mit dem seltsamen Namen Mehlwurm, der seit Jahrzehnten die Sparte »Unglücksfälle und Verbrechen« betreute, und zwar dergestalt, daß er die einlaufenden Meldungen – sie wurden von einer eigenen Agentur, der »Polizeikorrespondenz Herzog«, an die gesamte Tagespresse geliefert – abwechselnd mit dem Satzvermerk »nonpareil« oder »petit« versah und sie im übrigen so, wie sie kamen, in die Setzerei schickte. Als ein neu engagierter Lokalchef in einer ersten, radikalen Aufwallung Mehlwurm entlassen wollte, wurde er höheren Orts sofort gebremst: daran sei nicht zu denken, der Alte säße nun schon so lange auf seinem Platz, daß er als unkündbar gelte;

aber vielleicht wäre er einem sanften Zuspruch, ein paar sachlichen Ratschlägen zugänglich, und das möge der Neuerungssüchtige immerhin versuchen.

Er tat es.

»Herr Mehlwurm«, sagte er, »ich weiß, daß Sie zu den ältesten Mitgliedern der Redaktion gehören und auf ein reiches Leben zurückblicken. Eben darum sollten Sie sich nicht damit begnügen, die Polizeimeldungen, die in Ihr Ressort fallen, einfach in Satz zu geben. Das kann jeder. Sie aber, Herr Mehlwurm, müßten aus eigenem etwas hinzufügen, eine menschliche Färbung, ein persönliches Urteil – manchmal genügen ja schon wenige Worte, um eine trockene Nachricht lebendiger zu machen. Sie verstehen mich, Herr Mehlwurm.«

Mehlwurm verstand und nahm sich's zu Herzen. Das wurde schon am nächsten Tag aus der Bearbeitung zweier Lokalmeldungen ersichtlich.

Die erste berichtete, daß die 48jährige Köchin Marie Stejskal mit ihrem Lebensgefährten, dem 42jährigen stellungslosen Maurerpolier Franz Kemmeter, in eine Auseinandersetzung geraten war und von ihm »durch mehrere Messerstiche schwer verletzt wurde«. Soweit die Korrespondenz Herzog. Mehlwurms menschlich bearbeitete Fassung lautete: ». . . durch mehrere Messerstiche leider schwer verletzt wurde.«

Die zweite Meldung, handelnd von einem Gastwirt, der in volltrunkenem Zustand seine körperbehinderte Ehegattin verprügelt und in die kalte Winternacht hinausgetrieben hatte, bereicherte Mehlwurm durch das persönliche Urteil: »Fürwahr, ein roher Geselle.«

Über zwei stilistische Eigenheiten der damaligen Korrespondenztexte konnte mir Steiner trotz langjähriger Erfahrung keine Auskunft geben:

1. Wann sagt der Polizeibericht »auch« und wann sagt er »jedoch«? Nehmen wir beispielsweise an, die Köchin Stejskal wäre durch die Messerstiche ihres Lebensgefährten nicht bloß schwer, sondern tödlich verletzt worden; dann hätte man im Polizeibe-

richt gelesen: »Sie wurde auf die Unfallstation des Allgemeinen Krankenhauses gebracht, wo sie auch starb.« Verwirrenderweise las man bei solchen Anlässen ebensooft: ». . . wo sie *jedoch* starb.« Warum starb sie im einen Fall auch, im andern jedoch?

2. Wenn sie an Ort und Stelle gestorben wäre, hätte man sie nicht erst auf die Unfallstation gebracht, sondern den Arzt der Rettungsgesellschaft herbeigerufen; und dann hätte es entweder geheißen: »Der herbeigerufene Arzt der Rettungsgesellschaft mußte den bereits erfolgten Eintritt des Todes feststellen«, oder: ». . . konnte nur noch den Eintritt des Todes feststellen.« Wovon hängt es ab, ob er mußte oder ob er nur noch konnte?

Steiner wußte es nicht. Auch ich weiß es nicht. Niemand weiß es. Der Polizeibericht, wiewohl zu äußerster Klarheit verpflichtet, birgt Rätsel. (Besser gesagt: er barg sie. Denn auch ihn gibt es nicht mehr.)

*

Daß mir jede Möglichkeit, von Karl Tschuppik zu sprechen, hochwillkommen ist, habe ich schon angedeutet; daß ich sie hier nur in begrenztem Maß ausnützen kann, versteht sich beinahe von selbst. Es wird ungesagt bleiben, daß und wie der Bierkenner, als den wir Tschuppik in Prag kennengelernt haben, sich in Wien als Weinkenner legitimiert hat. Es wird nichts von den Heurigenbesuchen gesagt werden, die er mit seinem Intimfreund Anton Kuh unternahm, nichts von seiner höchst merkwürdigen Ehe mit der auch ihrerseits bemerkenswerten Tochter einer gutbürgerlichen Prager Familie, nichts von dem Hohn, dem er darob im Freundeskreis ausgesetzt war, nichts . . . oder doch? Schulde ich ihm nicht wenigstens die Verbuchung des Arguments, mit dem er nach langer Pein und Duldung wider die Höhnenden aufbegehrte? »Kinder, ihr tut der Frau unrecht!« hielt er ihnen vor. »So bürgerlich ist sie gar nicht – ich hab sie gestern mit einem Schauspieler in ein Stundenhotel hineingehen sehen!« Gehört nicht auch jene Episode hierher, die unser gemeinsamer Freund Milan Dubrovic vor vielen Jahren aus Venedig mitgebracht hat? Dort saß er mit dem Ehepaar Tschuppik im Café Florian auf dem

Markusplatz, und ein am Nebentisch sitzender Italiener begann alsbald mit glutäugigen Annäherungsversuchen an Frau Tschuppik, die von ihr ebenso glutäugig erwidert wurden, ohne daß Tschuppik eingegriffen hätte. Im Gegenteil, er schickte sich wenig später zum Abgang an und winkte seinem Freund, ihm zu folgen. »Was soll das?« fragte Dubrovic nach ein paar Schritten. »Warum hast du nichts unternommen?« Tschuppik schüttelte den Kopf: »Die Italiener sind so eifersüchtig«, lautete seine schwer zu entkräftende Erklärung.

Vielleicht bietet sich mir später einmal die Chance, mehr über Karl Tschuppiks menschliche Aspekte zu berichten (wie über manches andere auch). Im hier vorliegenden Rahmen muß jedenfalls noch eines gesagt sein: Tschuppik war nicht nur ein brillanter Journalist, er hat mit seinen Monographien über Kaiser Franz Joseph und Kaiserin Elisabeth auch als Historiker Anerkennung gefunden, vor allem aber mit einem schon durch den Untertitel reizvollen Werk: »Ludendorff oder Die Tragödie des Fachmanns«, in dem er die These verfocht, Ludendorff sei ein so perfekter Stratege gewesen, daß er bei seinen Planungen irgendwelche strategischen Fehler, die dem Gegner unterlaufen könnten, nicht berücksichtigte, sondern die eigene Perfektion auch bei jenem voraussetzte – so daß die von ihm erlittenen Niederlagen im Grunde auf gegnerische Unzulänglichkeiten zurückgingen, nicht auf die seinen.

Die Gespräche, die Tschuppik während der Vorbereitung zu diesem Buch mit Ludendorff führte, trugen – wie aus seinen Erzählungen hervorging – ambivalenten Charakter: einerseits nötigten ihm Ludendorffs militärische Qualitäten einen an Bewunderung grenzenden Respekt ab, anderseits sträubte sich alles in ihm gegen die Person, die Überheblichkeit, die stur teutonische Haltung des Generals (von der Weltanschauung gar nicht zu reden). Hingerissen lauschte er dem Schlachtplan, den Ludendorff für den Fall eines nächsten Krieges entworfen hatte, verfolgte kennerisch die Heeresbewegungen, die ihm der Zeigestab des manischen Strategen auf einer Wandkarte demonstrierte: »Großartig, Exzellenz!«

rief er aus. »Dieses Umfassungsmanöver ... und der Keil gegegen die Flanke ... einfach genial!« Dann, noch keuchend vor Begeisterung, ließ er sich in seinen Sessel zurücksinken: »Und den nächsten Krieg werden Sie *wieder* verlieren«, resümierte er.

Ein andresmal erging sich Ludendorff in abfälligen Äußerungen über die k.u.k. Armee, deren Vielsprachigkeit ihm, dem deutschen Bundesgenossen, offenbar als schwerer Defekt, ja fast als Verrat erschien:

»Da inspiziere ich in Russisch-Polen die österreichische Front – will in einer der Stellungen eine Ansprache an die Soldaten halten – verstehen die doch kein Wort. Lauter Ungarn. Ich setze meine Inspektion fort – lasse mir in die nächste Stellung einen ungarischen Dolmetsch kommen – wieder nichts. Lauter Kroaten. Kroatischer Dolmetsch in die nächste Stellung – lauter Tschechen. Tschechischer Dolmetsch –«

Jetzt konnte Tschuppik, der auf seinem Sessel immer nervöser hin- und hergerutscht war, seinen Unmut nicht länger zurückhalten:

»Aber Exzellenz!« unterbrach er. »Daß in der alten Monarchie verschiedene Sprachen gesprochen wurden – das hätte doch der deutsche Generalstab durch Spione feststellen können!«

Bald nach Beginn seiner Tätigkeit bei dem Wiener Boulevardblatt »Die Stunde« geriet Tschuppik in einen persönlichen Konflikt mit dem damaligen Polizeipräsidenten Johann Schober. Aus Gründen, die hier nichts zur Sache tun, konnte er seinem Groll in der »Stunde« keinen Ausdruck geben, und daran trug er schwer. Die Art, wie er sich schließlich doch Luft machte, gehört gleichermaßen zu seinem wie zum Bild der Stadt Wien.

Es geschah nach einem nächtlichen Heurigenbesuch. Tschuppik steuerte seinem Domizil im alten Hotel Bristol zu und überquerte unsicheren Schritts die Opernkreuzung, als ihm der dort postierte Verkehrspolizist, den er offenbar für einen feindlichen Sendboten Schobers hielt, mißfällig ins Auge stach. Ein wenig schwankend pflanzte er sich vor ihm auf und apostrophierte ihn wie folgt:

»Gehen Sie zu Ihrem Präsidenten ... und richten Sie ihm

aus ... der Tschuppik läßt ihm sagen ... er soll ihn im Arsch lecken ... Der Schober soll den Tschuppik im Arsch lecken ... Haben Sie verstanden?«

Das Sicherheitsorgan bekundete sein Verständnis durch sofortige Verhaftung Tschuppiks, gab sich jedoch nach Intervention einiger Begleitpersonen mit der Aufnahme der Personaldaten und Erstattung der Anzeige zufrieden. Wenige Tage später erhielt Tschuppik eine geharnischte Vorladung auf das zuständige Polizeikommissariat.

»Ja, aber – Herr Chefredakteur!« empfing ihn vorwurfsvoll der amtierende Oberinspektor. »Was haben S' denn da ang'stellt? Beleidigung des Polizeipräsidenten – noch dazu einem untergeordneten Organ gegenüber!«

Tschuppik trat im Sitzen von einem Fuß auf den andern, führte seine weinselige Stimmung ins Treffen, entschuldigte sich gesenkten Hauptes und wurde nach einigem Hin und Her mit der dringlichen Ermahnung, daß so etwas nie wieder vorkommen möge, entlassen.

Von diesem Tag an pflegten die Polizisten im Rayon Opernkreuzung – unter denen sich der Vorfall natürlich herumgesprochen hatte – stramm zu salutieren, wenn sie Tschuppik herankommen sahen. Ein Mann, der dem Polizeipräsidenten das Arschlecken schaffen durfte, ohne daß ihm etwas geschah, hatte Anspruch auf höchsten Respekt.

Tschuppik träumte davon, eine Tageszeitung mit dem schlichten Titel »Der Arsch« zu gründen (wöchentliche Beilagen: »Der Kinderarsch« und »Der Frauenarsch«). Immer wieder berauschte er sich an der Vision, wie der Nachtkolporteur, einen Stoß der ersten Ausgabe griffbereit überm Arm, nach Schluß der Vorstellung vor der Oper stünde und den vornehm gewandeten Damen und Herren, die jetzt herausströmten, sein tonlos geschäftsmäßiges »Der Oasch ... der Oasch ... der Oasch« entgegenriefe. Es blieb ein Traum.

Aber in einer Sternstunde seines Journalistendaseins kam

Tschuppik an die Verwirklichung dieses Traumes so nahe heran, als es die Umstände zuließen. Er war nach seinem Ausscheiden aus der »Stunde« zur »Sonn- und Montagszeitung« übersiedelt, der er ein schärferes politisches Profil zu geben versuchte – kein leichtes Vorhaben im Wien der mittleren dreißiger Jahre, da man weder den eigenen autoritären Ständestaat noch den großen Nazi-Nachbarn reizen durfte. Tschuppik sah Böses kommen, sah eigentlich als erster (und leider mit Recht) die große Gefahr, die der demokratischen Tschechoslowakei von seiten der Henlein-Bewegung drohte, und tat sein Bestes, um die Umtriebe der sudetendeutschen Hitlerkumpane aufzudecken. Ihre Zentrale befand sich in der nordböhmischen Grenzstadt Asch, wo außer dem offiziellen Parteiorgan auch ein vorgeblich satirisches Wochenblatt erschien, das symbolträchtigerweise »Die Brennessel« hieß und sich in beinahe jeder Nummer unterfing, Tschuppik mit den Mitteln sudentendeutschen Humors zu attackieren. Als ihm das endlich zu dumm wurde, entschloß er sich zu einer Replik. Sie trug in balkendicken Lettern die Überschrift:

MAN NECKT MICH IN ASCH

und war eine seiner letzten Großtaten. Er starb 1937, wurde auf dem Friedhof des Weinbezirks Grinzing bestattet und hatte testamentarisch verfügt, daß der Harmonikaspieler seines Lieblings-Heurigen den zur Grube fahrenden Sarg mit dem Wienerlied »Es wird ein Wein sein und wir werd'n nimmer sein« begleiten sollte. Zu Lebzeiten, wenn düstere Zukunftsgedanken ihn überkamen, hatte er diesen Text depressiv abgewandelt: »Es wird kein Wein sein, und wir werd'n noch immer sein.« Das ist ihm erspart geblieben.

*

Abermals stehe ich vor einem strukturellen Problem, verursacht von der Tatsache, daß »Redaktion« und »Kaffeehaus« verwandte, ja einander überschneidende Phänomene sind, indem einerseits jede bessere Redaktion etwas von einem Kaffeehaus an sich hat und anderseits jeder bessere Journalist weit öfter im Kaffeehaus anzutreffen ist als in seiner Redaktion. Gehört nun der vorhin erwähnte Milan Dubrovic noch in dieses vom Journalismus handelnde Kapitel – oder gehört er ins nächste, das sich mit dem Kaffeehaus befassen wird? Ich habe ihn kaum jemals in einer der Redaktionen besucht, in denen er tätig war. Hingegen saß ich regelmäßig und in manchen Zeitphasen sogar täglich mit ihm im Café Herrenhof beisammen, wo gegen Ende der zwanziger Jahre unsre bis heute intakte Freundschaft begonnen hat.

Damals, pendelnd zwischen Wien und Prag, begann ich auch mit der Arbeit an meinem »Schüler Gerber«, mußte mich jedoch ebenso wie Dubrovic durch Beiträge für Zeitungen und Zeitschriften um laufende Einkünfte bemühen. Es waren die typischen »unverlangten Manuskripte«, die wir da auf gut Glück und mit wechselndem Erfolg verschickten. Die meinigen bekundeten in Form von Kurzgeschichten oder Glossen durchaus literarische Ambition, Dubrovic neigte mehr zur aktuellen Reportage oder zur Schilderung merkwürdiger Begebnisse aus der Geschichte Wiens, denen er manchmal auf Grund eigener Findigkeit, manchmal auf Grund sachkundiger Hinweise nachging.

Einen solchen Tip bekam er einmal von Richard Wiener, der zu den besseren Repräsentanten des damals noch in Blüte stehenden Wiener Feuilletonismus gehörte, mitunter als »Polgar des kleinen Mannes« bezeichnet wurde und seiner Arriviertheit durch stelzbeiniges Gehaben (nebst ebensolcher Ausdrucksweise) Rechnung trug.

»Hören Sie, Dubrovic«, begann er bedeutsamen Tons ein Tischgespräch im Café Herrenhof, »wenn Sie einmal Muße haben – aber wirklich nur dann, ich kann für nichts garantieren und möchte ihre Arbeitszeit nicht durch eine möglicherweise ergebnislose Extratour belasten – also wenn Sie einmal, wie gesagt, Muße haben, dann suchen Sie in Baden bei Wien den Nachtportier des Hotels ›Zum goldenen Anker‹ auf. Er ist der Schwager des Fiakerkutschers Bratfisch, der den Kronprinzen Rudolf nach Mayerling gefahren hat. Vielleicht kann er Ihnen etwas Interessantes erzählen.«

Dubrovic, als lernbegieriger Anfänger stets darauf bedacht, sich von den Ratschlägen Altvorderer kein Wort entgehen zu lassen und außerdem nicht just von wieselflinkem Denk- und Schaltvermögen, war hingebungsvoll an Wieners Lippen gehangen und hielt jetzt noch sekundenlang einen angestrengten Blick auf ihn geheftet: dann fragte er, ein wenig ungläubig:

»Wenn ich *was* hab?«

Niemand hätte damals in Milan Dubrovic den späteren Kulturattaché der Österreichischen Botschaft in Bonn vermutet oder den heutigen Herausgeber eines angesehenen Wiener Wochenblattes.

Die Zeitungswünsche ihrer Stammgäste waren den Kellnern des Café Herrenhof selbstverständlich bekannt und wurden automatisch befriedigt, so daß es sich erübrigte, eine bestimmte Zeitung eigens anzufordern; wenn sie nach zwei Minuten noch nicht dalag, war sie gerade »in der Hand« und würde binnen kurzem nachkommen. Es löste daher Überraschung aus, daß Dubrovic eines Tages nach dem »Hamburger Fremdenblatt« rief, das zwar als eine der damals führenden Auslandszeitungen auch im Café Herrenhof auflag, aber von niemandem, den wir kannten, gelesen wurde. Wir wußten nicht einmal, wie es aussah.

Was der Kellner Albert herbeibrachte und dem wartenden Dubrovic übergab, war eine Zeitung von ungewöhnlich großem Format, größer noch als die Londoner und die New Yorker »Times«. Dubrovic begann jedoch nicht etwa zu lesen, sondern hielt das Riesending zur allgemeinen Besichtigung hoch:

»Also bitte«, sagte er. »Und *die* schicken mir etwas wegen Raummangel zurück!«

Das Strukturproblem, ob Milan Dubrovic in dieses oder ins folgende Kapitel gehörte, hat sich via facti gelöst. Es folgt das folgende Kapitel.

Kaffeehaus ist überall

Vom Kaffeehaus war schon so oft und ausgiebig die Rede, daß es sich fast erübrigt, ihm ein eigenes Kapitel zu widmen. Im Grunde ist ja dieses ganze Buch ein Buch vom Kaffeehaus. Kaum eine der auftretenden Personen wäre ohne das Kaffeehaus denkbar. Kaum eine der von ihnen handelnden Geschichten, auch wenn sie anderswo spielen, wäre ohne das Kaffeehaus entstanden. Kaum einer der hier verzeichneten Aussprüche wäre getan worden, wenn es das Kaffeehaus nicht gegeben hätte. Für die auftretenden Personen war es der Nährboden, aus dem sie ihre geheimen Lebenssäfte sogen. Den von ihnen handelnden Geschichten lieferte es die Atmosphäre wohin auch immer, lieferte es Rückendeckung und Resonanz und, kurzum, den geistigen Raum.* Und ihre Aussprüche waren von einer im Kaffeehaus entwickelten Diktion und Denkungsart geprägt. Selbst die erhabene Gestalt der Tante Jolesch, die niemals in einem Kaffeehaus gesichtet wurde, hat etwas von ihm abbekommen. Man könnte freilich auch sagen, daß das Kaffeehaus etwas von der Tante Jolesch abbekommen hat, daß sie das missing link zwischen talmudischer Ghettotradition und emanzipierter Kaffeehauskultur war, sozusagen die Stammutter all derer, die im Kaffeehaus den Katalysator und Brennpunkt ihres Daseins gefunden hatten, ob sie's wußten oder nicht, ob sie's wollten oder nicht.

Manche – und nicht die schlechtesten – wollten es nicht. Zu den beinahe untrüglichen Merkmalen eines Stammgastes gehörte die Behauptung, keiner zu sein (was mit gleicher Beharrlichkeit sonst nur Betrunkene von sich behaupten). Ernst Polak, eine der Säulen des Café Herrenhof, aus Prag gebürtig, in erster Ehe mit

* Vgl. Hofmannsthal, Hugo von: »Das Schrifttum als geistiger Raum der Nation.« Hier abzuwandeln in: »Das Kaffeehaus als geistiger Raum eines untergegangenen Lebensstils.«

Kafkas Milena verheiratet, Literaturkenner von hohen Graden und weithin als kritische Instanz anerkannt, versäumte es nie, sein allnachmittägliches Erscheinen am Stammtisch mit der Mitteilung einzuleiten, daß er nur ausnahmsweise gekommen sei und gleich wieder gehen müsse, weil er seine Zeit nicht mit unnützem Herumsitzen und Herumreden vergeuden wolle. Er blieb dann meistens bis zur Sperrstunde, deren Ankündigung durch den Oberkellner Albert ihm ein entsetztes »Was – schon?!« entlockte. Berichten seiner Haushälterin zufolge erwachte er für gewöhnlich mit dem Seufzer: »Großer Gott – schon wieder ein Tag vorbei . . .« (Das verweist auf einen verwandten Ausspruch Friedrich Karinthys, des einzigen ungarischen Schriftstellers, der als würdiger Zeit- und Artgenosse Franz Molnárs anzusehen ist: »Was kann schon aus einem Tag werden, der damit beginnt, daß man aufstehen muß!«)

Polak blieb seinen Freunden Hermann Broch, Franz Werfel, Willy Haas und anderen auch in der Emigration ein wertvoller Berater. Er starb während des Kriegs in London. Es war ihm nicht mehr vergönnt, noch einmal ausnahmsweise im Café Herrenhof zu erscheinen.

Daß auch Dr. Justinian Frisch – im Kapitel »Sommerfrische« bereits vorgestellt – nicht als Stammgast zu gelten wünschte, wurde mir aus eigener Erfahrung und zum eigenen Leidwesen inne, als der Verlag Fischer, damals noch in Stockholm, 1947 das Erscheinen meines in New York entstandenen Romans »Hier bin ich, mein Vater« vorbereitete. Der erste Brief, den ich nach Ablieferung des Manuskripts aus Stockholm bekam, trug die Unterschrift »für die Herstellung: Dr. Frisch«. Und da ich keinerlei Anhaltspunkte dafür besaß, daß es sich um den mir bekannten Justinian handelte – ich hatte seit der Annektion Österreichs nichts mehr von seinem Schicksal gehört –, setzte ich an den Schluß meines Antwortschreibens, das sich mit der Kapitelgliederung, dem Umbruch und anderen vorrangigen Herstellungsfragen beschäftigte, die behutsame Anfrage, ob der Adressat mit dem einstigen Stammgast des Café Herrenhof identisch sei.

Das hätte ich nicht tun sollen. In seinem nächsten Brief verwahrte sich Dr. Justinian Frisch vier Seiten lang gegen die Zumutung, als Stammgast bezeichnet oder gar definiert zu werden, und begründete seinen Protest so eingehend, daß ich nicht umhin konnte, meine Position auf ebenso vielen Seiten zu verteidigen. Einige seiner Einwände akzeptierte ich, insgesamt jedoch gab ich ihm die mittlerweile eingetretenen politischen und zeitgeschichtlichen Entwicklungen zu bedenken, die den Begriff »Stammgast« in einem andern, minder fragwürdigen Licht erscheinen ließen. Frisch replizierte, daß diese Fragwürdigkeit durch keine historische Patina überlagert werden dürfe und daß ich mich damit eines üblen dialektischen Tricks schuldig gemacht hätte. Solches konnte nun wieder ich nicht auf mir sitzen lassen, die Diskussion weitete sich ins Weltanschauliche aus, und der Roman »Hier bin ich, mein Vater« erschien mit einjähriger Verspätung.

Dr. Justinian Frisch verbrachte seine letzten Lebensjahre bei seinem Sohn in Cambridge und hat mir im Verlauf unsrer weiteren Korrespondenz, in der es hauptsächlich um die Kodifizierung der Aussprüche Dr. Hugo Sperbers ging, wertvolle Hilfe geleistet. Er war mir also nicht böse. Er wollte nur kein Stammgast sein.

Ganz anders verhielt es sich mit Gustav Grüner, der in mindestens drei Kaffeehäusern die Position eines Stammgastes beanspruchte: im »Herrenhof«, im »Central« und im noch näher zu erläuternden »Parsifal« (samt Dependancen). Von ihm stammt der fundamentale Satz: »Ein anständiger Gast stellt beim Verlassen des Kaffeehauses seinen Sessel selbst auf den Tisch« – hat also, anders formuliert, das Kaffeehaus als einer der letzten zu verlassen. In dieser Form wurde Grüners Postulat Nacht für Nacht im Café Herrenhof von ihm erfüllt.

Ein zweiter, höchst aufschlußreicher Ausspruch geht auf seine Stammgast-Tätigkeit im Café Central zurück, dessen Eingang sich an der Ecke Herrengasse/Strauchgasse befand. Außerdem wies die in der Herrengasse verlaufende Seitenfront eine kleine Glastüre auf, die aber nicht als Eingang, sondern – in der wärmeren Jahreszeit – zwecks Durchlüftung des unmittelbar dahinter gelegenen Schachzimmers benützt wurde. Darauf stützte sich Gustl Grüners Wahrnehmung: »Frühling ist, wenn die Tür in die Herrengasse aufgemacht wird.« Eine andre Möglichkeit, den Eintritt des Frühlings festzustellen, hatte er nicht.

Was schließlich das »Parsifal« betraf, so kannte man es zwar allgemein als Stammlokal der Philharmoniker, mit denen Grüner nichts zu tun hatte, aber es saß dort auch – in einer für ihn reservierten Nische, an einem meist von Zeitungen übersäten Tisch – Karl Kraus, und mit dem hatte Grüner sehr wohl zu tun. Er durfte sogar ohne vorherige Verabredung am Tisch erscheinen und machte dann die ganze nächtliche Kaffeehaustour mit, die um vier Uhr früh entweder im »Schellinghof« oder im »Fichtehof« endete (und zu der einige Jahre lang auch ich zugelassen war).

Grüner stand bei Karl Kraus aus mehreren Gründen in Gunst, nicht zuletzt als Bruder des im Ersten Weltkrieg gefallenen Lyrikers Franz Grüner, den Kraus sehr geschätzt hatte. An Gustl Grüner schätzte er vor allem dessen unbestechliches Sprach- und Qualitätsgefühl, eine messerscharfe, oft bis zur Bösartigkeit zugeschliffene Intelligenz und jene geistige Unabhängigkeit, die man in der Regel nur bei den sehr Reichen oder den sehr Armen antrifft, bei den sehr Armen allerdings nur dann, wenn sie allen irdischen Erfolgsambitionen entsagt haben – und Gustl Grüner, nach einem mißglückten Selbstmordversuch halb erblindet, hatte entsagt. All dies trug dazu bei, daß Kraus ihm eine Art Narrenfreiheit gewährte, von der Grüner zumal in Streitgesprächen weidlich Gebrauch machte. Kraus nahm das schmunzelnd hin, wie er ja überhaupt – ich habe meine Reminiszenzen an ihn schon anderwärts verbucht und möchte mich nicht wiederholen – großen menschlichen Charme und eine fast väterliche Toleranz entfalten konnte. Manchmal ließ er die Argumente Grüners auch dann unwidersprochen, wenn er selbst ganz offenkundig die besseren zur Hand hatte. Der einzige Fall, in dem er tatsächlich keine Antwort wußte, ist mir um so nachhaltiger in Erinnerung geblieben.

Die Diskussion entsprang einer vorangegangenen Zeitungslektüre, bei der Karl Kraus wieder einmal auf die österreichische Unsitte gestoßen war, »vergessen« mit »auf« oder »an« zu konstruieren.

»Daß die Leute nicht spüren, wie sprachwidrig das ist!« ereiferte er sich. »Die Tätigkeit des Vergessens führt doch von etwas weg – ›auf‹ bedeutet eine Annäherung zu etwas hin. Wie kann man *auf* etwas vergessen!«

Grüner wackelte mißbilligend mit dem Kopf, und seine Stimme hatte – wie immer in Fällen der Siegesgewißheit – etwas leise Zischendes:

»So. Und was ist mit ›auf etwas verzichten‹?«

Das Achselzucken, mit dem sich Karl Kraus begnügen mußte, ist ihm, dem Sprachgewaltigen und Sprachempfindlichen, gewiß nicht leichtgefallen. Soll er doch die Wichtigkeit der Sprache so hoch eingeschätzt haben, daß er – in freilich jüngeren Jahren – die mit ihm befreundete Gattin eines mit ihm durchaus nicht befreundeten Vielschreibers ebenso beharrlich wie erfolglos dazu bewegen wollte, aus dem schlechten Deutsch ihres Gatten einen Scheidungsgrund abzuleiten. Und als er eines Tags in einem Feuilleton des Sprachschluderers einen besonders argen Schnitzer entdeckte, sei er mit der Zeitung in der Hand sogleich zu der standhaften Gattin geeilt, habe ihr die betreffende Stelle unter die Nase gehalten und ausgerufen: »Aber *jetzt* werden Sie sich doch scheiden lassen!«

Zumindest der zweite Teil der Geschichte ist eine Erfindung Gustl Grüners. Jedenfalls wurde sie von ihm in Umlauf gesetzt.

Übrigens hatte auch ich einmal die Ehre, zur Zielscheibe seines boshaften Witzes zu werden. Offenbar brauchte er von Zeit zu Zeit einen Auspuff gegen die Sympathie, die er für mich hegte – ich weiß nicht recht warum, aber wohl kaum um meiner literarischen Bemühungen willen, die er ja nur vom Hörensagen kannte. Mit diesen Bemühungen hatte ich schon während meiner Gymnasiastenzeit begonnen, notgedrungen unter einem Pseudonym, da sie sich gegen das Mittelschulsystem richteten und mir Bedrohliches eingebrockt hätten, wenn meine Autorschaft entdeckt worden wäre. Anderseits wollte ich ein paar vertrauenswürdigen

Freunden und einem von mir umbuhlten Mädchen beweisen können, daß ich es war, der da im Druck erschien, und stellte mir also aus der Endsilbe meines Vaternamens – Kan*tor* – und dem Geburtsnamen meiner Mutter – *Berg* – das Pseudonym Torberg zusammen, das sich je nachdem zur Verschleierung oder zum Nachweis meiner Identität eignete. Der unvermutete Erfolg meines 1930 erschienenen »Schüler Gerber« legte mir den Entschluß nahe, den Namen Torberg, mit dem ich nun vielfach angesprochen wurde, fortan auch als bürgerlichen Namen zu führen. Gustl Grüner nahm mir das nicht nur übel, sondern unterstellte mir Motive, mit denen er mir unrecht tat, und dagegen mußte ich mich wehren. Ich erklärte ihm, daß ich die Namensänderung aus Gründen der Einfachheit und nicht der Eitelkeit vorgenommen hatte, erklärte ihm, warum und wie der neue Name zustande gekommen war:

»Hätte mein Vater zum Beispiel Rosenblatt geheißen und meine Mutter Gold, dann hätte ich mich –«

»Dann hätten Sie sich *auch* Torberg genannt«, zischte Grüner.

Wenn Dr. Hugo Sperber beim »Dardeln« den Grün-Zehner ausspielte, murmelte er (wie das bei jedem Ausspielen üblich war) eine begleitende Ansage:

»Grün Zehner – besser als zehn Grüner.«

*

Das Café Herrenhof teilte sich in zwei annähernd gleich große Räume, für die eine strikte Zeit- und Sitzordnung bestand. Aus unerfindlichen Gründen galt der hintere Saal, an den sich das Spielzimmer anschloß, als der »richtige«, ähnlich wie auf den Boulevards und Geschäftsstraßen europäischer Großstädte eine der beiden Straßenseiten Vorrang genießt. An den Fenstertischen im vorderen Saal saßen die prominenten Stammgäste schon während der frühen Nachmittagsstunden, aber erst zwischen 5 und 6 Uhr entfaltete sich in den Logen des hinteren Saals das eigentliche literarische Leben, so daß manche seiner Repräsentanten zwei Stammtische im selben Lokal beanspruchten. Es war zulässig, nur am Nachmittag oder nur am Abend zu erscheinen. Hingegen war es selbst für die Angehörigen der Spitzenklasse unzulässig, am Nachmittag hinten zu sitzen oder am Abend vorne. Wenn einer es dennoch einmal tat, dann aus bestimmten Gründen: entweder wartete er auf einen Außenseiter, mit dem er unter vier Augen reden wollte, oder er lag gerade in so heftiger Fehde mit einem andern Stammgast, daß er nicht einmal dessen Anblick ertrug – in jedem Fall mußte der auffällige Platzwechsel etwas zu bedeuten haben, worüber man rätseln konnte.

Ich erinnere mich an eine makabre Situation aus der letzten Existenzphase des Café Herrenhof, als nur noch der vordere Saal in Betrieb stand. 1960 wurde das ganze Lokal endgültig gesperrt, bis dahin war es von seinem früheren Oberkellner Albert Kainz, der es nach Kriegsende erworben hatte, aus purer Sentimentalität weitergeführt worden, um den emigrierten Stammgästen, wenn die Sehnsucht sie dann und wann in die alte Heimat trieb, einen zuverlässigen Treffpunkt mit jenen zu sichern, die jetzt wieder in Wien lebten. Es waren ihrer alle zusammen nicht mehr viele, es waren auch immer nur wenige Tische besetzt, und eines Nachmittags waren es im ganzen nur zwei: am ersten Fenstertisch, rechts vom Eingang, saß der aus Haifa zu Besuch gekommene Leo Perutz, und weit hinten in der linken Ecke, mit dem Rücken zu ihm, saß der in Wien lebende Otto Soyka. Die beiden hatten sich in den zwanziger Jahren miteinander verkracht und konnten selbst unter den jetzt gegebenen Umständen, selbst als die einzigen Gäste des Café Herrenhof nicht zueinander finden. Zwei der letzten Überlebenden von ehedem, boten sie in der trostlosen Leere des schemenhaft hingedehnten Raums ein gespenstisches Bild. Von fern her gemahnte es an jene utopischen Filme, deren Handlung nach vollzogenem Weltuntergang einsetzt.

Die Wurzel ihrer unerschütterlichen Feindschaft lag in einer Zeit, da der begabte, aber nicht weiter bemerkenswerte Erzähler Otto Soyka sich auf Grund eines kurzlebigen Publikumserfolgs als Rivale des ungleich bedeutenderen Leo Perutz gebärdete (von dem sich noch herumsprechen wird, daß er zu den Meistern des phantastischen Romans gehört – er könnte einem Fehltritt Franz Kafkas mit Agatha Christie entsprossen sein). Nun pflegte Perutz auf Eitelkeitsposen und verstiegene Ambitionen besonders scharf zu reagieren und tat das auch Soyka gegenüber, der kurz zuvor schon von Alfred Polgar einen schmerzhaften Seitenhieb abbekommen hatte, als er eines Tags in komplettem Reitkostüm, mit Schaftstiefeln, Sporen und Gerte, das Café Herrenhof betrat: »Ich habe ja *auch* kein Pferd«, bemerkte Polgar. »Aber *so* kein Pferd wie der Soyka hab ich bestimmt nicht.« Perutz seinerseits machte sich ein einigermaßen kompliziertes Spiel zunutze, das an einem der Herrenhof-Tische im Schwang war und an dem auch Soyka teilnahm. Es ging davon aus, daß dem Charakterbild eines Menschen, gewissermaßen als Ergänzung, ein Tier entspräche, in dem sich seine schlechten Eigenschaften verkörperten und das ihm deshalb zuwider war. Jeder Teilnehmer mußte erraten, welches Tier die übrigen auf einem zusammengefalteten Zettel für ihn namhaft gemacht hatten, und daraus ergab sich dann ein lehrreicher Vergleich zwischen der Selbsteinschätzung des Betreffenden und seiner Einschätzung durch die anderen.

Die Reihe kam an Perutz. Und Perutz besann sich keine Sekunde lang:

»Mein Tier ist der Soyka«, sagte er.

Die Gegner schieden nach kurzem Ohrfeigenwechsel unversöhnt und blieben es bis an ihr Lebensende.

Spiele solcher und ähnlicher Art erfreuten sich in den Diskussionspausen großer Beliebtheit. Ein von Alfred Polgar erfundenes hieß »Der Erzherzog wird geprüft« und wurde von zwei Partnern gespielt. Der eine übernahm die Rolle eines prüfenden Geschichtsprofessors und mußte sich für den hochgeborenen Prüfling eine so leichte Frage ausdenken, daß sie selbst von einem geistig zurückgebliebenen Kleinkind unmöglich falsch beantwortet werden konnte. Der Prüfling stand sodann vor der schwierigen Aufgabe, dennoch eine falsche Antwort zu geben, und der Professor vor der noch schwierigeren, diese Antwort nicht nur als richtig anzuerkennen, sondern auch zu begründen, warum sie es war. Gelang ihm das nicht, hatte er verloren.

Musterbeispiel einer vom prüfenden Professor gewonnenen Runde:

»Kaiserliche Hoheit, wie lange dauerte der Dreißigjährige Krieg?«

»Sieben Jahre.«

»Richtig! Damals wurde ja bei Nacht nicht gekämpft, womit bereits mehr als die Hälfte der Kriegszeit wegfällt. Auch an Sonn- und Feiertagen herrschte bekanntlich Waffenruhe, was abermals eine ansehnliche Summe ergibt. Und wenn wir jetzt noch die historisch belegten Unterbrechungen und Verhandlungspausen einrechnen, gelangen wir zu einer faktischen Kriegsdauer von genau sieben Jahren. Ich gratuliere!«

Eine vom prüfenden Professor verlorene Runde begann mit der Frage: »Wie heißt unser Kaiser Franz Joseph?« Die ebenso prompte wie rätselhafte Antwort »Quarz!« begrüßte der Professor noch mit dem vorgeschriebenen »Richtig!«, konnte aber ihre Richtigkeit nicht mehr beweisen. Der Erzherzog hatte gewonnen.

Zurück zu Leo Perutz und seinem schlagfertigen Widerwillen gegen jede Art von snobistischen oder sonstwelchen Möchtegern-Attitüden. Er mußte von ihnen keineswegs persönlich betroffen sein, um sie zu brandmarken. Es genügte schon, wenn einer, der in größerer Gesellschaft etwas zum besten gab, mit Absicht so leise sprach, daß alle übrigen Gespräche verstummten und die allgemeine Aufmerksamkeit sich notgedrungen auf ihn konzentrierte. Ein vollendeter Beherrscher dieser gar nicht so leichten Technik war der Schriftsteller Paul Ellbogen, der sich gerne mit seiner (tatsächlich vorhandenen) Bildung und Kunstkennerschaft in Szene setzte und seine Weltläufigkeit um einige Grade penetranter zu erkennen gab, als es dem nicht minder gebildeten, nicht minder weltläufigen Perutz erträglich schien.

Die Geschichte, die Paul Ellbogen, soeben von einer Italienreise zurückgekehrt und von einer bekannt schöngeistigen Familie eingeladen, mit leiser Stimme zu erzählen begann, spielte – wie sich's für einen Kunstkenner gehört – in Florenz:

»Genau genommen in Fiesole«, verbesserte er sich. »Bei einem Besuch in Fiesole erfuhr ich durch einen absurden Zufall« (er sagte wirklich »erfuhr«, er sprach wie gedruckt) »von einem Museum, das ich nicht kannte. Ich kannte es nicht«, wiederholte er mit selbstkritischem Nachdruck und schüttelte den Kopf. »Es befand sich in einem nahe gelegenen Städtchen. Vermutlich die private Stiftung eines dortigen Mäzens. Und dieses Museum enthielt – Sie werden ebenso überrascht sein, wie ich es war – einen unbekannten Tiepolo.«

Er legte eine Pause ein, die seinen Hörern die Möglichkeit gab, ihrer Überraschung Herr zu werden. Dann setzte er mit noch leiserer Stimme fort:

»Selbstverständlich ließ ich mich weder von der Sommerhitze noch von den miserablen Zugsverbindungen abhalten, gleich am nächsten Tag hinzufahren. Die guten Leutchen dort schienen gar nicht zu wissen, welch einen Schatz ihre Mauern bargen. Ich mußte mich mehrmals erkundigen, ehe ich das Museum endlich fand. Es war ein entzückender kleiner Renaissancebau, möglicherweise das Werk eines Palladio-Schülers und natürlich nicht als Museum erbaut, sondern aller Wahrscheinlichkeit nach das frühere Wohnhaus des inzwischen verstorbenen Stifters. Gleichviel – ich hatte es gefunden. Und was mußte ich entdecken?«

Jetzt war Ellbogens Stimme bereits so leise, daß die Umsitzenden, ohnehin schon atemlos an seinen Lippen hängend, auch noch die Hand ans Ohr legten, um nur ja kein Wort zu versäumen.

»Ich mußte entdecken, daß das Museum gesperrt war. Es war gesperrt. Und weit und breit war niemand zu sehen, der es mir hätte öffnen können oder mir eine Auskunft gegeben hätte. Bitte versuchen Sie sich das vorzustellen. Ich bin mit einem erbärmlichen Bummelzug eigens hierhergefahren – ich stehe in glühender Hitze vor einem Museum, in dem ein unbekannter Tiepolo hängt – und muß mich fragen: wie komme ich in das Museum hinein?«

Abermals machte Ellbogen eine Pause, sichtlich erschöpft vom eigenen Flüstern. Und mitten in das angespannte Schweigen erteilte ihm Leo Perutz den freilich verspäteten Ratschlag:

»Vielleicht wenn Sie sich hätten ausstopfen lassen!«

Wir haben nicht mehr erfahren, wie Paul Ellbogen in das Museum hineingekommen ist.

Noch gröblicher betrug sich Perutz zur Frau Professor Eugenie Schwarzwald, der verdienstvollen Pädagogin und Leiterin einer von ihr gegründeten Schule, in der sie Wiens höhere Töchter nach den modernsten Methoden in Halbbildung unterwies. Sie war allenthalben für ihre aufdringliche Betriebsamkeit gefürchtet, lud ein und wurde eingeladen, befand sich ständig auf Prominentenfang und stieß damit bei Leo Perutz auf so heftiges Mißbehagen, daß er sich immer wieder den Anschein gab, sie nicht zu kennen, und ihr immer aufs neue vorgestellt werden mußte.

Bei irgendeinem offiziellen Empfang stand Perutz kauend am Buffet, als die Frau Professor zielstrebig auf ihn zugewatschelt kam und ihn gekränkt zur Rede stellte:

»Sie haben mich ja schon wieder nicht begrüßt, Herr Doktor Perutz!«

»Entschuldigen Sie«, erwiderte Perutz mit vollem Mund. »Ich hab geglaubt, Sie sind die Schwarzwald.«

Den Dolch der mörderischen Ablehnung verstand auch Alfred Polgar zu handhaben, dem es die klebrigen Anbiederungsversuche des Stammgastes Weiß angetan hatten. Als er eines Nachmittags das Kaffeehaus verließ, folgte ihm Weiß auf die Straße, gesellte sich devot an seine Seite und stellte ihm die scheinbar ausweglose Frage:

»In welche Richtung gehen Sie, Herr Polgar?«

Er erhielt den prompten Bescheid:

»In die entgegengesetzte.«

Auf einer Silvestergesellschaft machte sich Weiß mit anreißerischem Lächeln an Polgar heran:

»Das wird Sie amüsieren, Herr Polgar. Ich habe auf dem Weg

hierher einen Bekannten getroffen – übrigens ein glühender Verehrer von Ihnen – und der hat sich von mir mit den Worten verabschiedet: ›Also Sie sehe ich erst nächstes Jahr wieder!‹ Witzig, nicht?«

»Das können Sie von mir schon Anfang Februar hören«, brummte Polgar.

Aus akribischen Gründen wäre noch der im Café Herrenhof entstandene Begriff des »Kellnerpunktes« zu verbuchen und zu erläutern. In einer gelehrten Diskussion, die sich in den schier undurchdringlichen Nebel abstraktester Philosopheme verstiegen hatte, äußerte einer der Teilnehmer, um keinen Zweifel daran zu lassen, daß er die kompliziert aufgebaute These eines andern für eine kindische Selbstverständlichkeit hielt:

»Mit anderen Worten – zweimal zwei ist vier.«

Der gerade servierende Kellner nickte dem Sprecher anerkennend zu:

»Da haben S' aber wirklich recht, Herr Doktor«, sagte er.

Damit war der »Kellnerpunkt« erreicht. Er ergab sich immer dann, wenn ein pompös überdrehtes Gespräch aus den Höhen seiner Selbstgefälligkeit zu einer entlarvend primitiven Schlußfolgerung abglitt, die sogar dem Kellner einleuchten mußte.

*

Im übrigen enthält das vorliegende Kapitel eigentlich nur ergänzende Materialien zum Thema Kaffeehaus und zur Produktivität seiner Insassen. Fast alles, was ich hier noch aufzeichne, würde auch in andere sachliche oder persönliche Zusammenhänge passen – ein von mir schon wiederholt beklagter Strukturdefekt dieses Buchs, der mich indessen nicht hindern darf, die fälligen Ergänzungen vorzunehmen.

Zu ergänzen ist, daß der Mokka des Café Herrenhof nicht just von bester Qualität war und dem im Journalisten-Café Rebhuhn verabreichten nach Aussage von Pendelbesuchern beträchtlich nachstand. Das ließ die Besitzer des »Herrenhof« nicht ruhen und führte zu einem interessanten Fall von Werkspionage. Ein ins »Rebhuhn« entsandter Geheimagent bestellte dort einen Mokka, füllte ihn heimlich in eine mitgebrachte Thermosflasche ab und brachte sie ins »Herrenhof«, wo ihr Inhalt chemisch untersucht wurde. Es stellte sich heraus, daß er einige Tropfen Kakao enthielt. Von diesem Tag an gab es auch im Café Herrenhof sehr guten Mokka (der heute so beliebte »Espresso« existierte damals noch nicht).

Zu ergänzen ist ferner, daß im Café Central, nachdem es seiner Rolle als Literatenhochburg verlustig gegangen war, nur noch im Schachzimmer geistiges Leben herrschte. Die teils witzigen, teils gedankenlosen, teils schlechterdings schwachsinnigen Redewendungen, mit denen die Schachspieler ihre Züge begleiteten, sind mehrmals im Druck festgehalten worden, von Karl Kraus in »Literatur« oder »Man wird doch da sehen«, von Jenö Lazar in der Monatsschrift »Querschnitt« und noch von einigen anderen Experten. Soviel ich weiß, wurde jedoch nirgends auf den sogenannten »Kranichzug« hingewiesen, nämlich auf die Frage, mit der ein Spieler, unter Benützung der »Kraniche des Ibykus«, einen ihm unverständlichen Zug seines Partners quittierte: »Was ist's mit ihm, was kann er meinen?« (Bei Schiller folgt dann die Zeile: »Was ist's mit diesem Kranichzug?«) Auch fehlt in den mir zugänglichen Quellen eine Wendung, die sich von einem traurigen Kriminalfall herleitete: ein burgenländischer Gastwirt hatte seine zwei minderjährigen Kinder ermordet, die Leichen fachmännisch tranchiert und die einzelnen Teile in Postpakete verpackt, die er als »Muster ohne Wert« aufgab. Seither wurde im Schachzimmer des Café Central einem in Verlustposition geratenen Spieler die bevorstehende Niederlage mit den Worten angekündigt: »Sie werden diese Partie gleich aufgeben wie man aufgibt kleine Kinder auf der Post.« (Auslandsdeutschen, denen die postalische Bedeutung von »aufgeben« fremd ist, sei mit einem Aphorismus von Karl Kraus unter die ratlos erhobenen Arme gegriffen: »Einen Brief befördern, heißt in Österreich einen Brief aufgeben.«)

Was die Schachspieler betrifft, so hatten die Matadore unter ihnen, deren Partien infolgedessen von zahlreichen Kiebitzen umlagert waren, ein ingeniöses System entwickelt, um sich der lästigen Besserwisser zu entledigen. Auf ein verabredetes Zeichen trat ein Kellner an das Brett heran, das beispielsweise von den Meistern Grünfeld und Wolf okkupiert war, und meldete:

»Herr Wolf, Sie werden am Telephon verlangt.«

»O weh«, sagte Wolf, »das wird bestimmt länger dauern.« Dann wandte er sich an einen Kiebitz, der ihm durch kennerisches Dreinreden mißliebig aufgefallen war: »Dürfte ich Sie bitten, inzwischen für mich weiterzuspielen?«

Die ehrenvolle Aufforderung wurde mit Wonne akzeptiert. Grünfeld hatte nichts dagegen. Er wußte, daß wenig später der Kellner abermals erscheinen würde, um ihm mitzuteilen, daß nebenan ein Herr auf ihn warte, es sei dringend. Als das geschah, übergab auch Grünfeld seinen Platz einem der tatendurstigen Kiebitze, und während die Partie von den beiden provisorischen Vertretern weitergeführt wurde, konnten sich Wolf und Grünfeld in einem Nebenraum endlich ungestört dem Schachspiel hingeben.

Auch zum Café de l'Europe sind noch ein paar kleine Ergänzungen anzubringen. Von seinen Besitzern, den Brüdern Blum, war schon die Rede, vom »falschen Blum« zumal und von der furchtbaren Rache, die ihm der Ringkämpfer Ernst Stern in Aussicht stellte, weil jener es an der erforderlichen Obsorge mangeln ließ, wenn er seinen Bruder Jozsi vertrat. Jozsi, der sozusagen richtige Blum, hätte so etwas nie gewagt, hätte seinen Gästen nie widersprochen, erfüllte ihnen jeden Wunsch und wurde jeder ihrer Stimmungen gerecht – er war der »Dienst am Kunden« in Person. Wie sehr er das war, zeigte sich eines Nachts, als wir nach der Sperrstunde des »Herrenhofs« den gewohnten Wechsel ins »de l'Europe« vollzogen und unterwegs die ersten Ausgaben der Morgenblätter erstanden. Sie meldeten auf der Titelseite eine der damals üblichen Regierungskrisen in Frankreich, diesmal den Sturz des Kabinetts Daladier durch die von Léon Blum geführte Opposition.

Die »Presse« schwenkend, betrat Ernst Stern das »de l'Europe« und rief dem zur Begrüßung herbeieilenden Jozsi drohend zu:
»Blum – du hast den Daladier gestürzt!!«
»Ich hab müssen«, entschuldigte sich kleinlaut Jozsi Blum, ohne nachzudenken, wahrscheinlich ohne zu wissen, worum es sich handelte. Das interessierte ihn auch nicht. Er hatte gemerkt, daß er einen Stammgast verärgert haben könnte, und dafür mußte er sich entschuldigen.

Die Stammkundschaft des Café de l'Europe war ziemlich genau das, was man »gemischt« nennt. Seine günstige Lage in der Stephansplatz-Nähe, zwischen dem Nobelstrich auf der Kärntner Straße und dem weniger noblen auf der Rotenturmstraße, machte das Lokal zum natürlichen Sammelplatz der hüben und drüben amtierenden Damen, die sich hier von den Strapazen ihres Berufs erholen konnten, mit ihren Betreuern zusammentrafen, wohl auch einen kleinen Imbiß oder einen belebenden Kaffee zu sich nahmen (Alkoholkonsum während der Dienststunden war streng verboten), in illustrierten Zeitschriften blätterten und, wenn ihnen danach zumute war, mit den Angehörigen der gänzlich anders gearteten Besucherschicht, die aus uns und unsresgleichen bestand, ein wenig plauderten, ohne berufliche Hintergedanken, manchmal heiter und manchmal traurig, wie's eben kam, manchmal Rat und Hilfe erbittend (aber niemals Geld), manchmal Rat und Hilfe spendend, auch das kam vor, und wer da geringschätzig oder gar verächtlich von Huren spricht, lasse sich gesagt sein, daß ich in diesem Hurencafé zwischen Mitternacht und 4 Uhr früh auf mehr Beweise von Herzenstakt und menschlicher Sauberkeit gestoßen bin als in sämtlichen je von mir frequentierten Kaffeehäusern, und das will etwas heißen. Es war eine unvergleichliche Atmosphäre, die im Café de l'Europe zwei wahrlich diskrepante Lager miteinander verband, eine Atmosphäre gelassenen Einverständnisses und wechselseitigen Respekts, wie er den beiden Lagern nirgends sonst zuteil geworden wäre. Natürlich kam es innerhalb des andern manchmal zu Auseinandersetzungen, die nicht nur verbal ausgetragen wurden, zu persönlichen und professionellen Eifersüchteleien, zu Streifällen über Einbrüche in fremdes Gebiet, die nicht geduldet werden konnten, zu Verstößen gegen den akzeptierten Sittenkodex, von dessen bürgerlicher Strenge der Außenstehende nur wenig ahnt. Und natürlich wurden diese Verstöße nach eigenen Gesetzen geahndet. Denn es war eine eigene, eine wenn schon nicht heile, so doch festgefügte Welt, und sie ist es geblieben.

Auch die Erschütterungen, denen sie ausgesetzt war, vollzogen sich in ihrem eigenen Rahmen. Ein überzeugendes Beispiel dafür lieferte die böhmische Liesel, so genannt nicht etwa ihrer Herkunft wegen (sie war ein resches Wiener Vorstadtkind), sondern zu Ehren ihrer aufwärtsgerichteten Stupsnase, die in Österreich als Rassemerkmal des benachbarten Tschechenvolkes gilt. Die böhmische Liesel also erschien einmal zu ungewohnter Stunde im »de l'Europe«, setzte sich allein an einen Tisch und ließ so deutliche Anzeichen von Verstörtheit erkennen, daß wir es mit Besorgnis sahen. Einer von uns, der sich besonders gut mit ihr verstand, ging zu ihr hin und fragte sie, was denn los sei.

»Hörst«, sagte die böhmische Liesel. »Zeiten san des. Zeiten!« Und schüttelte gedankenvoll den Kopf. »Jetzt hab i an Masochisten – der haut z'ruck.«

Daß sie solches als Symptom einer aus den Fugen gegangenen Zeit empfand, scheint mir fast noch bemerkenswerter als die Entartung selbst.

Der Zahlkellner Richard pflegte seine maßvolle Dienstbereitschaft durch die Anrede »o Herr« auszudrücken – »Jawohl, o Herr« auf eine ungeduldige Bestellung hin, oder »Zahlen gewünscht, o Herr?« nach mehrmals wiederholtem Zuruf. Eines Nachts flog ihm plötzlich eine Kaffeeschale an den Kopf. Er hatte die Witwe Pelikan, Inhaberin eines gutgehenden Geheimbordells und eines kräftigen Schnurrbartanflugs, versehentlich mit »o Herr« angesprochen.

Eine mit Vorbehalt als »groß« zu bezeichnende Zeit brach für das Café de l'Europe im Frühjahr 1933 an, als aus Deutschland die ersten politischen Emigranten ankamen und auf den Rat ihrer Wiener Freunde das »de l'Europe« zum nächtlichen Treffpunkt erkoren. Bert Brecht und Karl Tschuppik befanden sich unter ihnen, Walter Mehring und Oskar Maria Graf und viele andere. Teils bildeten sie eigene Gruppen, teils mischten sie sich mit den Gästen der schon vorhandenen und ihrerseits gemischten Stammtische. An einem solchen Tisch geschah es, daß Brecht eine soeben in der Nachtkolportage erschienene Zeitung las, die von neuen Verhaftungen in Deutschland berichtete und zahlreiche bekannte Namen nannte. Das veranlaßte ihn zu der zornigen Bemerkung:

»Heutzutage ist es beinahe eine Schande, nicht verhaftet zu sein!«

Ein Angehöriger des Nachtgeschäfts, zufällig neben ihm sitzend (und eher zwielichtigen Charakters), sah ihn verwundert an:

»Also *das* kann man sich richten«, sagte er.

Es war das einzige Mal, daß im Café de l'Europe zwei Welten zusammenstießen, die einander nicht verstanden.

Zu den noch ausstehenden Ergänzungen gehört das Café Imperial (genauer: das Kaffeehaus des Hotels Imperial), hauptsächlich seines Stammgastes Eckstein wegen. Zwar hatte es auch andere berühmte Stammgäste aufzuweisen, aber der Polyhistor Eckstein war der berühmteste. Hochmusikalisch, in seiner Jugend aus reinem, reichem Hobby ein Schüler Anton Bruckners, Vater des Schriftstellers Percy Eckstein und Gatte einer Schriftstellerin, die unter dem Pseudonym Sir Galahad bekannt wurde, seinerseits Autor einer leider verschollenen Bruckner-Monographie mit dem schönen Titel »Der Weltgeist an der Orgel«, enorm belesen und enorm gebildet, stand der alte Eckstein im Ruf, einfach alles zu wissen. Es gab keine Frage, die er nicht unverzüglich beantworten konnte, ja manchmal nahm er die Antwort ahnungsvoll und kenntnisreich vorweg, ohne die Frage abzuwarten. Man raunte sich zu, daß der große Brockhaus, wenn er etwas nicht wußte, heimlich aufstand und im alten Eckstein nachsah. Als einmal die

»Presse« eine Meldung brachte, in der von einem neuen Werk des Dichters Kun-Han-Su die Rede war, konnte der alte Eckstein seinen fragenden Jüngern sofort mit genauen Auskünften über das Schaffen dieses bedeutenden chinesischen Lyrikers aufwarten, der als einziger versuchte, eine unter den letzten Kaisern der Ming-Dynastie zur Hochblüte gelangte Versform wieder zu beleben. Zwar stellte sich am nächsten Tag heraus, daß es sich bei Kun-Han-Su lediglich um einen Übermittlungsfehler von Knut Hamsun handelte, aber der alte Eckstein hatte wieder einmal alles gewußt, und man respektierte ihn so sehr, daß man geneigt war, auch weiterhin an die Existenz eines chinesischen Lyrikers namens Kun-Han-Su zu glauben.

Von einer Episode ähnlicher Prägung erzählt Frau Christiane Zimmer, die liebenswürdige und lebenskluge Tochter Hugo von Hofmannsthals. Auf einem gemeinsamen Spaziergang mit ihrem Vater und dem alten Eckstein sei ihnen längere Zeit ein Vogel vorangehüpft, den der Polyhistor, auch auf diesem Gebiet bewandert, sogleich als »ägyptischen Königshüpfer« agnosziert hatte:

»Eine seltene Abart unsres Wiedehopfs«, fügte er erläuternd hinzu. »Kann nicht fliegen. Bewegt sich nur hüpfend vorwärts. Den Winter verbringt er in Ägypten. Daher der Name.«

Hofmannsthal gestattete sich ein leises Staunen:

»Sie haben doch gerade gesagt, daß er nicht fliegen kann?«

»*So* weit kann er fliegen«, replizierte unbeirrt der alte Eckstein. Es war ihm nicht beizukommen.

Er ließ sich auch durch nichts dazu bewegen, während der Sommermonate mit seinem Stammtisch aus dem Inneren des Kaffeehauses hinaus auf die »Schanigarten« genannte Terrasse zu übersiedeln, die vor dem »Imperial« – wie vor allen Wiener Kaffeehäusern mit ausreichend breitem Trottoir – am Beginn der warmen Jahreszeit eingerichtet wurde und sich an der Hauptfront des Hotels hinzog. Mochte die Luft draußen noch so erfrischend sein und drinnen noch so stickig – der alte Eckstein blieb hart, und der Stammtisch blieb drinnen.

Eines Nachmittags ertönten aus dem Schanigarten schrille Entsetzensschreie: ein Hotelgast hatte sich in selbstmörderischer Absicht aus dem dritten Stockwerk gestürzt und war auf einem der Terrassentische gelandet – glücklicherweise auf einem leeren, und überdies kam er mit dem Leben davon.

Eine Stunde später erschien der alte Eckstein, nahm an seinem Stammtisch Platz und wurde vom Kellner Ferdinand über das aufregende Geschehnis unterrichtet. Er reagierte mit einer ebenso knappen wie gefühlsarmen Äußerung. Sie lautete:

»Ich hab ja immer gesagt, man kann nicht draußen sitzen.«

Zu den von Eckstein unabhängigen Stammgästen des »Imperial«, die folglich auch draußen saßen, gehörte der nicht nur als Stammgast bemerkenswerte Oberlandesgerichtsrat Adolf Pick (von dessen Vater Alfred Pick das unvergängliche »Fiakerlied« stammt, ein wahres Prunkstück aus dem Zeitalter wienerisch-jüdischer Symbiose). Wenn Adolf Pick, ungeachtet seiner sonstigen Qualitäten, hier lediglich als Stammgast aufscheint, so deshalb, weil er die Würde eines solchen beispielhaft zu wahren wußte. Er hielt es für unter dieser Würde, in seinem Stammcafé etwas zu bestellen wie ein hergelaufener Zufallsgast, oder das nicht Bestellte vielleicht gar zu urgieren. Das Personal hatte zu wissen, was der Herr Doktor zur jeweils gegebenen Tageszeit zu konsumieren gewohnt war, und hatte das Gewohnte unaufgefordert herbeizuschaffen, Punkt.

Aus welchen Gründen das an jenem lauen Frühlingsnachmittag unterblieb, ist gleichgültig. Dr. Pick hatte weder den Ehrgeiz, es zu erforschen, noch wäre ihm eingefallen, etwa durch den Zuruf: »Ferdinand, wo bleibt mein Kapuziner?« in die Niederungen der Urgenz hinabzusteigen. Er winkte vielmehr von der nahen Straßenecke einen der dort »auf Standplatz« befindlichen (und seither längst ausgestorbenen) Dienstmänner herbei, dem er den Auftrag gab, nach hinten in die Küche zu gehen und zu fragen, ob heute kein Kapuziner serviert wird, der Herr Doktor Pick wartet.

Womöglich noch überzeugender wurde die klassische Haltung eines Stammgastes von Herrn Amtsrat Reiter demonstriert, ja man könnte aus seinem Vorgehen geradezu die Definition des Begriffs »Stammgast« ableiten.

Herr Amtsrat Reiter erschien seit Jahrzehnten täglich um vier Uhr nachmittag im Café Colosseum, ließ sich täglich am selben Tisch nieder, bekam eine Melange mit Schlag und dazu zwei mürbe Kipfel, bekam zuerst die Abendblätter und dann, nach und nach, die übrigen in- und ausländischen Zeitungen, las und zahlte und brauchte für diese ganze Prozedur kein einziges Wörtlein aufzuwenden. Generationen von Kellnern hatten ihn betreut, Scheidende instruierten ihre Nachfolger, Sterbende legten den Kollegen, die ihr Lager umstanden, noch ein letztes Mal den Amtsrat Reiter ans Herz – es war undenkbar, daß es ihm jemals an der gewohnten Obsorge fehlen würde.

Aber das Undenkbare geschah. Die beiden Kellner, in deren Rayon sich Reiters Stammtisch befand, waren eines Vormittags nach einem Krach mit dem Besitzer abgegangen, beide zugleich und beide so wütend, daß sie nicht daran dachten, die nötigen Instruktionen zu hinterlassen. Um vier Uhr betrat Reiter das »Colosseum«, setzte sich an seinen Tisch, bekam keine Melange mit Schlag und keine mürben Kipfel, bekam keine Abendblätter und überhaupt nichts zu lesen und wurde, da noch keine Ersatzkräfte zur Stelle waren, nicht einmal nach seinen Wünschen gefragt, nicht sofort, nicht nach zwei Minuten, und auch nach fünf Minuten noch nicht.

Nach sechs Minuten rief Herr Amtsrat Reiter, seit Jahrzehnten Stammgast des Café Colosseum, den Pikkolo zu sich und schickte ihn ins gegenüberliegende Café Hacker, um eine Melange mit Schlag und zwei mürbe Kipfel.

Damit sind die Ergänzungen zum Thema Kaffeehaus abgeschlossen. Daß auch die jetzt noch folgenden Kapitel mit dem Kaffeehaus zusammenhängen, muß nicht mehr unterstrichen werden, ist jedoch nicht ihr Wesentliches. Sie gelten einer Reihe von Persönlichkeiten, an die ich mich auch (keineswegs nur) vom

Kaffeehaus her erinnere, die aber – wie schon einige der bisher genannten – weit darüber hinaus zu wirkungsvollem Ansehen gelangt sind, und deren Namen selbst dort guten Klang haben, wo es gar keine Kaffeehäuser gibt.

Jener von ihnen, auf den das am wenigsten zutrifft und den ich dennoch für eines der originellsten Edelprodukte der großen Wiener Kaffeehauszeit halte, mag die Reihe eröffnen.

»Räuber, Mörder, Kindsverderber gehen nur zu Doktor Sperber«

Ein Werbeplakat mit diesem ganz und gar standeswidrigen Text war der Traum des Rechtsanwalts Dr. Hugo Sperber, den man getrost das letzte Original des Wiener Barreaus nennen darf. Die Bezeichnung »Barreau« ist seither aus der Mode gekommen. Sachs-Villattes Enzyklopädisches Wörterbuch übersetzt sie einigermaßen dürftig mit »Advokatenplatz«, was eine gleichfalls aus der Mode gekommene Bezeichnung für »Rechtsanwalt« einschließt.

Dr. Sperber war also ein Original unter den Wiener Advokaten, und nicht das einzige. Es gab damals auch noch andere »Verteidiger in Strafsachen«, die zu einer weit über ihren Stand hinausreichenden Berühmtheit gelangt waren – durch die rhetorische Brillanz ihrer Plädoyers, durch den Scharfsinn ihrer Beweisführung, durch ihre Kenntnis der Gesetze und Gesetzeslükken (in der sie nicht selten den Richter oder den Staatsanwalt übertrafen). Dr. Sperber besaß all diese Qualitäten und noch eine mehr, nämlich Witz; nicht nur im Sinn von Gewitztheit, sondern im Sinn einer hinreißenden Pointierungskunst und eines sonst nur bei Bühnenprofessionals anzutreffenden »timing«, das ihn befähigte, genau im richtigen Augenblick das Richtige zu sagen.

Manche seiner Aussprüche erreichten den Rang von Zitaten, ja sogar den der Anonymität: man kannte nur noch den Ausspruch, nicht mehr den Urheber. Sperber trug's mit Fassung. »Wer hätte gedacht«, so tröstete er sich, »daß aus einem mährischen Juden jemals ein Volkslied werden könnte . . .«

Gleich vielen anderen, die schon zu Kaisers Zeiten das geistige Gepräge der Haupt- und Residenzstadt Wien mitbestimmt hatten, stammte Sperber aus Mähren, wo die deutschen, slawischen, magyarischen und jüdischen Elemente der alten Monarchie eine besonders fruchtbare Mischung eingegangen waren. Äußerlich glich er am ehesten einem jüdischen Verwandten Franz Schuberts, zumindest wenn er saß und wenn sein massiger, schwarzlockiger Schädel mit dem von Koteletten eingefaßten Gesicht ihm zu kurzem Nickerchen auf die Brust gesunken war. Er schlief oft und gerne, er schlief im Kaffeehaus, im Gerichtssaal, in der Straßenbahn, wo immer sich's traf. Übertriebene Körperpflege war seine Sache nicht, das keineswegs saubere Vorhemd sprang ihm bei jeder Gelegenheit aus der von Zigarettenasche bedeckten Weste, auch mit dem Rasieren nahm er's nicht genau – Eitelkeit, kurzum, lag ihm in jeder Hinsicht fern. Zu seiner ohnehin auffälligen Erscheinung kam noch eine zugleich dröhnende und gequetschte Stimme, die ein sonderbares Röhren erzeugte, und zwar in jeder Tonlage, auch wenn er noch so leise sprach (oder zu sprechen glaubte). Man mußte ihm zuhören. Und man tat es gerne.

Bleibt noch zu ergänzen, daß dieser Dr. Hugo Sperber ein seelensguter Mensch war, daß sich hinter seinem verschrobenen, fast schon verrückten Gehaben ein warmes, mitfühlendes Herz verbarg und daß seine Hilfs- und Opferbereitschaft in krassem Gegensatz zu seinen materiellen Möglichkeiten stand. Er hat manch lukrative Causa ausgeschlagen, um irgendeinen armen Schlucker ex offo zu verteidigen, und nach einiger Zeit wurde ihm keine lukrative Causa mehr angeboten. In seinen letzten Lebensjahren ging es ihm erbärmlich schlecht, aber seine gute Laune und seine Selbstlosigkeit wurden dadurch nicht beeinträchtigt, bis zum Schluß nicht, bis zum grauenhaften Ende, das ihm die braunen Barbaren bereiteten. Sie hielten seine absurde Ausdrucksweise – die ihm längst zur Natur geworden war und die er nicht mehr ändern konnte – für eine Herausforderung, sie fühlten sich von ihm verhöhnt, und sie haben ihn buchstäblich totgetrampelt.

Ob er das kommen gesehen hat? Sein eigenes Ende wohl kaum. Aber daß der Machtantritt Hitlers keine vorübergehende Episode bedeutete, sondern den Beginn einer neuen, verhängnisvollen Ära, war ihm – als einem der wenigen unter uns – schon 1933 klar.

»Hitler ist Reichskanzler geworden!« röhrte er, als er am Abend des 30. Januar 1933 zur Kaffeehaustüre hereingewatschelt kam. »Für die nächsten hundert Jahre sind wir verpflegt.«

Dann setzte er sich an den Kartentisch.

Er war ein leidenschaftlicher Kartenspieler, ein Meister zumal des in Österreich als klassisch geltenden Tarocks, das ein wenig dem deutschen Skat ähnelt und über dessen geheimnisvolle Symbolik Fritz von Herzmanovsky-Orlando in seinem Roman »Maskenspiel der Genien« ebenso Tiefgründiges wie Verwunderliches kundgetan hat. (Der Roman spielt in einem »Tarockanien« geheißenen Traumreich, das von vier Königen regiert wird und ein phantastisches Gegenstück zu Robert Musils später entstandenem »Kakanien« darstellt.)

Ein zweites Lieblingsspiel Sperbers war das aus Ungarn importierte »Dardeln«, zu dem man doppeldeutsche Karten verwendet. Es weist nach Aussage von Kennern (denen ich nicht beizuzählen bin) Ähnlichkeiten mit dem schweizerischen »Jassen« auf und kann, anders als das zu zweit, zu dritt oder zu viert spielbare Tarock, nur zu zweit gespielt werden. Sperbers bevorzugter Partner war Dr. Franz Ellbogen, ein Bohemien reinsten Wassers und wohlhabender Herkunft, mit vielerlei kleinen Talenten ausgestattet und als Vortragender seiner eigenen Couplets ein beliebter Stammgast der »Reiss-Bar«, wo sich Wiens arrivierte Künstler mit ihren Bewunderern trafen.

Wenn Sperber und Ellbogen im Kaffeehaus »dardelten«, reichte die Schlange der Kiebitze oft bis auf die Straße hinaus, die Aussprüche der beiden Spieler wurden von den Zunächststehenden weitergegeben und durchliefen die Reihe so lange, bis auch der letzte sich vor Lachen krümmte. Die Ansagen erfolgten manchmal auch griechisch oder lateinisch. »Habeo dardulum!« konnte man da beispielsweise hören, und »Quousque?» (»Bis wohin?«) fragte der Partner. »Mechri tu basileos en to chloró«, lautete die von Rom nach Hellas umgeschaltete Antwort (»Bis zum

König in Grün«). Bei den Schachspielern im Café Central ging es ganz ähnlich zu; gelegentlich erklangen dort sogar hebräische Brocken.

Überhaupt muß – schon weil es die damaligen Bohemiens hoch über ihre intellektuellen Nachfahren von heute hinaushebt – das Faktum vermerkt werden, daß all diesen Käuzen und Kaffeehauspflanzen (und noch den nutzlosesten Nichtstuern unter ihnen) ein gewaltiger Bestand von Bildungsgut und Kenntnisreichtum zu eigen war, den sie auch bei ihrer Umgebung als selbstverständlich voraussetzten. Wenn Sperber mich mit dem Zuruf: »Friedrich, mein Geschoß!« begrüßte, hatte ich ganz einfach zu wissen, daß er damit eine Stelle des Tell-Monologs variierte: »Ich lebe still und *friedlich, mein Geschoß*/ War auf die Tiere nur des Waldes gerichtet.« Erläuterungen wurden weder erteilt noch erwartet. Wer sich nach dem Sinn eines ihm unverständlichen Ausspruchs erkundigte, tat das auf eigene Gefahr.

Da er das Tarockspiel mit Recht als seine Domäne betrachtete, änderte Sperber die üblichen Ansagen und Bezeichnungen nach eigenem Geschmack und änderte sie so erfolgreich, daß man sich schließlich – auch wenn er selbst gar nicht mitspielte – nur noch der Sperberschen Terminologie befliß. Den »Talon«, die je drei verdeckt auf dem Tisch liegenden Karten, die erst umgedreht werden dürfen, nachdem ein Spieler die Partie »aufgenommen« hat, nannte man den »Mutterleib«, ein schon vorher angesagtes »Contra« hieß »Vergehen gegen das keimende Leben«, und die im Siegesfall gewonnenen Punkte waren die »Mutterleibsprämie«.

Wenn allerdings im Verlauf der Partie eine Karte – meist infolge nachlässigen Ausspielens – mit der Rückseite nach oben auf dem Tisch landete, geriet Sperber in Zorn: »Am Popo erkenne ich keine Gesichtszüge!« Und er erhob es zur Regel, daß der Schuldige, bei sonstiger Verhängung eines Strafpunkts, die Karte selbst umdrehen mußte.

Verrechnet wurde streng, aber gerecht, wobei man im voraus festlegte, ob nach der »Lex Perutz« verrechnet werden sollte oder nicht. Diese Lex, eingeführt von dem auch am Tarocktisch hervorragend begabten Schriftsteller Leo Perutz, sah eine Abrundung der Verlustsumme nach unten vor, so daß beispielsweise statt S 7,78 nur 7,50 zu bezahlen waren. Nach einer von Sperber geschaffenen Notverordnung konnte sich diese Summe »unter drakonischer Anwendung der Lex Perutz« sogar auf 7 Schilling reduzieren.

Ein Tarockpartner Sperbers, der angesehene Nationalökonom Dr. Alfred Schwoner, hatte einen noch größeren terminologischen Triumph zu verzeichnen:

In manchen Partien bot die Verteilung der Blätter den einzelnen Spielern keine Möglichkeit einer Sonderprämie, keine »Trull«, keine »Hochköpfe«, keinen »Pagat ultimo«, nichts außer den zum Gewinn ausreichenden Punkten. Das aber fanden die Meister des Spiels zu langweilig, um sich damit aufzuhalten. Wenn also einer der drei Spieler sicher war, daß er die reiz- und prämienlose Partie gewinnen würde (was die beiden anderen auf Grund ihrer Blätter sehr wohl beurteilen konnten), dann schlug er vor, auf die zeitraubende Austragung zu verzichten und ihm die Punkte gutzuschreiben. Dieser Vorschlag wurde erstmals von Dr. Schwoner gemacht und erfolgte seither durch Ausrufung seines Namens, von dem spätere Teilnehmer einer Meisterpartie gar nicht mehr wußten, welche Bewandtnis es mit ihm hatte. Es konnte geschehen, daß Dr. Schwoner zeitunglesend im Kaffeehaus saß und aus dem Kartenzimmer seinen Namen rufen hörte, der nicht seiner Person galt, sondern der von ihm erfundenen Ansage. Erfindername und Erfindung waren identisch geworden. Und solches ist zu Lebzeiten wahrlich nur wenigen beschieden.

Manchmal, sehr selten, kam es vor, daß einer der anderen Spieler sein Blatt für stark genug hielt, den angesagten »Schwoner« abzulehnen und dem Ansager den Sieg streitig zu machen. Sperber kleidete seine Ablehnung in die volltönend alliterierenden Worte: »Schwoners Schweif schwingt schwächlich!« Diese Wendung blieb allerdings ihm allein vorbehalten.

Er wußte noch andere zu prägen, denn sein Spieltrieb erstreckte sich auch auf die Sprache und bemächtigte sich sogar der altehrwürdigen Tarock-Usance, das Ausspielen einer Karte mit der gemurmelten Ansage ihrer Farbe oder ihres Valeurs zu begleiten (überflüssigerweise, weil's ja ein jeder sieht). Sperber fand an diesem sterilen Brauchtum kein Genüge und belebte es etwas beim Ausspielen eines Zehners durch die Ansage: »Dahastazéna – das indische Volksmärchen«; beim Ausspielen eines Karo-Buben hieß es: »Caróbua – die brasilianische Heilpflanze«, und wenn er einen Achter hatte, verlautbarte er: »Chabanachta – der phönikische Unterfeldherr«. Seine Wortverdrehungen gingen so weit, daß ein uneingeweihter Kiebitz überhaupt nicht mehr begriff, wovon die Rede war.

Auf arglistige Weise machte sich der Tarockspieler Bloch die Gepflogenheit mechanischer Ansagen zunutze. Er murmelte beim Ausspielen eines Karo scheinbar irrtümlich »Herz« oder bei Treff scheinbar irrtümlich »Pique« – bis man ihm dahinterkam, daß er damit seinem Partner die Farbe anzeigte, die jener ausspielen sollte. Das wurde ihm mit sofortiger Wirksamkeit verboten. Bloch mußte von Stund an entweder korrekt murmeln oder stumm bleiben.

Sperber griff die Sache auf und versah (keineswegs murmelnd, sondern laut hörbar) beispielsweise ein von ihm ausgespieltes Treff mit der Bemerkung: »Karo, würde Bloch sagen!« Dagegen war man machtlos.

Häufig wurde das Ausspielen eines Treff von der rätselhaften Ansage »Trefe, der Gerichtsdiener« begleitet, oder so verstand es der Halbgebildete, dem »trefe« (hebr. »unrein«) als Gegenteil von »koscher« (hebr. »rein«) bekannt war und der vergebens sann, was die jüdischen Speisegesetze mit der Farbe Treff zu tun hätten. Der wirklich und umfassend Gebildete jedoch durchschaute den phonetischen Trick und wußte, daß die zitierte Floskel einem gerichtsamtlichen Verordnungsblatt entstammte, das die persönliche Zustellung von Anklageschriften regelte: »Träfe der Gerichtsdiener den Beklagten nicht zu Hause an, so ist ein diesbezügliches Benachrichtigungsformular zu hinterlassen, welches . . .«

Kartenpartien, an denen Dr. Sperber teilnahm, erstreckten sich gewöhnlich bis in die frühen Morgenstunden, aber man fragte ihn sicherheitshalber vor Beginn der Partie nach deren mutmaßlicher

Dauer. Die Antwort: »Leider habe ich morgen keine längere Verhandlung« deutete auf einen baldigen Abschluß hin; sie wollte besagen, daß Sperber am nächsten Tag keine Gelegenheit finden würde, im Gerichtssaal zu schlafen, und daher einer ausgiebigen Nachtruhe bedürfe. Wenn das nicht der Fall war, bekam man auf die Frage: »Wie lange spielen wir?« den Sperberschen Bescheid: »Bis zum Eintreten der Schüler.« Das bezog sich auf eine Stelle der »Haggada«, aus der in frommen jüdischen Häusern am Vorabend des Pessachfestes vorgelesen wird und die unter anderm erzählt, wie eines Nachts im biblischen B'ne-B'rak drei gelehrte Rabbiner so lange disputierten, bis sie durch das »Eintreten der Schüler« daran gemahnt wurden, daß die Zeit zur Verrichtung des Morgengebetes gekommen sei.

Der berühmte, aus dem Osten der ehemaligen Monarchie stammende Tragöde Rudolf Schildkraut (dessen Sohn Joseph später zum Hollywood-Star wurde) gastierte in Wien als König Lear, als Nathan der Weise und in einigen anderen Paraderollen. Seine Vorliebe für das Tarockspiel paarte sich mit einem genießerischen Sinn für Humor, und als man ihm von Dr. Sperber erzählte, brannte er darauf, den kauzigen Gesellen kennenzulernen. Nun war aber Sperber, wie das bei Käuzen häufig geht, im Verkehr mit Unbekannten schüchtern und verschlossen, und vollends in Gegenwart von Berühmtheiten brachte er kaum ein Wort hervor, schon gar nicht ein witziges. So geschah es denn auch bei der endlich zustandegekommenen Begegnung mit dem großen Mimen. Zu Schildkrauts Enttäuschung beschränkte sich Sperber auf nichtssagende, verlegene Phrasen: »Wo haben Sie Ihre ständige Partie, verehrter Meister? ... Im Café Reichsrat, soso ... Immer am Nachmittag, vermute ich ... Und wie sind Sie sonst mit Ihrem Aufenthalt zufrieden?« Schildkraut antwortete dementsprechend, und die Unergiebigkeit der Konversation nahm allmählich ein lähmendes Ausmaß an.

Um ihr ein Ende zu bereiten, schritt man zum Spiel. Es wurde ausgeteilt. Dr. Zeisel, der das Treffen arrangiert hatte, nahm die Partie auf und wurde somit von Schildkraut und Sperber gemeinsam bekämpft. Schildkraut, vor Sperber sitzend, mußte ausspielen. Natürlich konnte er beim erstenmal nicht wissen, welche Farbe seinem Partner willkommen wäre und welche nicht. Unglückseligerweise entschied er sich für eine Farbe, die in Sperbers Blatt fehlte, so daß er ihn mitten ins Tarock-Gekröse traf. Im selben Augenblick war es mit Sperbers Verhemmtheit radikal vorbei:

»O Sie ostjüdische Mißgeburt!« röhrte er. »Welches Ghetto hat Sie ausgespien?!«

Der Bann war gebrochen, und Schildkraut hat dann noch viel zu lachen bekommen.

Einschaltung für Tarock-Experten:

Die im Café Central beheimateten Meisterspieler hatten eine unglaublich komplizierte Abart des ohnehin anspruchsvollen »Königrufens« erfunden, die sie »Rostopschin« nannten. Hier gab es außer dem »Pagat ultimo« – der angesagten Verpflichtung, mit dem niedrigsten Tarock den letzten Stich zu machen – noch einen »Uhu pre-ultimo«, nämlich die Ansage, daß man mit dem zweitniedrigsten Tarock den vorletzten Stich machen würde, was im Fall des Gelingens eine hohe Punktprämie einbrachte. Eine noch höhere Prämie erzielte, wer im Verlauf der Partie mit den Tarockwerten XVII und XVIII zwei Stiche hintereinander machte. Das war nicht im voraus anzusagen, sondern erst beim Ausspielen, und zwar bei der ersten Karte mit »Ross!« und bei der zweiten mit »Topschin!«, sonst galt's nicht. Die fünf oder sechs Matadore, die diese überzüchtete Tarock-Variante beherrschten, hielten auf so strenge Exklusivität, daß man eine formelle Aufnahmsprüfung ablegen mußte, um als Kiebitz zugelassen zu werden.

Um jene Zeit lebte ich abwechselnd in Prag und Wien. In Prag stand mir die Wohnung meiner Mutter zur Verfügung, in Wien bezog ich – herkömmlicher Studentenart folgend, auch als ich kein Student mehr war – ein Zimmer bei irgendeiner möblierten Witwe. Wenn ich für den Aufenthalt in Prag nur ein paar Wochen vorgesehen hatte, bezahlte ich mein Wiener Untermietzimmer weiter, andernfalls mußte ich mir nach meiner Rückkehr ein neues suchen. Und ich ließ es mir angelegen sein, mich immer möglichst nahe von Dr. Sperbers Wohnhaus einzuquartieren, weil ich mir das Vergnügen des gemeinsamen nächtlichen Heimwegs erhalten wollte.

Zum Ritual dieses Heimwegs gehörte es, daß wir bei einem der vielen »Würstelstände« Station machten, die damals in weit größerer Zahl als heute das nächtliche Straßenbild Wiens beherrschten. Der unsrige befand sich am Schottentor. Er wurde nicht, wie üblich, von einem Würstelmann geführt, sondern von einer ebenso beleibten wie geschwätzigen Würstelfrau. Sperber pflegte dort eine »Burenwurst« zu konsumieren (manchmal auch zwei oder drei, denn er entwickelte selbst zu später Nacht- oder früher Morgenstunde enormen Appetit), ich ließ es bei einem Apfel bewenden, den ich mir als Stammkundschaft selbst aussuchen durfte. Eines Nachts wollte sich keiner finden, der mir zusagte, alle waren verfault oder sahen so aus und wirkten jedenfalls wenig einladend. Als ich zum dritten- oder viertenmal nach einem neuen Apfel griff, begann der Redeschwall unsrer Würstelfrau auf mich loszuprasseln:

»Das sind sehr gute Apferln junger Herr das sind keine schlechten Apferln die sind nur vom Transport bissel ang'schlagen drum haben s' die kleinen braunen Flecken der Herr das müssen S' Ihnen vorstellen wann die Holzwatta zwischen die einzelnen Apferln zu dünn is dann schlagen s' halt beim Transport gegeneinander und da kriegt so ein Apferl einen braunen Fleck und wann s' dann nocheinmal gegeneinanderschlagen kriegt's vielleicht noch einen zweiten und –«

An dieser Stelle unterbrach der immer nervöser gewordene Dr. Sperber die würstelfrauliche Redeflut:

»Die Genesis, liebe Frau, ist *nicht* interessant!«

Es war vermutlich das erstemal in ihrem Leben, daß die Würstelfrau das Wort »Genesis« hörte. Sie verstummte erschrocken.

Mit weiblichem Dienstpersonal hatte Sperber überhaupt seine Schwierigkeiten, besonders mit den Garderobe- und Abortfrauen der diversen Wiener Kaffeehäuser. In seinen Augen waren es lauter Hexen, eigens ausgesandt, um ihm das Leben zu erschweren. In einem der Nachtcafés, die wir frequentierten, hatte die Abortfrau – von Sperber dieserhalb als »Abortfrau mit erweitertem Kompetenzkreis« bezeichnet – auch das Kartenzimmer zu betreuen, womit sie sich Sperbers zusätzliche Abneigung einhandelte. Es erregte nicht geringes Aufsehen im ganzen Lokal, als Sperber einmal aus dem Klosett (er nannte es »Stoffwechselstube«) hervorgestürzt kam und seine röhrende Stimme zu lautem Zorngeheul steigerte:

»Abortfrau! Abortfrau! Wo soll das hinführen? Ich bin Rechtsanwalt, und Sie sind Abortfrau. Wenn ich gegen meine beruflichen Pflichten verstoße, habe ich eine Disziplinarstrafe zu gewärtigen und kann sogar aus der Advokatenkammer ausgeschlossen werden. Abortfrau! Möchten Sie mir gefälligst sagen, was in einem Parallelfall mit Ihnen geschieht oder an welche höhere Berufsinstanz ich mich wenden kann, um das zu erfahren?!«

So ging es noch minutenlang weiter, ehe die Ursache seines Tobens sich herauskristallisierte: das Klosettpapier war zu Ende gegangen und nicht erneuert worden.

Bei einem Nachmittagsnickerchen in einer der hintersten Logen des Café Herrenhof wurde Sperber durch einen zufällig hereingeschneiten Gast aufgestört, der in der Nebenloge Platz nahm, nur »rasch eine Kleinigkeit« essen wollte und den Schlafbedürftigen obendrein dadurch erbitterte, daß er sämtliche Vorschläge des Kellners Franz als zu opulent zurückwies. Selbst das angebotene Schinkenbrot überstieg seinen Appetit. Der ratlos gewordene Franz machte einen letzten Versuch und empfahl ein weichgekochtes Ei, also wahrlich das Minimum einer Bestellung.

Auch das sei ihm noch zu viel, beharrte der schwierige Gast.

Da aber jaulte Sperber auf:

»Franz! Fangen Sie dem Herrn eine Fliege, damit endgültig Ruh' ist!!«

Einmal hatten ihn wohlhabende Freunde zu einem ausgiebigen Abendessen mit anschließendem Nachtbummel eingeladen – wofür Sperber sehr empfänglich war, besonders für das ausgiebige Essen, an dem es ihm schon seit längerer Zeit gebrach; lagen doch seine Finanzverhältnisse noch bedeutend tiefer im argen, als es der allgemeinen Wirtschaftskrise entsprochen hätte.

Indessen wirkte sich die Krise auch auf das Wiener Nachtleben aus: die vornehme Tanzbar, in die sich die Gesellschaft anschließend begab, hatte keinen einzigen Besucher aufzuweisen. Um so prompter funktionierte der im Nachtgeschäft übliche Kundendienst: ein geheimes Klingelsignal des Portiers gab das Nahen von Gästen bekannt, im Lokal wurde eilends Betrieb vorgetäuscht, die Kapelle intonierte eine flotte Tanzweise, zwei Kellner machten sich mit Tassen, Gläsern und sonstigem Zubehör an den Tischen zu schaffen, der Eintänzer tanzte mit der Eintänzerin – es waren wirklich alle Möglichkeiten ausgenützt.

Sperber erfaßte die Situation:

»Ich möchte wetten, die Abortfrau sitzt am Häusel und kackt!«

Seine Abneigung gegen »Abortfrauen mit erweitertem Kompetenzkreis« bedeutete keineswegs, daß er dem männlichen Kaffeehauspersonal besondere Sympathie zuwandte. Die Kellner, die für die Versorgung der Kartenspieler mit den nötigen Requisiten zuständig waren, drängten immer wieder auf eine Bestellung, und Sperber, von chronischer Geldknappheit verfolgt, suchte dem Konsumationszwang immer wieder zu entgehen. Das führte, als sich ein diensthabender Kellner besonders hartnäckig zeigte, zu folgendem Dialog:

»Was wird angenehm sein, Herr Doktor?«

»Ein Paket doppeldeutsche Karten, ich sagte es ja schon.«

»Jawohl bitte sehr. Und was noch?«

»Ein Ersatzpaket.«

»Wünschen Herr Doktor sonst noch etwas?«

»Eine Tafel, eine Kreide *und* einen Schwamm, bevor Sie weiterfragen!«

Der Kellner brachte das Gewünschte und blieb, auch als die Partie schon begonnen hatte, immer noch wartend stehen.

»Herr Ober«, wandte sich Sperber mit erhobener Stimme an ihn. »Merken Sie nicht, daß Ihrer Anwesenheit lediglich dekorative Bedeutung zukommt?«

Mit seiner intellektuell verschraubten Ausdrucksweise zielte Sperber nicht etwa darauf ab, sich über Gesprächspartner von geringerem Bildungsniveau lustig zu machen. Er konnte nicht anders. Es war ihm nicht gegeben, sich »normal« auszudrücken. Die verständnisvolle Heiterkeit, die er damit im Gerichtssaal hervorrief, ließ ihn im Grunde ebenso gleichgültig wie das Unverständnis, auf das er außerhalb des Gerichtssaals stoßen mochte. Und jetzt wird es Zeit, von den zahllosen Aussprüchen, denen er seinen advokatorischen Ruf und Ruhm verdankte, wenigstens eine kleine Anzahl vor der Vergessenheit zu bewahren.

Der wahrscheinlich populärste dieser Aussprüche, der jahrelang in allerlei Variationen (und schließlich ohne Quellenangabe) kursierte, fiel in der Verhandlung gegen einen von Sperber ex offo verteidigten Einbrecher. Der Mann hatte zwei Einbruchsdiebstähle begangen, den einen bei Tag, den andern bei Nacht, und der Staatsanwalt legte ihm als erschwerend im ersten Fall die besondere Frechheit zur Last, mit der er sein verbrecherisches Handwerk sogar bei Tageslicht ausübte, im zweiten Fall die besondere Tücke, mit der er sich das Dunkel der Nacht zunutze gemacht hatte.

An dieser Stelle erdröhnte der Gerichtssaal von Dr. Sperbers Zwischenruf:

»Herr Staatsanwalt, wann soll mein Klient eigentlich einbrechen?«

Und in der nächsten Sekunde erdröhnte der Gerichtssaal von Gelächter.

Auch als ein geistig minderbemittelter Hirtenknabe der Sodomie mit einer Kuh angeklagt war, kam der übereifrige Staatsanwalt nicht gut weg. Er hielt ein so flammendes Plädoyer, als hätte der armselige Älpler das denkbar gemeingefährlichste Verbrechen begangen, und forderte strenge Bestrafung.

Dr. Sperber erhob sich zur Verteidigungsrede, wobei er das vorbereitete Konvolut ostentativ beiseite legte.

»Die Worte des öffentlichen Anklägers«, begann er im Tonfall hoffnungsloser Resignation, »haben mich tief beeindruckt. Ich kann ihnen nicht widersprechen.« Und mit wuchtigem Pathos: »Ja ich möchte sogar die Frage hinzufügen: War die Kuh schon vierzehn Jahre alt?«

Der Hirte wurde zu einer bedingten Freiheitsstrafe verurteilt.

Nicht immer hatten Sperbers Querschüsse den gewünschten Erfolg. Manchmal bewirkten sie sogar das Gegenteil, wie etwa im Fall eines jüdischen Stoffhändlers namens Jonas Teitelbaum, der sich wegen angeblicher Betrügereien vor einem Schöffengericht zu verantworten hatte. Sperber begann seine Verteidigungsrede mit den Worten:

»Ich wende mich an diejenigen unter den Herren Schöffen, für die nicht schon der Name Jonas Teitelbaum ein Schuldbeweis ist . . .«

Wie sich dann zeigte, war der Name Jonas Teitelbaum genau das.

Auch den Raubmörder Gruber – einer Bluttat angeklagt, die er dadurch zu verdecken gesucht hatte, daß er sein Opfer, eine greise Pfründnerin, zerstückelte und die Leichenteile an verschiedenen Orten vergrub (wo einige von ihnen zutage gebracht wurden) – auch diesen allerdings kaum bemitleidenswerten Kriminellen konnte er nicht vor dem Schuldspruch retten, den er mit folgenden bewegten Worten zu mildern hoffte:

»Meine Herren Geschworenen! Lassen Sie sich nicht davon beeindrucken, daß die Grammeln der Ermordeten zerlassen auf dem Richtertisch stehen. Bedenken Sie lieber, daß Gruber aus dem Burgenland stammt, einer Gegend, die außer Ananaserdbeeren und Raubmördern noch nichts hervorgebracht hat . . .«

Das Urteil lautete auf zwanzig Jahre Kerker.

Etwas besser erging es ihm bei der Pflichtverteidigung eines pensionierten Sektionsrats, dessen Straftat sich wohl nur umwegig schildern läßt. Der alte Herr war nach seiner Pensionierung einer absonderlichen, zwar mit keinerlei Gewalttätigkeit verbundenen, aber doch strafbaren sexuellen Perversion verfallen: er lockte minderjährige Mädchen in seine Wohnung, band eine Seidenschnur an den kümmerlichen Restbestand seiner Männlichkeit und ließ sich von der betreffenden Minderjährigen so lange um den Tisch seines Wohnzimmers herumführen, bis die Führung ihren Zweck erreicht hatte. Die Sache flog auf, und der auf Abwege geratene Pensionist wurde vor Gericht gestellt. Dort wußte er vor Scham und Verlegenheit nicht ein noch aus, brachte kein Wort zu seiner Verteidigung hervor und durchkreuzte alle Bemühungen Dr. Sperbers, ihm entlastende Äußerungen zu entlocken, durch hartnäckiges Schweigen. Als er auch auf eine besonders mundgerechte Entlastungsfrage nur durch stumme Abkehr seines schamroten Gesichts reagierte, hob Sperber verzweifelt die Arme:

»Herr Vorsitzender – der kurz angebundene Sektionsrat verweigert die Aussage!«

Ein andrer gab auf die für ihn konstruierten Entlastungsfragen so dumme Antworten, daß Sperber in den Klageschrei ausbrach:

»Herr Vorsitzender – mein Klient verblödet mir unter der Hand!«

Eher gegenteilig verhielt es sich mit einem Einbrecher, der nicht aufhören wollte, ihm während des Plädoyers vermeintliche Entlastungsumstände zuzuflüstern. Sperber versuchte sie eine Zeitlang zu überhören, dann wies er den unerwünschten Souffleur laut hörbar zurecht:

»Lieber Freund, *ich* habe *Sie* nicht beim Einbrechen gestört – stören *Sie* mich nicht beim Verteidigen!«

In einem Zivilprozeß, den zwei streitsüchtige Greise seit Jahren miteinander führten, hatte Dr. Sperber die Verteidigung des 84jährigen gegen den 87jährigen übernommen, aber wann immer es zu einer Tagsatzung kommen sollte, war entweder der eine oder der andre der beiden Kontrahenten gerade erkrankt und nicht verhandlungsfähig. Als zum viertenmal vertagt wurde, meldete sich Dr. Sperber:

»Herr Vorsitzender, ich beantrage die Abtretung des Falles an das Jüngste Gericht.«

Die sogenannten »Bassena«-Prozesse – als »Bassena« bezeichnete man das Wasserleitungsbecken, das in den alten Wiener Wohnhäusern auf dem Gang installiert war, immer nur eines für sämtliche Wohnparteien des betreffenden Stockwerks, und als »Bassena«-Prozesse bezeichnete man die Ehrenbeleidigungsklagen, die aus den Zusammenstößen und Beschimpfungen rund um die Bassena entstanden –, diese Prozesse also, meistens im Bezirksgericht Josefstadt vor sich gehend, gaben den Kennern wahre Lekkerbissen und reiches Material zur Erforschung der Volksseele ab. Wenn vollends ruchbar wurde, daß Dr. Sperber als Verteidiger fungieren würde, war der kleine Saal des Bezirksgerichts immer zum Bersten voll, und man tat gut daran, sich schon im voraus den Eintritt zu sichern, was am besten durch persönliche Fühlungnahme mit Dr. Sperber geschah.

Als ich mich wieder einmal bei ihm erkundigte, wann der Besuch eines solchen »Bassena«-Prozesses in der nächsten Zeit lohnend wäre, zog er sein kleines, verschmuddeltes Notizbuch hervor und begann zu blättern:

»Warten Sie ... hm ... am nächsten Dienstag bin ich mit einer Dreckschlampen hier ... das ist nichts für Sie ... aber halt! Donnerstag habe ich einen geleckten Arsch, daß Ihnen das Wasser im Mund zusammenlaufen wird!«

Es lief.

1934, nach Auflösung des Parlaments durch Bundeskanzler Dollfuß, installierte sich in Österreich der autoritäre »Christliche Ständestaat«. Das bedeutete das Ende der politischen Parteien, empfindliche Einschränkungen der Meinungsfreiheit, allerlei Deutschtümelei mit unverkennbar antisemitischen Tendenzen, Einführung der Pressezensur und andere ganz- oder halbfaschistische Maßnahmen, die dem großen Nazibruder den Wind aus den Segeln nehmen sollten (den er sich bekanntlich nicht nehmen ließ).

Es bedeutete auch das Ende des Humors im Gerichtssaal, vor allem aber der Toleranz, die ihn geduldet hatte. Als Dr. Sperber im Korridor des oben erwähnten Bezirksgerichts auf einer Türe die Aufschrift »Parteienklosett« mißbilligenden Blicks betrachtete und dem vorbeikommenden Gerichtsdiener lautstark empfahl, diese ebenso undeutsche wie verfassungswidrige Titulatur in »Ständeabort« zu ändern, blieb er zunächst noch ungeschoren. Aber kurz darauf erteilte ihn ein unfreundliches Schicksal. Er hatte, alter Sozialdemokrat, der er war, die Pflichtverteidigung eines jugendlichen »Illegalen« übernommen, dem ein nicht ganz geklärtes Sprengstoffattentat zur Last gelegt wurde. In seinem Plädoyer, das auch an anderen Stellen von seiner rührend naiven Fehleinschätzung der neuen Situation zeugte, appellierte er folgendermaßen an die Milde des Gerichts:

»Ich bitte Sie, die Unerfahrenheit des jugendlichen Sprengstoffattentäters in Rechnung zu ziehen. Offenbar wußte er nicht, daß das einzige in Österreich erlaubte Sprengmittel das Weihwasser ist.«

Weder dem Angeklagten noch ihm selbst war damit geholfen. Sperber wurde an Ort und Stelle verhaftet. Die Protektion eines Gerichtsarztes bewirkte seine Überstellung ins Inquisitenspital, der wenig später die Entlassung folgte. Vorher hatte er noch einen Kassiber hinausgeschmuggelt, dessen Text alsbald im Freundeskreis die Runde machte:

»Ich befinde mich im Inquisitenspital, Dollfuß hingegen an der Regierung. Umgekehrt wär' besser . . .«

Statt dessen wurde es schlechter und schlechter. Und 1938 wurde es so schlecht, daß Dr. Hugo Sperber sein Leben einbüßte.

Alles (oder fast alles) über Franz Molnár

Große Teile dieses Textes entstammen einem Nachruf, den ich 1952 auf einer in Wien veranstalteten Gedenkfeier für Franz Molnár gehalten habe. Eine erweiterte Fassung erschien im Druck unter dem Titel »Franz Molnár / Ein Lebensbild in Anekdoten«. Sie wird im folgenden abermals um eine Reihe bisher unveröffentlichter Anekdoten vermehrt.

Hätte er nichts weiter geschrieben als die »Fee« oder den »Schwan« oder das »Spiel im Schloß«: sämtliche Theaterdirektoren in sämtlichen Sprachbezirken würden immer wieder auf ihn zurückgreifen, wenn ihr Repertoire eines gesicherten (auch gegen Verriß gesicherten) Erfolgs bedarf. Hätte er nichts weiter geschrieben als »Die Jungen der Paulstraße«: er bliebe unvergessen als der Schöpfer einer der zauberhaftesten Geschichten, die jemals das schmerzlich-zarte Zwielicht aus Kinderwelt und Knabenseele eingefangen haben. Hätte er nichts weiter geschrieben als die herbsüße Legende vom unsterblichen Himmels-Hallodri Liliom: er stünde im kleinen Kreis der großen Tragikomödien-Dichter auf unkündbarem Platz. Franz Molnár jedoch, weil er ein Nimmersatt war, hat »Liliom« geschrieben *und* »Die Jungen der Paulstraße« *und* »Spiel im Schloß«. Und hätte er das, was er sonst noch geschrieben hat, auf einer Wohltätigkeits-Tombola für talent- und erfolgsbedürftige Zeitgenossen verlosen lassen, so wäre ein gutes Dutzend von ihnen fürs ganze Leben glücklich geworden.

Seine Erfolge erreichten beispiellose Dimensionen. Es gab Zeiten, da in den großen Theaterstädten Europas zugleich drei Stücke von ihm gespielt wurden, und in New York lief einmal eines seiner Stücke zugleich in drei Sprachen. Er war der einzige nichtenglische Autor, dessen Werke in einer englischen Gesamtausgabe erschienen, während er noch am Leben war; der einzige nichtfranzösische, den die Franzosen als »Boulevardier« akzeptierten; der einzige ungarische, der nicht wie die andern Vertreter der panmagyarischen Schule, von Fodor bis Fekete und von Lengyel bis Lakatos, seine Stücke so schrieb, daß sie für alle Weltsprachen adaptiert werden konnten, sondern er adaptierte die Sprachen der Welt für seine Stücke. Er war der geborene Routinier. Sein Griff nach dem Stoff (und wie er den Stoff behandelte) war von nachtwandlerischer Sicherheit, war der Griff eines Könners und Wissers, der Griff einer Meisterhand. Mochte sie mit kaltblütigem Chirurgenmesser die schwierigsten Gewächse und Verschlingungen des Seelenlebens bloßlegen (wobei sie gerade tief genug unter die Oberfläche drang, daß die Operation noch knapp gelingen konnte) – mochte sie die Wirklichkeit mit Schichten und Schleiern überdecken, ein Spiel noch ins Spiel einbauen, ein Zwischenreich aus halbem Tag und halbem Traum sich schaffen –: seine Hand griff niemals daneben. Und es wird niemals festzustellen sein, wann sie vom Hirn aus dirigiert wurde und wann vom Herzen aus, wann es das Hirn war, das sich den souveränen Spaß erlaubte, aus der Vielfalt der von ihm beherrschten Mittel auch etwas Herz hervorzuzaubern, und wann das Herz – in einer leicht genierten Besorgnis, daß es sonst allzu unverhohlen in Erscheinung treten könnte – sich vom Hirn einen schmiegsamen Schuppenpanzer aus Ironie und Detachement anlegen ließ. Jedenfalls blieb es immer spürbar, das Herz. Es ist in den Spielen vom »Gläsernen Pantoffel« und von der »Himmlischen und irdischen Liebe«, es ist in der einfältigen Frömmigkeit des »Wunders in den Bergen«, in den Romanen vom »Grünen Husar« und vom »Musizierenden Engel« und in den leise hingepinselten Skizzen, wie sie etwa in der »Panflöte« oder in »Des Zuckerbäckers goldener Krone« gesammelt sind. Es blinkt und blinzelt durch die Dialoge des »Schwans« und des »Teufels«, des »Gardeoffiziers« und des »Märchens vom Wolf«, es schimmert zwischen den gerissensten Pointen von »Olympia« und »Delilah« hervor, und es bildet manch freundliche Inselbank inmitten der skurrilen Strudel, mit denen Molnár den Fluß seiner autobiographischen Prosa durchsetzt hat.

In dieser autobiographischen Prosa ist auch ein gut Teil Lebensgeschichte jenes einstmals schwarzgelben Kulturkreises zu finden, dessen Edelexportprodukt Ferenc Molnár war, unverkennbar gestempelt vom österreichisch-ungarischsten aller Produktionszentren: vom Kaffeehaus. »Wo ich sitze«, soll Frankreichs Sonnenkönig gesagt haben, »ist die Spitze der Tafel.« Wo Molnár saß, war das Kaffeehaus, auch dann noch, als es dieses Kaffeehaus in der Wirklichkeit Wiens und Budapests gar nicht mehr gab, auch dort noch, wo es dieses Kaffeehaus niemals gegeben hatte: in New York, dem Ort des letzten Lebensjahrzehnts und dem Ort der letzten Ruhe Franz Molnárs. Es war so viel Kaffeehaus in ihn eingegangen, so viel durchlesene Nachmittage, so viel durchschriebene und durchdiskutierte Nächte, daß er vom Kaffeehaus innerlich gebräunt war, wie ein Skilehrer es äußerlich von der Sonne ist. In ihm war er lebendig geblieben, der Virus der geistigen Anregung, der nur in Rauch und Mokkadampf sich züchten ließ. In ihm wirkte es noch, das heilsame Fieber, das vom hitzigen Umschlag der Diskussion erregt wurde, am besten unter Zuhilfenahme von essigsaurem Ton. Er wußte um die Magie des letzten Tisches, wenn von allen anderen schon die umgekehrten Sessel aufwärtsragten wie kahles Knieholz jenseits der Vegetationsgrenze. Und sein Tisch war dann auch der letzte, an dem in der Emigration wehmütiger Rückblick gehalten wurde aufs Unwiederbringliche und das Kaffeehaus erkannt wurde als dieses Unwiederbringlichen zentrale Stätte, als platonischer Ort, als Boden trächtiger Zusammenstöße – als der Schauplatz, kurzum, dem im vorletzten Akt des mitteleuropäischen Dramas ungefähr die gleiche Rolle zukäme wie dem Schlachtfeld bei Shakespeare. »Ein andrer Teil des Kaffeehauses. Getümmel.« So müßte die dazugehörige Regiebemerkung lauten, wenn Molnár das Stück geschrieben hätte.

Daß er's nicht schrieb, lag am letzten Akt. Die unvermutetete Wendung, diese eine Drehung der Einfalls-Spirale, durch die sich Molnárs Dramaturgie von der seiner Zunftgefährten unterschied: sie hat sich an ihm selbst betätigt, als er nach Amerika emigrieren mußte. Er, der im Persönlichen wie im Literarischen die gelassene Urbanität des Weltbürgers besaß – er, der in Europa gewöhnlich vier Wohnsitze gleichzeitig unterhielt und von dem man nie genau wußte, ob er gerade in Wien oder Budapest anzutreffen sei, in Paris oder Venedig, in Karlsbad oder an der Riveria – er, dem das aufgezwungene Exil seiner letzten Lebensjahre einfach deshalb nicht behagen konnte, weil er gewohnt war, sich seine Exile selbst auszusuchen –: er war in der Emigration, in dieser Entwurzelung *kat exochen,* seßhaft geworden. Und das paßte ihm nicht, im Doppelsinn des Wortes. Es war ihm nicht recht, und es paßte nicht zu ihm. Er rührte sich kaum noch aus New York hinaus, ja er entfernte sich nur selten und ungern aus dem Umkreis des Häuserblocks, in dem er wohnte. Dort, zwischen fünfter und sechster Avenue, entlang dem Central-Park auf der einen und der 57. Straße auf der anderen Seite, befand sich das kleine italienische Restaurant, in dem er zu Mittag, und der kleine jüdische Delikatessenladen, in dem er zu Abend aß, dort war er anzutreffen und empfangsbereit, entweder in einem der beiden Lokale oder auf seinem Spaziergang, den er eine Zeitlang sogar bis zur Südseite der 57. Straße ausdehnte. Denn auf der Nordseite war damals gerade ein Haus niedergerissen worden, und durch die Lücke, die da zwischen den Wolkenkratzern entstand, fiel an manchen Nachmittagen zwischen 2 und 3 Uhr ein wenig Sonne auf das gegenüberliegende Trottoir, ungefähr in der Länge der Klavierhandlung Sohmer. Und auf der solcherart besonnten Strecke, die er infolgedessen »Sohmers Riviera« nannte, ging Molnár dann genießerisch auf und ab, zwanzig Schritte hin und zwanzig Schritte zurück. Das war aber schon sein verwegenster Ausflug.

Und das ist, wenn man's näher besieht, schon eine ganz richtige Molnár-Anekdote.

Mit diesen Anekdoten – die noch nicht einmal zahlenmäßig erfaßt sind – hat es eine absonderliche Bewandtnis. Die meisten Shaw-Anekdoten stammen von Tristan Bernard. Die meisten Bernard-Anekdoten stammen von Sacha Guitry. Und in Wahrheit stammen die meisten Shaw-, Bernard- oder Guitry-Anekdoten von keinem dieser drei, sondern sie wurden ihnen von Witzbolden minderen Ranges zugeschrieben. Hingegen stammen die meisten Molnár-Anekdoten wirklich von Molnár. Er hat, als er einmal als Zeuge zu einer vormittägigen Gerichtsverhandlung erscheinen mußte und als seine Freunde es unter unendlichen Mühen fertigbekamen, den Nachtvogel und Tagschläfer schon zu früher Morgenstunde auf die Straße zu lotsen – er hat da wirklich auf die vielen einherhastenden Menschen gedeutet und verblüfft gefragt: »Lauter Zeugen?« Er hat, als seine im Groll von ihm geschiedene Exgattin Sári Fedák sich in Amerika als Sári Fedák-Molnár lancierte, wirklich Berichtigungen an die amerikanische Presse verschickt, in denen er feststellte, daß die augenblicklich in New York gastierende Schauspielerin Sári Fedák-Molnár nicht seine Mutter sei. Er fand, von einem nach längerer Pause erfolgten Besuch in Budapest zurückgekehrt, für die dort vorliegende Wirtschaftssituation die wirklich aufschlußreiche Formel: »In ganz Budapest sind noch 2000 Pengö, und die gibt jede Nacht jemand andrer aus.« Und weil zwei Generationen von Stückeschreibern und Feuilletonisten, von Kritikern und Cabaretiers bei ihm in die Schule gegangen waren, ehe sie (mit oder ohne Reifezeugnis) von Wien und Budapest aus ihren Weg und ihren Aufstieg nahmen, nach Berlin und Paris und London, auf den Broadway und nach Hollywood: so tragen auch noch die apokryphen Molnár-Anekdoten die Marke seiner Originalität und seines Charakters. Sie wären nicht entstanden ohne ihn, ohne die sublimierte Schärfe seiner Beobachtungen, ohne die Flanken-Strategie, mit der er Menschen und Situationen erfaßte, ohne den Röntgenblick, den er für ihre Schwächen und Fragwürdigkeiten besaß.

Die Prägnanz seiner Definitionen, die Zielsicherheit, mit der er aus unvermuteter Richtung ins Schwarze traf, grenzte bisweilen ans Unheimliche. Von einem Journalisten, der mit der Wahrheit besonders wüst und willkürlich umsprang, sagte er: »Ein unverläßlicher Mensch. Er lügt so, daß nicht einmal das Gegenteil wahr ist.« Als einmal in New York die Rede auf einen nach Europa zurückgekehrten Kollegen kam, der seine Dünkelhaftigkeit und

Arroganz unter den bescheideneren Lebensverhältnissen der Emigration abgelegt zu haben schien und dem man zugute halten wollte, daß er sich in der Emigration gebessert hätte, widersprach Molnár: »Er hat sich nicht gebessert. Er hat nur geschwiegen.« Und einem andern, der sich immer nur in der von ihm allerdings meisterhaft beherrschten »kleinen Form« äußerte, in Feuilletons und Aphorismen und scharfgeschliffenen Glossen, und der trotz Molnárs energischem Zuspruch sich nicht dazu verstehen mochte, sein Talent an größeren Aufgaben zu erproben, sagte Molnár einmal am Schluß einer solchen Debatte: »Also gut, dann bist du eben Weltmeister im Schnellaufen über ein Meter.«

Dergleichen hat ihm keiner nachgemacht. In diesen ebenso vehement wie mühelos zustoßenden Sätzen lag alles, was er den anderen voraushatte. Die Anekdote war die Grundform seiner literarischen und seiner Lebensäußerungen. Nicht der absichtsvoll »witzige« Ausspruch, nicht das bedachtsam zugeschliffene »Bonmot«, sondern die präzise Zusammendrängung des Wesentlichen auf minimalen Raum. Fürs Theater verfuhr er dann umgekehrt und löste das Konzentrat so weit auf, daß es wieder abendfüllend wurde (fast allen seinen Lustspielen, mit dem Welterfolg vom »Spiel im Schloß« als Musterfall, liegt eine knapp erzählbare Anekdote zugrunde). Im Leben ließ er es bei der konzentrierten Fassung bewenden.

Indessen verhielt es sich nicht bloß so, daß Molnár Anekdoten prägte oder Geschichten in Umlauf setzte. Mit Vorliebe – und je älter er wurde, desto häufiger – bediente er sich der Anekdote als Mittel zum Zweck, erzählte er eine wirkliche oder erfundene Geschichte, um seinen Standpunkt klarzustellen, oder um sein Urteil über einen Menschen, eine Situation, ein Ereignis abzugeben. Das hatte etwas von talmudischer Kasuistik an sich, vom Väterbrauch, welcher das Gleichnis der direkten Mitteilung vorzog. Überhaupt begann Molnár in seinen letzten Lebensjahren immer mehr einem weisen alten Juden zu gleichen, dem man nichts mehr erzählen kann und der darum lieber selbst erzählt. Kein gütiger Patriarch, beileibe nicht, aber doch ein lächelnder aus überlegener Nachsicht. Molnár war nicht unnachsichtig. Nur seine Formulierungen waren es. Wenn er einen Ausspruch tat, dann war es eine Aussage. Und die Geschichten, die er erzählte, hatten Geschichte in sich.

Er sprach das sehr gewählte, ein wenig altmodische Deutsch, das dem ungarischen Bürgertum der einstigen Monarchie eigen war, und sprach es mit dem leisen Singsang, der von der Tonfärbung seiner Muttersprache herkam. Auf die Beherrschung andrer Fremdsprachen legte er keinen Wert, oder tat doch so: »Ich habe nicht den Ehrgeiz, mit Oberkellnern und Hochstaplern zu konkurrieren.« In Wahrheit war sein Französisch nahezu perfekt, sein Italienisch durchaus passabel, und ich bin niemals den Verdacht losgeworden, daß auch sein Englisch wesentlich besser war, als er's merken ließ. Offenbar wollte er sich auf diese bockige Art gegen die Zwangslage seines amerikanischen Exils zur Wehr setzen. Denn er fühlte sich nicht wohl in Amerika, wenngleich er auch dort ein hochberühmter und erfolgreicher Mann war. In seinem Freundeskreis befand sich kein einziger Amerikaner. Ob das wirklich nur an den Sprachschwierigkeiten lag, auf die er sich immer wieder berief? Er brachte jedenfalls auch diese Hemmung, die eine der schmerzlichsten Erfahrungen unsrer Emigrationszeit war, auf die denkbar schlüssigste Formel. Wir unterhielten uns einmal darüber, daß man sich in einer fremden Sprache nur unfrei ausdrücken kann und im Zweifelsfall lieber das sagt, was man richtig und einwandfrei zu sagen hofft, als das, was man eigentlich sagen will. Molnár nickte bestätigend: »Es ist sehr traurig«, resümierte er. »Ich habe oft mitten im Satz meine Weltanschauung ändern müssen . . .«

Manchmal wieder bemühte er sich, der amerikanischen Lebensform die guten Seiten abzugewinnen. Auch das besorgte er auf grotesk überspitzte und eben darum überzeugende Art. »Schauen Sie, lieber Freund«, hob er in bedächtig melodischem Tonfall zu erklären an, »es ist doch eigentlich sehr schön hier. Um halb neun stehe ich auf, gehe ins Badezimmer, nehme eine Dusche oder ein Bad, heiß, warm oder lau, alles funktioniert elektrisch, viel besser und viel bequemer als in Europa. Dann kommt das Frühstück – Tomatensaft, Orangensaft oder sonst etwas, was wir in Europa nicht hatten – ausgezeichneter Kaffee – frische Eier direkt von der Hühnerfarm – schmeckt alles wunderbar – dazu lese ich die New York Times, die beste Zeitung der Welt – so wird es langsam elf – no, und was dann noch passiert, spielt schon keine Rolle mehr.«

In den fünf Jahren von 1945 bis 1950, in denen ich sein New Yorker Exil teilte, wohnten wir nur wenige Minuten voneinander entfernt, und es ergab sich fast von selbst, daß wir regelmäßig zusammenkamen, daß ich ihn auf seinen Spaziergängen begleitete oder eine Mahlzeit mit ihm einnahm. Er hatte seine eigenen, sehr persönlichen Verkehrsregeln aufgestellt, die er sorgfältig beachtete. Die Straße überquerte er grundsätzlich nur bei rotem Licht, weil man da, wie er herausgefunden hatte, »wenigstens nur nach rechts und links schauen muß – aber wenn man bei grünem Licht geht, wird man in der Kurve von hinten überfahren«. Daß er mit seinem bedächtigen Spaziergängertempo im Hasten und Jagen ringsum einen zu Zusammenstößen geradezu herausfordernden Fremdkörper bildete, focht ihn nicht an. Hingegen verbitterte es ihn ganz außerordentlich, daß die Leute, die in ihn hineinrannten, sich nachher nicht einmal entschuldigten. Mit der Zeit entwickelte er einen sechsten Sinn für im Rücken herannahende Rempler – und eine eigene Strategie, um ihnen zu begegnen: »Passen Sie auf, lieber Freund. Die Leute haben keine Manieren. Wenn sie einem auf die Füße steigen, laufen sie weiter, als ob nichts geschehen wäre. Da muß man ihnen vorher den Ellbogen in die Magengrube rennen. Dann erschrecken sie und entschuldigen sich.« (Daß er damit zugleich das außenpolitische Verhalten der Amerikaner auf eine Formel gebracht hatte, ahnte er damals noch nicht.)

Von den Erleichterungen im Reiseverkehr mit Europa, die nach dem Krieg eintraten, wollte er zunächst nichts hören, und die ersten Kartengrüße, die seine wagemutigen Kollegen ihm von Besuchen in der alten Heimat schickten, schob er angewidert beiseite: »Wie gefällt Ihnen das? Abschaum schreibt Ansichtskarten!« Allmählich aber begann es an ihm zu nagen. Er erwog eine Reise nach Paris – »der einzigen Stadt, wo man in einem Café nur um Schreibzeug bitten muß, und schon wird man mit Maître tituliert«. Dann verwarf er Paris zugunsten Italiens, und zwar einer italienischen Hafenstadt. Auch davon kam er bald wieder ab. Die Verhältnisse in Europa waren ihm zu unsicher. »Aber doch nicht so unsicher, daß man Angst haben müßte, Herr Molnár?« – »Sie verstehen mich nicht, lieber Freund. Ich bin ein älterer Mensch und ein wenig nervös. Ich möchte ganz sicher sein, daß ich im Notfall sofort wegkann. Das heißt, daß ich in einer Hafenstadt bleiben muß. Und zur Beruhigung meiner Nerven wohne ich natürlich in einem Hotel mit Aussicht auf den Hafen, wo das amerikanische Kriegsschiff liegt. Sogar am Abend, wenn ich schon zu Bett gegangen bin und das Licht ausgelöscht habe, möchte ich mich noch einmal überzeugen, daß alles in Ordnung ist. Was tue ich? Ich stehe auf und laufe zum Fenster, um hinauszuschauen. Barfuß. Im Nachthemd. Wenn ich das ein paarmal mache, habe ich die schönste Lungenentzündung. Soll ich vielleicht nach Europa fahren, damit ich in irgendeinem drekkigen Hafenhotel krepiere? Fällt mir gar nicht ein.«

Es war ihm auch niemals eingefallen, nach Hollywood zu gehen. Er als einziger wahrte diese Standfestigkeit selbst den lokkendsten Angeboten gegenüber. Er hatte sich ausgerechnet, daß die finanzielle Lockung sich auf die Dauer in ein Verlustgeschäft verwandeln würde, und auch das wußte er mit einer gleichnishaften Geschichte zu begründen; sie stammte noch aus jener Zeit, als er alljährlich ein paar Sommerwochen in Karlsbad verbracht hatte: »Da gibt es doch sehr viele schöne Geschäfte, wie Sie wissen. Und da stehe ich einmal vor der Auslage von so einem schönen Geschäft, und neben mir steht eine ungarische Mutter mit ihrer Tochter. Sehr dicke Tochter. Und ich merke, wie die Mutter der sehr dicken Tochter etwas ins Ohr flüstert und dabei unauffällig auf mich deutet. Und plötzlich dreht sich die dicke Tochter nach mir um und sagt laut und enttäuscht: ›Der?! Den seh ich doch jeden Tag!‹ Und deshalb, lieber Freund, gehe ich nicht nach Hollywood . . .«

Er tat natürlich gut daran, nicht hinzugehen. Für die Filmrechte seiner erfolgreichen Lustspiele wurden ihm Phantasiesummen bezahlt, wie sie ihm nie bezahlt worden wären, wenn man ihn jeden Tag dort gesehen hätte; und als Rodgers & Hammerstein aus »Liliom« ein Musical machten, das unter dem Titel »Carousel« jahrelang am Broadway lief, brauchte er keinen Finger zu rühren, um einen gewaltigen Tantiemenanteil zu beziehen.

Er selbst hat in diesen Jahren nur noch ein einziges Stück geschrieben, die Komödie »Panoptikum«, deren deutsche Bühnenbearbeitung er mir übertrug. Ich mußte sie mangels ungarischer Sprachkenntnisse auf Grund einer englischen Rohübersetzung durchführen. Bald fiel mir auf, daß im Dialog auf besonders wirksame Pointen sehr oft ein inhaltsloser Nachsatz folgte, der mir vollkommen überflüssig schien. Ich hielt das zuerst für eine Unzulänglichkeit der englischen Übersetzung, wollte aber ganz sichergehen und erkundigte mich bei Molnár, was diese läppischen Leerläufe zu bedeuten hätten und warum ein Schauspieler nach einem garantierten »Lacher« noch hinzusetzen müßte, daß es jetzt schon spät sei oder daß es morgen möglicherweise regnen würde. Molnár sah mich beinahe mitleidig an:

»Weil Sie Schauspieler nicht kennen, lieber Freund. Wissen Sie, was das für neidige Schurken sind? Wenn einer eine Pointe hat, gönnt ihm der andre die Wirkung nicht und beginnt zu sprechen, während das Publikum noch lachen will. Also muß der, der die Pointe hat, noch einen Nachsatz bekommen. Dann kann er schön warten, bis das Publikum genug gelacht hat – und gibt dem Partner erst dann das Stichwort zum Weiterreden. Verstehen Sie jetzt?«

Ich verstand. Und als ich die Bearbeitung fertig hatte, verstand ich noch um einiges mehr.

Indessen besaß (und betätigte) Molnár den gleichen kritischen Blick auch für seine eigenen Schwächen. Er hielt vor sich selbst so wenig inne wie vor den anderen – als wollte er ihnen zeigen, wie sie's zu machen hätten, und sie zugleich in ihre Schranken verweisen: wenn schon jemand auf Molnárs Kosten witzig wird, dann doch am besten Molnár. Als ihm während einer längeren Abwesenheit aus Budapest zugetragen wurde, daß die Freundin, die er dort zurückgelassen hatte, ihn mit Krethi und Plethi hinterginge, replizierte er sieghaft: »Ja, aber umsonst! Für Geld – nur mit mir!«

Diese Selbstironie kam ihm in seinen Liebesbeziehungen überhaupt sehr zustatten, vor allem um seine Eifersucht zu tarnen, die er sich und seiner Umgebung um keinen Preis eingestanden hätte (indessen das Eingeständnis der Eitelkeit, die ihr zugrunde lag, schon wieder zu den von ihm geübten Übertreibungen gehörte). Er hatte – so hieß das zu seiner Zeit, in der man ja auch noch Ausdrücke wie »Weiberheld« und »flatterhaft« gebrauchte –, er hatte »Glück bei den Frauen«, ohne sein Glück jemals zu überschätzen oder es gar für beständig zu halten. Da er seinerseits alles eher als beständig war, setzte er bei den Frauen, mit denen er's zu tun bekam, automatisch (und meistens mit Recht) das gleiche voraus, auch bei seinen Ehefrauen, deren es insgesamt drei gegeben hat.

Um welche von den dreien sich's im folgenden handelt, ist unwesentlich – jedenfalls verdächtigte er sie einer theoretisch unerlaubten Beziehung zu einem Budapester Journalisten, den wir Pataky nennen wollen, und stellte sie gelegentlich auf Proben wie diese, die in Form eines unvermuteten Telephonanrufs erfolgte:

»Pataky ist bei dir«, säuselte er mit sanfter Bestimmtheit in den Hörer.

»Wie kommst du darauf? Sei nicht albern!« klang es unmutig zurück.

»Pataky ist nicht bei dir?«

»Nein.«

»Wirklich nicht?«

»Natürlich nicht.«

»Also dann sag jetzt bitte laut und deutlich: Pataky hat Schweißfüße und stinkt aus dem Mund.«

»So etwas Blödes sag ich nicht.«

»Tu mir den Gefallen und sag's.«

»Ich denke nicht daran.«

»Pataky ist bei dir«, resümierte Molnár in unverändert sanftem Tonfall und legte den Hörer auf.

Übrigens war Pataky sowohl mit Molnár wie mit dessen damaliger Gattin von Kindesbeinen an befreundet und genoß dementsprechende Vergünstigungen, durfte nach Belieben kommen und gehen, ließ sich dann und wann einen Imbiß servieren oder machte von der reichhaltigen Bibliothek Gebrauch – und war bei einer solchen Gelegenheit über der Lektüre eines Buches eingenickt, als Molnár nach Hause kam und das Bibliothekszimmer betrat.

Pataky schrak empor und glotzte verlegen.

»Warum fährst du allein auseinander?« fragte Molnár.

Spätestens von diesem Tag an wußte Pataky, daß Molnár im Bilde war.

Madame bekam das an einem Abend zu merken, den Molnár im Theater verbringen wollte und anschließend im Schriftsteller-Club, er würde sehr spät nach Hause kommen, kündigte er an – und hatte längst den Plan gefaßt, durch verfrühte Heimkehr vielleicht auf einen handfesten Beweis in Sachen Pataky zu stoßen. Als es soweit war, verließ ihn der Mut zum Überraschungseffekt, das geplante Manöver erschien ihm – allerdings eigener Aussage zufolge – eines souveränen Mannes unwürdig, und um einem möglichen Eklat vorzubeugen, rief er von unterwegs zu Hause an, daß er früher kommen würde.

Er fand seine Gattin lesend im Salon, dessen peinlich geordnete Sauberkeit ihm sofort auffiel. Auch die zu solcher Stunde ungewöhnlich reine Luft fiel ihm auf. Man hatte also kurz zuvor gelüftet. Warum? Weil sehr viel geraucht worden war, mehr als eine lesende Gattin rauchen kann, mehr und andres, wahrscheinlich Zigarren, aber die sorgfältig geleerten Aschenbecher wiesen keinerlei Spuren auf.

Molnár begab sich ins Badezimmer. Zurückgekehrt, setzte er sich seiner Frau gegenüber:

»Mein Kind«, sagte er, »ich gebe dir jetzt etwas mit fürs Leben. Wenn du Champagnerstöpsel verschwinden lassen willst, wirf sie *nie* in die Abortschüssel. Sie gehen nicht unter.«

Und auf solche Art Verdacht zu äußern, war eines souveränen Mannes schon eher würdig.

Seiner dritten Gattin, der zauberhaften, 1974 in New York verstorbenen Schauspielerin Lilli Darvas, verdanke ich eine kleine Geschichte, in der Molnár selbst nur passiv auftritt, die aber um ihres Aussagewertes willen verbucht werden muß. Sie hat sich in der Budapester Wohnung des Ehepaars zugetragen, und ihre Heldin ist ein neu aufgenommenes Stubenmädchen, dem von der Hausfrau sofort eingeschärft wurde, sich in einem bestimmten Teil der Wohnung und besonders in der Nähe eines bestimmten Zimmers nur ja recht leise zu verhalten, in diesem Zimmer arbeite Herr Molnár, und Herr Molnár vertrage keinen Lärm.

»Gnädige Frau«, sagte am nächsten Tag das Stubenmädchen und senkte schuldbewußt die Augen, »bitte verzeihen Sie – ich habe irrtümlich die Tür zum Zimmer von Herrn Molnár aufgemacht. Herr Molnár arbeitet nicht. Herr Molnár sitzt am Schreibtisch.«

Nicht nur den Frauen, auch Verlegern und Theaterdirektoren gegenüber hegte er unerschütterliches Mißtrauen, zumal wo es um Abrechnungen ging. Unter den vielen dafür vorliegenden Beweisen ist der folgende nach beiden Richtungen hin ergiebig.

Georg Marton – Inhaber des gleichnamigen, international angesehenen Bühnenverlags und nicht nur ein tüchtiger Geschäftsmann, sondern weitaus witziger als die meisten seiner Autoren – hatte die Filmrechte des Lustspiels »Der Schwan« nach Hollywood verkauft und kam zu Molnár, um ihm den unterschriftsfertigen Vertrag vorzulegen, einen jener nur in Amerika beheimateten, erschreckend umfangreichen Verträge, die jede erdenkliche Eventualität bis ins kleinste erdenkliche Detail berücksichtigen und die noch kein Mensch, Rechtsanwälte ausgenommen, jemals gelesen hat. (»Unterschreiben Sie *nie* einen amerikanischen Vertrag«, lautete eine Warnung, die Molnár – leider überflüssigerweise – viel später einmal an mich richtete. »Irgendwo im Text, niemand weiß wo, steht ein kleingedruckter Absatz: ›Dieser Vertrag ist ungültig.‹ Und dagegen sind Sie wehrlos.«) Zum Zeitpunkt des »Schwan«-Verkaufs, in den späten zwanziger Jahren, war Molnár der englischen Sprache in keiner Weise kundig, sehr wohl jedoch der von Theaterverlegern geübten Praktiken. Er schlug die letzte Seite des Vertrags auf, warf einen Blick auf die zum Abschluß angegebene Summe und schob das Konvolut zu Marton hinüber:

»Gyuri«, sagte er, »du bist doch auf das Geld genauso scharf wie ich. Es gibt jetzt zwei Möglichkeiten. Entweder ich schreibe mich in die Berlitz School ein und lerne so lange Englisch, bis ich diesen Vertrag verstehe. Das kann ein bis zwei Jahre dauern. Oder, Gyuri, du zahlst mir das Doppelte von dem, was da unten steht, und ich unterschreibe sofort.«

Gyuri zahlte.

Wer sich Molnárs Unmut zugezogen hatte – sei's aus noch so geringfügigem Anlaß, sei's noch so unbeabsichtigt –, mußte auf Schlimmes gefaßt sein. Geringfügigkeit und mangelnde Absicht schützten auch seinen großen Freund Max Reinhardt nicht, der ihm herzlich zugetan war und ihn nicht nur als meisterlichen Beherrscher des Bühnenhandwerks schätzte. Aber das Gulasch, das an jenem Abend auf Schloß Leopoldskron serviert wurde, war flachsig, oder vielleicht hatte nur Molnár eine flachsige Portion erwischt, außerdem kümmerte man sich nicht so um ihn, wie es ihm gebührte – kurzum: er ging verfrüht und verärgert ab. Dabei handelte es sich um einen ganz besonderen Galaempfang, veranstaltet zu Ehren Jack Warners, des Chefs der Hollywooder Filmfirma, mit der Reinhardt damals wegen der Verfilmung des »Sommernachtstraums« unterhandelte; und natürlich lag ihm daran, dem Filmgewaltigen durch eine möglichst große Anzahl europäische Prominenz zu imponieren. Das alles wußte auch Molnár, und das war es, warum er in der Halle des Salzburger Hotels, in dem er und Jack Warner wohnten, die Heimkunft des Ehrengastes abwartete.

»Oh, Mr. Molnár!« In sichtlich gehobener Stimmung trat Jack Warner auf ihn zu. »Habe ich Sie nicht auf der Party in Leopoldskron gesehen?«

»Allerdings. Aber ich bin früher weggegangen.«

»So? Warum denn? Es war doch ein wundervoller Abend! Und

was für interessante Persönlichkeiten Professor Reinhardt eingeladen hatte!«

»Eben. Das ist es ja.«

»Wieso? Was meinen Sie?«

»Solche Sachen hat er doch nicht notwendig.« Molnárs dramaturgische Gerissenheit steigerte die Neugier seines Gesprächspartners immer mehr.

»Ich verstehe Sie nicht«, drängte Jack Warner. »Was hat er nicht notwendig?«

»Daß er für eine Party ein paar Statisten vom Landestheater als Erzherzöge und Bischöfe verkleidet und den Gästen einreden will, daß wirklich lauter prominente Leute zu ihm kommen . . .«

Die Verhandlungen über die Verfilmung des »Sommernachtstraums« wären damals beinahe gescheitert.

In der Tat: Molnár kam auf vernichtende Einfälle, wenn es die Durchkreuzung von Plänen galt, die irgendwie auf seine Person und seine Berühmtheit spekulierten. Das mußte auch der Schauspieler Ernst Verebes erfahren, der in Budapest an manch einem Erfolg Franz Molnárs mitgewirkt hatte und später als ebenso erfolgreicher Operetten-Bonvivant in Wien gastierte, wo er – nicht ganz so erfolgreich – die Tochter eines Großindustriellen umwarb. Eines Tages war er mit ihr wieder in der Halle seines Hotels, in dem auch Molnár wohnte, zum Tee verabredet. Die junge Dame erschien, nahm Platz, sah unnahbar und gleichgültig aus den langbewimperten Augen rundum – und zuckte plötzlich zusammen:

»Sitzt dort nicht Molnár?« flüsterte sie mit vor Ehrfurcht ersterbender Stimme.

»Ja«, nickte Verebes nachlässig. »Molnár. Und?«

»Kann man – könnte ich – wenn es Ihnen keine Mühe macht –«

»Sie wollen meinen Freund Feri kennenlernen?« Mit überlegenem Schwung nahm Verebes die unverhoffte Chance wahr, seinen Weizen zum Blühen zu bringen. »Nichts leichter als das.« Und er führte die sichtlich tief Beeindruckte zu dem Fauteuil, in dem Molnár der Zeitungslektüre oblag:

»Gestatte, lieber Feri, daß ich dich mit Fräulein X. bekanntmache, die dich gerne kennenlernen möchte. Und das ist Ferenc Molnár.«

Molnár klemmte sein Monokel etwas fester und erhob sich:

»Sehr angenehm«, sagte er mit gewinnendem Lächeln. Dann, die Stirn leicht gefurcht, wandte er sich zu Verebes: »Und wer, wenn ich fragen darf, sind Sie?«

»Schon gut, Feri, schon gut«, besänftigte Verebes, der offenbar auf derlei immer gefaßt war. »Ich wollte der jungen Dame nur einen kleinen Gefallen tun.«

»Was heißt da ›schon gut‹? Was ist das für eine Unverschämtheit? Direktor! Chef de réception! Personal! Muß man sich hier von fremden Menschen belästigen lassen?«

»Aber Feri –«

»Ich verbitte mir das, Sie Flegel! Schauen Sie, daß Sie verschwinden, oder ich werde unangenehm . . .«

Verebes verschwand. Die bezaubernde junge Dame blieb zurück.

Damit Molnár hier nicht nur als verkörperter Triumph des Bösen in Erscheinung trete, sei noch ein Fall vermerkt, in dem er sich mit einem (wenngleich eleganten) Rückzugsgefecht zufriedengeben mußte. In diesem Fall war es nämlich er selbst, der sich erfolglos um die Gunst einer vielumworbenen Berliner Schauspielerin bemühte. Sie hielt ihn hin, sie wich ihm aus, sie wußte es auch auf einer großen Abendgesellschaft so einzurichten, daß er sie vergeblich in ein Gespräch unter vier Augen zu ziehen versuchte. Endlich schien ihm das glücken zu wollen: er stellte sie im Bibliothekszimmer, wo sie angelegentlich in ein Buch vertieft war. Das Buch war ein Handlexikon der modernen Dramenliteratur und noch dazu – Molnár erspähte es hoffnungsfroh – beim Buchstaben M aufgeschlagen.

»Wollten Sie etwas über mich erfahren?« erkundigte er sich.

»Hab ich schon«, antwortete die Diva. »War mir neu. Und macht Sie mir eigentlich sehr sympathisch.«

»Was denn?«

»Daß Sie Jude sind.«

Da beugte sich Molnár ein wenig vor und dämpfte seinen Tonfall zu diskreter Vertraulichkeit:

»Ich hab ja gewußt, daß Sie mir draufkommen werden. Aber die Gelegenheit hab ich mir anders vorgestellt.«

Er hing am Leben, am Wohlleben, an sich selbst, und da er weder willens noch in der Lage war, das zu verheimlichen, strich er's lieber gleich heraus, gab sich egoistischer und geiziger, als er's in Wirklichkeit war, und nahm, um den Überschuß zu applanieren, auch hier wieder Zuflucht zu seiner Selbstironie. Die Zeitungsleute, die ihn vor einer als stürmisch avisierten Überfahrt nach Amerika beziehungsvoll fragten, ob er denn gar nicht um sein Leben bange und was er zu tun gedächte im immerhin möglichen Fall einer Schiffskatastrophe, wußte er nachdrücklich zu beruhigen: »Machen Sie sich keine Sorgen um mich. Wenn Sie in den Augenzeugenberichten etwas von einem vornehmen, weißhaarigen Gentleman lesen, der rücksichtslos über Frauen und Kinder weggetrampelt ist, um ins Rettungsboot zu kommen – das war ich.« Dem Freund, der ihn mißmutig in der Halle seines New Yorker Hotels sitzen sah (es war etwa zwei Jahre nach Kriegsschluß, und die Verhältnisse begannen sich langsam zu normalisieren), gab er auf die besorgte Erkundung nach dem Grund seiner Übellaune seufzend zur Antwort: »Wissen Sie nicht, was geschehen ist? Man kann wieder Geld nach Budapest schicken.« Und fügte nach einer melancholischen Pause hinzu: »Und jetzt kommt das fürchterlichste Wort, das es überhaupt gibt: monatlich!«

Als es vor meiner Rückkehr nach Europa zum Abschiednehmen kam, war ich darauf gefaßt, von Molnár getadelt zu werden. Aber der Tadel erfolgte aus einem ganz andern Grund, nämlich aus seiner Abneigung gegen das Fliegen. »Fliegen«, so hatte er einmal gesagt, »werde ich erst dann, wenn man dem Piloten beim Aussteigen ein Trinkgeld gibt. Solange der Pilot ein Held ist, fliege ich nicht.« Und pünktlich quittierte er mein Geständnis, daß ich die Reise im Flugzeug anträte, mit einer mißbilligenden

Grimasse: »Diese Flugzeuge . . . sie betrügen einen um das Beste. Bei einem Zugsunglück oder einem Schiffsunglück steht nachher immer so schön in der Zeitung: Bericht eines Augenzeugen. Nach einem Flugzeugunglück habe ich so was noch nie gelesen . . .«

Mit diesen Worten im Ohr verließ ich Franz Molnár und verließ sein Hotel, das berühmte »Plaza«, wo er im achten Stockwerk ein nicht eben repräsentables Apartment bewohnte (»Merken Sie sich: immer das billigste Zimmer im teuersten Hotel nehmen!«) und wo sich kurz zuvor eine für ihn besonders typische Geschichte zugetragen hatte:

Während der letzten Jahre hatte Molnár an jedem Donnerstag die wenigen Freunde empfangen, die er noch um sich duldete, in streng bemessener, unveränderlicher Anzahl, und alle waren sich der Verpflichtungen, die ihre Sonderstellung ihnen auferlegte, wohl bewußt. Dennoch geschah es eines Abends, daß einer von ihnen, der intimsten einer, sich überwand und Anlauf nahm und sprach: »Feri! Hör mir bitte gut zu und sei vernünftig. Es lebt in New York ein Mann namens Samuel Kornstreicher aus Budapest. Er ist in deinem Alter, und er hat deine Laufbahn von Anfang an mit dem größten Respekt und der größten Verehrung verfolgt. Er kann alles auswendig, was du je geschrieben hast, einschließlich deiner Kriegsberichte aus dem Ersten Weltkrieg. Und es war seit je seine größte Sehnsucht, dich persönlich kennenzulernen. In Budapest hat er sich natürlich nicht in deine Nähe getraut. Aber jetzt, in der Emigration, die unser aller gemeinsames Schicksal ist, hofft er, daß sein Wunsch ihm endlich in Erfüllung gehen wird. Feri! Er sitzt unten in der Halle. Darf ich ihn für ein paar Minuten heraufbringen?«

Bange, erwartungsvolle Stille entstand. Molnár blickte langsam in die Runde, von einem zum andern. Dann schüttelte er den Kopf. »Nein«, entschied er, fest und bedauernd zugleich. »Es geht nicht. Du weißt, daß ich keinen Zuwachs mehr vertrage. Aber wenn ich euch so anschau . . . der eine hustet, der andre kann nicht mehr richtig essen, der dritte hat schon einen ganz blassen Teint . . . weißt du was? Geh hinunter zum Herrn Kornstreicher und sag ihm: sowie einer stirbt, kann er heraufkommen . . .«

Herrn Kornstreichers Sehnsucht ist unerfüllt geblieben. Bald darauf starb Molnár selbst, der letzte große Boulevardier, der letzte, der sich vom Kaffehaus her an die Welt gewandt hatte und dessen Weltgewandtheit kein mühsam überwundenes Provinzlertum war, sondern ein organischer Bestandteil seines Werks und seines Wesens – der letzte, dessen verborgener Herzschlag noch vom Rhythmus einer untergegangenen europäischen Eleganz gespeist war – der letzte aus einer Zeit, die sich's noch leisten konnte, Originale hervorzubringen, und in der die Originale sich's noch leisten konnten, es zu bleiben.

Der Kreis schliesst sich

Allmählich rundet der Kreis sich zum Anfang zurück, dorthin, wo im Exkurs über das Wörtchen »was«, gleich nach der Tante Jolesch, von Kisch und Kuh die Rede war, die viel zu kurze Rede, zu kurz aus meiner Schuld – und die möchte ich noch abtragen, so gut es geht. Und nicht nur Kisch und Kuh gegenüber. Es mußten ja auch noch andere darunter leiden, daß ich dem Ansturm meiner Reminiszenzen keine organisierte Abwehr entgegenzusetzen vermochte. Einzig bei Franz Molnár könnte mir das geglückt sein: teils hatte ich da eine gewisse Vorarbeit geleistet, teils eignete sich Molnár für eine kompakte Präsentation schon deshalb, weil ich ihm auch auf sozusagen kompakter Basis begegnet war, nämlich immer nur im Zusammenhang mit ihm selbst. Die anderen alle drängten sich in so vielerlei Zusammenhängen, aus so vielerlei Anlässen in mein Gedächtnis, daß die Erinnerung an sie sich nur aufgesplittert bewältigen ließ. Ich sammle jetzt die restlichen Splitter.

Kisch und Kuh – es ist mir nie klargeworden, warum sie mir fast stets zugleich einfallen. Bloß am Phonetischen kann's nicht liegen. Eher schon daran, daß sie eine nach den Begriffen des Literatencafés schlechthin klassische Feindschaft personifizierten und sowohl zu- wie übereinander nur Schlechtes sprachen. Kuh tat das nahezu gewohnheitsmäßig, Kisch brauchte etwas länger, aber wenn er sich aufraffte, erfolgte ein massiver Gegenschlag. So gab er auf eine der damals grassierenden Zeitungsumfragen mit dem ohnehin geschmacklosen Thema »Woran möchten Sie am liebsten sterben?« die Antwort: »An einem Schlaganfall aus Freude über den Tod Anton Kuhs.« Dabei konnte von irgendwelchem Konkurrenzneid zwischen den beiden keine Rede sein. Sie hatten höchstens insofern etwas gemeinsam, als sie in (weit auseinanderliegenden) Randbezirken der Literatur siedelten: Egon Erwin Kisch steht auch heute noch für eine zeitkritisch gehobene Art journalistischer Berichterstattung, die von kaum einem andern erreicht wurde, und Anton Kuh, dessen im Druck vorliegendes Œuvre sich neben den zahlreichen Büchern Kischs einigermaßen dürftig ausnimmt, gehört – ja, wohin gehört er eigentlich?

Wenn ich nicht irre, war es Egon Friedell, der Anton Kuh einen »Sprechsteller« genannt hat. Damit ist die ganze Misere dieses begabten, blitzgescheiten und mehr als bloß witzigen, nämlich im höchsten Grad geistreichen Wirr- und Feuerkopfs angedeutet. Ob sie von seiner mangelnden Disziplin herrührte oder, wie intimere Kenner zu wissen glaubten, von seinem mangelnden Charakter; ob er, dem ganz gewiß der Ehrentitel eines Bohemiens zusteht, von der dazugehörigen Faulheit am richtigen Gebrauch seines Talents gehindert wurde oder von seiner (behutsam ausgedrückt) fragwürdigen Beziehung zum Geld, das er lieber durch kunstvolles Schnorren als durch kunstvolles Schreiben erwarb –: jedenfalls, und von wenigen Ausnahmsfällen abgesehen, zeigte er sich außerstande, den Witz und den Geist, den er am Kaffeehaustisch mit müheloser Grandezza versprühte, in eine für den Druck und vollends für den Buchdruck geeignete Form zu fassen. Versuchte er's dennoch, so hielt die Druckfassung der kleinen Glossen und Feuilletons, die er sich um sehr hoher Honorare willen abzuringen bereit war, keinen Vergleich mit der Erzählfassung aus oder erreichte deren Qualität erst wieder auf dem Vortragspodium (ein Musterfall sind die im »Unsterblichen Österreicher« gesmmelten Skizzen). Kuh konnte großartig improvisieren, seine Stegreifvorträge, die immer enormen Zulauf fanden, hatten nicht ihresgleichen, und selbst seine ad hoc geprägten Sentenzen waren so sehr auf seine persönliche Ausstrahlung, auf sein Temperament und seine Pointierungskunst angewiesen, daß sie sich vielfach sogar der mündlichen Nacherzählung widersetzen, von einer gedruckten ganz zu schweigen.

Oder wie sollte man den überwältigenden Bierernst wiedergeben, mit dem er – in einen reichsdeutschen Rundfunksprecher sich verwandelnd – die »vorläufigen Ergebnisse der heute abgehaltenen Sexualwahlen« verlautbarte, so trocken und sachlich, daß man sekundenlang versucht war, Parteien wie den »Bund homosexueller Landwirte« und die »Lesbische Linke« für tatsächlich existent zu halten und an einen knappen Vorsprung der »Deutschen Fortpflanzungspartei« vor der »Vereinigten Liste der Nekrophilen und Koprophagen« zu glauben. Nicht weniger überzeugend – denn sein unheimliches Nachahmungstalent erstreckte sich gleichermaßen auf Typen wie auf Einzelpersonen – traf er das trostlose, mörderisch langweilige Leiern eines österreichischen Ansagers, der an Ort und Stelle über einen Trachtenfestzug vor dem Wiener Rathaus berichtete und seinem analphabetenhaft beschränkten Wortschatz zwar eine mühsam hochdeutsche Färbung, aber keinerlei Belebung abzuringen wußte:

». . . hier kommen die wackeren Innviertler . . . von ihrer Musikkapelle geführt . . . in ihren schmucken weißroten Trachten . . . es folgen die trefflichen Mühlviertler . . . in farbenfrohes Blaugelb gekleidet . . . an der Spitze ihre Musikkapelle . . . nunmehr erscheinen . . .«, und so ging die Litanei weiter, mit unerbittlicher Gründlichkeit, eintönig, einschläfernd: ». . . und jetzt, von ihrer Musikkapelle geleitet . . . in ihrer geschmackvollen grüngestreiften Tracht . . . die biederen Traunviertler« – aber da kam plötzlich Leben in seine Grabesstimme, schreckhaft aufkreischendes Leben: »Haltaus! Des san ja die Waldviertler!!« Und man meinte ihn leibhaftig vor sich zu sehen, den dumpfen Troglodyten, wie er erleichtert aufatmete, weil die Berichtigung des katastrophalen Irrtums ihm noch ganz knapp geglückt war.

In jenen Jahren, da der Rundfunk populär zu werden begann, entdeckte Kuh als erster die unfreiwillig komischen Seiten des immer noch neuen Massenmediums und hielt sie in parodistischen Szenen fest. Besonders die damals in Schwung kommenden Hörspiele älplerischen Gepräges hatten es ihm angetan. Schon die Ansage des Personenverzeichnisses erbitterte ihn, weil sie dem Hörer keine Möglichkeit gab, zwischen den Rollen und ihren Darstellern zu unterscheiden:

»Achtung. Hier Radio Wien. Wir bringen Ihnen jetzt ›Das Nullerl‹, Volksstück mit Gesangseinlagen in drei Akten. Besetzung: Alois Schwendner – Anton Geschweidl. Amalia Hermetslechner – Eusebia Habetswallner. Karl Novak – Franz Holetschek. Bimpfl – Dampfl ...« Kuh behauptete, einmal noch während der Ansage im Rundfunk angerufen und mit dem Verzweiflungsschrei »*Wer* spielt *wen?!*« um Auskunft gebeten zu haben, die ihm jedoch verweigert worden sei.

Auf weitere Beispiele dieses Radio-Cabarets, das er mit nimmermüder Erfindungskraft am Kaffeehaustisch produzierte, muß leider verzichtet werde. Der Wirkungsverlust, den sie im Druck erleiden würden, wäre gar zu groß.

Er droht, wie ich fürchte, auch zahllosen anderen seiner Aperçus, die ihre Wirkung aus der Gunst des Augenblicks bezogen, aus einer bestimmten, von Kuh schlagfertig wahrgenommenen Situation. Den Ausruf etwa, mit dem er sich entschloß, nach Amerika zu emigrieren – »Schnorrer kann man überall brauchen!« –, wird man nur dann vollauf zu würdigen wissen, wenn man sowohl Anton Kuh als auch die Umstände kennt, die diesen Ausruf begleitet haben.

Mit der von ironischem Selbstmitleid getragenen Bilanz seines Pariser Zwischenaufenthalts: »Früher war ich der Kuh aus Wien, jetzt bin ich der Kuh de Paris« verhält es sich ähnlich und sogar schlimmer, weil im Druck das phonetische Wortspiel flötengeht, das auf dem Gleichklang des französisch, als »Küh« auszusprechenden Namens mit dem »Cul de Paris« beruht. Außerdem werden viele Leser nicht mehr wissen, daß es sich beim »Cul de Paris« um eine Modeschöpfung des Fin de siècle handelt, dazu bestimmt, dem Hinterteil der Damen – für das Anton Kuh große Sympathien hegte – graziös hervorgehobene Geltung zu verschaffen.

Von prägnantestem Scharfblick zeugten seine physiognomischen Beobachtungen. Dem spitzbärtigen, sonderbar schrägen Gesicht Heinrich Manns sagte er nach, es wirke so, wie wenn man im Kino in der ersten Reihe sitzt. Und ein kunstvoll idealisierendes Profilbildnis von Stefan George brachte er auf die Formel: »Er sieht aus wie eine alte Frau, die wie ein alter Mann aussieht.«

Dann und wann konnte es sogar geschehen, daß sein Esprit sich auch in gedruckter Form voll entfaltete. Ich denke mit Neid und Vergnügen an seine Besprechung eines neu erschienenen Buchs von Albert Ehrenstein zurück, den er schon als Lyriker wiederholt gestichelt hatte (z. B. mit dem Schüttelreim: »Hoch schätzt man Albert Ehrensteinen – Nur seine Verse stören einen«) und der ihn jetzt auch mittels Prosa provozierte, vor allem durch den anspruchsvollen Titel der Neuerscheinung: »Briefe an Gott«. Kuh kleidete seine Kritik in die Form eines Briefs von Gott an Albert Ehrenstein und ließ ihn wissen, daß er, Gott, die Annahme der an ihn gerichteten Briefe verweigere, weil er ihm, Ehrenstein, keinen Korrespondenzpartner abzugeben wünsche. War das schon witzig genug, so steigerte sich's noch in dem Postscriptum, daß Gott seinem Brief anfügte: »Wenn Sie den Werfel sehen, sagen Sie ihm, er soll meinen Sohn in Ruh' lassen.«

Unter denen, die Anton Kuh geringschätzte (und die er's merken ließ), befanden sich nicht nur Franz Werfel und Albert Ehrenstein, es befanden sich fast sämtliche seiner Zeitgenossen darunter und – wie bereits angekündigt – auch Egon Erwin Kisch.

Mit dem Spürsinn, der ihn zu einem großen Reporter machte, hatte Kisch die »goldenen zwanziger Jahre« vorausgeahnt, hatte sich lang vor den meisten seiner Kollegen aus der österreichischen Schreiberzunft in Berlin angesiedelt und war, als die anderen nachkamen, bereits voll akklimatisiert. Er bediente sich nur noch der im Norden Deutschlands üblichen Ausdrucksweise (den Akzent verwehrte ihm sein unaustilgbar pragerisch-jüdischer Tonfall), er sagte »Kissen« statt (wie einst zu Hause) »Polster«, er sagte »Schrank« statt »Kasten«, er »war« nicht mehr, sondern »hatte« gesessen oder gestanden, und eines Tags im »Romanischen Café«, behaglich in seinen Stuhl (statt Sessel) zurückgelehnt, ließ er die Bemerkung fallen, daß er am kommenden Sonnabend einen Vortrag halten würde.

Da wandte sich Anton Kuh mit mahnend erhobenem Zeigefinger an ihn:

»Kisch – ich erinnere mich an eine Zeit, in der Sie noch nicht einmal Samstag gesagt haben . . .« (Er bezog sich damit, wissentlich oder nicht, auf jene Zeit, die den jungen Kisch das »Café zum Schabbesgoj« frequentieren sah – mit welch trübem Ergebnis, ist uns noch aus dem vorhin herangezogenen »Exkurs« erinnerlich.)

Die Chronistenpflicht wird mir gebieten, noch diese oder jene Anekdote aufzuzeichnen, die für Egon Erwin Kisch nicht eben schmeichelhaft ist. Ich möchte damit dem freundlichen Andenken, das ihm gebührt, keinen Abbruch tun. Er war ein liebenswerter Mensch, gutartig bis zur Naivität und von einer so offen sich einbekennenden Eitelkeit, daß sie eher rührend als ärgerlich wirkte. Auf einen Platz in den höheren Rängen der Literatur schien er keinen Wert zu legen oder tat doch so, als hielte er die Bezeichnungen »Journalist« und »Reporter« für Ehrentitel; was nichts daran ändert, daß einige seiner frühen Geschichten, zumal die in Prag spielenden, eine rare Mischung von Humor und Poesie aufweisen (mit der sein Stilvermögen allerdings nicht immer Schritt hielt). Ich habe ihn nicht gut genug gekannt, um zu beurteilen, ob er besonders gescheit war. Aber von der unprätentiös kameradschaftlichen Art seiner Menschenbehandlung ging große Wärme aus, und ich bin niemals den Verdacht losgeworden, daß es ihm mit seinem Kommunismus nicht wirklich ernst war. Vielleicht wollte er – aus einem im Grunde bürgerlichen Begriff von »Anständigkeit« – an einer einmal getroffenen Gesinnungswahl festhalten, vielleicht glaubte er tatsächlich an die Verheißung einer besseren Zukunft. Ihm selbst ist sie nicht zuteil geworden. Die kommunistischen Machthaber in Prag haben ihm nach seiner Rückkehr aus der Emigration einen schäbigen, dank- und ruhmlosen Lebensabend bereitet, ja es könnte – ganz im Sinne der Tante Jolesch – »noch ein Glück« gewesen sein, daß sie ihn wenigstens in Ruhe ließen.

Lang vorher kursierte im »Prager Tagblatt« eine Kisch-Anekdote, die erbaulichen Aufschluß über seine Eitelkeit gibt. Anläßlich seines 50. Geburtstags wollte man ihm – dem zwar die meisten Redaktionsmitglieder freundschaftlich zugetan waren, nicht aber das Blatt als solches – ein ausnahmsweise uneingeschränktes Lob zollen, jenseits aller politischen und journalistischen Meinungsverschiedenheiten und unter möglichst weitgehender Berücksichtigung seiner notorisch hohen Ansprüche. Es wurde also ein Huldigungsartikel verfaßt, der von Superlativen nur so strotzte und sich bis zu dem Gipfel verstieg, Egon Erwin Kisch den »Homer der Reportage« zu nennen. Höher, so glaubte man, ging's nicht mehr.

Es war ein Irrglaube. Wenige Stunden nach Erscheinen des Artikels kam Kisch in die Redaktion gestürmt, direkt ins Zimmer des von Jugend auf mit ihm befreundeten Chefs vom Dienst (wo sich immer auch ein paar andere Redakteure aufhielten) und knallte sein Exemplar des »Prager Tagblatts« wütend auf den Tisch:

»Also bitte!« schnaubte er. »Das sind meine Freunde! Vergleichen mich mit einem blinden Goj, von dem man nicht einmal weiß, ob er gelebt hat . . .«

Zwei kleine Illustrationen zu meiner Vermutung, daß sein politisches Credo, wie unerschütterlich er's nach außen hin auch zur Schau trug, sich nicht unbedingt mit seiner Haltung deckte:

Da war, erstens, ein sozusagen privates Credo, das er mir einmal in vertrautem, schon ganz leicht weinseligem Gespräch eröffnete (und das im übrigen eine unter seines- und meinesgleichen häufig anzutreffende Konstellation bloßlegt). Wir sprachen – es geschah in Paris, kurz vor Kriegsausbruch – über die täglich wachsende Unsicherheit unseres Emigrantendaseins, und wie das denn weitergehen solle, und ob man sich noch auf irgend etwas oder irgendwen verlassen könne.

»Weißt du«, sagte Kisch, »mir kann eigentlich nichts passieren. Ich bin ein Deutscher. Ich bin ein Tscheche. Ich bin ein Jud. Ich bin aus einem guten Haus. Ich bin Kommunist . . . *Etwas* davon hilft mir immer.«*

---

* Da in den mangelhaft regulierten Fluß dieser Aufzeichnungen nun schon soviel Autobiographisches eingesickert ist, nehme ich die Gelegenheit wahr, um den obigen Ausspruch abzuwandeln und auf mich umzumünzen, wobei ich vor allem an meine

Und da war, zweitens, seine Reaktion auf meinen unter ähnlichen Umständen unternommenen Versuch, ihm eine Äußerung zum Stalin-Hitler-Pakt zu entlocken. Er weigerte sich. Er wehrte starrköpfig ab. Er habe die Tatsachen zur Kenntnis genommen, und Schluß.

»Aber um Himmels willen – da mußt dir doch etwas dabei gedacht haben?«

»Für mich denkt Stalin«, sagte er.

(Die Replik eines bedeutenden Zeitgenossen auf diese Äußerung Kischs wird in einem späteren Zusammenhang noch registriert werden).

Bei aller echten oder vorgetäuschten Geringschätzung des kapitalistischen Literaturbetriebs lag ihm doch sehr an der Gunst und Anerkennung einiger Stars dieses Betriebs, die er schätzte oder mindestens respektierte. Mit ganz besonderer Vehemenz umbuhlte er Alfred Polgar, kam jedoch nie über die kühle Distanz hinweg, die Polgar ihm gegenüber wahrte (er betrieb diese Wahrung auch sonst mit höchster Meisterschaft). Um sich augenfällig als Polgar-Verehrer zu legitimieren, ging Kisch so weit, ein neu erschienenes Buch Alfred Polgars käuflich zu erwerben und es ihm mit der Bitte um eine persönliche Widmung vorzulegen. Das bekam ihm nicht gut. Die Widmung lautete:

»Egon Erwin Kisch, dem mutigen Stilisten und feinsinnigen Revolutionär.«

Kein Wunder, daß die schon zuvor eher einseitige Beziehung sich daraufhin noch weiter abkühlte – ohne daß Kisch von der Hoffnung, sie vielleicht doch einmal zu intensivieren, gänzlich abgelassen hätte. Als Polgar und Egon Friedell einmal im »Romanischen Café« saßen, warf Kisch sehnsüchtige Blicke nach den beiden, traute sich aber erst nach Polgars Abgang an den Tisch.

»Ich wollte nicht stören«, begann er. »Wahrscheinlich hat Pol-

---

Erfahrungen mit dem bundesdeutschen Buchhandel denke, ja überhaupt an die Lage, in der ich mich der deutschen Literatur gegenüber befinde: Ich bin ein Jud. Ich lebe in Österreich. Ich war in der Emigration. Ich hab was gegen Brecht . . . *Etwas* davon schadet mir immer.

gar wieder sehr schlecht über mich gesprochen«, fuhr er fort, insgeheim ein Dementi erwartend. Und wirklich:

»Nein, nein«, widersprach Friedell. »Im Gegenteil. Er hat gesagt: ›Das ist doch reizend vom Kisch, daß er sich nicht zu uns setzt.‹«

Ob es tatsächlich Polgar war, der diese Bosheit von sich gegeben hatte, oder ob sie ihm von Friedell in zweifach boshafter Absicht zugeschrieben wurde – jedenfalls ist Egon Erwin Kisch, wie schon in der vorangegangenen Geschichte, zur undankbaren Rolle eines passiven Helden verurteilt – hier zum Objekt einer der vielen Anekdoten, die bereits unter der Chiffre »Friedell« zu verbuchen wären.

Bleiben wir gleich bei Egon Friedell in Berlin. Es dürften die späten zwanziger Jahre gewesen sein, als er dort im Eröffnungsprogramm eines neugegründeten literarischen Cabarets auftrat. Ich habe ihn noch in dem von Fritz Grünbaum geleiteten Wiener »Simplicissimus« seine berühmten Altenberg-Anekdoten vortragen hören und kann somit aus eigener Wahrnehmung versichern, daß er die Originalität seines Witzes und seiner Persönlichkeit auch auf dem Cabaret vollgültig einzusetzen wußte. Die Berliner Kritik war jedoch andrer Meinung und verriß ihn so unbarmherzig, wie's ihm noch nie widerfahren war. Auf einen dieser Verrisse, der ihn u. a. einen »versoffenen Münchner Dilettanten« nannte, reagierte Friedell mit einem offenen Brief ungefähr folgenden Inhalts:

»Es stört mich nicht, als Dilettant bezeichnet zu werden. Dilettantismus und ehrliche Kunstbemühung schließen einander nicht aus. Auch leugne ich keineswegs, daß ich dem Alkoholgenuß zugetan bin, und wenn man mir daraus einen Strick drehen will, muß ich's hinnehmen. Aber das Wort ›Münchner‹ wird ein gerichtliches Nachspiel haben!«

In diesem Brief steckt der ganze Friedell, steckt sein Sarkasmus, seine Bereitschaft zur Selbstironie mitsamt der daraus resultierenden Überlegenheit, seine Freude an pointierten Auseinandersetzungen, seine Freude am Dasein überhaupt. Er war – man muß sich das immer wieder vergegenwärtigen – von einer schier unglaublichen Vielseitigkeit, er war ein durchaus ernstzunehmender Kulturphilosoph und ein brillanter Essayist, ein Liebhaber und Kenner des Theaters, für das er auch geschrieben und auf dem er sich als Schauspieler betätigt hat, er konnte mit seinen kabarettistischen Improvisationen, die denen eines Anton Kuh um nichts nachstanden, den mieselsüchtigsten Menschen zum Lachen bringen, aber er konnte (zum Unterschied von Kuh, der keinem andern eine Pointe gönnte) auch selber lachen, unbändig und von Herzen. Das ist, im übrigen, eine meiner wenigen persönlichen Erinnerungen an ihn; ich bin ihm nur zwei- oder dreimal begegnet, einmal davon in Prag, wo er im Anschluß an seinen Besuch im »Prager Tagblatt« mit der von Rudi Thomas angeführten Schar einen ausführlichen Nachtbummel unternahm. Es war Winter. Wir zogen durch tiefverschneite Straßen von Lokal zu Lokal, auf jeder Etappe wurden irgendwelche Geschichten erzählt, und eine dieser Geschichten – wovon sie gehandelt und wer sie erzählt hat, tut nichts zur Sache – erregte Friedells Heiterkeit in so gewaltigem Maß, daß er stehenbleiben mußte, nach Luft zu schnappen begann und sich schließlich, immer noch von dröhnendem Lachen geschüttelt, in den Schnee fallen ließ. Es bedurfte größter Anstrengung insgesamt dreier Helfer, um seinen massigen Körper wieder hochzustützen. (Als er ein paar Jahre später, im März 1938, durchs Fenster seiner Wohnung die SA-Leute herankommen sah, die ihn abholen wollten, warf er sich auf die Straße und stieß noch im Fallen einen Warnungsruf aus, damit kein Passant zu Schaden käme. Seine Freunde hatten ihn vergebens zur Flucht gedrängt. Er wußte, was ihm bevorstand, aber er besaß keine Entschlußkraft mehr. Apathie und Weltekel hatten den »lachenden Philosophen« zermürbt.)

Eine zweite Erinnerung an ihn ist mir um 1930 auf indirektem Weg vermittelt worden, durch den damaligen Leiter des Münchner Piper-Verlags, Dr. Freund, der zu Verhandlungen mit Friedell nach Wien gekommen war. Dieser Dr. Freund, ein eleganter, durch und durch schöngeistiger, geradezu exzessiv kultivierter Herr, verkörperte einen Typ, den wir »Déjeuner-Snob« nannten, das ist einer, der französische Lebensart mit englischer Formenstrenge zu verschmelzen strebt – und dergleichen konnte Friedell nicht ausstehen. Dennoch ist es keineswegs sicher, daß die Einladung, die er an Dr. Freund auf dessen telephonischen Anruf hin ergehen ließ, mit Hintergedanken verbunden war:

»Wollen Sie morgen das Frühstück bei mir nehmen, lieber Doktor Freund?« fragte er.

»Mit Vergnügen«, sagte Dr. Freund. »Wann darf ich kommen?«

»Paßt Ihnen halb eins?«

»Selbstverständlich.«

Am folgenden Tag um halb eins erschien Dr. Freund, wurde von Friedell, einem notorischen Nachtarbeiter und Spätaufsteher, im Schlafrock empfangen und ins Wohnzimmer geleitet, wo die Wirtschafterin schon alles vorbereitet hatte: Kaffee, Milch, Weißgebäck, Butter und Marmelade – also ganz richtig das, was man in Wien unter einem Frühstück versteht. Und zum Frühstück war Dr. Freund ja eingeladen.

Es ehrt seinen Sinn für Humor, daß er dieses Erlebnis nicht bei sich behalten hat.

Friedells Abneigung gegen Snobismen jeder Art bekundete sich auch anläßlich eines der berühmten Empfänge, die Max Reinhardt während der Salzburger Festspielsommer auf Schloß Leopoldskron zu veranstalten liebte. An einem besonders pompös aufgezogenen Festabend waren auf der Zufahrt und vor dem großen Eingangsportal livrierte Fackelträger postiert.

»Was ist los?« fragte Friedell. »Kurzschluß?«

Eine andre Salzburger Geschichte spielt in einem von Friedell frequentierten Gasthaus, das im Ruf stand, die besten Salzburger Nockerln zu servieren. Von dieser Spezialität, deren Zubereitung äußerste Sorgfalt verlangt, zeigte sich ein deutsches Ehepaar so begeistert, daß es um Mitteilung des Rezeptes bat. Der Wirt, altem Brauchtum folgend, weigerte sich zuerst, gab aber schließlich nach und setzte sich an den Tisch des Ehepaars, um dessen weiblichem Teil das kostbare Rezept zu diktieren, Punkt für Punkt, langsam und bedächtig, mit genauen Zeitangaben und sämtlichen Ingredienzien. Als er fertig war, las ihm die gründliche deutsche Dame das Ganze nochmals vor und wollte ausdrücklich hören, daß sie alles richtig notiert hätte.

Alles, bestätigte der Wirt.

Ob wirklich nichts fehle?

Nein, nichts.

Kaum war der Wirt gegangen, wandte sich vom Nebentisch her Egon Friedell an die Wißbegierige:

»Verzeihung, gnädige Frau – Sie haben *nicht* alles.«

»Nicht? Was fehlt mir denn noch?«

»Sechshundert Jahre Habsburg«, sagte Friedell.

In ihrem Sommerhaus am Grundlsee im steirischen Salzkammergut versammelte die von Leo Perutz so unhöflich behandelte Pädagogin Eugenie Schwarzwald alljährlich während der Ferienzeit eine wechselnde Anzahl möglichst prominenter Gäste, unter denen sich eines Sommers auch der späterhin allseits geschätzte Seelenarzt Dr. B. befand. Damals, eben erst mit den psychoanalytischen Weihen versehen, lauerte er auf jede Chance, sein Fachwissen anzuwenden.

Man saß beim Jausenkaffee und sprach über Sexualsymbole im Alltag. Auf dem Tisch stand ein Korb mit frischem Gebäck. Dr. B. deutete auf ein sogenanntes »Baunzerl«, eine zweiteilige, in der Mitte eingebuchtete Form, und stellte apodiktisch fest, daß dieses Gebäckstück ganz unverkennbar den weiblichen Geschlechtsteil symbolisiere.

Friedell beugte sich zu kurzer Kontrolle vor und schüttelte den Kopf:

»Dem Reinen ist alles rein«, sagte er. »Für mich ist das ein Kinderpopo.«

Ein andresmal kam die Rede auf die schwere Zeit nach dem Ersten Weltkrieg, auf die damaligen Nöte des Volks von Wien, auf seine Heimsuchung durch Kälte und Hunger. Jemand gedachte eines tragischen Falles, der in jenem Nachkriegswinter großes Aufsehen erregt hatte:

Mehrere Bewohner eines Mietshauses waren an gleichartigen

Vergiftungserscheinungen erkrankt. Als Ursache wurde der Genuß von verdorbenem Fleisch ermittelt. Sie hatten es aus einem Mülleimer herausgeholt. Weitere Untersuchungen ergaben, daß es sich um Menschenfleisch handelte. Und damit nicht genug: wie sich nach und nach herausstellte, war das Fleisch eines Kindes gegessen worden, und zwar eines lustgemordeten Kindes.

Das einigermaßen gepeinigte Schweigen, das sich über die Zuhörer legte, brach Friedell mit dem entschlossenen Fazit:

»Also *mehr* kann man ein Kind wirklich nicht ausnützen!«

Über einen korrupten Journalisten sagte Friedell: »Er nimmt so kleine Beträge, daß es praktisch an Unbestechlichkeit grenzt.« Der Ausspruch machte die Runde und trug ihm die Bewunderung eines Mannes ein, dessen politische Haltung um jene Zeit nicht unbedingt darauf abzielte, Juden zu bewundern: es war der Chefredakteur der christlichsozialen »Reichspost«, Dr. Friedrich Funder, der nach 1945 mit Recht als eine der großen, respektgebietenden Figuren des wiedererstandenen Österreich angesehen wurde und in der von ihm gegründeten Wochenzeitung »Die Furche« für hohes journalistisches Niveau sorgte. Damals freilich, in der Zwischenkriegszeit, ließen ihn seine autoritären wie seine antisemitischen Neigungen nicht just als Musterdemokraten erscheinen, und da er seine Bewunderung für Friedell offenbar als Schwäche empfand, suchte er sich durch gelegentliche Sticheleien Luft zu machen. Man darf sie ihm um so leichter nachsehen, als ihnen zwei witzige Repliken Friedells zu verdanken sind.

Friedells Bruder Oskar hatte den als jüdisch geltenden Familiennamen Friedmann beibehalten, was Dr. Funder ausnützte, um Friedell wie folgt zu apostrophieren:

»Doktor Friedell, ich war gestern bei Ihrem Bruder eingeladen – der heißt aber Friedmann?«

Friedell zuckte die Achseln:

»Tja – ich weiß auch nicht, wozu er das macht.«

Und als im »Theater in der Josefstadt« die Tragödie »Armut« von Anton Wildgans mit Friedell in der Rolle eines jüdischen Hausierers vorbereitet wurde, gab Dr. Funder sich abermals naiv:

»Was höre ich, Doktor Friedell – sie spielen einen Juden?
»Ein Schauspieler«, belehrte ihn Friedell, »muß *alles* können.«
Und wie wir wissen, konnte Egon Friedell vielleicht als Schauspieler nicht alles, aber sonst sehr, sehr viel.

*

Aus seiner langjährigen Freundschaft mit Alfred Polgar ist manch eine Anekdote und manch ein gemeinsames Produkt hervorgegangen, als bestbekanntes der Einakter »Goethe«, eine Bildungsparodie von unerverwüstlichem Witz. Hingegen ist weniger bekannt, daß Friedells schon in anderen Quellen nachgewiesene Danksagung an seine Geburtagsgratulanten – eine gedruckte Karte mit dem Text: »Von allen Glückwünschen zu meinem 50. Geburtstag hat mich der Ihre am meisten gefreut: – die Paraphrase einer von Polgar aus gleichem Anlaß verschickten Drucksache darstellt: »Sehr wohl imstande, für jeden der mir zugegangenen Geburtstagswünsche eigens zu danken, ziehe ich es dennoch vor, das auf diesem Wege zu tun.«

Alfred Polgar hat seinen Freund Friedell um siebzehn Jahre überlebt, um siebzehn keineswegs beneidenswerte, von Emigration und Flucht und Krieg überschattete Jahre, die ihn zuerst nach Frankreich und dann nach Portugal und schließlich in die Vereinigten Staaten getrieben hatten. Ich bin ihm auf den Stationen dieses Schicksalswegs oft und oft begegnet, manchmal nur in den kargen Pausen unsrer Hetzjagd um Stempel und Visa und Aufenthaltsbewilligungen, später dann, während des amerikanischen Exils, in der Pseudo-Geborgenheit halb notgedrungener, halb freiwilliger Enklaven, die fast wieder so etwas wie Sammlung und Gespräch erlaubten, fast wieder mit der Atmosphäre von ehedem uns anheimelten, mochte auch draußen und ringsumher, kaum daß man sie verließ, eine urfremde Welt sich auftun, Hollywood oder New York genannt, und was sollte uns das, was hatten wir hier zu suchen. »Hollywood«, befand Polgar, »ist ein Paradies, über dessen Eingangstor die Worte stehen: Ihr, die ihr hier eintretet, laßt alle Hoffnung fahren.« Es war die geistreichste unter den vielen Formulierungen, die den Zustand der Emigration zu definieren versuchten (die kürzeste stammte von Annette Kolb, als Antwort auf die Frage, wie sie sich in Amerika fühlte: »Dankbar und unglücklich«, antwortete sie). Und es war gut und tröstlich, einen Alfred Polgar zu haben, der sich die Goldschmiedekunst eleganter Formulierungen angelegen sein ließ, unverdrossen und hingebungsvoll, als könnte er sich und allen, die solches noch wußten und wollten, wenigstens den Verbleib in der Sprachheimat sichern.

Vielleicht finde ich keine bessere Gelegenheit mehr, und deshalb sage ich's jetzt und hier: ich bin stolz auf die Zuneigung, die Alfred Polgar mir entgegengebracht hat und an der er sich, wiewohl empfindlichst auf Exklusivität bedacht, nicht einmal dann beirren ließ, als er sich zum deutlichen Vorbild meiner theaterkritischen Bemühungen gemacht sah. Es könnte auch ins Gewicht gefallen sein, daß diese Zuneigung gewissermaßen unter der Schirmherrschaft von Karl Kraus entstanden war, der sich ja gleichfalls aufs toleranteste damit abfand, mich beeinflußt zu haben. (Wie sehr Polgar selbst unter dem Einfluß des großen Sprachmeisters stand, habe ich schon aus einem andern, früher gegebenen Anlaß verbucht: kurz nachdem Karl Kraus gestorben war, wurde Polgar von unsrer gemeinsamen Freundin Gina Kaus bei einer Sprachschlamperei erwischt und scherzhaft zur Rede gestellt; er flüchtete in eine ebenso scherzhafte Bagatellisierung: »Ach was«, sagte er. »Jetzt, wo der Kraus tot ist . . .«)

Auch nach seiner Rückkehr aus der Emigration – war's wirklich eine Rückkehr? – hielten wir ständigen Kontakt. Und wenn er aus Zürich, wo er domizilierte, nach Wien zu Besuch kam, brachte er manchmal einen Beitrag für das »FORVM« mit, das ich zwölf Jahre lang, von 1954 bis 1965, herausgegeben habe. Als er wieder einmal abreiste, begleitete ich ihn zum Bahnhof und wollte wissen, wie es ihm nun eigentlich in Wien gefallen habe.

»Ich muß über diese Stadt ein vernichtendes Urteil abgeben«, sagte Polgar. »Wien bleibt Wien.«

Bald darauf schickte er mir eines seiner unvergleichlichen Theaterfeuilletons zur Veröffentlichung im *»FORVM«*. Es war das letzte, das er überhaupt geschrieben hat. Er starb im Alter von

83 Jahren. Die Todesnachricht rief mir einen Abend ins Gedächtnis zurück, den wir in New York mit einigen Freunden verbracht hatten und in den plötzlich jemand mit der Meldung hereinplatzte, daß ein hochbetagtes Mitglied der europäischen Künstlerkolonie schwer erkrankt sei, besorgniserregend schwer. Die Besorgnis griff denn auch prompt um sich und lagerte lähmend im Raum – bis Alfred Polgar sie beschwichtigte:

»Nur keine Angst. Der ist schon über das Alter hinaus, in dem man stirbt.«

Epilog

Rätselhafterweise gibt es im Deutschen eine Reihe von Negativ-Adverben – »unwirsch«, »ungestüm«, »unflächtig« –, zu denen sich kein Gegenteil bilden läßt. In diese Reihe gehört auch »unversehens«, und das ist schade. Sonst könnte ich nämlich sagen, daß ich mit meinen abschließenden Reminiszenzen an Alfred Polgar – andere finden sich aufgesplittert in früheren Kapiteln – versehens in die Emigrationszeit geraten bin. Das will bedeuten: ich habe nicht darauf hingearbeitet, aber es hat sich auch nicht ganz ohne Absicht so ergeben. War doch schon im Geleitwort vermerkt, daß die letzten Auswirkungen jenes untergegangenen Lebensstils, der hier zur Darstellung stand, sich noch in die Emigration hinein fortgesetzt und erst den eigentlichen Vollzug des Untergangs besiegelt haben. Und da ich davon ausgegangen bin, daß jener Lebensstil mit allem, was dazugehört, also auch mit dem Vollzug seines Untergangs, in keiner andern Form so schlüssig zu erfassen ist wie in der anekdotischen, müßte ich's mir als Versäumnis ankreiden, wenn ich zur restlosen Komplettierung jetzt nicht die Anekdoten der Emigrationszeit heranzöge.

Die Anekdoten? Welche? Es gibt zahllose. Ein Kundiger könnte den jeweiligen Ort ihrer Handlung bestimmen, würde fast einer jeden von ihnen anmerken, ob sie in Zürich spielt oder in London, in Paris oder Stockholm, in Hollywood oder New York, in Lateinamerika oder Australien oder im entlegenen Kenya gar, denn auch dorthin hatte es etliche verschlagen, und einer von ihnen sandte aus Nairobi einen Brief an seinen in Shanghai gelandeten Freund und schrieb: »Natürlich gibt es hier kein Kaffeehaus, aber auf dem Hauptplatz, an einer Straßenecke, wo eigentlich ein Kaffeehaus sein müßte, treffen sich immer am Nachmittag die wenigen Emigranten, die hier leben, und tauschen Neuigkeiten aus.« Das schrieb er. Aus Nairobi nach Shanghai. Und der reiche Kaufherr Blumenfeld aus Brünn nahm in Buenos Aires, als der Krieg vorüber war, eine Landkarte zur Hand, um festzustellen, wie viele seiner Auslandsniederlassungen ihm noch verblieben wären, und entdeckte nur eine einzige, in Saigon, und machte sich auf und fuhr hin und fand zu seiner Freude ein intaktes Geschäft vor, mitsamt dem alten, aus Rußland stammenden Geschäftsführer, den er nach Absolvierung der großen Begrüßungsfreude zum Mittagessen einlud. Als sie das Gebäude verließen, rannte ein eiliger Passant in Herrn Blumenfeld hinein, und es war sein engerer Landsmann Heller, und die Begrüßungsfreude war womöglich noch größer. »Was machst du in Saigon?« fragte Blumenfeld, und Heller antwortete: »Was kann ein Brünner Jud in Indochina schon machen? Ein Wiener Restaurant!« Das traf sich gut und traf sich um so besser, als Blumenfeld seinem Geschäftsführer dortselbst mit einem exotischen Gericht namens Wiener Schnitzel aufwarten konnte. Der Alte fand es sichtlich schmackhaft, wischte sich hernach zufrieden die Speisereste aus dem weißen Schnauzbart und wandte sich in russisch getöntem Englisch an seinen aus Argentinien angereisten Brünner Gastgeber: »Mijstr Blumenfeld«, sagte er, »das war das beste Wiener Schnitzel, das ich seit Manila gegessen habe.« Denn auch ihn hatte es auf dem Erdball etwas weiter herumgetrieben als ursprünglich vorgesehen.

So polyglott, so vielfach verzweigt, so kreuz und quer und durcheinander ist es in der Emigration zugegangen, so ausgedehnt war der Bereich, dem ihre Anekdoten entkeimten. Sie alle wären unschwer auf den Tenor der hier unternommenen Darstellung abzustimmen, gleichgültig, ob sie echt oder erfunden sind, denn symptomatisch sind sie in jedem Fall. So etwa das in Paris kolportierte Gerücht über die Kaffeehäuser, in denen sich deutsche Emigranten – von den Franzosen »les chez-bei-uns« genannt, weil sie immer wieder bekanntgaben, daß bei ihnen in Deutschland alles viel besser gewesen wäre – zu lautstarkem Geplauder zusammenfanden; das Gerücht besagte, daß diese Kaffeehäuser große Tafeln mit der lockenden Aufschrift »On parle français« anzubringen planten. Oder der nur in London denkbare Stoßseufzer, den ein verbitterter Mitteleuropäer zum ständig niederschlagsbereiten

Himmel emporschickte: »Regnen – das können sie!« Oder die unsäglich traurige Geschichte von den beiden völlig heruntergekommenen Ex-Wienern in New York, die einen Spaziergang am Hudsonufer unternahmen, denn einen andern Luxus konnten sie sich nicht leisten. Nachdem sie eine halbe Stunde schweigend nebeneinanderher getrottet waren, hielt der eine im Gehen inne und wandte sich bittend an seinen Freund: »Borg mir einen Dollar«, sagte er. »Sei nicht kindisch«, kam müde und melancholisch die Antwort. »Wo soll ich einen Dollar hernehmen?« Wieder verging eine halbe Stunde, wieder blieb der erste stehen: »Gib mir eine Zigarette«, bat er. Und wieder konnte der andre nur den Kopf schütteln: »Wenn in meiner Tasche auch nur eine einzige Zigarette wäre, hätte ich sie schon längst in zwei Hälften geteilt, und wir hätten sie geraucht.« Noch hoffnungsloser als zuvor setzten sie ihren stummen Spaziergang fort – bis der eine abermals anhielt und eine letzte Bitte vorbrachte: »Weißt du was? Trag mich ein Stückel!«

Geschichten dieser Art, zuzüglich derer, die mit den mangelnden Sprachkenntnissen der Entwurzelten operieren, haben eines gemeinsam: sie sind, selbst wenn sie auf tatsächlich Erlebtem oder Erlauschtem beruhen, unpersönlich und bestenfalls mit örtlichen Quellenangaben zu belegen. Schon deshalb kann ich für sie nicht gutstehen, schon deshalb – nicht erst ihrer unabsehbaren Vielzahl wegen – muß ich auf sie verzichten. Ich bleibe wie zuvor bei solchen, die an eine bestimmte, mir bekannte Person gebunden sind, und wär's auch nur die meine. Außerdem und vorsichtshalber werde ich dem überreichen Material, das sich in jeder meiner Flucht- und Exilstationen angesammelt hat, immer nur wenige markante Proben entnehmen, wobei örtliche Quellenangaben von Nutzen, wenn auch nicht vonnöten sein mögen.

Eine der schönsten Erinnerungen an meine Zürcher Emigrationszeit verbindet sich mit dem lang vorher aus Prag zugewanderten Flickschuster Beran in der Hottingerstraße – wahrscheinlich der einzige Mensch auf Erden, der Schwyzerdütsch mit tschechischem Akzent gesprochen hat: »Griezi, griezi«, sagte er zur

Begrüßung, »Auf Wiedrgick«, sagte er zum Abschied, und wenn er zu politisieren begann, mußte man scharf aufpassen, um sich zwischen verstümmeltem Regionaldialekt und verstümmelten Eigennamen zurechtzufinden: »De Jamprlin is a dumme Chaib gsi, daß er am Heitler a Besuch g'macht hat.« Heitler ließ sich ja noch mühelos als Hitler identifizieren, aber in Jamprlin den britischen Premierminister Chamberlain zu entdecken, erforderte bereits eine gewisse Findigkeit. Es war ein Ohrenschmaus von einmaligem Reiz, und ich habe, um ihn genießen zu können, meinem Schuhwerk manch einen künstlichen Schaden zugefügt.

Aus Zürich stammt auch eine hintergründig-witzige Bemerkung Ödön von Horváths, den ich von Wien her kannte (und auf dessen »Geschichten aus dem Wienerwald« ich 1931 im Berliner »Querschnitt« eine miserable Parodie veröffentlicht habe). Die Bemerkung erfolgte im Gasthaus »Hinterer Sternen«, wo ab März 1938 die österreichischen Neu-Emigranten mit den bereits eingesessenen aus Deutschland zusammentrafen, im Beisein einiger freundwilliger Schweizer Kollegen und unter der unschätzbaren Patronanz der gütigen Mutter Niggl, gepriesen sei ihr Andenken, sie war die Traumgestalt einer Wirtin und hat die zahlungsunfähigen unter ihren Gästen oft monatelang über Wasser gehalten. Im »Hinteren Sternen« also wandte sich Horváth – übrigens kurz vor seiner fatalen Abreise nach Paris – an einen in Zürich beheimateten Freund:

»Bei euch hier ist alles so entsetzlich sauber«, sagte er. »Woher nehmt ihr eigentlich die Kultur?«

*

»Emigration« hat im Vergleich mit »Flucht« beinahe etwas Geruhsames an sich. Bot Zürich noch den Anschein einer möglichen Bleibe – Paris und Frankreich insgesamt ließen keinen Zweifel daran, daß Emigranten als Flüchtlinge nicht nur zu betrachten, sondern zu bezeichnen waren, als »Réfugiés«, und daß selbst diese Bezeichnung, die ja einem offiziellen Status gleichkam, erst erworben und beglaubigt sein wollte. Tagaus und tagein, mittels schriftlicher Gesuche und persönlicher Bittgänge, bemühte sich der Réfugié, irgendeines Papiers habhaft zu werden, das ihn als solchen legitimierte. An eine »Carte d'identité« wagte er kaum zu denken; schon mit einem zeitlich begrenzten »Permit de séjour« oder einem zu kurzfristigem Gebrauch ausgestellten »Titre de voyage« war er »en règle«, und sogar eine »Ordre de l'expulsion« gab ihm ein Dokument in die Hand, das immerhin einen amtlichen Stempel trug. »Heut hab ich die Ausweisung gekriegt«, berichtete ein lange erfolglos gebliebener Petent aufatmend seinen Freunden. »Jetzt kann ich endlich meine Familie nachkommen lassen!« Aber das gehört, fürchte ich, schon wieder zu jener Art von Geschichten, die ich als »unpersönlich« abqualifiziert habe.

Hingegen bin ich in der Lage, die folgende Anekdote auf Grund persönlicher Zeugenschaft wiederzugeben. Was mich in diese Lage versetzt hat, würde allerdings einen so komplizierten Vorbericht erfordern, daß ich auch im Interesse des Lesers um Dispens bitte. Ohnehin muß ich vorher noch auf ein Phänomen zu sprechen kommen, das aus jenen Jahren nicht wegzudenken ist und besonders zur Zeit des französischen Zusammenbruchs in geradezu unheimliche Erscheinung trat. Es war die Zeit, da die Massen der von Hitler Vertriebenen sich in einer zweiten, großen Fluchtwelle vor den anrückenden Nazi-Armeen zu retten suchten, ohne zu wissen wohin, nur weg, das Weitere würde sich finden. Und es fand sich. Wo immer man Rast machte auf dieser ziel- und atemlosen Flucht, wo immer in einer größeren Stadt die Flüchtlingsströme zu provisorischem Stau zusammentrafen, war schon ein Wissender da, der Auskunft gab, wie es weiterginge und was man tun müßte, um weiterzukommen. Diese Auskünfte – ähnlich wie die rasch improvisierten »Centres d'accueil«, die Ausspeisungsstellen und später dann die zumeist von jüdischer Seite ins Werk gesetzten Hilfsaktionen – machten keine konfessionellen Unterschiede, es profitierten von ihnen in gleicher Weise (wenn auch keineswegs in gleicher Anzahl) Christ und Jud, und ich würde durchaus begreifen, wenn Christ bei dieser Gelegenheit an die Existenz der Weisen von Zion geglaubt hätte. Denn es war völlig rätselhaft, woher jene Wissenden ihre ausnahmslos richtigen Informationen bezogen, wieso Herr Kohn, der erst am Dienstag in Bordeaux eingetroffen war, bereits am Mittwoch sämtliche Hotels angeben konnte, in denen man ohne polizeiliche Meldung für ein paar Tage Unterschlupf fand, oder aus welcher Geheimquelle ein andrer Herr Kohn erfahren hatte, daß der portugiesische Konsul in Bayonne zur Erteilung eines Einreisevisums eher bereit wäre als sein Kollege in Bordeaux. Und man konnte sich auf jeglichen Herrn Kohn verlassen. Er wußte, wovon er sprach. Aber wie kam sein Wissen zustande?

Ich darf mit Stolz sagen, daß ich einmal dabei war. Das geschah in Arcachon, der zu Bordeaux gehörigen Landspitze, auf der Terrasse eines Strandcafés, in tiefer, nachtschwarzer Dunkelheit, und da es obendrein einen Fliegeralarm gegeben hatte, wurde an den durchwegs von Réfugiés besetzten Tischen jener Caféterrasse nur flüsternd gesprochen. Ein einziger Tisch verschmähte es, sich an diese irrationale Schutzmaßnahme zu halten. Von dorther drang, klar hörbar überm nächtlichen Gewisper, eine satte, selbstsichere, leicht verfettete Stimme:

»Was man zuallererst braucht, ist eine Landungserlaubnis in Port au Prince. Kostet dreitausend Francs.«

»Interessant«, antwortete ein offenbar Interessierter. »Wo ist Port au Prince?«

»Port au Prince ist Haiti«, lautete die einigermaßen pauschalisierende Antwort.

Darauf vernahm man längere Zeit nichts.

Dann hörte man eine dritte Stimme fragen:

»Haiti? Ist dort schön?«

Und dann hörte man durch die Dunkelheit ganz deutlich zwei Ohrfeigen klatschen.

Am nächsten Tag war es ein allgemein akzeptierter Bestandteil emigrantischer Kenntnisse, daß für 3000 Francs eine Landungs- und Aufenthaltserlaubnis in Haiti zu haben sei, von deren Erlangung das portugiesische Einreisevisum abhinge, mit dem man das spanische Durchreisevisum bekäme, und dann wäre das französische Ausreisevisum nur noch eine Formalität.

Die Prozedur hat sich Zug um Zug bestätigt und als richtunggebend bewährt. Ob einer der vielen, die von ihr Gebrauch machten, jemals in Haiti gelandet ist, weiß ich nicht. Ich weiß nur, daß auch ich auf diesem Instanzenweg nach Portugal gelangt bin. Und daß ich dabei war, als er entdeckt wurde.

*

Der in Lissabon amtierende Herr Kohn hieß Kaufmann und wußte alles. Er wußte, welche der von Portugal aus erreichbaren Überseeländer die Einreisesperre erwogen, durch wessen Vermittlung noch ein Visum zu haben wäre, was es kostete und ob es etwas taugte, und er wußte, mit welchem der insgesamt fünf Konsuln, die auf dem amerikanischen Generalkonsulat über die Erteilung der Visa entschieden, man »menschlich reden« konnte und mit welchem nicht. Dies wußte Herr Kaufmann aus persönlicher Erfahrung, denn er war unglücklicherweise an den einen Konsul geraten, der sich eine Art sportlichen Vergnügens daraus machte, die sehnsüchtig wartenden und weinerlich bettelnden Visa-Petenten hinzuhalten und sie immer aufs neue zu sich zu bestellen (als man in Washington davon erfuhr, wurde er sofort abberufen). Herr Kaufmann ertrug die Sekkaturen des unguten Gesellen mit herausfordernder Geduld und brachte es sogar fertig, ihm einen besonders derb angelegten Triumph zu vergällen. Als nämlich jener die Frage des wieder einmal abschlägig beschiedenen Herrn Kaufmann, wann er das nächstemal kommen dürfe, mit der hämischen Auskunft: »Nächstes Jahr!« beantwortet hatte, brach der Abgefertigte keineswegs zusammen, sondern erkundigte sich ebenso prompt wie sachlich: »Vormittag oder nachmittag?« Seither war Herrn Kaufmanns reicher Wissensfundus um einen Faktor vermehr: er wußte, daß er auf sein amerikanisches Visum noch sehr, sehr lange würde warten müssen.

Herr Kaufmann wußte auch um die privaten Sorgen, Nöte und Eigenheiten derer, die seinen Rat suchten, registrierte jede beiläufig geäußerte Hoffnung, jede Klage und jeden Stoßseufzer, hatte längst gemerkt, daß ich die in Lissabon herrschende Hitze schlecht vertrug und ließ mir diese seine Erkenntnis hilfreich zugute kommen, als mir ein Visum nach Kuba angeboten wurde.

»Wann können Sie's haben?« wollte Herr Kaufmann wissen.

»In zwei Wochen.«

»Hm. Dann müssen Sie von jetzt an täglich um die Mittagszeit, sagen wir von zwölf bis eins, ohne Kopfbedeckung auf der baumlosen Seite der Avenida da Liberdade auf und ab gehen. Damit Sie sich an den Schatten in Kuba gewöhnen.«

Die Entscheidung gegen das Kuba-Visum war gefallen.

Ein andrer aus unserm Kreis hatte sich – ohne vorherige Erkundigung bei Herrn Kaufmann – ein Visum nach Shanghai andrehen lassen und legte es ihm zur Begutachtung vor. Herr Kaufmann warf einen prüfenden Blick auf das Blatt mit der Kolonne chinesischer Schriftzeichen und gab den Paß an seinen Inhaber zurück:

»Das können Sie höchstens addieren«, sagte er.

*

Es muß hier noch von Rudi Blau berichtet werden, dem Schöpfer eines eigenen Instanzenwegs. Rudi Blau, zum Zeitpunkt der Handlung an die Sechzig, war in seiner Jugend ein begehrter Gast auf Wiens gesellschaftlichen Veranstaltungen, ein ausgezeichneter Tänzer und charmanter Plauderer, der witzige Geschichten erzählen und zu eigener Klavierbegleitung eigene Couplets vortragen konnte – er repräsentierte, kurzum, den seither längst ausgestorbenen Typ des »Salonlöwen« und repräsentierte ihn auf so sympathische, unaufdringliche Art, daß er auch dort, wo man für diesen Typ rein gar nichts übrig hatte, also in den Kreisen der Intellektual-Boheme, stets gerne gesehen war. Ich kannte ihn nur flüchtig, aber doch gut genug, um die Geschichte seiner etappen- und hindernisreichen Flucht von ihm selbst erzählt zu bekommen.

Sie begann in Paris, als die deutschen Truppen immer näher heranrückten und jeder, der irgend konnte, die Stadt verließ. Rudi Blau konnte nicht. Er besaß kein einziges der zum Zweck der Bewegungsfreiheit nötigen Dokumente, und in der damals herrschenden Panikstimmung ohne ein solches angetroffen zu werden war lebensgefährlich. Es sah schlecht aus für Rudi Blau. Trübselig begann er in seinen Habseligkeiten zu kramen und fand ein aus besseren unhysterischen Zeiten stammendes »Permit de transfer« von Calais nach Dover und zurück, längst abgelaufen und aus purer Schlamperei nicht weggeworfen. Unter normalen Umständen ein völlig unbrauchbares Stück Papier, stellte es unter den jetzigen zumindest einen Ansatzpunkt dar. Wenn ich mir auf dieses Papier einen Stempel verschaffen kann, so sagte sich Rudi Blau, irgendeinen jetzt datierten Amtsstempel, dann wäre das Dokument neu belebt und vielleicht ausbaufähig. Er faltete es zu sorgfältig berechneter Größe, fügte ein Blatt von gleichem Format hinzu, unterklebte das Ganze und ließ es in rotes Safianleder mit der goldgeprägten Aufschrift »Titre de Voyage« binden, womit er sich im übrigen keiner Dokumentenfälschung schuldig machte, da »Titre de Voyage« nicht nur im amtlichen, sondern auch im gewöhnlichen Sprachgebrauch ganz einfach ein Reisedokument bezeichnet – und das war es ja ohne Zweifel, allerdings auch noch ohne Gültigkeit. Diese wurde ihm tatsächlich zuteil, als Rudi Blau auf der Mairie eines Pariser Randbezirks einen verschlafenen Beamten aufstöberte, der keinen Anstand nahm, den zahlreichen alten Stempeln des eindrucksvoll gebundenen Reisepapiers einen neuen anzufügen. Damit war in den bürokratischen Wall eine erste Bresche geschlagen, die nächsten schlossen sich beinahe selbsttätig an, und Rudi Blau kam mit seinem »Titre de Voyage« bis nach Madrid.

Daß er sich in Madrid zu einem unfreiwilligen Aufenthalt gezwungen sah, lag keineswegs an seinem fragwürdigen Ausweis, sondern an seiner für spanische Verhältnisse gleichfalls fragwürdigen Konfession. Nicht als wären die jüdischen Flüchtlinge diskriminiert worden – sie hatten nur keinen Anspruch auf die (einzig wirksame) Fürsorge der mächtigen Ordensgesellschaften Spaniens, die den katholischen Flüchtlingen zur Seite standen und ihnen auf kürzestem Weg nach Lateinamerika weiterhalfen. Einem jüdischen Flüchtling wurde diese sehnlich erwünschte Hilfe nur dann zuteil, wenn er zum Katholizismus konvertierte – keine besonders saubere Art, Proselyten zu machen, aber wer fragte dort und damals schon nach Sauberkeit. Man fragte nach Fluchtwegen und Einreisevisa, und als er sah, daß es für ihn keine andre Möglichkeit gab, beschloß Rudi Blau, Katholik zu werden. Er ging dabei nicht plump noch hastig zu Werke, sondern behutsam und taktvoll, er verzog in ein kleines kastilianisches Bergdorf, strich tagelang scheu um die Kirche herum, ehe er sie erstmals zu betreten wagte, verließ sie sogleich, blieb beim nächstenmal etwas länger und wußte sich der freundlichen Aufmerksamkeit des Pfarrers sicher, als er endlich Kontakt mit ihm aufnahm und ihm nach einigem Zaudern gestand, daß er in den Schoß der heiligen Kirche einkehren möchte. Darob brach große Freude aus, und die gute Botschaft von der Rettung einer verlorenen Seele sprach sich in der ganzen Gegend herum (in der man seit der Regierungszeit Isabellas der Katholischen keinen Juden mehr gesehen hatte). Als der Tag der feierlichen Handlung gekommen war, dröhnten die Kirchenglocken, die Kinder hatten schulfrei, von den Anhöhen stiegen, auf ihre knorrigen Stöcke gestützt, die Bergbauern zu Tal, um dem historischen Ereignis, als das »el baptismo de un Judio« aufgezogen war, im Festgewande beizuwohnen, und Rudi Blau wurde noch rasch über eine altkastilianische Gepflogenheit unterrichtet: wenn ein Jude die Taufe annahm, bekam er zum Lohn einen besonders schönen biblischen Vornamen mit (daß man in Spanien zum Familiennamen auch den Geburtsnamen der Mutter trug, wußte er).

»Es war«, schloß Rudi Blau seinen Bericht, »eine erhebende Zeremonie in der dicht gefüllten Dorfkirche. Nur eines hat mich ein bißchen verwirrt. Hineingegangen bin ich als Jud und hieß Rudolf Blau. Herausgekommen bin ich als Christ und hieß Rodolfo Abraham Blau y Rosenblatt.«

Später, nachdem er über Brasilien und Mexiko in die Vereinigten Staaten gelangt war, hat er das wieder ins Lot gebracht.

*

In den Vereinigten Staaten wandelte sich der Emigrant zum Immigranten, der Umherirrende zum Einwanderer, der Flüchtling zum gleichberechtigten Bürger. Inwieweit das mit einem inneren Wandel verbunden war, ist hier schon aus Raum- und Strukturgründen nicht zu untersuchen, ganz abgesehen davon, daß eine solche Untersuchung sich auf die müßige Frage zuspitzen müßte, ob all diese deutschen, österreichischen, tschechoslowakischen und sonstigen von Hitler nach Amerika genötigten Europäer auch ohne Nötigung zu Amerikanern geworden wären. Sie sind's geworden, und damit gut. Aber sie sind, ob sie wollten oder nicht – und viele, das muß redlicherweise gesagt sein, wollten *nicht* –, in einem je nachdem überdeckten oder offenen Teil ihres Wesens die Europäer geblieben, die sie ursprünglich waren.

Der mir gewohnte Umgang aus der Sparte »Kunst und Kultur« gab sich keine Mühe, seinen europäischen Wesensteil, der bei den meisten das ganze Wesen ausmachte, zu verbergen. Wer solche Mühe für angezeigt hielt, gehörte zu einer im Grunde ebenso abstoßenden (und pünktlich abgestoßenen) Randschicht wie jene, die an Amerika kein gutes Haar ließen. In der Mitte lag zwar nicht die Wahrheit, aber doch die Ehrlichkeit, und in der Mitte des Hollywooder Emigrantenviertels lag das von Ernst und Anuschka Deutsch bewohnte Haus, das sich – mangels anderer geeigneter Lokalitäten – alsbald zum abendlichen Treffpunkt der nicht unbedingt Assimilationswilligen entwickelte und kurzweg »Festung Europa« genannt wurde. Dort saßen sie beisammen, Schauspieler und Schriftsteller und Regisseure, lauter einstmals Erfolgreiche, deren Beruf mehr oder weniger mit ihrer Muttersprache identisch war und die sich in der neuen Umgebung nicht so geschwind zurechtfinden oder gar durchsetzen konnten, die ihren Namen, wenn ab und zu eine berufliche Chance sich bot, dem Interessenten erst buchstabieren mußten (»How do you spell it?« lautete die unvermeidliche, die erniedrigende, die inbrünstig gehaßte Frage) – dort, in der Festung Europa, drohte nichts dergleichen, dort wußte man, wer ein jeder war, wußte es so genau, daß man's einander schon wieder mißgönnte wie in den alten Tagen, und sogar das trug zum Behagen bei. Die Gespräche drehten sich um Beschäftigung und Betrieb, um Erlebnisse mit Agenten und Produzenten, um gute und schlechte Erfahrungen mit glücklicheren oder schon von früher her arrivierten Landsleuten, und natürlich auch um die Vorgänge auf den Kriegsschauplätzen, über deren europäischen Teil von Presse und Radio äußerst mangelhaft berichtet wurde, weil für die Bewohner der Westküste schon aus geographischen Gründen vor allem die japanische Front und die Aktionen des dort kommandierenden Generals MacArthur wichtig waren. In den Nachrichtensendungen des Rundfunks wurde Europa mit ein paar raschen Einleitungssätzen abgetan, die übrige Sendezeit gehörte den Meldungen aus dem Hauptquartier MacArthurs, die nun wieder uns Europäern minder wichtig erschienen. »Wenn ich nur ›Mac‹ hör, dreh ich schon ab«, sagte Gisela Werbezirk, die für Hollywood, auf eine Wiener Gartenvorstadt anspielend, die geringschätzige Bezeichnung »Purkersdorf mit Palmen« geprägt hatte und die – aber da bedrängt mich schon wieder ein Schwall von Anekdoten, den ich nicht zu meistern vermöchte. Ich greife eine besonders aufschlußreiche heraus:

In der »Festung Europa« fand sich eines Abends auch Erwin Kalser ein, der exzellente, zuletzt am Zürcher Schauspielhaus tätig gewesene Charakterdarsteller, der in Hollywood kaum beschäftigt wurde. Um so erstaunter war die Runde, als er sich bereits kurz nach elf verabschiedete (man blieb gewöhnlich bis in die frühen Morgenstunden).

Warum so eilig? wurde er gefragt.

Er müsse um sieben Uhr aufstehen, lautete die Antwort.

Und was er dann täte?

»Ich bin verzweifelt«, sagte Kalser.

Von den ständigen Abenden in der »Festung Europa« unterschieden sich die sonntagnachmittäglichen Zusammenkünfte bei Professor Hildesheimer, einem emeritierten deutschen Musikologen, vor allem durch das Alter ihrer Teilnehmer, die fast ausnahmslos auch unter normalen Umständen bereits im Ausgedinge gewesen wären. Ich bin nie in die Versuchung gekommen, aus meinen Erlebnissen in Hollywood ein Buch zu machen, aber ich hätte mir einen trefflichen Titel dafür gewußt: »Söhne, Witwen und Gespenster«. Wenn man nämlich bei Hildesheimer oder auf ähnlich makabren Veranstaltungen einem Namen von europäischer Berühmtheit begegnete, handelte sich's in neun von zehn

Fällen entweder um den Sohn oder um die Witwe eines längst Verblichenen; war's aber noch der Namensträger selbst, dann hatte man mit Sicherheit ein Gespenst vor sich.

Zu den vitalsten dieser Gespenster zählte der mehr als achtzigjährige Julius Korngold, Vater des erfolgreich in Hollywood tätigen Komponisten Erich Wolfgang Korngold und vor langen Jahren ein maßgeblicher Wiener Musikkritiker. Über seine fachlichen Qualitäten steht mir so wenig ein Urteil zu wie über die musikalischen seines Sohnes, in dem ich jedenfalls eine temperamentvolle Künstlernatur und einen warmherzigen, hilfsbereiten Menschen schätzenlernte. Vater Korngold war schon seinerzeit, als der achtjährige Wunderknabe Erich Wolfgang mit einer Ballettkomposition debütierte, einigermaßen aufdringlich darauf bedacht, ihn zu fördern, wollte ihm diese überflüssig gewordene Förderung auch jetzt noch angedeihen lassen und hatte sich aus mir unerfindlichen Gründen in den Einfall verrannt, daß ich für seinen Sohn ein Opernlibretto schreiben müsse. Es störte ihn nicht, daß wir beide ein solches Unternehmen für völlig aussichtslos hielten, er ließ sich von seinem Plan nicht abbringen und nützte meine Vorliebe für historische Anekdoten zu immer neuen Versuchen aus, mich ins Gespräch zu ziehen und meinen Widerstand zu brechen.

Wieder einmal fand im Hause Hildesheimer eine Gespensterjause statt. Ich war an diesem Sonntag zum Mittagessen bei Franz und Alma Werfel, meinen guten Freunden, den besten, die ich in Hollywood hatte (und deren Einwirkungen auf mich viel tiefer gingen, als ich's hier auch nur andeuten kann). Am Nachmittag wollten wir dann gemeinsam zu Hildesheimer hinausfahren, aber da Werfel es vorzog, zu Hause zu bleiben, fuhren nur Alma und ich. Als wir ankamen, herrschte bereits der übliche Betrieb, man fühlte sich im Nu vom verstaubten Zauber einer musealen Vergangenheit umsponnen, die für diesen einen Nachmittag zu geisterhaftem Leben erwachte. Ernst Licho, einst Intendant des Dresdner Schauspielhauses, ärgerte sich gerade über seine Repertoirenöte im Kriegswinter 1916/17, als einer seiner Stars plötzlich einrücken mußte, Gisela Werbezirk schimpfte auf Josef Jarno, weil er damals

als Direktor des »Renaissancetheaters« eine ihr versprochene Hauptrolle mit Hansi Niese besetzt hatte, der alte Korngold zwickte die nicht viel jüngere Opernsängerin Vera Schwarz in die starrgepuderte Backe und fragte: »Wie geht's, schöne Frau?«, ließ sie jedoch gleich darauf stehen, kam auf mich zugestürzt und zog mich zum unausweichlichen Gespräch beiseite.

»Also horchen Sie zu das wird Sie interessieren!« begann er, lebhaft und eindringlich, wie's seine Art war, in pausenlos hervorgestoßenen Satzfetzen, die er nur zum Atemholen unterbrach. »Das ist eine Geschichte für Sie ich wollt sie Ihnen schon letztesmal erzählen aber Sie sind mir davongelaufen. Also passen Sie auf. Ich sitz nach der Premiere von ›Rienzi‹ mit'n Hanslick im Café Michaelertor . . . kommt herein der Spitzer . . . setzt sich zu uns . . . sagt der Hanslick zum Spitzer . . . sagt der Spitzer zum Hanslick . . . haut der Hanslick auf'n Tisch und sagt . . .«

Was da gesagt worden ist, weiß ich nicht mehr. Ich hatte schon damals Mühe, es aufzufassen und zu behalten. Mich schwindelte. Das Café Michaelertor war um 1890 abgerissen worden – der Musikkritiker Eduard Hanslick war als schärfster Bekämpfer Richard Wagners längst in die Geschichte eingegangen – Daniel Spitzer, dessen satirische »Wiener Spaziergänge« in sieben Bänden vorlagen, wurde von der Literaturwissenschaft als Vorgänger von Karl Kraus und Alfred Polgar betrachtet – und da sitzt jetzt einer neben mir und spricht von den beiden, als ob er sie erst gestern im Café Michaelertor getroffen hätte . . .

Ein wenig betäubt stand ich auf. Ich mußte diese Geschichte loswerden, sofort. Zum Glück sah ich Alma in der Nähe sitzen, taumelte zu ihr hinüber und erzählte ihr Wort für Wort, was soeben auf mich eingedrungen war.

Alma Mahler-Werfel – ihrerseits, wie vielleicht ergänzt werden muß, eine überzeugte Wagnerianerin – hörte mir aufmerksam zu.

»Na ja«, resümierte sie, als ich fertig war. »Hat halt der Hanslick einmal recht gehabt.«

Dann zuckte sie die Achseln. Sie hatte sich die Geschichte auf den Inhalt hin angehört. Weiter war ihr nichts aufgefallen.

Die Emigrationszeit hat mir zumal in ihrer kalifornischen Phase eine Reihe von persönlichen Begegnungen beschert, die mir andernfalls vielleicht nicht zuteil geworden wären und gewiß nicht in so bereichernder Fülle. Manche von ihnen – mit Igor Strawinsky und Darius Milhaud, mit Bruno Walter und Max Reinhardt – verdankte ich meiner Beziehung zu Franz Werfel und seiner Alma. Manche – mit Hermann Broch und Erich Maria Remarque, mit Marlene Dietrich und Fritzi Massary – waren schon von Europa her vorgebaut und haben sich in der Emigration weiterentwickelt, diese und jene bis zur Freundschaft. Sie alle aber, und ein paar andere dazu, sind mir wertvoll genug, um mich eine Gelegenheit herbeiwünschen zu lassen, die sich zu besserer Berichterstattung eignet.

Nur auf eine einzige Begegnung und Bereicherung möchte ich noch hier zu sprechen kommen: ich habe in Hollywood Arnold Schönberg kennengelernt. Und an wie viele bedeutende oder geniale Zeitgenossen ich im Leben herangekommen sein mag, damals, vorher und nachher –: keiner von ihnen hat mir so bezwingend und beglückend das Gefühl vermittelt, daß ich's mit einem Genie zu tun habe. Ich wüßte das nicht zu begründen, schon deshalb nicht, weil mir zum Schaffen Arnold Schönbergs nur ein dürftiger und umwegiger Zutritt gewährt ist. Der Umweg erfolgt über die Literatur, also über ein rational faßbares Gebiet, auf dem Schönberg sich ganz ungleich besser auskannte als ich auf dem musikalischen; im übrigen wird uns wohl auch das gleichgestimmte Andenken an Karl Kraus die gegenseitige Verständigung erleichtert haben.

Sie war vom ersten Augenblick an gegeben, schon als Schönberg sich nach gemeinsamen Bekannten erkundigte, und als ich auf seine Frage: »Was macht denn der Kisch?« die Antwort riskierte: »Für den denkt Stalin«, womit ich einen (dem Leser erinnerlichen?) Ausdruck Kischs wiedergab, von dem Schönberg nichts wußte, den er aber intuitiv durchschaute: »Das könnte ihm so passen«, sagte er.

Derlei knappe, für den Betroffenen zumeist ruinöse Bemerkungen waren Schönbergs Stärke. Sie hatten – auch in der Art, wie er sie hervorstieß – etwas von einem zielsicheren Pistolenschuß an sich, sein scharf geschnittenes, wunderschön durchgeistigtes Gesicht verzog sich dabei zu einer halb galligen, halb zwinkernden Grimasse, dann kam noch eine spitze Handbewegung nachgestochen, und damit war die Hinrichtung beendet.

»Sie gehen heute abend zum Bruno Walter?« fragte er mich, als Walter mit dem Los Angeles Philharmonikern ein betont klassisches Konzert dirigierte. »Was hat er denn auf dem Programm?«

Ich wußte nur von der Ersten Beethovens.

»Ja?« stach Schönberg los. »Ist er schon so weit?«

Oder als einmal auf Puccini die Rede kam:

»Puccini? Das ist doch der, der dem Lehár alles vorgeäfft hat?«

Wenn ich den entscheidenden Eindruck nennen sollte, der meiner Verehrung für Arnold Schönberg zugrunde liegt, dann würde ich seine grandiose, seine metallisch unzerstörbare Kompromißlosigkeit nennen. Er machte ihr und sich nicht die geringste Konzession, er ließ sich durch nichts, auch nicht durch seine materielle Notlage, zur geringsten Nachgiebigkeit bestimmen. Von den vielen Beispielen, die es dafür gibt, folgt hier das imposanteste:

Einflußreiche Freunde hatten den legendären Chef der Metro-Goldwyn, den alten Louis B. Mayer, nicht ohne Mühe davon überzeugt, daß Schönberg der größte Komponist der Gegenwart sei, noch größer als George Gershwin oder Rodgers & Hammerstein, und daß die Metro-Goldwyn als größte Filmgesellschaft der Welt unter keinen Umständen versäumen dürfe, sich von Schönberg die Hintergrundmusik ihres nächsten Großfilms komponieren zu lassen. Das Traumengagement kam zustande, und Louis B. Mayer sagte sich, daß man einen so berühmten Mann, wenn man ihn schon unter Vertrag nahm, auch persönlich empfangen müsse – wie er das mit berühmten Männern immer zu tun pflegte. Er hatte sich für solche Fälle ein bestimmtes Zeremoniell nebst einigen unverbindlich schmeichelnden Begrüßungsworten zurechtgelegt, und als der größte Komponist der Gegenwart bei ihm erschien, erhob sich der größte Filmproduzent der Gegenwart, kam hinter seinem Schreibtisch hervor, ging dem Eintretenden entgegen und hielt ihm beide Hände hin:

»I'm happy to meet you, Mr. Schönberg«, sagte er. »I'm a great admirer of your lovely music.«

Schönberg zuckte zusammen und ließ die ihm hingehaltenen Hände in der Luft baumeln:

»My music isn't lovely«, stieß er schmallippig hervor. Dann machte er kehrt und ging. Das Engagement, das seine Existenzsorgen behoben hätte, war geplatzt.

Wer von einem schöpferischen Genie Kenntnis hat, dem unter ähnlichen Umständen ein ähnliches Verhalten zuzutrauen wäre, möge sich melden.

Wie diese Aufzeichnungen insgesamt sich zu ihrem Anfang zurückgerundet haben, kehre ich nunmehr zum Ausgangspunkt dieses letzten Abschnitts zurück, nach Zürich, zu meiner ersten Exilstation und zum ersten Abend, den ich dort im »Hinteren Sternen« verbracht habe, noch unvertraut mit den Ortsüblichkeiten, zu denen u. a. das Erscheinen der Heilsarmee in öffentlichen Lokalen gehört. Die kleine Truppe ist zugleich eine Musikkapelle, die erst einmal ein frommes, zu Wohlverhalten und Wohltun mahnendes Lied zum besten gibt und deren Mitglieder sodann von Tisch zu Tisch gehen, um milde Gaben einzuheimsen und ein von der Heilsarmee herausgegebenes Mitteilungsblatt anzubieten, welches den martialischen Titel »Der Kriegsruf« trägt, aber der Ruf gilt nur dem Krieg gegen das Böse in uns.

An jenem ersten Abend also erschien die Heilsarmee auch im »Hinteren Sternen«, wo sie das Ihre tat und ich das Meine: ich erwarb gegen entsprechendes Entgelt ein Exemplar des »Kriegsrufs«.

Was ich jetzt zu berichten habe, ist ein wenig unwahrscheinlich und auf das Vertrauen des Lesers angewiesen. Belegen läßt sich's nicht, es sei denn, daß in den Archiven der Heilsarmee sämtliche Jahrgänge des »Kriegsrufs« aufbewahrt werden. Dann fände man in den Ausgaben vom Frühjahr 1938 eine damals neuartige und späterhin mehrfach kommerzialisierte Veröffentlichung: »Der Kriegsruf« brachte das Alte Testament gewissermaßen als Fortsetzungsroman, in anspruchsloser Alltagssprache und in geschickten, ja geradezu spannend eingerichteten Abschnitten. Der Abschnitt in dem von mir erworbenen Heft beschrieb den Auszug der Kinder Israels aus Ägypten und war für mich, den soeben eingetroffenen Flüchtling aus Hitlers Machtbereich, natürlich von besonderem Interesse. Der Schluß des Abschnitts aber lautete:

Die Fluten des Roten Meeres schäumten den Israeliten drohend entgegen. Hinter ihnen nahten die Kriegswagen des Pharao heran. Der Untergang des Volkes schien wieder einmal bevorzustehen.

(FORTSETZUNG FOLGT)

Sie folgte.

*

Er ist – wieder einmal – nicht zum planmäßigen Ende gediehen, der Untergang. Aber vielleicht rechtfertigt sich's aus der bloßen Tatsache seiner Planung, daß dieses Buch so übergewichtig von denen handelt, auf die sie abzielte: von Juden. Und vielleicht rechtfertigt sich von hier aus auch die These, daß mit dem untergegangenen Teil des europäischen Judentums zugleich ein Teil des Abendlandes untergegangen ist. Man wird noch merken, in welch wesensverwandter Wechselbeziehung die beiden Untergänge zueinander standen, seit je und von der Basis her, als noch niemand an Untergang dachte.

Da ich nun schon versucht habe, ihn in Anekdoten und Aussprüchen festzuhalten, mögen mir ihrer drei als Abschluß dienen (und als Widmung an jene, die ihm entkommen sind).

Den schönsten Beitrag zum Thema hat mir Hermann Broch einmal aus Princeton nach New York mitgebracht. Es ist ein vierzeiliges Epigramm von Albert Einstein, der ebenso wie Broch in Princeton lebte und freundschaftlichen Kontakt mit ihm unterhielt. Ich habe Broch angefleht, mir diese vier Zeilen in Einsteins Handschrift zu verschaffen, ich wollte sie einrahmen lassen und ständig vor Augen haben. Es ist leider nicht mehr dazu gekommen. Aber deshalb darf dieser nur mündlich überlieferte Vierzeiler nicht in Vergessenheit geraten. Er lautete:

Schau ich mir die Juden an,
Hab ich wenig Freude dran.
Fallen mir die andern ein,
Bin ich froh, ein Jud zu sein.

Ich glaube nicht, daß jüdisches Selbstverständnis souveräner formuliert werden kann als durch diese Kombination von ironischer Eigenbewertung mit resigniertem Trost.

Von der »andern« Seite trifft ein Aphorismus der amerikanischen Schriftstellerin Dorothy Parker ins Schwarze: »The Jews are just like any other people – only more so.« Im Deutschen muß man (wie so oft) zu einer Umschreibung Zuflucht nehmen: »Die Juden sind genau wie jedes andre Volk – sie sind's nur viel intensiver.«

Dies wiederum erhärtet eine Äußerung des Wiener Schriftstellers Egmont Colerus. Sie bedarf eines kleinen Vorberichts.

Colerus zählte zu den Eigenbau-Autoren des Zsolnay-Verlags, der im März 1930 auch meinen Erstlingsroman herausgebracht hatte, den »Schüler Gerber«, dessen Erfolg mir neben anderen, substantielleren Erfreulichkeiten auch eine Einladung zu einem Tee im Haus des Verlegers Paul von Zsolnay eintrug. Dort klopfte mir die gesamte Verlagsprominenz auf die Schulter und kümmerte sich weiter nicht um mich, sondern ließ mich sozusagen links sitzen. An dem Tisch, an dem ich solcherart saß, entstand plötzlich die Frage, wie viele Juden es auf der Welt gäbe. Es gab damals 15 Millionen, aber das schien niemand außer mir zu wissen, und ich als weitaus Jüngster hielt mich nicht für befugt, die versammelten Geistesheroen durch eine vorlaute Auskunft zu blamieren. Ich schwieg und lauschte respektvoll ihren Bemühungen, unter Heranziehung aller geschichtlichen Entwicklungsphasen – angefangen vom Aufstand Bar Kochbas über das Mittelalter bis zur großen Zerstreuung – eine wahrscheinliche Zahl für die Gegenwart zu errechnen. Man einigte sich schließlich auf 12 Millionen.

Und da schüttelte Egmont Colerus den Kopf und brummte in seinem behäbigen Ottakringerisch:

»Des ist ausg'schlossen. Ich allein kenn mehr.«

Und dazu ist nichts weiter zu bemerken, als daß er das heute nicht mehr sagen könnte.

Anhang

(bestehend aus schon früher Gedrucktem)

Ein sentimentales Vorwort (1966)

Geschrieben für das Buch von Ernst Trost:
»Das blieb vom Doppeladler / Auf den Spuren
der versunkenen Donaumonarchie«,
Verlag Fritz Molden, Wien – München.

In den Zuckerlgeschäften, die fast allen Wiener Theatern gegenüberliegen, bekam man seinerzeit eine eigens für den Theaterbesuch zurechtgemachte Mischung von Bonbons. Sie bestand aus mindestens vier verschiedenen Sorten und hieß »Feine Theatermischung«.

Die Familie meines Vaters stammt aus Böhmen, die Familie meiner Mutter aus Ungarn und mein Geburtszeugnis von der Israelitischen Kultusgemeinde in Wien. Ich bin eine feine Monarchiemischung.

Meine Angehörigen väterlicherseits, sowohl die beiden Großeltern wie die ganze weitläufige Verwandtschaft, waren keine Städter. Ob ich sie geradewegs als Bauern bezeichnen darf, weiß ich nicht. Sie selbst hätten das wahrscheinlich ungern gehört, denn da sie es bereits zu kleineren oder größeren Gutshöfen gebracht hatten oder gar zur Pacht einer herrschaftlichen Domäne, hielten sie sich für etwas Besseres. Jedenfalls waren sie, soweit sich's zurückverfolgen läßt – nicht sehr weit, vielleicht über fünf Generationen –, immer auf dem böhmischen Flachland ansässig gewesen und hatten immer etwas mit Landwirtschaft zu tun gehabt. Mein Vatersname Kantor deutet allerdings darauf hin, daß zur Zeit, als die österreichischen Juden amtliche Familiennamen erhielten, sich auch ein Dorfschullehrer unter meinen Vorfahren befand. (Leider kein Synagogensänger. In diesem Sinn wurde die Bezeichnung »Kantor« erst viel später, gelegentlich der Reformierung des jüdischen Gottesdienstes, aus der kirchlichen Terminologie übernommen. Als Bezeichnung für den Schulmeister war sie auf den tschechischen Dörfern noch in meiner Jugend gebräuchlich.) Sei dem wie immer, und mögen es nun jüdische Landwirte oder jüdische Dorfschullehrer gewesen sein: beides, soviel ich weiß, hat's nur im alten Österreich gegeben, und deshalb führe ich's hier an.

Religiosität und Gelehrsamkeit in religiösen Dingen, vom böhmischen Familienteil arg vernachlässigt, wurden vom ungarischen desto höher gehalten. Mein Großvater mütterlicherseits, Simon Berg, und mehr noch dessen Vater Salomon Berg galten – wie meine fromme Mutter gern und stolz erzählte – als schriftgelehrte Männer und erfreuten sich in ihren Heimatgemeinden entsprechend hohen Ansehens. Aber schon in der nächsten Generation (die sich über die großen Städte der Monarchie zerstreute, hauptsächlich nach Wien und Prag) schlug das in eine gänzlich andre, unvermutete und nicht gerade stilvolle Richtung um: die sechs Brüder meiner Mutter, rauhe Gesellen allesamt, waren begeisterte Militaristen, zwei von ihnen ergriffen die aktive Offizierslaufbahn, und alle bis auf einen standen im Ersten Weltkrieg an der Front, von der sie teils verwundet und teils verbittert zurückkehrten, kaisertreu bis ans Ende. Sehr im Gegenteil hierzu sprachen die bei Melnik in Böhmen begüterten Brüder meines Vaters und deren Kinder schon vor dem Krieg tschechisch, haßten den Kaiser, haßten seine Kaiserstadt und ließen das auch mich und meine beiden Schwestern fühlen, wenn wir in den späteren Kriegssommern aus dem nahrungsverknappten Wien zu unseren böhmischen Verwandten geschickt wurden, um uns anständig anzuessen.

Unsre Wiener Wohnung in der Porzellangasse, nahe dem kriegswichtigen Franz-Josephs-Bahnhof, glich während dieser Jahre nicht selten einem Heerlager. Onkel und Cousins, die an die Front abgingen oder auf Urlaub kamen, machten immer in Wien Station, nächtigten oder aßen bei uns, und manchmal saß ein halbes Dutzend uniformierter Gestalten am Familientisch. Bei einer solchen Gelegenheit kam es zu einem Auftritt, der sich meinen sehr lebendigen Kindheitserinnerungen besonders klar eingeprägt hat, obwohl ich ihn nicht recht zu deuten wußte. Mein

Lieblingsonkel Paul, der jüngste Bruder meiner Mutter und offenbar ein Tunichtgut (war er doch sogar nach Amerika ausgerissen), schien mit dem um vieles älteren Onkel Berti in Streit geraten zu sein. Der Onkel Paul war Leutnant bei den Deutschmeistern, der Onkel Berti – mit vollem Namen Albert Großmann und Gatte der ältesten Schwester meiner Mutter – bekleidete beim selben Regiment den Rang eines Majors. Und plötzlich sprang der Onkel Berti auf, schlug mit der flachen Hand auf den Tisch, daß die Gedecke klirrten, rief dem Onkel Paul mit zornbebender Stimme und gesträubten Schnurrbartenden zu: »Herr Leutnant, was unterstehst du dich?« und rief noch einiges mehr, wovon ich nichts begriff. Ich sah nur, vom »Katzentisch« her, daß der Onkel Paul aufstand und mit rotem Gesicht so lange stehenblieb, bis der Onkel Berti sich wieder hinsetzte. Aus den Gesprächen der Erwachsenen, die sich noch tagelang mit dem Vorfall beschäftigten, reimte ich mir zusammen, daß der Onkel Berti den Onkel Paul »Habtacht gestellt« hatte. Auf mich wirkte das Ganze zugleich erschreckend und komisch. Sollte das vermutlich überdimensionale Sammelwerk »Was Juden imstande sind« jemals zum Abschluß kommen, dann wird diese Episode nicht fehlen dürfen.

Hier vermerke ich sie nicht etwa deshalb, um eine uninteressante Familiengeschichte wichtigmacherisch aufzurollen, sondern weil jüdische Berufsoffiziere ebenso zu den Wesenszügen der alten Monarchie gehört haben wie jüdische Bauern – und weil ich mich auf Grund alles desssen in einem gewissen Sinn legitimiert glaube, das vorliegende Buch einzuleiten. Denn auf die Frage: »Was blieb vom Doppeladler?« könnte ich mit einer gewissen Berechtigung antworten: »Zum Beispiel ich.«

Es kommen noch andere Legitimationen hinzu. Wie schon angedeutet – und wie das bei Menschen, die sich späterhin der fragwürdigen Beschäftigung des Schreibens zuwenden, häufig der Fall ist – war ich ein sehr frühreifes, mit einem ungewöhnlich guten Gedächtnis begabtes Kind. Über die Wichtigkeit von Kindheitserinnerungen hat der Altösterreicher Sigmund Freud alles Nötige gesagt, und sie haben auch in meinem Leben eine große

Rolle gespielt. Ich sehe nicht ein, warum ich gerade jene von ihnen, die mit dem alten Österreich zu tun haben, künstlich verdrängen und mir womöglich ein monarchistisches Trauma einwirtschaften sollte; warum ich mich nichts davon wissen machen sollte, daß meine Geburt und acht Jahre meines Lebens noch in die Ära des alten Kaisers fielen, in dessen Regierungserklärung Ungarn noch »Hungarn« hieß; warum ich leugnen oder bagatellisieren oder gar schmähen sollte, was ich als Kind bestaunt und bewundert habe; warum ich, kurzum, an diese Kinder- und Kaiserzeit, an das allsommerliche Feuerwerk in Ischl am Vorabend des 18. August (der für mich noch lange »Kaisers Geburtstag« blieb), an das klingende Spiel der Burgkapelle, dem ich an der Hand meines Kinderfräuleins zuhören durfte, an Regimentsmusik und Fronleichnamsprozession und Farbenpracht und Equipagenprunk – warum ich an dies alles nicht mit Wehmut zurückdenken und es nicht in einem sentimentalen Vorwort äußern sollte.

Denn etwas andres als ein sentimentales Vorwort ist hier nicht gemeint, und ganz gewiß kein politisches – obwohl auch der Politik ein kleiner Schuß Sentimentalität nicht unbedingt schlecht bekommen müßte, jedenfalls nicht so schlecht wie deren Gegenteil, das Ressentiment. Oder war es vielleicht kein Ressentiment, das 1937, in der schwersten Krisenzeit Mitteleuropas, den Inhaber einer politischen Schlüsselposition, Edvard Beneš, die Losung »Lieber Hitler als Habsburg!« proklamieren ließ? War das vielleicht Politik? Wenn ja, dann ist auch meine Kindheitserinnerung an die aufziehende Burgwache Politik. Sie könnte es sogar mit der Politik des tschechoslowakischen Regierungschefs aufnehmen, was ihre Erfolglosigkeit betrifft. Aber damit will ich kein politisches Credo abgelegt haben, ich sage es nochmals und ausdrücklich. Und möchte freilich auch sagen dürfen, daß ich mir Schlimmeres vorstellen kann als eine Monarchie, ja daß ich's mir eigentlich gar nicht vorzustellen brauche, denn ich habe Schlimmeres erlebt (und wer weiß, ob ich's in einer Monarchie hätte erleben müssen).

Nun, lassen wir das. Und einigen wir uns vielleicht auf eine

Formel, die mir von der jahrelangen Beschäftigung mit dem Œuvre des genialen Alt- und Urösterreichers Fritz von Herzmanovsky-Orlando eingegeben wurde: daß der Untergang Österreichs eine der katastrophalsten Humorlosigkeiten der Weltgeschichte war . . .

Die Geschichtsbücher, mit gewohnter Oberflächlichkeit, legen diesen Untergang auf das Jahr 1918 fest. In Wahrheit ist er erst 1938 erfolgt. Was in Wahrheit österreichisch war am alten Österreich, was die wahren Eigenheiten, die unvergleichlichen und unersetzlichen Qualitäten dieses seltsamen Staatengebildes ausgemacht und den einstmals schwarzgelben Kulturkreis zusammengehalten hat: damit, meine ich, war es erst 1938 endgültig vorbei. Zwar hatte jenes Österreich, daß 1938 auch formal zu existieren aufhörte, nicht als Erbe und nicht einmal als Abbild des alten Österreich gelten können; aber es hatte immer noch gewisse Kontinuitäten zu wahren vermocht, es war, wenn schon kein Zentrum, so doch eine Art Knotenpunkt, wo die noch nicht restlos abgespulten Fäden von dermaleinst zusammenliefen. Prag und Budapest standen immer noch in regster Wechsel- und Austauschbeziehung mit Wien, geistig, künstlerisch, atmosphärisch. Die böhmischen Heilbäder und die dalmatinischen Seebäder, die ungarischen Sommerfrischen und die slowakischen Wintersportplätze gehörten immer noch zum gewohnten Landschaftsbild des Österreichers, waren ebenso in seiner Sicht geblieben wie die von Polen und Rumänien absorbierten Teile der Monarchie. Immer noch gingen junge Wiener Schauspieler nach Mährisch-Ostrau und Aussig und Bielitz ins erste Engagement, immer noch lagen das »Prager Tagblatt« und der »Pester Lloyd« und die »Czernowitzer Morgenzeitung« mit der gleichen Selbstverständlichkeit in den Wiener Kaffeehäusern auf wie in den Kaffeehäusern von Brünn, Agram und Triest die »Presse« und das »Tagblatt« und das »Journal« aus Wien. Kurzum: die Nachfolgestaaten des alten Österreich waren bis 1938 noch deutlich als solche erkennbar, manche von ihnen – etwa die Tschechoslowakei an ihrer Vielsprachigkeit, etwa Ungarn an seiner sozialen Schichtung – sogar deutlicher als das neue Österreich. Bis 1938.

Die Nacht vom 11. auf den 12. März 1938 werde ich nie vergessen. Ich hielt mich damals in Prag auf – nicht weil ich das über Österreich hereinbrechende Unheil vorausgesehen hätte, sondern um eine seit langem bestehende Vortragsverpflichtung an der Prager »Urania« zu erfüllen. Nur der Kuriosität halber sei vermerkt, daß die literarische Leitung der »Urania« damals in den Händen Heinrich Fischers lag, des heute in München lebenden Nachlaßverwalters von Karl Kraus, und daß meine Vortragsreihe den »Außenseitern der österreichischen Literatur« galt, darunter dem damals noch völlig unbekannten Herzmanovsky-Orlando. Das also hatte mich nach Prag geführt, nicht etwa meine politische Weitsicht. Vielmehr war ich von den aus Wien einlangenden, immer tragischer sich überstürzenden Nachrichten so völlig niedergeschmettert, als hätte sich niemals etwas dergleichen angekündigt. Verzweifelt saß ich mit einem Wiener Freund, der schon 1934 nach Prag emigriert war, die ganze Nacht hindurch am Radio. Als allmählich Funkstille eintrat, beschlossen wir – an Schlaf war sowieso nicht zu denken –, den fahrplanmäßigen Nachtschnellzug aus Wien abzuwarten, gegen sieben Uhr früh am Masarykbahnhof, vielleicht käme da jemand an, den wir kannten. Bis dahin wollten wir spazierengehen.

Kurz nach drei Uhr, nachdem wir noch die letzten Nachrichten eines französischen Senders abgefangen hatten, traten wir auf die Straße hinaus, in eine kalte, nebelverhangene Nacht, und schlugen den Weg zum Belvedereplateau ein, wo wir ziellos umherwanderten. Eine kleine Kneipe gewährte uns für die kurze Zeit bis zur Sperrstunde noch Unterschlupf, dann nahmen wir die Wanderung wieder auf, nach wie vor außerstande, aus unsrer dumpfen Niedergeschlagenheit mehr als den Ansatz eines Gesprächs zu entwickeln. Vom Panorama der Stadt mit den berühmten hundert Türmen war nichts zu sehen, der Nebel hatte sich verstärkt, die Straßenbeleuchtung wurde schwächer, und als wir uns an den Abstieg zur Štefanikbrücke machten, begann es auch noch zu regnen. Das Ganze war von einer so vorschriftsmäßigen Melancholie und Trostlosigkeit, wie man's aus solchem Anlaß nie erfinden dürfte – nur die Wirklichkeit darf es wagen, so zu sein.

Und dann, um die Weltuntergangsstimmung zu komplettieren, kam uns auf der menschenleeren Štefanikbrücke ein Betrunkener entgegen. Daß er betrunken war, sah man ihm schon von weitem ebenso unverkennbar an, wie daß er uns entgegenkam und sich von seiner Zielrichtung durch nichts würde abbringen lassen, auch dadurch nicht, daß wir nun etwa auf die andere Brückenseite hinüberwechselten. Alle Erfahrung mit Betrunkenen sprach dafür, daß wir nichts Besseres tun konnten, als der unvermeidlichen Begegnung standzuhalten und sie möglichst rasch hinter uns zu bringen. Ich beruhigte meinen Freund, der sich in einem erbärmlichen Nervenzustand befand, und erwartete im Vertrauen auf mein ziemlich akzentfreies Tschechisch den Zusammenstoß.

Mit merkwürdig steifen, merkwürdig durch die Dunkelheit hallenden Schritten steuerte der Betrunkene auf uns zu. Er torkelte nicht, er stapfte, nur als er vor uns stehenblieb, schwankte er ein wenig. Im übrigen wirkte er weder wie ein Gewohnheitstrinker noch irgendwie aggressiv. Sein Alter mochte zwischen 40 und 50 liegen.

Ein paar Sekunden lang musterte er uns stumm. Dann sagte er, mehr zwischen uns hindurch als an einen von uns gewendet, und nicht nur der ohnehin unvergeßliche Wortlaut, auch sein Tonfall ist mir bis heute im Ohr geblieben:

»Obsadili nám Rakousko«, sagte er. (Sie haben uns Österreich besetzt.) »Ted' to máme.« (Jetzt haben wir's.)

Es war weniger die Prophetie seiner Worte – denn obwohl »sie« Österreich noch gar nicht wirklich besetzt hatten, gehörte nicht viel dazu, die Besetzung mit allen Folgen kommen zu sehen –: es war dieses »uns«, das mich ergriff und erschütterte, dieser rührende Dativus ethicus, der im Tschechischen überhaupt die sonderbarsten Blüten treibt.

Ich wußte nichts zu erwidern und nickte.

Vielleicht schloß er aus dem Ausbleiben einer Antwort auf Sprachschwierigkeiten, vielleicht veranlaßte ihn der Inhalt des nunmehr Folgenden, in ein hartes, mühsames, jedoch völlig korrektes Deutsch zu wechseln:

»Bitte, wie komme ich hier nach Alt-Bunzlau?«

Seine sinnlose Frage machte mir wieder bewußt, daß ich es ja mit einem Betrunkenen zu tun hatte, dem man am besten auf alles einging; ich empfahl ihm, gleich hinter der Brücke nach links abzubiegen und immer den Straßenbahnschienen zu folgen, dann käme er bestimmt nach Alt-Bunzlau.

»Nämlich«, sagte er, ohne sich von der Stelle zu rühren. »Ich muß nämlich nach Alt-Bunzlau.«

Nichts wäre verhängnisvoller gewesen, als ihn nach dem Grund zu fragen und seiner Beharrlichkeit neue Nahrung zu liefern. Deshalb begnügte ich mich mit der nochmaligen Bestätigung, daß ihn der angegebene Weg bestimmt ans Ziel bringen würde.

Aber er kam von seinem »nämlich« und von Alt-Bunzlau nicht los. Und jetzt zeigte sich erst, was hinter der vermeintlichen Sinnlosigkeit steckte:

»Nämlich«, wiederholte er. »In Alt-Bunzlau habe ich nämlich gedient. Kaiser Karl auch. Ich muß nach Alt-Bunzlau. Sie haben uns Österreich besetzt.«

Er nahm Haltung an, salutierte und verschwand mit steifen, stapfenden Schritten in der Regennacht.

Wir blickten ihm nach. Mein Freund – wie schon gesagt: ein 1934er-Emigrant, also das Gegenteil eines Legitimisten – begann schamlos zu heulen. Er war, wie gleichfalls schon gesagt, mit den Nerven völlig herunter.

Mir stiegen die Tränen erst später hoch, auf dem Masarykbahnhof, und es waren Tränen der Wut: im fahrplanmäßigen Wiener Nachtschnellzug befand sich kein einziger Passagier aus Wien. Die Waggons mit den Flüchtlingen hatten die Grenze bei Lundenburg nicht passieren dürfen.

Das Wörtchen »uns«, mit dem mein nächtlicher Gesprächspartner von der Štefanikbrücke mich so sehr beeindruckt hat, kam noch in einem anderen Dialog zu sonderbarer und sogar heiterer Geltung, von der hier berichtet werden muß. Die dazugehörige Geschichte spielt beträchtlich früher, gegen Ende der zwanziger Jahre, in der Split genannten dalmatinischen Hafenstadt Spalato, wo ich auf einer Ferienreise hängengeblieben war. Dort also ankerte eines flirrenden Sommermorgens ein Schiff, dessen sichtlich neue jugoslawische Flagge nicht recht zu seiner sichtlich altmodischen Bauart passen wollte. Ebenso altmodisch nahm sich das uniformierte Männlein aus, das in der Morgensonne langsam von der Mole her landeinwärts gebogen kam und sich durch seine Litzen und Borten an Mütze und Uniform sogleich als Offizier zu erkennen gab, vielleicht war's gar der Kapitän, und jedenfalls war es ein Marineur von hoher Rang- und Altersklasse, mit weißem, vom Tabak vergilbtem Knebelbart und vielen Runzeln im Gesicht und wasserblau verschwimmendem Blick. Luft und Lässigkeit des Sommermorgens begünstigten das Zustandekommen einer Anrede, und es ergab sich von selbst, daß sie der Erkundigung nach Art und Herkunft des merkwürdigen Schiffes galt, das draußen im Hafen lag. Der Vergilbte fingerte an den franzisko-josefinisch zugestutzten Knebeln seines Barts, wandte sich um, wandte sich wieder zurück und sah ein paar Sekunden wasserblau ins Leere, ehe er antwortete – in jenem vielfach gemischten Idiom, das zwischen Balkan und Adria einstmals als »Grenzerdeutsch« beheimatet war:

»Jo, jo«, nickte er. »Das Schiff. Wissen S', das hat früher uns g'hört, und dann ham's wir übernommen . . .«

Jahre und Jahrzehnte sind seither vergangen. Es ist nicht sehr wahrscheinlich, daß jene früher uns gehörige und dann von uns übernommene Schaluppe noch die Meere befährt, und wenn sie's tut, dann wird sie von keinem knebelbärtigen Alten mehr gesteuert. Der Prager Regimentskamerad des letzten österreichischen Kaisers könnte noch am Leben sein, und wenn er's ist, dann dürfte er an seine Dienstzeit in Alt-Bunzlau mit noch viel tieferer Trauer und Hoffnungslosigkeit zurückdenken als damals, da sie uns Österreich besetzt hatten – denn mittlerweile haben »sie« (die Definition ist auswechselbar) ja auch die Tschechoslowakei besetzt, ihm und uns. Der Wandel aber, der damals einsetzte, ist seither weiter fortgeschritten, immer weiter, in jeder Hinsicht, auch was den Doppeladler betrifft. Damals, vor 1938, als die Nachfolgestaaten des alten Österreich noch deutlich als solche erkennbar waren, waren sie es ebendarum nur widerstrebend und taten alles, um die Merkmale dieser Erkennbarkeit auszulöschen. Heute, da vielleicht ebendarum so vieles andre ausgelöscht ist, was sie niemals ausgelöscht wissen wollten, und da die einstigen Merkmale ihrer Herkunft sich in immer blasseren Spuren verlieren – heute widerstreben sie ihnen nicht länger. Es kann sogar geschehen, daß sie sich zu ihnen bekennen. Und damit ist keine offizielle, aus historischen oder propagandistischen Motiven besorgte Vergangenheitspflege gemeint, sondern das persönliche, sentimentale Attachement, die wehmutsvolle Sehnsucht nach etwas unwiederbringlich Verlorenem, jenseits von Besser oder Schlechter, jenseits aller Politik, ja wohl gar jenseits der Vernunft. Es gibt – ähnlich dem von Herzmanovsky-Orlando entdeckten »inneren Gamsbart« des Österreichers – es gibt einen sozusagen »inneren Doppeladler«. Ihn aufgespürt zu haben, jenen verblassenden Spuren noch einmal gefolgt zu sein, um sie nachzuzeichnen und festzuhalten: darin, so scheint mir, liegt der bleibende Wert dieses Buchs, darin besteht – mit allem Widerspruch, den es da und dort anzumelden gäbe – seine Leistung und sein Verdienst.

Mögen es nur noch ein paar ausgerupfte Federn sein, die vom Doppeladler blieben und die wir uns jetzt – wie man in Österreich sagt – am Hut stecken können. Und mag das alles – wie man im Gegenteil in Amerika sagt – ein alter Hut sein. Aber es war – und der Babenbergerherzog Heinrich II. pflegte in solchen Fällen zu sagen: ja so mir Gott helfe – es war ein schöner Hut.

Urbis Conditor – Der Stadtzuckerbäcker (1958)

Am Kohlmarkt zu Wien – nicht etwa »auf dem« Kohlmarkt, was zwar grammatikalisch richtig wäre, aber praktisch undurchführbar, denn »auf dem Kohlmarkt« hieße ja inmitten der Straße, und der Kohlmarkt ist heute längst kein Markt mehr, sondern eine schmale, vornehme Verkehrsader im Stadtzentrum –, am Kohlmarkt also, nahe der einstmals kaiserlichen Hofburg, befindet sich die Konditorei Ch. Demel's Söhne, kurz »Demel« und ganz genau »der Demel« geheißen. Dem Artikel kommt hier durchaus die Funktion einer verehrungsvollen Liebkosung zu, wie sie sonst nur den großen Theaterlieblingen entgegengebracht wird. Kein Mensch hat jemals von »Alexander Girardi« gesprochen; er hieß »der Girardi«. Man sagt ja auch nicht »Paula Wessely«, sondern »die Wessely«. Und man sagt »der Demel«. Man sagt: »Gehen wir zum Demel«, oder: »Wir treffen uns um halb fünf beim Demel.« Richtige Demel-Besucher sagen nicht einmal das. Sie begnügen sich mit einem simplen: »Wir treffen uns um halb fünf.« Daß dies anderswo als beim Demel geschähe, könnten sie sich auch mit größter Mühe nicht vorstellen. Aber sie wenden solche Mühe erst gar nicht auf.

Wie und wodurch man ein richtiger Demel-Besucher wird – dafür gibt es keine Regel, sondern höchstens Anhaltspunkte. Am besten kommt man bereits als Kind eines richtigen Demel-Besuchers auf die Welt. Man wird dann meistens auch das Enkelkind eines solchen sein und wird sich sogar erinnern, daß einem der Großpapa beim ersten Demel-Besuch wehmütig davon erzählt hat, wie er von *seinem* Großpapa das erstemal zum Demel mitgenommen wurde. Denn der Demel ist mehr als eine Institution. Er ist, auch hierin wieder dem Theater vergleichbar, und zwar dem Burgtheater, eine Legende.

Eine Legende freilich, die sich nicht damit zufriedengibt, es zu sein, die nicht von ihrer Vergangenheit zehrt, sondern die Gegenwart von sich zehren läßt. Eine höchst lebendige, ständig aus sich selbst regenerierte Legende. Sowohl die Zuckerbäckerei, die nur noch vom kalten Buffet übertroffen wird, als auch das kalte Buffet, das nur noch von der Zuckerbäckerei übertroffen wird, warten mit immer neuen Köstlichkeiten auf, mit unvergleichlichen und unnachahmlichen Spezialitäten, von denen jede einzelne genügen würde, um eine Konditorei berühmt zu machen. Eine unsichtbare Schar von Fachleuten – Heinzelmännchen vielleicht, mit spitzen Zuckerhüten auf dem Kopf und Bärten aus eitel Schlagobers – arbeiten unablässig an neuen Rezepten, lassen sich die raffiniertesten Kombinationen einfallen, die sich aus der Skala sämtlicher Geschmacksnuancen von bittersüß bis mildpikant ergeben mögen. Der Demel-Besucher, der nach mehrmonatiger Abwesenheit von Wien und damit vom Demel wieder nach Wien und damit zum Demel zurückkehrt, darf sicher sein, mindestens je zwei Pasteten und Salate vorzufinden, die er noch nie verkostet hat, mindestens ebenso viele ungeahnte Kreationen unter den Torten und Patisserien, und möglicherweise serviert man ihm gerade an diesem Tag auch eine neue »Crème du jour«. Wenn er ein richtiger Demel-Besucher ist, wird ihn das alles nicht weiter überraschen. Das heißt aber keineswegs, daß es ihn kalt läßt. Er findet es nur natürlich – so natürlich wie den ewigen Wechsel der Jahreszeiten. Es durchpulst ihn mit dem gleichen Wohlgefühl, das ihn etwa beim Anblick eines knospenden Grüns überkommt. Beim Demel ist immer Frühling.

Außer den geborenen Demel-Besuchern, die zum größten Teil Aristokraten sind, gibt es auch noch die gewordenen. Sie sind zum größten Teil Aristokraten. Und wenn sie es nicht von Haus aus sind, dann werden sie es von Demel aus: teils eben dadurch, daß sie zum Demel gehen, teils indem sie vom Personal das Demelsche Adelsprädikat verliehen bekommen. Wer beim Demel nicht mindestens »von« heißt, ist kein richtiger Demel-Besucher. Dieses »von« unterscheidet sich fundamental vom wahllos vulgären »Herr Baron« einer trinkgeldheischenden Liebedienerei. Es wird nicht wahllos, sondern nach langer, wohlerwogener Prüfung verliehen. Und es gilt höher als ein noch so echter, noch so mühsam und redlich erworbener akademischer oder amtlicher Rang. Manch ein Professor, manch ein Ministerialrat (vom hergelaufenen Doktor ganz zu schweigen) würde einiges darum geben, wenn er statt mit seinem Titel mit dem Demelschen »von« apostrophiert würde. Aber da kann er lange warten.

Hingegen wird auch dem unterklassigen Besucher die Vergünstigung der indirekten Anrede zuteil, einer nur beim Demel erhältlichen Mischung aus Majestätsplural und kühler Distanz, die durch den Fortfall des Titels hergestellt wird. »Wurden schon bedient?« hält eine diskrete Mitte zwischen dem abrupt zupackenden »Wurden Sie schon bedient?« und dem allzu devoten »Wurden Herr Baron schon bedient?« Man fühlt sich in der dritten Person umsorgt, aber nicht bedrängt. Man weiß sich in sachlicher Hut, ohne ihre Gewährung als Gnade empfinden zu müssen. Wünschen mehr darüber zu erfahren? Dann gehen bitte zum Demel. Definitionen könnten hier nur plumpen Schaden stiften. Denn auch die Atmosphäre wird beim Demel nach einem sorgsam gehüteten Rezept erzeugt.

Zu dieser Atmosphäre gehört die sanfte, unauffällige Schwesterntracht des Personals und das altmodische Arrangement der Tische, gehört die Tatsache, daß hier als mutmaßlich einzigem Lokal des Erdenrunds kein Bedienungszuschlag eingehoben wird, und gehört der eigens als solcher bezeichnete »Rauchsalon«. Wer in den anderen Räumlichkeiten rauchen will, hat zwar mit keinem Verbot zu rechnen, aber es wird ihm deutlich gemacht, daß man das Rauchen außerhalb des Rauchsalons nicht gerne sieht. Er muß sich aus einem schwer zugänglichen Winkel den Aschenbecher holen, er wird, wenn er zufällig kein Feuer bei sich hat, sehr lange warten müssen, ehe er eines bekommt, und vielleicht läßt man ihn sogar auf seine Bestellung länger warten.

Dies allerdings hängt schon wieder von der Art des Verhältnisses ab, in dem er zu einer Servierdame steht. Bekanntlich wird in öffentlichen Gaststätten jedweder Prägung das Personal auf bestimmte Tische verteilt, deren Gesamtheit den sogenannten »Rayon« ergibt. Beim Demel verteilt sich das Personal auf bestimmte Gäste. Noch besser: es teilt die Gäste unter sich auf, und zwar ein für allemal. Man gehört – gleichgültig, an welchem Tisch man sitzt – einer bestimmten Servierdame und nur ihr. Dieses Zugehörigkeitsverhältnis wird desto unerbittlicher beobachtet, je richtiger man ein Demel-Besucher ist. Wenn ein Gast der Frau Paula gehört, wagt kein Fräulein Grete und keine Frau Berta, ihn zu bedienen – es sei denn, die Frau Paula hätte heute ihren freien Tag. Davon macht man ihm dann auch allsogleich Mitteilung, damit er nicht erschrickt und sich getrost einer andern überläßt. Für ganz besonders richtige Demel-Besucher stehe eine Ersatzhierarchie bis ins dritte Glied bereit. Höchstens im Falle einer Epidemie könnten sich da noch kleinere Unzukömmlichkeiten ergeben.

Die Frau Paula heißt übrigens nicht Paula, sondern Grete. Aber als sie dermaleinst – es muß schon Jahrzehnte her sein – beim Demel eintrat, gab es bereits eine Grete, und folglich bekam die neue Grete einen andern Namen. Warum sie sich damals für Paula entschied, weiß sie heute nicht mehr. Sie weiß kaum noch, daß sie in Wahrheit Grete heißt. In einer aufgeräumten Stunde gestand sie mir einmal, daß auch ihr Mann sie längst schon Paula nennt. Und die neue Paula, die inzwischen zum Demel kam, heißt Lina.

Die Frau Paula ist für mich mit dem Begriff Demel identisch, wie mein Kinderfräulein für mich mit dem Stadtpark identisch war und später mein gütig blinzelnder Lateinprofessor mit dem Gymnasium (oder doch mit seinen schöneren Stunden). Und dementsprechend behandelt sie mich auch.

Manchmal nämlich wird selbst der richtigste Demel-Besucher von gelindem Ärger erfaßt: weil es mit der Bedienung nicht klappen will, weil er an einen schlechten Platz gewiesen wurde, weil er nicht weiß, wohin er die Garderobe tun soll (eine Ablage gibt es nicht), weil er beengt und ungemütlich sitzt. Manchmal fragt sich selbst der richtigste Demel-Besucher, ob dieser Name ihm nicht vielleicht zu einem leeren Fetisch geworden ist; und was ihn denn eigentlich veranlaßt, all diese Unbequemlichkeiten immer wieder auf sich zu nehmen; und warum er denn überhaupt noch zum Demel geht. Und dann mag es geschehen, daß er die gerade vorübertrippelnde Frau Paula nun schon zum drittenmal bitten muß, doch endlich abzuservieren und auf dem Tisch ein wenig Platz zu schaffen. Das tut die Frau Paula denn auch und trippelt ein paar Schritte weiter – macht aber plötzlich kehrt, setzt die Tasse wieder ab und deutet mit mahnendem Finger auf den nicht ausgetrunkenen Rest der Schokolade:

»Das Beste lassen stehn«, sagt die Frau Paula. Und dann weiß man wieder ganz genau, warum man zum Demel geht.

Ob meine Bindung an die Frau Paula tatsächlich schon aus meiner Kindheit stammt, wie ich's so gerne wahrhätte, oder erst aus der Gymnasiastenzeit – darüber lag bis vor kurzem noch wohlig unentschiedener Dämmer gebreitet. Jetzt aber, leider, hat sich's geklärt.

Ich war mit einem Freund, der sich gleichfalls zu den richtigen Demel-Besuchern zählt, in eine jener Streitigkeiten geraten, wie sie eben deshalb zwischen richtigen Demel-Besuchern gelegentlich ausbrechen müssen. Es ging darum, wer von uns beiden denn nun der richtigere Demel-Besucher sei und wen die Frau Paula schon länger in ihrer Obhut hätte. Mein Rivale scheute sich nicht, der Frau Paula diese Frage ganz unverhohlen vorzulegen. Die Frau Paula kniff ihre Augen hinter den Brillengläsern für ein paar nachdenkliche Sekunden zusammen; dann wandte sie sich bedauernd an mich:

»Seien bitte nicht bös«, sagte sie. »Aber ich glaub, den jungen Herrn da kenn ich doch ein bisserl länger.«

Der junge Herr, ein korpulenter Fünfziger mit Glatze, war aber nur wenige Jahre älter als ich. Es hätte genausogut umgekehrt ausfallen können.

Noch von einem andern Anlaß ist zu berichten, an dem die Frau Paula ihren unendlichen Herzenstakt bewährte, und dieser Anlaß war nicht einmal ganz so harmlos. Er begab sich bei meiner Rückkehr aus der Emigration, ein paar Jahre nach Kriegsschluß. Überflüssig zu sagen, daß der Weg zum Demel sich unter meinen ersten Wegen befand. Ich setzte mich an einen nahe beim Eingang gelegenen Tisch und wartete, nicht gänzlich ohne Herzklopfen, bis die Frau Paula sich zeigen würde (daß es sie noch gab, hatte ich schon vorher erkundet). Sie tauchte auch bald genug durch die Schwingtüre auf, hinter deren milchig gläsernen Flügeln die geheimnisvollen Gefilde der Zuckerbäckerei beginnen – tauchte auf und hielt inne, und jetzt, so dachte ich, würde geschehen, was unter ähnlichen Umständen damals schon mehrfach geschehen war: die Wiedersehensfreude, echt oder vorgetäuscht, pflegte ihre herkömmlichen Formeln zu finden, ging in allerlei Fragen und Antworten über, mischte sich mit allerlei Seufzern und Reminiszenzen, und nach ein paar Minuten war's vorbei.

Nichts Derartiges schien sich anbahnen zu wollen. Sondern die Frau Paula war wieder in die Küche verschwunden, und ich begann mich mit der trüben Möglichkeit abzufinden, daß sie mich nicht erkannt hätte. Schließlich lag ja mein letzter Besuch beim Demel schon mehr als ein Jahrzehnt zurück.

Aber da stand die Frau Paula an meinem Tisch, stellte einen hohen, mit unverkennbar Köstlichem gefüllten Kelch vor mich hin, dessen Inhalt sich nachmals als »Crème Grenoble« erwies, und sagte:

»Ich glaub, das haben noch nicht gehabt.«

Das war alles, was sie sagte. Und es genügte vollauf, um das Jahrzehnt meines Fernseins wegzuwischen.

Seither ist am Stadtzuckerbäcker Wiens ein weiteres Jahrzehnt vorbeigegangen – nicht etwa spurlos, das soll's ja gar nicht, und die wunderzarten Mokkabohnen in den kleinen, runden Pappschachteln mit der Hoflieferanten-Etikette sind dessenungeachtet nach den allerneuesten Rezepten gefertigt, eins tut dem andern keinen Abbruch, man kann die Mokkabohnen zu Hause umfüllen und das Schächtelchen wegwerfen, man kann es aber auch zu anderen Zwecken verwenden, denn der Pappkarton ist von vortrefflicher Qualität, ist »echte Friedensware«, nämlich aus der Zeit des echten Friedens, der Zeit vor 1914, als Ch. Demel's Söhne noch k. k. Hoflieferanten waren. Frau Anna Demel, die letzte

Trägerin des Namens, ist vor drei Jahren gestorben, im gleichen Alter wie Kaiser Franz Joseph, mit 86 Jahren. Aber sie hat für die Zukunft ihres Reiches ganz ungleich besser vorgesorgt. Von Tante Minna, ihrer jüngeren Schwester, liebreich überwacht, sind hinter der Milchglastüre die emsigen Heinzelmännchen am Werk, auf daß der Zuckerbäcker Demel sich gegen die Zeit behaupte. Und in der Tat: man hat, wenn man beim Demel sitzt, beinahe das Gefühl, einer geheimen Résistancebewegung anzugehören. Stärker als anderswo wird hier offenbar, daß in Wien gerade die vermeintlichen Legenden am besten funktionieren, stärker wird hier die Vergangenheit gegenwärtig: als etwas ganz und gar Lebendiges, als jenes Heute, das dem Wiener seit jeher nur die unvermeidliche Übergangsphase zu einem besseren Gestern war.

Rätselhaft und wirklicher als irgend sonst fließen Gestern und Heute beim Demel ineinander. Es ist, als wäre man im Fiaker vorgefahren. Oder als träte im nahen Burghof die kaiserliche Leibgarde ins Gewehr. Oder als wäre die Konditorei Demel noch in Betrieb.

Sacher und Wider-Sacher
Umwegige Marginalien zum Wiener Tortenstreit
(1961)

Vor grauen Jahren lebt' ein Mann im Osten, der ein Rezept von unschätzbarem Wert aus lieber Hand besaß. Es handelte sich um das Rezept der Sachertorte. Und damit bin ich beim Tafelspitz.

Der verblüffte Leser wird die Zusammenhänge alsbald durchschauen. Sie sind teils allgemein kulinarischer, teils persönlich vorbeugender Art. Denn gerade mir, der ich das Loblied des Zuckerbäckers Demel schon wiederholt gesungen habe, scheint es dringend geboten, endlich einmal den Tafelspitz von Sacher zu lobpreisen. Derselbe stellt sowohl im Zuschnitt wie in der Zubereitung, sowohl mit Apfelkren wie mit kalter Schnittlauchsauce einen absoluten Gipfel der Kochkunst dar. Er ist köstlicher als alles, was einstmals bei Meißel & Schadn unter »Rindfleisch« auf der Speisekarte stand. Und das war, man erinnert sich, nicht wenig.

Erinnert man sich? Das Restaurant dieses altehrwürdigen Hotels – Meißel mit e, Schadn, wohl um häßlichen Assoziationen vorzubeugen, ohne ein solches – galt jahrzehntelang als Hochburg der Rindfleischesser. Im Zweiten Weltkrieg wurde es durch Fliegerbomben zerstört. Im Ersten (genauer: im September 1916) fiel dort der k. k. Ministerpräsident Graf Stürgkh, während er gerade sein Rindfleisch aß, einem Attentat zum Opfer. Der Attentäter wurde zu lebenslänglichem Kerker verurteilt und 1918 durch einen Gnadenakt Kaiser Karls I. in Freiheit gesetzt. Er hieß Friedrich Adler, war der Sohn des Gründers der österreichischen Sozialdemokratie, Victor Adler, und ist erst vor wenigen Jahren in der Schweiz gestorben. Solche Erinnerungen stellen sich ein, wenn man an das Rindfleisch bei Meißel & Schadn denkt. Aus ihnen ergibt sich die sogenannte »Tradition«, die man in Wien gewissermaßen als Beilage serviert bekommt. Es ließe sich denken, daß der Kellner, nachdem er das Fleisch vorgelegt und die gerösteten Erdäpfel, sorgfältig vom Spinat getrennt, daneben geschichtet hat, sich fragend an den Gast wendet: »Auch ein bisserl historische Reminiszenzen gefällig, der Herr?«

Indessen gehört zu diesen historischen Reminiszenzen auch schon die Zeit, da sich auf den Wiener Speisekarten – auf allen, nicht bloß auf denen der Nobelrestaurants – eine eigene Abteilung mit dem Titel »Rindfleisch« befand, die zwischen den »Fertigen Speisen« und den »Speisen auf Bestellung« ein gleichberechtigtes und umfangreiches Dasein führte. Da gab es den »Tafelspitz« und das »Beinfleisch« und das »Hieferschwanzel«, das entweder »geteilt« oder »ungeteilt« bestellt werden konnte. Da gab es das »warm garnierte« und das »kalt garnierte« Rindfleisch, das sich auf eine genauere Definition nicht festlegte und sie der Absprache zwischen Gast und Kellner überließ. Da gab es das »weiße Scherzel« und das »schwarze Scherzel« und das »Schulterscherzel«, da gab es den »Kruspelspitz« und den »Kavaliersspitz«, der jedoch nicht, wie man vermuten könnte, der vornehmste unter den »Spitzen« war, der Spitzenspitz sozusagen, sondern das besonders zarte Oberteil des Scherzels und als solches auf eine so kleine Partie beschränkt, daß sich höchstens vier oder fünf servierfähige Portionen aus ihm herausholen ließen, weshalb er auf vielen Speisekarten gar nicht erst erschien. Auf der Karte des »Grand Hotel« – eines gleichfalls entschwundenen Rindfleischparadieses, wo heute die schmackhafte Atomenergie-Behörde haust – wurde der Kavalierspitz zwar mitgedruckt, aber ohne Preisangabe und schon durchgestrichen, weil die wenigen Portionen immer für Stammgäste reserviert waren; man wollte nur demonstrieren, daß man ihn führte.

Die übrigen Spezialbezeichnungen, die dem Rindfleischkenner geläufig sein mögen – wie das »Hüfel«, der »Zapfen«, die »Kugel« oder das »Meisel« (das sowohl »mager« als auch »fett« vorkommt, aber in keinem Fall mit dem Meißel vom gleichnamigen Schadn verwechselt werden darf) –, sind Nomenklaturen des Fleischhauer- und nicht des Gastwirtgewerbes. Was beispielsweise als »Schale« eingekauft wird, kommt als »Scherzel« auf den Tisch, und die etwaige Bestellung eines Gastes: »Bringen Sie mir ein schönes Vorderes, knochenfrei!« brächte den Kellner in die größte Verlegenheit. Der Fleischhauer hingegen wüßte den Wunsch einer Kundschaft nach einem schönen Hieferschwanzel sehr wohl zu erfüllen; freilich wüßte er das nicht als Hauer, sondern als Esser.

Es würde zu weit führen, alle hier möglichen Kombinationen und Komplikationen zu erörtern. Genug daran, daß man noch bis 1938 in den Wiener Restaurants unter sechs bis sieben nicht nur verschieden bezeichneten, sondern durchaus verschieden gearteten Rindfleisch-Spezialitäten wählen konnte, und daß so Gast wie Kellner um diese verschiedene Artung sehr wohl Bescheid wußten. Es geschah bei Meißel & Schadn, daß sich einmal ein Stammgast nach eingehender Beratung mit seinem Stammkellner für einen Tafelspitz mit Butterkartoffeln, Fisolen und Dillensauce entschieden hatte und daß der Kellner, während er die Augenweide aus Schüsseln und Tabletten und Terrinen auf dem Serviertischchen aufbaute, entschuldigend das Ohr des Erwartungsfrohen suchte: »Bedaure vielmals, Tafelspitz war leider schon aus. Hab mir erlaubt, ein Bröselfleisch vom schwarzen Scherzel zu bringen. Sehr schön, sehr mürb, sehr gut abgelegen.« Und es geschah weiter, daß der Gast daraufhin einen glasigen Blick durch den Kellner hindurchgehen ließ, sich sonder Hast erhob und mit dem beißenden Tadel: »Da hätten S' mir ja gleich ein Naturschnitzel bringen können!« das Lokal verließ, verfolgt von den respektvollen Blicken des stumm sich neigenden Kellners.

Wer je in einem halbwegs brauchbaren Wiener Kochbuch die schematische Darstellung »Das Rind« studiert hat, der weiß, daß Tafelspitz und schwarzes Scherzel maximal zehn Zentimeter auseinanderliegen. Und das ist für ein Rind wirklich keine Entfernung.

Nach alledem wird man verstehen, daß ich das Haus Sacher in keinen höheren Tönen lobpreisen kann als durch den Vergleich mit Meißel & Schadn und daß ich jederzeit zu einer eidesstattlichen Erklärung über die Qualität des Sacherschen Tafelspitzes bereit bin.

Was hingegen die Sachertorte betrifft, so beharre ich auf meiner schon vor dem Gericht – oder, um gastronomischen Doppeldeutigkeiten vorzubeugen: vor dem Gerichtshof – gemachten Aussage, daß die Original-Sachertorte zu Anna Sachers Lebzeiten in der Mitte *nicht* durchgeschnitten und *nicht* mit Marmelade gefüllt war; daß lediglich unter der Schokoladeglasur, um sie der Tortenmasse haltbar zu verschwistern, eine dünne Marmeladenschicht angebracht wurde; und daß die Torte in dieser originalen Form heute nicht von dem in andre Hände übergegangenen Hotel Sacher, sondern von der Konditorei Demel hergestellt wird, die das Rezept in den dreißiger Jahren von Eduard Sacher, dem letzten männlichen Sproß des Hauses, erworben hat.

Mit dieser Aussage bin ich im Lager der Verlierer. Denn das Oberlandesgericht hat jetzt als II. Instanz den seit vielen Jahren anhängigen Rechtsstreit zugunsten des Hotels entschieden und ihm das alleinige Recht zuerkannt, die Bezeichnung »Original-Sachertorte« und das schokoladene Rundsiegel zu verwenden, indessen Demel seine Sachertorte nur mit einem dreieckigen Siegel versehen und sie nur so bezeichnen darf, wie sie auf Grund eines längst zum Allgemeingut gewordenen Rezeptes von jedem Kochbuch bezeichnet wird, nämlich als »Sachertorte«.

Der harte Schlag des zweitinstanzlichen Urteils verliert allerdings an Härte und Eindeutigkeit, wenn man die Urteilsbegründung näher betrachtet. Sie greift bis ins vorige Jahrhundert zurück – nicht ganz so weit, wie sie eigentlich müßte, nicht bis zu jenen frühen Tagen, da der Kocheleve Franz Sacher die Torte erstmals auf die Tafel des Fürsten Metternich brachte, aber doch bis zu den Anfängen der legendenumwobenen Glanzzeit des Hauses unter dem Regime Anna Sachers (1892–1930). Während der ersten und offenkundig längeren Phase dieser Glanzzeit wurde die Sachertorte weder durchgeschnitten noch mit Marmelade gefüllt. Der Wandel erfolgte – wie die Urteilsbegründung ausdrückt und mit einer dem geschichtlichen Tatbestand angemessenen Würde feststellt – »im zweiten Jahrzehnt des 20. Jahrhunderts«. Und damit ist, wofern »original» soviel bedeutet wie »ursprünglich« (was es ursprünglich zweifellos tut), doch wohl erwiesen, daß die Original-Sachertorte heute von Demel hergestellt wird. Das heißt: es *wäre* erwiesen, wenn Sprache und Logik zum Erweis genügten, wenn nicht auch die andre, die marmeladengefüllte Sachertorte den vertrackten Anspruch besäße, ein originales Sacher-Erzeugnis zu sein.

Wie sie das wurde, wird ewig ungeklärt bleiben. Vielleicht geschah es wirklich erst gegen Ende jenes dehnbaren »zweiten Jahrzehnts«, 1919 wohl gar, zu einer Zeit des allgemeinen Sitten- und sonstigen Verfalls, von dem ja nicht nur das Haus Sacher betroffen wurde, sondern auch das wesentlich länger am hiesigen Platz etablierte Haus Habsburg. Vielleicht hat die alte Frau Sacher sich damals nicht mehr um diese Dinge gekümmert, und niemand andrer war da, den Verfallserscheinungen zu wehren und mit drohend erhobenem Kochlöffel ein »Principiis obsta!« zu donnern, als der Chef-Mehlspeiskoch eines Tages beim Abschmecken der Tortenmasse das Gesicht verzog, sich mit den Worten: »Heut is's aber bisserl trocken ausg'fallen!« an seinen Assistenten wandte und in einer plötzlichen Eingebung hinzufügte: »Wissen S' was? Schneiden S' es in der Mitte auf und geben S' eine Lage Marmelad' dazwischen!« Möglich wär's. Die Geschichte kennt Beispiele umwälzender Neuerungen, die auf ähnliche Art zustande kamen.

Jedenfalls muß sich die verwirrte Nachwelt damit abfinden, daß es zwei Original-Sachertorten gibt, eine ursprüngliche und eine spätere, eine aus dem 19. Jahrhundert und eine aus dem zweiten Jahrzehnt des 20., und daß – was bei Originalen nicht just die Regel ist – das spätere den Vorrang vor dem früheren hat, ja die Original-Existenz des früheren geradezu auslöscht.

Dies aber war es eigentlich, wogegen die Konditorei Demel zu Felde zog und, wie es heißt, noch weiter zu Felde ziehen wird, bis zum Obersten Gerichtshof. Ihr geht es, so dünkt mich, nicht um Wollust noch Gewinnst, sondern um eine historische Wahrheit, die mit der kulinarischen identisch ist. Denn die Konditorei Demel – das kann nicht nachdrücklich genug hervorgehoben werden – kämpft ja gar nicht darum, ihre Sachertorte als »original« zu bezeichnen. Sie wünscht nur, daß diese Bezeichnung auch der Sacherschen Sachertorte vorenthalten bleibe. Sie kämpft dagegen, daß von zwei Originalen gerade das spätergeborene als das einzige gelten soll. Sie will das Recht der Erstgeburt nicht um eine Marmeladenschicht verkauft sehen. Es ist ein klassischer Fall von L'art pour l'art, von marmelade pour marmelade. Es ist – und damit wird der scheinbare Anachronismus im höchsten Grade zeitgemäß – eine ideologische Auseinandersetzung. Geschäftlich ist weder die Firma Demel auf den Verkauf der Sachertorte noch die Firma Sacher auf die Verwendung des »Original«-Etiketts angewiesen. Die überwiegende, meist aus dem Ausland kommende Menge derer, die auf den Genuß von Sachertorte erpicht sind, halten die von Sacher erzeugte sowieso für das Original und suchen bei Demel sowieso etwas andres als Sachertorten.

Solange es bei Sacher noch den unvergleichlichen Tafelspitz gibt und bei Demel noch die unvergleichliche Crème du jour, solange Sacher noch der Demel unter den Restaurants ist und Demel noch der Sacher unter den Konditoreien, solange wir froh sein dürfen, daß wir zwei solche Kerle haben, sollten sie einander nicht ein Etikett streitig machen, das entweder beiden gebührt oder keinem. Möge ihnen dieser Appell zu Herzen gehen. Er kommt aus denkbar objektivster Quelle. Er kommt von einem, dem die Sachertorte in beiderlei Gestalt, mit Marmelade wie auch ohne sie, überhaupt nicht schmeckt.

Traktat über das Wiener Kaffeehaus (1959)

Wien ist die Stadt der funktionierenden Legenden. Böswillige behaupten, daß die Legenden überhaupt das einzige seien, was in Wien funktioniert, aber das geht entschieden zu weit. Wer sich an das depravierte, schlaff dahinvegetierende Wien der Zwischenkriegszeit erinnert oder an das von Bomben- und Besetzungsschäden durchfurchte Wien nach 1945, wird auf den ersten Blick feststellen können, zu welchem Vorteil es sich verändert hat und wie neuartig, wie real, wie legendenfern und legendenfremd diese Veränderungen sind. Ob es sich nun um die Bewältigung großstädtischer Verkehrsprobleme handelt, um die weiträumigen Untergrundpassagen an den überlasteten Straßenkreuzungen, um Rolltreppen und Wohnbauten, um Stadion und Höhenstraße, um die moderne Ausgestaltung der öffentlichen Gartenanlagen – ach, es ist viel geleistet worden, und auf den Plakaten einer Wanderausstellung über das heutige Wien, die vor kurzem durch etliche Städte der Bundesrepublik zog, prangte in großen Lettern der Slogan »Wien – die Stadt der Arbeit«, ohne daß ringsumher das schallendste Gelächter ausgebrochen wäre.

Indessen sind Siedlungshäuser und soziales Grün und neuzeitliche Verkehrsregelungen, wie verdienstlich sie auch sein mögen, keineswegs typisch für Wien. Das gibt's auch anderswo, und häufig gibt es anderswo nichts als das. Typisch für Wien, und nur für Wien, ist nach wie vor, daß die Legenden funktionieren. Und das werden sie tun, solange es Wirklichkeiten gibt, die sich nach ihnen richten. In Wien nämlich verhält sich's nicht so, daß die Realität eines Tatbestands allmählich verblaßt und legendär wird. In Wien entwickelt sich die Legende zur Wirklichkeit. Als die Wiener einander beim Heurigen lang genug vorgesungen hatten, wie gemütlich sie seien, konnten sie sich nicht mehr Lügen strafen und wurden gemütlich. Als Arthur Schnitzler in seinen Theaterstücken den Typ des »süßen Mädels« schuf, entstand das süße Mädel. Auch daß Wien je nachdem die Stadt der Lieder, eine sterbende Märchenstadt oder stets die Stadt meiner Träume sein soll, wurde erst durch die entsprechenden Texte stipuliert, und die Befürchtung drängt sich auf, daß im Prater die Bäume nicht blühen könnten, wenn sie vorher nicht die gesungene Bewilligung erteilt bekommen hätten. (Bei genauerem Zusehen wird man allerdings von einer schönen Konzessionsbereitschaft des Textdichters beruhigt: »Im Prater blühn *wieder* die Bäume«, sagt er ganz ausdrücklich und überläßt damit der Natur doch ein gewisses Prioritätsrecht.)

Wie immer dem sei: von den Lipizzanern der Spanischen Hofreitschule bis zu Burg und Oper, vom Restaurant Sacher bis zur Konditorei Demel ist es die Wirklichkeit, die der Legende nachkommt, ja geradezu nacheifert, sind es die funktionierenden Legenden, die das Charakterbild Wiens entscheidend mitbestimmen.

Die weitaus komplizierteste dieser Legenden ist das Wiener Kaffeehaus.

Versuchen wir, uns der Komplikation auf geradem Wege zu nähern. Bilden wir einen reinen, einfachen Aussagesatz:

»Ein Gast sitzt im Kaffeehaus und trinkt Kaffee.«

Man sollte meinen, daß dieser Satz an Klarheit nichts zu wünschen übrigläßt. In Wahrheit läßt er alles zu wünschen übrig. Er sagt zwar etwas aus, aber er besagt nichts. Kein einziger Begriff, mit dem er operiert, ist eindeutig. Vielmehr stellt sich sofort eine Reihe weiterer Fragen, von denen wir hier nur die drei wichtigsten anführen wollen:

1. Wer ist der Gast?
2. In welcher Art von Kaffeehaus sitzt er?
3. Was ist es für ein Kaffee, den er trinkt?

Die letzte Frage läßt sich am leichtesten – und für den Laien am leichtesten verständlich – beantworten. Auch dem Laien wird es einleuchten, daß man etwa in London nicht zur Cunard Line gehen und auf die Frage, was man wünsche, nicht einfach antworten kann: »Ein Schiff.« Ebensowenig kann man in ein Wiener Kaffeehaus gehen und einfach »einen Kaffee« bestellen. Man muß sich da schon etwas genauer ausdrücken. Denn die Anzahl der Gattungen, Zubereitungsarten, Farben und Quantitäten, unter denen es zu wählen gibt, hat keine Grenzen oder hat sie erst in nebelhafter Ferne, und wer da nicht irregehen will, wird gut tun, sich wenigstens ein paar Grundbegriffe einzuprägen. Sonst könnte er versucht sein, die Bestellung »Nußbraun«, die der Kellner soeben in lässiger Verkürzung an die Küche weitergegeben hat, lediglich für die Farbangabe des bestellten Kaffees zu halten, indessen sie sich doch in erster Linie auf das Größenmaß der Schale bezieht, in der er serviert wird; sie würde vollständig nicht etwa »eine Schale nußbraun«, sondern »eine Nußschale braun« zu lauten haben. »Nußschale« bezeichnet in sinnvoll-poetischer Chiffre das kleinste der drei gebräuchlichen Größenmaße. Das mittlere heißt »Piccolo« und darf nicht mit dem gleichnamigen Zuträgerlehrling verwechselt werden, der in der Kellnerhierarchie den untersten Rang innehat und sozusagen die Nußschale unter den Kellnern ist. Als oberstes Größenmaß gilt die »Teeschale«, die, wenn sie tatsächlich Tee enthält, nicht »Teeschale« heißt, sondern »eine Schale Tee« (unter »Tasse« versteht man in Wien die Untertasse).

Was die Zubereitungsarten betrifft, so muß man heute den »normalen« Kaffee oft schon eigens verlangen, sonst bekommt man automatisch einen nach der Espresso-Methode hergestellten. In vielen Lokalen gibt es gar keinen andern mehr, zumal in den kleineren, die sich zwei verschiedene Maschinen nicht leisten können und die rentablere Espresso-Maschine vorziehen. Der Espresso kann »kurz« oder »gestreckt« zubereitet werden, je nach der Menge des verwendeten Wassers. Als »Kurzer« verdrängt er allmählich den einst seiner Stärke wegen geschätzten »Türkischen«, der in der Kupferkanne gekocht und serviert wird. Der in Frankreich beheimatete »Café filtre« hat sich in Österreich niemals durchgesetzt. Und daß in den als »Espresso« bezeichneten Lokalen kein »normal« gekochter Kaffee ausgeschenkt wird, versteht sich von selbst.

Es war aber dieser »normale«, auf »Wiener« oder »Karlsbader«

Art zubereitete Kaffee, der den Ruhm des Wiener Kaffeehauses begründet hat und die Vielfalt der möglichen Bestellungen bis heute gewährleistet, dem wir die »Melange« verdanken und den »Kapuziner«, den »Braunen« und die »Schale Gold« – Bezeichnungen, deren manche bereits offenbaren, in welchem Verhältnis Kaffee und Milch gemischt sind: bei der »Melange« zu ungefähr gleichen Teilen, bei der »Schale Gold« mit einem deutlichen Übergewicht der Milch, beim »Braunen« mit einem ebenso deutlichen Übergewicht des Kaffees, beim »Kapuziner« mit einem noch deutlicheren. Die Kenntnis dieser Kombinationen ist für eine halbwegs fachmännische Bestellung unbedingt erforderlich. Hinzu kommen der keiner Erklärung bedürftige »Schwarze« oder »Mokka«, der »Einspänner« (ein Schwarzer im Glas mit sehr viel Schlagobers), der »Mazagran« (ein durch Eiswürfel gekühlter, mit Rum versetzter Mokka) und eine schier unübersehbare Menge von Variationen der oben angeführten Grundfarben, je nach Neigung und Sekkatur des Gastes, und gewöhnlich durch ein an die Bestellung angehängtes »mehr licht« oder »mehr dunkel« angedeutet. Ein Perfektionist unter den einstigen Kellnern des Café Herrenhof trug ständig eine Lackierer-Farbskala mit zwanzig numerierten Schattierungen von Braun bei sich und hatte den erfolgreichen Ehrgeiz, seinen Stammgästen den Kaffee genau in der gewünschten Farbtönung zu servieren. Bestellungen und Beschwerden erfolgten dann nur noch unter Angabe der Nummer: »Bitte einen Vierzehner mit Schlag!« oder »Hermann, was soll das? Ich habe einen Achter bestellt, und Sie bringen mir einen Zwölfer!« Aber das waren Mätzchen, die über ihren engeren Ursprungsbezirk nicht hinauskamen und keine Allgemeingültigkeit beanspruchten, so wenig wie der »Sperbertürke«, ein doppelt starker, mit Würfelzucker aufgekochter »Türkischer«, den der Wiener Rechtsanwalt Hugo Sperber, im Café Herrenhof, vor anstrengenden Verhandlungen einzunehmen liebte; oder der »überstürzte Neumann«, die Erfindung eines anderen, Neumann geheißenen Stammgastes, die darin bestand, daß das Schlagobers nicht auf den bereits fertigen Kaffee, sondern auf den Boden der noch leeren Schale gelagert und sodann mit heißem Kaffee »überstürzt« wurde.

Die Kenntnis all dieser Nuancen und Finessen darf jedoch vom durchschnittlichen Kaffeehausbesucher schon deshalb nicht verlangt werden, weil auch der durchschnittliche Kaffeehauskellner heute nur über äußerst mangelhafte Kenntnisse verfügt und selbst im Allgemeingültigen nicht immer Bescheid weiß. Wie es denn überhaupt Zeit zu der Feststellung ist, daß vieles vom bisher Gesagten sich auf unwiederbringlich Vergangenes bezieht und daß im Wiener Kaffeehausleben sehr erhebliche, ja fundamentale Veränderungen vor sich gegangen sind.

Damit haben wir die verschiedenen Arten von Kaffee, die ein Gast in einem Wiener Kaffeehaus trinken kann (oder konnte), hinter uns gelassen und kommen zu unserer zweiten Frage, zur Frage nach den verschiedenen Arten von Kaffeehaus, die es gibt – und die es nicht mehr gibt. Weil aber zwischen Kaffeehaustypen und Gästetypen ein unlöslicher Kausalnexus besteht, weil sie einander formen und bedingen, wird in diesem Zusammenhang auch die Frage nach dem Gast zu beantworten sein, der im Wiener Kaffeehaus sitzt – und nicht mehr sitzt.

Es wäre ein aussichtsloses Unterfangen, das vielschichtige Phänomen »Kaffeehaus« auf einen Nenner bringen zu wollen. Seine Typen liegen zu weit auseinander. Jenes »kleine Café in Hernals«, von dem ein populäres Lied der dreißiger Jahre zu singen und zu sagen wußte, daß dort »ein Grammophon mit leisem Ton an English Valse« spielt, hat so gut wie nichts mit dem als »Literatencafé« bekannten Typ gemeinsam; das gleißnerisch verchromte, meist an ein vornehmes Hotel angeschlossene Kaffeehaus der City so gut wie nichts mit dem kleinen, in einer engen Nebengasse gelegenen »Beisl«, das den Schweizern in der Gasthausform »Beitz« bekannt ist.* Periphere Erscheinungen wie die »Café-Konditorei« oder die »Jausenstation« draußen im Grünen können hier außer Betracht bleiben.

Anders und verwirrender verhält es sich mit dem »Café-Restau-

* Die schweizerische »Beitz« wurzelt ebenso wie das wienerische »Beisl« im hebräischen »Bajis« = Haus.

rant«, das um 1925 aufkam und lange vor dem »Espresso« die eigentliche, radikale Erschütterung der klassischen Kaffeehausatmosphäre mit sich brachte. Bis dahin hatte man – außer den zahllosen Arten von Weißgebäck und sonstigen Bäckereien (denen ein eigenes Kapitel zu widmen wäre) – im Kaffeehaus nichts »Richtiges« zu essen bekommen. Es gab belegte Brote und, wenn es unbedingt etwas Warmes sein mußte, ein Paar Würstel oder eine Eierspeise: Notlösungen, als solche gemeint und beabsichtigt. Denn ins Kaffeehaus kam man ja nicht *zum,* sondern *nach* dem Essen, nicht um der fleischlichen, sondern um der geistigen Nahrung willen. Der Einbruch von Küche und Keller in den Kaffeehausbetrieb, das Auftauchen umfangreicher Speisen- und Getränkekarten mit regulären »Menus« war mehr als ein bloß formaler Bruch mit jahrhundertealten Traditionen. Es war die erste, verhängnisvolle Konzession an die veränderten Zeitläufte, ein Zurückweichen vor ihren materialistischen Tendenzen, ein resigniertes Eingeständnis, daß immer weniger Menschen bereit waren, für Colloquium und Convivium auch nur eine warme Mahlzeit zu opfern (oder diese Mahlzeit anderswo einzunehmen). Der Dienst am Kunden obsiegte über den Dienst am Geist.

Aber wie das in Wien schon geht, und wie es späterhin auch dem »Espresso« ergehen sollte: der Sieg wurde nicht ausgenützt, sondern nützte sich ab, versandete, verschlampte und blieb in jener Halbschlächtigkeit stecken, aus der noch stets die einzige Entscheidung erwachsen ist, die der Österreicher mühelos zu treffen vermag: keine Entscheidung zu treffen. In gewisser Hinsicht war es sogar ein Pyrrhussieg. Denn das große Kaffeehaussterben, das nach dem Zweiten Weltkrieg einsetzte, betraf hauptsächlich die Café-Restaurants und ging ohne Zweifel auch darauf zurück, daß für diese Mischform keine rechte Notwendigkeit mehr bestand. Im Gasthaus, wo man ohnedies besser und billiger essen konnte, gab es seit Einführung der Espresso-Maschinen auch sehr guten Kaffee (was früher nicht immer der Fall gewesen war), und wem es darauf ankam, Zeitungen zu lesen oder mit Freunden beisammenzusitzen, der hielt es lieber mit den »echten« Kaffeehäusern, die nach wie vor bestanden.

Und nach wie vor bestehen. Es kann gar nicht genug unterstrichen werden, daß sie es sind, die den Begriff des »Wiener Kaffeehauses« verkörpern, sie und nicht das Literatencafé, das man besonders im Ausland gerne mit dem Wiener Kaffeehaus identifiziert – verständlicherweise, denn es waren notwendig Literaten, die über das Kaffeehaus schrieben, und sie stützten sich dabei notwendig auf die Wahrnehmungen, die sie in »ihrem« Kaffeehaus, also in einem Literatencafé gemacht hatten. Das Literatencafé mag immerhin die ziseliertesté Ausprägung des Kaffeehausbegriffs sein, aber es ist nicht repräsentativ für ihn, und es stellt nicht einmal in sich einen fest umrissenen Typus dar, der sich eindeutig definieren ließe. Eindeutig war, in neuerer Zeit, immer nur das jeweils »führende« Literatencafé festzustellen, das Café Griensteidl etwa, wo sich um 1890 die Vertreter des damaligen »Jung-Wien« – Schnitzler, Hofmannsthal, Beer-Hofmann, Hermann Bahr – zusammenfanden, und von dessen Abbruch Karl Kraus die Anregung zu seiner ersten, noch vor Gründung der »Fackel« erschienenen Streitschrift empfing (»Die demolirte Litteratur«, 1896). Es folgte – mit Karl Kraus, Peter Altenberg, Egon Friedell und Alfred Polgar als sozusagen »gründenden« Stammgästen – das Café Central, das seinen Rang bis zum Ende des Ersten Weltkriegs beibehielt und vom Café Herrenhof abgelöst wurde, dem letzten der großen Reihe, dessen Glanzbesetzung etwa durch die Namen Hermann Broch, Robert Musil, Franz Werfel und Joseph Roth gekennzeichnet ist, und das nach dem Zweiten Weltkrieg noch eine kurze, schon ein wenig asthmatische Renaissance erleben durfte, ehe es zum Mittagstisch für die Beamten der umliegenden Ministerien herabsank und 1960 endgültig seine Pforten schloß.

Dies also waren die führenden, die Literatencafés im engeren Sinn. Im weiteren Sinn entsprachen der gängigen Vorstellung, die sich mit dieser Bezeichnung verband, mehr oder weniger alle Kaffeehäuser, in denen eine gewisse Anzahl geistig und künstlerisch interessierter Menschen – das, was man heute »Intellektuelle« nennt – sich regelmäßig einfand. Solcher Kaffeehäuser gab es sehr, sehr viele, und solcher Kaffeehäuser gibt es heute nur noch sehr, sehr wenige.

Die Ursachen – politischer, soziologischer und technischer Art – liegen auf der Hand. Das Stammpublikum dieser Kaffeehäuser war, wie das geistig und künstlerisch interessierte Publikum insgesamt, zu großem Teil jüdisch. Vor 1938 lebte in Wien fast eine Viertelmillion Juden. Heute zählen sie knappe zehntausend. Das ist das eine, und daran ist nicht zu rütteln. Es macht sich wahrlich auch auf anderen Gebieten des öffentlichen Lebens geltend, aber auf keinem so nachhaltig und mit so einschneidenden Folgen wie hier. Was nicht etwa besagen soll, daß es in Wien keine Literaten, keine Intellektuellen, keine geistig und künstlerisch interessierten Menschen mehr gäbe. Natürlich gibt es sie. Aber sie sind nicht nur in ihrer Anzahl empfindlich reduziert, sie sind es auch in ihren Möglichkeiten zum Kaffeehausbesuch. Sie sind – und damit kommt die Soziologie ins Spiel – beschäftigt. Sie haben zu tun. Sie sind nur noch potentielle Kaffeehaus-Stammgäste, keine praktischen mehr. Sie bringen alle Erfordernisse eines Stammgastes mit, nur sich selbst nicht. Sie haben keine Zeit. Und Zeithaben ist die wichtigste, die unerläßliche Voraussetzung jeglicher Kaffeehauskultur (ja am Ende wohl jeglicher Kultur). Auch die Stammgäste der früheren Literatencafés waren beschäftigt: zum Teil eben damit, im Kaffeehaus zu sitzen, zum Teil mit Dingen, die sie im Kaffeehaus erledigen konnten und wollten. Dort schrieben und dichteten sie. Dort empfingen und beantworteten sie ihre Post. Dort wurden sie telephonisch angerufen, und wenn sie zufällig nicht da waren, nahm der Ober die Nachricht für sie entgegen. Dort trafen sie ihre Freunde und ihre Feinde, dort mußte man hingehen, wenn man mit ihnen sprechen wollte, dort lasen sie ihre Zeitungen, dort diskutierten sie, dort lebten sie: (Kürschners Literaturkalender verzeichnete jahrelang als Peter Altenbergs Adresse: »Café Central, Wien I.«) In ihrer Wohnung schliefen sie nur. Ihr wirkliches Zuhause war das Kaffeehaus.

Warum ist es das nicht mehr? Auch für jene nicht, die konstitutionell dafür geeignet wären? Liegt es an ihnen, daß sie im Kaffeehaus nicht mehr arbeiten können? Liegt es am Kaffeehaus?

Es liegt an ihrer Arbeit. Es liegt an der Technik, die sich mit Politik und Soziologie zu unheimlichem Trifolium zusammengeschlossen hat. Es liegt an dem, daß die heutigen Dichter direkt in die Schreibmaschine dichten, und die kann man ins Kaffeehaus nicht mitnehmen; daß sie ihre Hörspiele der Sekretärin diktieren, die man ins Kaffeehaus gleichfalls nicht mitnehmen kann (oder nicht zum Diktieren); daß auch der Produktionsleiter der Fernseh-Dramaturgie, der Programmdirektor der Funkabteilung »Kulturelles Wort« nicht ins Kaffeehaus kommen können, sondern in ihren Studios und Büros aufgesucht werden wollen – mit Recht, denn sie haben ebensowenig Zeit wie ihre Autoren und bekommen dafür ebensoviel Geld. Und selbstverständlich haben sie alle sowohl zu Hause wie im Büro ein Telephon, so daß sie nicht darauf angewiesen sind, sich im Kaffeehaus kostenlos anrufen zu lassen oder die sechs Minuten Sprechdauer, die ihnen der einmalige Münzeinwurf zugesteht, für drei Gespräche auszunützen. Nicht nur ihr eigenes Telephon haben sie, die meisten von ihnen haben auch ihr eigenes Auto. Das sind Berufsbehelfe. Das ist längst kein Luxus mehr. Ein Luxus ist es, Zeit zu haben. Noch die armseligsten Insassen der alten Literaturcafés konnten sich diesen Luxus leisten. Sie waren arm und selig. Geld zu verdienen galt ihnen beinahe als schimpflich. Zur Bezahlung der Zeche – wofern man sie nicht einfach schuldig blieb – waren die Mäzene da, die es gleichfalls nicht mehr gibt, und gäbe es sie, dann hätten sie gleichfalls keine Zeit. Die Insassen der heutigen Literaturcafés sind ihre eigenen Mäzene. Das Kaffeehaus ist nicht mehr das Um und Auf ihres Daseins, sondern bestenfalls das Drum und Dran. Es spielt keine Rolle mehr. Es ist ihnen gleichgültig, vielleicht sogar angenehm, aber nicht unentbehrlich. Sie können ins Kaffeehaus gehen, aber sie müssen nicht. Wenn sie hingehen, tun sie dem Kaffeehaus einen Gefallen, nicht sich. Es ist ihnen keine Lebensnotwendigkeit mehr, es ist nicht mehr der Humus, ohne den sie verdorren würden, ohne den sie nicht gedeihen könnten und nichts hervorbringen.

Denn die Produktivkraft des einstigen Literatencafés, im engern wie im weitern Sinn verstanden, war enorm. Im Kaffeehaus wurden literarische Schulen und Stile geboren und verworfen, vom Kaffeehaus nahmen neue Richtungen der Malerei, der Musik, der Architektur ihren Ausgang.

Überflüssig zu sagen, daß jedes dieser Kaffeehäuser seine eigene, unverwechselbare, eifersüchtig gehütete Note und Atmosphäre hatte. Ein Stammgast des »Central« oder des »Herrenhof« hätte sich im »Museum«, dem Kaffeehaus der Maler, so fremd und verlassen und ausgestoßen gefühlt wie ein Stammgast des Musikercafés »Parsifal« im Journalistencafé »Rebhuhn«. Heute eignen Reste von Unverwechselbarkeit allenfalls noch dem »Raimund« und dem »Hawelka«, zwei echten Kaffeehäusern, jenes zur Literatur, dieses zur bildenden Kunst tendierend. Aber die Grenzen verfließen. Man sieht im »Hawelka« auch Schriftsteller und Journalisten, im »Raimund« auch avantgardistische Malerbärte, und Schauspieler in beiden. Unverwischte und unverfälschte Atmosphäre ist eigentlich nur noch dort zu finden, wo sie nicht von den Gästen abhängt, wo eine Lokalität als solche ihren eigenen Stil entwickelt und aufrechterhalten hat: beim »Demel«, oder in der von Wiens rebellischem Architekten Adolf Loos 1907 erbauten und unter Denkmalschutz stehenden »Kärntner-Bar«, oder in einigen der kleinen, versteckten Heurigen. Und das sind keine Kaffeehäuser.

Dennoch verfügen sie über Wesenszüge, die sie mit dem echten Kaffeehaus inniger verbinden, als das echte mit dem unechten verbunden ist. Zu diesen Wesenszügen gehören Kontinuität, Regelmaß, Selbstbescheidung, gehört die Fähigkeit, Grenzen zu ziehen und sie nicht zu überschreiten. Genau diese Wesenszüge wird man in den echten Kaffeehäusern finden, die trotz den Kassandrarufen oberflächlicher Reisefeuilletonisten und klischeefreudiger Untergangsstimmungsmacher keineswegs aussterben, sondern sich lediglich in die ihnen gemäßen Grenzen – welche sie kennen – zurückgezogen haben. Zurück aus der City, die sich auch hier, dem internationalen Reisepublikum zu schnödem Gefallen, einer so trostlosen Nivellierung anheimgibt, daß man in wenigen Jahren nicht mehr wissen wird, ob das Lokal, in dem man gerade sitzt, zu Wien oder Kopenhagen oder Buenos Aires gehört. In solchem Weichbild hat das Wiener Kaffeehaus nichts zu suchen.

Aber gleich jenseits des Rings, wo's auf die Gürtellinie zugeht und wo Wien noch Wien ist, lebt auch das Wiener Kaffeehaus unverändert weiter, mit unverrückbaren Stammtischen und Stammgästen, jahrzehntelang vom selben Ober betreut, mit Tarock- und Schach- und Billardpartien wie eh und je, mit Zeitungen für viele Stunden und immer neu herangetragenen Gläsern voll frischen Wassers, mit Abgeschiedenheit oder Gesprächen, mit Stille oder Geselligkeit ganz nach Wunsch. Und wenn nicht alles trügt, hat von dort her sogar ein Rückstoß eingesetzt, schickt das Kaffeehaus sich an, sein in der City verlorenes Terrain wieder zu erobern und zu kultivieren. Als vor etwa einem Jahrzehnt die ersten »Espresso« geheißenen Lokale sich auftaten, gebärdeten sie sich als völlig neuer Typ, taten wenig für die Bequemlichkeit und alles für die Eile des hastigen Großstädters, hießen ihn seine Konsumation im Stehen oder bestenfalls auf Barhockern vertilgen, offerierten unter schaurig eisgekühltem Glas allerlei vertrockneten Imbiß und ließen sich's überhaupt angelegen sein, ihrer Bezeichnung in jeder Weise gerecht zu werden. Aber schon bald begann es dort minder expreß herzugehen. Verstohlen und erst nur im Hintergrund tauchten kleine Tische und Stühle auf, die sich immer kühner nach vorn schoben und an denen man wenig später ein rechtschaffen belegtes Brot, ein Paar Würstel oder eine Eierspeise serviert bekam, ganz wie im echten Kaffeehaus. Und als das Lokal sich entweder rückwärts oder ins darübergelegene Stockwerk ausdehnte, als wie zufällig die ersten Mittagsblätter auf den Tischen herumlagen und allmählich die Morgenblätter und die wichtigsten ausländischen Zeitungen hinzukamen: da konnte es keinen Zweifel mehr geben, wo die Entwicklung hinsteuerte.

Wenn es schon nicht der reine Geist war, der hier obsiegte – der Geist des Kaffeehauses war es ganz gewiß. Der schlampige, korrupte, unbezwingliche und unvergleichliche Geist des Wiener Kaffeehauses.

Requiem für einen Oberkellner (1958)

Der Oberkellner Franz Hnatek ist gestorben. Vierzig von den annähernd siebzig Jahren seines Lebens war er Oberkellner im Café Herrenhof, also von dessen (des Herrenhofs) Geburt bis zu seinem (Hnateks) Tod. Denn das Café Herrenhof, Wiens letztes Literatencafé, trat erst im Jahre 1918 ins Leben, ungefähr gleichzeitig mit der Republik Österreich. Und ähnlich wie die Republik das Erbe der Monarchie antrat, trat das Café Herrenhof das Erbe des ihm unmittelbar benachbarten Café Central an.

Das »Central« ist längst kein Kaffeehaus mehr, sondern birgt die Verkaufsräumlichkeiten einer höchst literaturfernen Im- und Exportfirma. Das »Herrenhof« ist immer noch ein Kaffeehaus. Es ist sogar – mit Nachsicht aller von der Geschichte eingehobenen Taxen – immer noch ein Literatencafé. Als solches wurde es von einem seiner tatkräftigeren Oberkellner namens Albert durch alle Wirrnisse des Naziregimes, des Krieges und der Russenbesetzung hindurchgesteuert. Der Oberkellner Albert ist heute (nicht mit Unrecht) Besitzer des Lokals und heißt Herr Kainz. Der Oberkellner Hnatek hieß schon als Oberkellner »Herr Hnatek«. Nicht »Herr Ober« und nicht »Hnatek« und schon gar nicht »Franz« (daß er überhaupt einen Vornamen hatte, entnahm man erst dem Partezettel), sondern »Herr Hnatek«. Es ging gar nicht anders. Er war wirklich ein Herr, war es in ungleich höherem Maße als mancher von denen, die er bediente. Wenn er mit soignierter Gebärde seine hochgewachsene Gestalt dem Wunsch des Gastes neigte, verfiel man unwillkürlich in ein respektvolles Flüstern, verbreitete sich allsogleich die vornehm-diskrete Atmosphäre jener englischen Clubs, in denen Herr Hnatek seine Ausbildung genossen hatte. Es ist mir nicht erinnerlich, daß irgend jemand je ein lautes Wort zu Herrn Hnatek gesprochen hätte. Wer die

Klientel eines Literatencafés kennt, wird ermessen, was diese Feststellung bedeutet.

Indessen ist hier weder die Geschichte des Wiener Kaffeehauses noch des Wiener Literatencafés zu schreiben, nicht einmal die Geschichte des Café Herrenhof, ja nicht einmal die mehr oder weniger mit ihr identische Geschichte des Herrn Hnatek. Nur um den etwa noch wissenden Zeitgenossen und ihren etwa noch wissensdurstigen Nachfahren vor Augen zu führen, welch unglaublich reiche Kulturepoche an Herrn Hnatek vorüberzog, sei hier festgehalten, daß sich unter den von ihm betreuten Gästen noch Hugo von Hofmannsthal und Franz Werfel befunden haben, Robert Musil und Hermann Broch, Alfred Polgar und Joseph Roth. Und wenn man jemandem erklären sollte, was das Wiener Literatencafé eigentlich war und wie ein Ober in einem Wiener Literatencafé beschaffen zu sein hatte, dann würde man ihm wohl am besten eine der vielen Anekdoten erzählen, in deren Mittelpunkt Herr Hnatek stand und steht und stehenbleiben wird.

Die folgende spielt zu einer Zeit, da Franz Werfel, schon weidlich arriviert und von den Fesseln der Berühmtheit an seinem geliebten Bohemedasein weidlich behindert, nur noch in großen Abständen das Café Herrenhof aufsuchte. Und da geschah es einmal – ich war dabei, ich saß am untersten Ende des Tisches, ein junger, nachsichtig zugelassener Literaturlehrling –, da geschah es, daß Werfel, als es zum Zahlen kam, dem Herrn Hnatek wahrheitsgemäß einen Kapuziner ansagte, und daß Herr Hnatek sich mit diskreter Mahnung zu ihm herabbeugte: »Vom letzten Mal, Herr Werfel, hätten wir noch eine Teeschale braun und ein Gebäck.« Werfel, der sich dieses beträchtlich zurückliegenden letzten Mals natürlich nicht entsann und ebenso natürlich in Herrn Hnateks Angaben keinen Zweifel setzte, entschuldigte sich hochrot vor Verlegenheit (denn er war, wie schon gesagt, um diese Zeit bereits sehr arriviert und über die Entwicklungsphase nicht beglichener Zechen längst hinaus):

»Nein – aber so was«, stotterte er. »Sie müssen verzeihen, Herr Hnatek – ich weiß wirklich nicht, wie mir das passieren konnte.«

Da neigte Herr Hnatek sich abermals zu ihm und flüsterte

begütigend: »Das war nämlich der Tag, an dem der Herr von Hofmannsthal gestorben ist.«

Und an einem solchen Tag, wollte Herr Hnatek andeuten, waren die Dichter so niedergeschlagen, daß man's ihnen nicht übelnehmen konnte, wenn sie zu zahlen vergaßen . . .

Noch ein andrer Tag und eine andre Geschichte seien aus Herrn Hnateks reichem Leben herausgegriffen. Die Geschichte wurde mir von einem untadelig verläßlichen Freund berichtet, einem der wenigen Herrenhof-Insassen, die ich nach meiner Rückkehr am gleichen Tisch wie ehedem und auch ansonsten völlig unverändert vorgefunden habe. Der Tag aber, um den es sich handelt, war der Tag, da die alliierten Truppen in Frankreich landeten und da im Hinterland die widerwilligen Ostmärker einander zuzwinkerten und zunickten. Auch mein Freund und auch Herr Hnatek gehörten zu ihnen, und beide wußten es voneinander. Und deshalb beuge sich Herr Hnatek beim Zahlen ein wenig tiefer ans Ohr des heimlichen Gefährten und fragte:

»Glauben Herr Redakteur, daß die anderen Herren jetzt bald kommen werden?'«

Denn Herr Hnatek bezog die Weltgeschichte durchaus auf das Café Herrenhof und hatte für ihr Auf und Ab keinen andern Maßstab als das Fernbleiben oder Erscheinen seiner Stammgäste.

Viele, sehr viele sind nicht mehr in seine Obhut zurückgekehrt. Laßt uns um ihret- und um seinetwillen hoffen, daß es im Himmel ein Kaffeehaus gibt, in dem er sie wiedersieht.

2. Buch

Die Erben der Tante Jolesch

Verriss-Muster an Stelle eines Vorworts

Zweite Bände oder Fortsetzungen, wenn sie nicht von vornherein angekündigt oder zumindest geplant waren, haben immer etwas Verdächtiges an sich, etwas von unlauterer Spekulation auf einen vorangegangenen Erfolg. Ich versuche erst gar nicht, diesen Verdacht zurückzuweisen; ich kann nur zu erklären versuchen, warum ich ihn auf mich nehme.

»Die Tante Jolesch« war die Druckfassung von Anekdoten und Bonmots, von teils historischen, teils persönlichen Reminiszenzen an eine versunkene Welt, von kleinen Geschichten, die ich jahre- und jahrzehntelang mit mir herumgetragen und im Kreis empfänglicher Freunde erzählt hatte – und war das Ergebnis des jahrelangen Zuspruchs ebendieser Freunde: ich sollte doch endlich niederschreiben, was ich da erzähle, sonst ginge es verloren, und das wäre doch schade. Daß es schade wäre, glaubte auch ich, daß es verlorengehen könnte, glaubte ich nicht. Aber je älter ich wurde, um so bedrohlicher schien mir diese Möglichkeit näherzurükken. Zuspruch und Mahnung verstärkten sich im gleichen Maß, in dem sich die Anzahl derer verringerte, die meine Erinnerung noch aus eigenem Erleben teilten, bei denen ich mir im Bedarfsfall noch Auskunft holen konnte, wie das damals war, wer bei welcher Gelegenheit was gesagt hat, ob die betreffende Geschichte verbürgt sei oder erfunden und von wem. Eines Tages sah ich mich um und mußte feststellen, daß die potentiellen Auskunftgeber sich an den Fingern einer Hand abzählen ließen. An diesem Tag begann ich mit der Niederschrift der »Tante Jolesch«.

Sie erfolgte ohne jede Unterlage, ohne Stützung auf irgendwelche Aufzeichnungen oder Dokumente, ohne System oder Konzeption. Sie erfolgte, um es kurz zu sagen, aufs Geratewohl, und daß sie halbwegs wohlgeraten ist, ja daß während des Schreibens sogar eine Art innerer Struktur zustande kam und das Ganze zusammenhielt, hat sich erst nachher gezeigt. Die einzige Quelle, über die ich verfügte, war mein Gedächtnis. Und mein Gedächtnis ist zwar dort, wo es funktioniert, sehr gut, aber es ist – was sich desgleichen erst nachher gezeigt hat – von Lücken nicht ganz frei. Der vorliegende Band entstand aus dem Wunsch und zu dem Zweck, diese Lücken aufzufüllen. Fast alles, was hier steht, hätte schon in der »Tante Jolesch« stehen können – ich habe mich nur zu spät daran erinnert. Und da ich diese verspäteten Erinnerungen für ebenso verbuchenswert halte wie die in der »Tante Jolesch« bereits verbuchten, scheint es mir nicht bloß gerechtfertigt, sondern schlechthin geboten, sie den Lesern der »Tante Jolesch« nachzuliefern.

Wer die »Tante Jolesch« nicht gelesen hat, soll sich deshalb von der Lektüre keineswegs ausgeschlossen fühlen, sondern lediglich verstehen, daß ich (sozusagen unwillkürlich) vor allem an Leser denke, die mit gewissen Vorkenntnissen ausgerüstet sind und denen die im Text gelegentlich angebrachten Bezugsvermerke* etwas besagen. Offen gestanden, ist mir die Vorstellung eines Lesers, der jetzt zum erstenmal etwas von der »Tante Jolesch« erfährt, nicht just behaglich – es sei denn, er eilte stracks in die nächste Buchhandlung, um das ihm unbekannte Grundbuch zu erwerben. Hingegen wäre ein Kenner des Grundbuchs, dem der Nachtragsband unbekannt bliebe, für mich kein Gegenstand des Unbehagens, sondern allenfalls eines leisen Bedauerns. Man kann die »Tante Jolesch« sehr wohl genießen, ohne »Die Erben der Tante Jolesch« zu kennen. Ob's auch umgekehrt geht, entzieht sich meiner Entscheidung.

Sagte ich »genießen«? Und will ich damit gesagt haben, daß die Lektüre der »Tante Jolesch« ein Genuß wäre? Das stünde mir ganz gewiß nicht zu. Aber ich dürfte mich, wenn ich's dennoch getan hätte, immerhin auf eine beträchtliche Anzahl von Kritiern berufen, die der gleichen Meinung waren, denen also die »Tante Jolesch« gefallen hat.

---

* Es handelt sich um in Klammern eingefügte Seitenzahlen mit dem Kennzeichen »TJ«, die auf einen Zusammenhang der betreffenden Stelle mit der »Tante Jolesch« hinweisen.

Nun ließe sich denken, daß einigen unter ihnen, vielleicht auch einigen neben ihnen, die »Erben der Tante Jolesch« *nicht* gefallen werden; ja mehr als das: sie könnten mir übelnehmen, daß ich diesen zweiten Band überhaupt geschrieben und veröffentlicht habe. Das ist ihr gutes Recht, und sie werden es hoffentlich gut verwalten. Aber sicher ist sicher, und da ich der Kritikerzunft fast ebenso lange angehöre wie der Zunft ihrer Opfer, mit anderen Worten: da ich annähernd gleichzeitig Bücher und Buchkritiken zu schreiben begann, möchte ich ihnen – schon als Buße für mein unstatthaftes Eigenlob – ein wenig an die Hand gehen und möchte ihnen die Aufgabe, den vorliegenden Band zu verreißen, nach Möglichkeit abnehmen oder wenigstens erleichtern. Sie werden mir, daran zweifle ich nicht, diesen Akt der Kollegialität zu danken wissen.

VERRISS-MUSTER I (ZIELRICHTUNG AUTOR)

Das mußte kommen. Wenn ein Autor nach Jahrzehnten vergeblicher Anstrengungen endlich eine Art Bestseller produziert hat, will er das natürlich ausnützen und aus seinem späten Erfolg alles nur Mögliche herausholen. Friedrich Torberg, dem seit seinem 1930 erschienenen Erstlingsroman »Der Schüler Gerber hat absolviert« jede breitere Publikumswirkung versagt geblieben ist, bittet also die Leser seiner erfolgreichen »Tante Jolesch« ein zweitesmal zur Kassa. Man merkt die Absicht, und man ist von vornherein verstimmt.

Hinterher ist man es erst recht. Der Inhalt dieser Seiten erweist sich als ebenso peinlicher wie untauglicher Versuch, an die halb witzige, halb sentimentale Rückschau des ersten Buches anzuknüpfen. Der Versuch scheitert nicht nur mangels Substanz. Vielmehr fehlen hier die historischen und atmosphärischen Voraussetzungen, die in den Erzählungsfluß der »Tante Jolesch« als zwangloser Bestandteil integriert waren und deren Wiederholung der Autor seinen Lesern denn doch nicht zumuten wollte. Damit hängt aber alles, was sich aus diesen Voraussetzungen ergeben soll, im luftleeren Raum, wo es wirkungslos verpufft. Ein paar amüsante Histörchen, ein paar pointierte

Aussprüche eines Polgar oder Molnár – der Rest ist Krampf und rechtfertigt in keiner Weise den vom Autor angegebenen Zweck, wichtiges Ergänzungsmaterial vor der Vergessenheit zu bewahren. Torberg hätte besser getan, die wenigen halbwegs brauchbaren Geschichten, die ihm angeblich zu spät eingefallen sind, in einer Neuauflage der »Tante Jolesch« nachzutragen. Für ein eigenes Buch reichen sie bei weitem nicht aus. »Die Erben der Tante Jolesch« sind in Wahrheit Erbschleicher und als solche zu behandeln. Weg mit ihnen.

VERRISS-MUSTER II (ZIELRICHTUNG VERLAG)

Die Nostalgiewelle ist längst vorüber, aber das scheint sich bis zum Verlag Langen Müller noch nicht herumgesprochen zu haben. Dr. Fleissner, der überaus betriebsame Verlagsinhaber, der ja schon aus Ephraim Kishon unter Anwendung rüdester Propagandamittel einen Verkaufsschlager gemacht hat, plant jetzt offenbar etwas Ähnliches mit Kishon-Übersetzer Friedrich Torberg, wobei ihm dessen »Tante Jolesch« als Erfolgsmarke dienen soll. Wenn es nach ihm ginge, müßte ihr Name rückwirkend in die Titel früher erschienener Torberg-Romane eingebaut werden: statt »Hier bin ich, mein Vater« hätte es »Hier bin ich, Tante Jolesch« zu heißen, statt des »Schüler Gerber« hätte der Schüler Jolesch absolviert, und »Die zweite Begegnung« mit der Tante Jolesch ist uns ja nun in der Tat zuteil geworden.

Wir hätten gerne auf sie verzichtet. War es dem Autor im ersten Band noch nicht geglückt, wehmütig-heitere Erinnerungen an eine untergegangene Epoche wachzurufen, so präsentiert sich der zweite Band als ein gewaltsam breitgetretenes Sammelsurium unzusammenhängender Anekdoten und Reminiszenzen, die weder auf Witz noch auf Weisheit, weder auf zeit- noch auf geistesgeschichtliche Relevanz Anspruch erheben können.

Es unterliegt keinem Zweifel – und im Text gibt es Anhaltspunkte dafür –, daß sich der Autor bei alledem nicht wohl gefühlt und nur dem Druck seines geschäftstüchtigen Verlegers nachgegeben hat. Aber bis zum Druck dieses Buchs hätte seine Nachgiebigkeit nicht gehen dürfen. Es wird seinem literarischen Ruf mehr schaden als nützen. Es ist auf eine ganz andere Weise, als er es im Untertitel des ersten Bandes gemeint hat, symptomatisch für den Untergang des Abendlandes, nämlich für gewisse Geschäftspraktiken deutscher Verleger, denen es nur auf den Umsatz ankommt, gleichgültig, ob dabei ein Autor verheizt wird oder nicht. Den »Erben der Tante Jolesch« geht es, wie allen Erben, nur ums Geld.

VERRISS-MUSTER III (ZIELRICHTUNG VERRISS-MUSTER)

Es ist schlimmer als ein Malheur. Es ist ein Ärgernis.

Daß Friedrich Torberg, von den Verkaufsziffern seiner »Tante Jolesch« geblendet, das unwiderstehliche Bedürfnis nach einer Fortsetzung verspürt hat, kommt für den Kenner nicht überraschend. Und daß sein Verleger ihn nicht bremsen, sondern im Gegenteil ermuntern würde, war erst recht vorauszusehen. So weit, so schlecht, und das alles könnte man noch hingehen lassen. Dann hätten eben die »Erben der Tante Jolesch« vergebens nach dem Erfolg – lies: nach dem Geld – der Erblasserin geschielt, hätten vergebens darauf gehofft, es den ertragreichen Fortsetzungsserien, wie sie etwa von »Trotzköpfchens Brautzeit« bis zu »Trotzkopf als Großmutter« reichten, gleichzutun, und wären sang- und klanglos untergegangen. Da und dort hätte ein Provinzblättchen ein paar Sätze aus dem Waschzettel nachgedruckt, die dann im nächsten Verlagsprospekt als lobende Kritik zitiert worden wären. Vielleicht hätte sich da und dort sogar ein Kritiker gefunden, der sich mit dem läppischen Machwerk kurz auseinandergesetzt und es nach Gebühr verrissen hätte. So weit, so schlecht.

Der Trick jedoch, mit dem der Autor diesen Verrissen vorzubeugen oder gar zu entgehen trachtet, ist des Schlechten zuviel. In seinem Vorwort nämlich, in dem er uns zunächst allerlei windige Entschuldigungen für sein windiges Unternehmen auftischt, liefert Herr Torberg gleich auch »Verriß-Muster« mit, die der Kritik den Wind aus den Segeln nehmen sollen. Nun, da hat er die Rechnung ohne den Wind gemacht. Diese »Muster«, mit denen er die Schwächen seines Buchs zu überdecken versucht, indem er sie preisgibt, sind ebenso witzlos wie das Buch selbst. Und wir können nichts anderes tun, als ihm zu bestätigen, daß es sich bei den »Erben der Tante Jolesch« in der Tat um ein peinliches, verkrampftes, gewaltsam breitgetretenes Sammelsurium ohne jede Substanz und Atmosphäre handelt, um eine billige Spekulation, um einen schäbigen zweiten Aufguß. Sie sagen es selbst, Herr Torberg. Und Sie haben vollkommen recht.

In jenen Jahren, um deren Verbuchung (und Verklärung) ich bemüht bin, spielte eines der damals noch lebendigen Wiener Cabarets einen Sketch, betitelt »Der Schnorrbrief« und selbstverständlich aus Budapest importiert. Darsteller waren der unvergeßliche, 1939 in einem deutschen KZ ums Leben gekommene Fritz Grünbaum und der 1972 gewaltlos in die Unvergeßlichkeit eingegangene Karl Farkas. Farkas gab einen Schnorrer, der bei seinem bessergestellten Freund Grünbaum mit der Bitte vorsprach, er, Grünbaum, weithin als hochgebildeter Mann bekannt, möge für ihn, Farkas, den auch in geistiger Hinsicht Minderbemittelten, einen möglichst herzerweichenden Brief verfassen; mit diesem Brief wollte er dann seine präsumtiven Opfer, vor denen er sich als stumm ausgeben würde, zu Geldspenden bewegen, was ihm andernfalls, bei der bekannten Hartherzigkeit reicher Leute, nicht gelänge. Ihn selbst, den verehrten Freund Grünbaum, mit einem Pumpversuch zu behelligen, würde ihm natürlich niemals einfallen.

Grünbaum verfaßte den erbetenen Bittbrief, den er mit immer neuen mitleiderregenden Schnörkeln ausschmückte, Farkas verabschiedete sich unter enthusiastischen Dankesbezeigungen, kurz darauf klopfte es, in der Tür erschien Farkas und überreichte dem verdutzten Grünbaum wortlos den soeben erhaltenen Brief. Grünbaum las ihn, wurde während des Lesens immer sichtbarer von Rührung gepackt und rückte schließlich tränenüberströmt mit einem größeren Geldbetrag heraus. Seine eigenen Worte hatten ihn überwältigt.

Beinahe wäre es mir nach der Lektüre der von mir entworfenen Verrisse ähnlich ergangen. Beinahe hätten meine Argumente gegen dieses Buch mich davon abgehalten, es zu schreiben. Ich schreibe es trotzdem. Und kann, ehe ich dem freundlichen Leser das Ergebnis präsentiere, nur noch rasch ein berühmtes Nestroy-Wort abwandeln:

»Jetzt möcht ich doch sehen, wer recht hat – ich oder ich.«

Berichtigungen und Bereicherungen

Recht hatten manche Leser der »Tante Jolesch«, soviel steht fest. Und damit meine ich nicht jene, die mir brieflich ihr Wohlgefallen bekanntgaben. Ich meine die anderen, die an der »Tante Jolesch« etwas auszusetzen fanden, die sich zu sachlichem Widerspruch gedrängt fühlten, zur Korrektur vermeintlicher oder tatsächlicher Irrtümer.

Da gab es rechthaberische Prager Juden, vom Schicksal nach Australien oder Paraguay verschlagen und selbst unter Palmen und Känguruhs nicht bereit, eine unzutreffende Angabe im Kapitel »Die Prager Hierarchie« (TJ S. 97–129) hinzunehmen. »Wie können Sie sagen« – so sprang es mir aus erbitterten Briefen entgegen –, »daß der Schneider Jugo Orlik sein Atelier am Graben hatte? Es lag am Wenzelsplatz!« In der Tat: dort lag es. Der älteste unter den noch lebenden Altpragern, N. O. Scarpi (er wird demnächst in Zürich seinen 90. Geburtstag begehen), hat es mir bestätigt; und hat mir bei dieser Gelegenheit eine Geschichte über den Schneider Orlik erzählt, die weit über der von mir erzählten steht (TJ S. 106).

Scarpi, damals unter seinem bürgerlichen Namen Fritz Bondy an leitender Stelle des Prager Deutschen Theaters tätig, hatte Hugo den Schneider, den das Theater gelegentlich als Kostümbildner heranzog, zu einer »Rigoletto«-Aufführung in die Direktionsloge eingeladen. Die Titelrolle des buckligen Hofnarren sang der gefeierte Bariton Mattia Battistini, der nach seiner Arie »Cortigiani, vil razza dannata« mit frenetischem Beifall überschüttet wurde und sich immer wieder verbeugte.

»Fabelhaft, was?« flüsterte Orlik seinem Gastgeber zu.

»Eine einmalige Stimme«, flüsterte Bondy zurück – und wurde von Orlik empört zurechtgewiesen:

»Wer red't von der Stimme? Ich mein' das Kostüm!«

Dem unerschöpflichen Scarpi verdanke ich noch eine zweite, nicht minder beachtenswerte Äußerung des Meistertailleurs. Im Verlauf einer Abendgesellschaft trat er auf einen seiner Kunden zu, maß ihn tadelnden Blicks von oben bis unten und sprach:

»Wie ich sehe, tragen Sie zu meinem dunkelblauen Anzug gelbe Schuhe. Es ist mir unmöglich, für Sie noch weiter zu arbeiten. Adieu.«

Und dabei blieb's.

Von Nichtpragern stammende Berichtigungsbriefe stellten fest:

Die in Asch publizierte Zeitschrift der Henlein-Partei (TJ S. 152) hat nicht »Die Brennessel«, sondern »Der Igel« geheißen. »Die Brennessel« war das in München erscheinende Nazi-Witzblatt. (Zu meiner Entschuldigung: schon die bloße Vorstellung nationalsozialistischen Humors macht mir Schwierigkeiten; zwischen seinen einzelnen Organen auch noch zu unterscheiden, geht über meine Kräfte.)

Der Schriftsteller Egmont Colerus, von dem ich einen Ausspruch »in behäbigem Ottakringerisch« zitiert habe (TJ S. 246), war laut ebenso freundlicher wie unanzweifelbarer Mitteilung seiner in Perchtoldsdorf lebenden Tochter kein Ottakringer, sondern Währinger. (Zu meiner Entschuldigung: es gibt keine Währinger Dialektfärbung, wohl aber eine ottakringerische; zumindest hat es sie damals, um 1930, noch gegeben, und ich glaubte sie aus dem zitierten Ausspruch herauszuhören.)

Die von mir als »Polizeikorrespondenz Herzog« bezeichnete Agentur (TJ S. 146) führte in Wahrheit – die ich dem Sohn des Gründers verdanke – den Titel »Korrespondenz Wilhelm«. (Zu meiner Entschuldigung: der Gründer hieß Wilhelm Herzog, und die Meldungen der Korrespondenz bezogen sich immer zu einem großen Teil auf lokale, mit polizeilichen Aktivitäten zusammenhängende Ereignisse.)

Von einigen in die weite Welt verstreuten Angehörigen der seligen Tante Jolesch erhielt ich ungemein detaillierte Auskünfte über verwandtschaftliche Schichtungen und Verzweigungen, die ich nicht erwähnt hatte. (Zu meiner Entschuldigung: es lag mir fern, eine Familienchronik des Hauses Jolesch verfassen zu wollen.)

Auch Urheberrechte wurden angemeldet. Nicht als hätte ich fremdes geistiges Eigentum für mich beansprucht (da verfahre ich eher umgekehrt und schreibe etwa ein Bonmot, das mir geglückt ist und das ich nicht von mir selbst erzählen möchte, jemand anderem zu). Aber ich habe in einem bestimmten Fall einen falschen Urheber genannt, und dagegen hat sich der richtige zur Wehr gesetzt, sogar ziemlich massiv, durch einen Brief seines Anwalts. Der im Speiseraum der Delikatessenhandlung »Würstel-Biel« prangende Werbespruch.

»Schon Hamlet fragte einst, so geht die Sage:
To Biel or not to Biel, das ist die Frage«

stammt also nicht, wie irrtümlich angegeben (TJ S. 69), von Herrn Biel, sondern von Peter Herz, der seinen vielen Ruhmesblättern als Textdichter (u. a. des populären Wienerlieds »In einem kleinen Café in Hernals«) auch noch dieses anzufügen wünscht. Hiermit angefügt.

Aber es wurden mir auch Ergänzungen zugetragen, die einen eklatanten Gewinn bedeuten, und den Zuträgern gebührt schon deshalb großer Dank, weil sie sich nicht nur als Kenner, sondern als wirkliche Versteher der Materie erwiesen haben. So erfuhr der »Exkurs über die vielfältige Bedeutung des Wörtchens was« – im Anschluß an den unvergeßlichen Tanten-Ausspruch: »Was ein Mann schöner is wie ein Aff, is ein Luxus« (TJ S. 25 ff.) – zwei wichtige Bereicherungen.

Die erste ist das Werk einer besorgten Prager Mutter, deren Söhnchen sich geordneter Nahrungsaufnahme plötzlich zu widersetzen begann und infolgedessen nicht so prächtig gedieh, wie es eine besorgte Mutter gerne sieht. »Der Bub ißt mir nicht«, klagte sie immer wieder einer Freundin, wobei sie den vom Prager Deutsch aus dem Tschechischen übernommenen Dativus ethicus anwandte (TJ S. 255). Aber dann hörten die Klagen auf, und als ihre Freundin sich eines Tages nach dem Befinden des Söhnchens erkundigte, bekam sie die beruhigenden Worte zu hören:

»Was ich ihm Sanatogén geb, ißt er mir wieder.«

Das zweite Beispiel, obwohl in Wien stellig gemacht, ist gleichfalls gemäßigt böhmischer Herkunft, denn Frau Beran, seine Urheberin, stammt aus Budweis. Sie übt den Beruf einer Hausbesorgerin aus, und das Haus, das sie besorgt, liegt in einer stillen, vom Lärm des Großstadtverkehrs nahezu völlig verschonten Seitengasse. Anderseits jedoch verfügen mehrere der im Haus wohnhaften Familien über beträchtlichen Reichtum an Kindern, die nicht just auf Lärmvermeidung bedacht sind.

Für diese leidige Ambivalenz fand Frau Beran eine schlüssige Formel:

»Was draußen ruhig is, ham wir den Lärm herinnen.«

Die Exzerpte aus den mir zugegangenen Briefen haben bestimmte Materialien ergänzt, die in der »Tante Jolesch« behandelt worden waren. Man könnte von »Ergänzungen zur Sache« sprechen.

Was nunmehr folgt, sind Ergänzungen zur Person, genauer: zu Personen, die in der »Tante Jolesch« mit Anekdoten und Aussprüchen vertreten waren und die somit – in meinen Augen wie hoffentlich in denen des Lesers – als Repräsentanten jener Geschichtsepoche fungieren, deren Untergang sie versinnbildlichen sollen und deren (weitgehend vom Kaffeehaus bestimmte) Atmosphäre sie durch ihre Bonmots, ja im Grunde schon durch ihr bloßes Vorhandensein mitgeschaffen haben. Wenn das stimmt – und ich bin der letzte, der daran zweifeln wollte –, dann wäre es eine sträfliche Vernachlässigung meiner Chronistenpflicht, die nun folgenden Anekdoten bloß deshalb, weil sie zur Drucklegung der »Tante Jolesch« nicht mehr zurechtgekommen sind, der Vergessenheit preiszugeben.

Ihre ergiebigste Quelle ist nach wie vor Ferenc Molnár.

Restliches über Molnár

Als ich das ihm gewidmete Kapitel in der »Tante Jolesch« mit dem Titel »Alles (oder fast alles) über Franz Molnár« versah, muß ich schon etwas von der Bedeutungsfülle dieses vorsichtshalber eingeschobenen »fast« geahnt haben. Und es ist wirklich nicht wenig, was seither über Molnár noch zutage trat, teils aus dem Erinnerungsreservoir gemeinsamer Freunde, teils aus meinem eigenen, manches in richtiger Anekdotenform, manches in Form bloßer Aussprüche oder Definitionen – aber auch sie haben ihren Hintergrund und ihre Genesis. »A story goes with it«, heißt es in solchen Fällen bei Damon Runyon, dem großen amerikanischen Humoristen. »Es hängt eine Geschichte dran.«

Manchmal war es nur eine Erläuterung, und selbst die wäre nicht unbedingt vonnöten gewesen. Zum Beispiel klang es sowieso überzeugend genug, wenn Molnár die ungarische Küche als »*Noch* ein Löffel Rahm« definierte. Aber der sozusagen pragmatische Weg, auf dem sich diese Definition ergeben hatte, verdiente sehr wohl geschildert zu werden, und Molnár besorgte das mit unvergleichlicher Meisterschaft, mit dem weit ausholenden, detailfrohen Behagen des geborenen Erzählers und der präzisen Situations- und Charakterzeichnung des geborenen Bühnenmagiers. Man wußte hernach nicht nur ganz genau, wie das von ihm frequentierte Budapester Spezialitätenrestaurant eingerichtet war, man glaubt auch die Geschwister Spiegel, denen es gehörte, leibhaftig vor sich zu sehen, zwei Brüder und eine Schwester, der eine Bruder machte die Honneurs, der andere die Rechnung, und die Schwester überwachte das Service. Sie saß an einem Tischchen nahe der Schwingtüre zur Küche, und wenn der Kellner mit den jeweils bestellten Speisen an ihr vorbeikam, hieß sie ihn innehalten, deutete auf das betreffende Gulyas oder Paprikahuhn oder was sonst mit dicker Sauce serviert wurde, und fragte: »Für wen?« War es für Molnár oder einen anderen prominenten Gast bestimmt, griff sie nach dem Schöpflöffel, der in einem neben ihr stehenden Topf mit saurem Rahm steckte, und veredelte durch eine Portion davon die ohnehin schon rahmhaltige Sauce. Damit war das Gericht zu einer echt ungarischen Spezialität geworden. »Was ist ungarische Küche? *Noch* ein Löffel Rahm.«

Übrigens soll in diesem Lokal auch Molnárs oft zitierte Bestellung erfolgt sein: »Herr Ober, bringen Sie mir ein Kalbspörkölt, tragen Sie's zurück, weil es flachsig ist, und bringen Sie mir ein Wiener Schnitzel!« Das ist aber nicht verbürgt.

Verbürgt hingegen ist die folgende Geschichte, die gleichfalls etwas mit Sauce zu tun hat – wenn auch auf Umwegen (und zwar auf einigermaßen geheimnisvollen). Ort der Handlung ist der Budapester Künstlerklub »Fészek«, zu deutsch »Nest«, die Hauptrolle spielt dessen uralter Kellner Istvan, zu deutsch Stefan, sprich Pista, der seit Jahrzehnten zum Inventar des Klubs gehörte und von den Mitgliedern liebevoll geduzt wurde. Der nimmermüde Diensteifer, mit dem er sie betreute, wurde im Lauf der Jahre nur noch von seiner Senilität übertroffen, seine zunehmende Gedächtnisschwäche nur noch von der Nachsicht derer, die unter ihr zu leiden hatten. Wer ein Glas Wein bestellte, bekam nach längerem Warten ein belegtes Brot vorgesetzt, wer etwas essen wollte, sah sich mit einer Portion dampfenden Kaffees bedient, und alle ließen sich's gefallen, niemand brachte es über sich, den stolzgeblähten Pista, wenn er mit väterlichem Lächeln den Wunsch seines Pfleglings erfüllt hatte, darauf aufmerksam zu machen, daß es eine falsche Erfüllung war. Und als Molnár einmal etwas Derartiges versuchte, scheiterte es nicht an Pistas Unzulänglichkeit, sondern an seiner eigenen, die auf seltsame Weise von Pista inspiriert zu sein schien.

Molnárs Bestellung war mit all der behutsamen Deutlichkeit erfolgt, die man Pista gegenüber anwandte:

»Pista, ich möchte einen Einspänner haben. Du weißt doch, was ein Einspänner ist?«

»Jawohl, Herr von Molnár. Ein schwarzer Kaffee im Glas, mit Schlagobers drauf.«

»Richtig. Und jetzt gib acht, Pista. Ich möchte nicht so viel Schlagobers haben, daß es auf allen Seiten herunterrinnt, wenn man mit dem Löffel in die Nähe kommt. Das ist unappetitlich. Ich möchte wenig Schlagobers. Gerade bis zum Rand. Einen Einspänner mit wenig Schlagobers. Hast du verstanden? Danke schön.«

Eine halbe Stunde später – inzwischen war Molnár bereits von der obligaten Kartenpartie absorbiert – erschien Pista und stellte triumphierend einen Teller vor ihn hin. Auf dem Teller befand sich ein Paar Frankfurter mit Gulyassaft.

Molnár stützte die Stirne in die Hand und betrachtete den Teller. Er betrachtete ihn sehr lange und dachte sehr konzentriert nach. Kein Zweifel: mit diesem Paar Würstel stimmte etwas nicht; aber was? Kein Zweifel: es unterschied sich wesentlich von seiner Bestellung; aber wodurch?

Endlich glaubte er's gefunden zu haben und winkte den in der Nähe wartenden Pista heran:

»Pista«, sagte er sanft. »Pista. Ich hab dich doch ausdrücklich gebeten, du sollst mir mehr Gulyassaft bringen!«

Aus ähnlich unerforschten Untergründen assoziativer Gedankengänge mag die Aufforderung erwachsen sein, die Molnár einmal an den amerikanischen Multimilliardär Otto H. Kahn richtete. Es geschah in der denkbar märchenhaftesten Kulisse, in Venedig, auf dem Canal Grande, beim Redentorefest, an dem Molnár einem guten Freund zuliebe teilnahm. Irgendwie hatte Mr. Kahn davon Wind bekommen und verspürte in seiner Eigenschaft als Kunstmäzen das dringende Bedürfnis, mit dem weltberühmten Dramatiker in Fühlung zu treten. Er gab Auftrag, seine pompös ausstaffierte Gondel an die Längsseite der von Molnár benützten zu manövrieren, und ließ durch einen Bedienten anfragen, ob er etwas für Mr. Molnár tun könne.

Molnár, der sich damals – es waren die späten zwanziger Jahre – auf dem Gipfel seiner Erfolge befand (und auch unabhängig davon eine beträchtliche Menge Arroganz zu produzieren vermochte), ließ wahrheitsgemäß bestellen: nein, Mr. Kahn könne nichts für ihn tun, danke.

Aber so leicht läßt sich ein amerikanischer Finanzmagnat nicht abweisen. Nach einer Weile erfolgte die zweite Anfrage – und Molnárs zweiter Negativbescheid.

Als Mr. Kahn die dritte Erkundigung einzog, ob er Mr. Molnár vielleicht einen Wunsch erfüllen könne, gab sich Molnár geschlagen:

»Er soll mir ›Valencia‹ vorsingen«, sagte er.

In jenen Jahren pendelte Molnár zwischen Budapest und Wien. Daß er schon damals die Gewohnheit hatte, talmudische Gleichnisse einer direkten Aussage vorzuziehen, erfuhr auch ein Interviewer auf die Frage:

»Herr Molnár, leben Sie eigentlich lieber in Wien oder in Budapest?«

»Ich werde Ihnen eine Geschichte erzählen«, hob Molnár an. »Wir haben in Budapest einen kleinen Lokalreporter, Takács heißt er. Sitzt immer im ›Palermo‹, einem ganz billigen Kaffeehaus, und wartet auf Aufträge. Kommt nie zu Geld. Hat nur ein einziges Hemd, mit zwei Kragen. Immer, wenn ihm der eine Kragen zu schmutzig geworden ist, gibt er ihn zur Sitzkassierin ins Schubfach und nimmt den andern. Nach einiger Zeit wird ihm auch dieser Kragen zu schmutzig – geht er zum Schubfach und tauscht ihn wieder um. Also jetzt wissen Sie, ob ich lieber in Wien oder in Budapest lebe.«

Das Café Palermo lag in der Nähe des Westbahnhofs, und die Sitzkassierin gab es wirklich. Auch an ihr hängt eine Geschichte, die – von Molnár erzählt – alle Elemente eines kunstvoll konstruierten Dramas aufwies.

Die Sitzkassierin hieß Emma und war ein Opfer des ungarischen National- oder besser des Budapester Lokalstolzes, der sich durch allerlei im Ausland kursierende Verleumdungen verletzt und herausgefordert fühlte. Budapest – so begann Molnár seine

Geschichte aufzubauen – wurde von überheblichen Westeuropäern bereits dem Balkan zugerechnet und stand in besonders üblem Ruf, was die Behandung von Gästen weiblichen Geschlechts betraf. Wenn eine Frau auch nur ihren Fuß auf Budapester Boden setzte, so war sie – den üblen Rufmachern zufolge – der Männerwelt hilflos ausgeliefert, mußte sich auf das Schlimmste gefaßt machen und endete womöglich in einem der orientalischen Bordelle, für deren Belieferung Budapest bekanntlich als Umschlagplatz fungierte.

Gegen diesen Ruf bäumte sich die in ihrer Ehre gekränkte Budapester Männerwelt auf – aber nicht indem sie ihn zu dementieren versuchte (was sie mit Recht für aussichtslos hielt), sondern im Gegenteil durch den Entschluß, ihm gerecht zu werden. Wenn Budapest schon als levantinischer Sündenpfuhl gilt, dann soll es auch wirklich einer sein; und das – so lautete die Parole – soll jede Frau, die ihren Fuß auf Budapester Boden setzt, zu spüren bekommen.

Damit hatte Molnár die Exposition seiner Geschichte beendet. Es folgte, wie es dem Meister der Dramaturgie geziemt, das erregende Moment, nämlich die Ankündigung eines ihm bekannt gewordenen Falles, in dem eine Ausländerin sogar vorher dran glauben mußte, noch ehe ihr Fuß mit dem Boden Budapests in Berührung gekommen war.

Eines Tages sei ihm bei einem zufälligen Besuch im Café Palermo das trotz aller Verbrauchtheit immer noch feingeschnittene Gesicht der Sitzkassierin aufgefallen. Auch schien ihm ihr ganzes Gehaben nicht recht in dieses minderklassige Lokal zu passen, und als er – getrieben von seinem jäh erwachten Reporterinstinkt (der ja auch seinem dichterischen zugrunde lag) – ein Gespräch mit ihr begann, stellte er in ihrem Ungarisch alsbald einen norddeutschen Akzent fest. Er fragte sie nach ihrem Namen, den sie lediglich mit Emma angab, er fragte sie, wie sie hierhergeraten sei, und er erfuhr folgendes:

Emma war vor Jahren auf Grund einer Zeitungsannonce aus Hannover nach Budapest gekommen, um bei einer Kaufmannsfamilie mit zwei Kindern den Posten einer Gouvernante anzutreten.

Der Waggon der Kaiserlichen Deutschen Reichsbahn, in dem sie angereist kam, war mit jener altmodisch schmalen und hohen Treppe versehen, die das Aussteigen zu einer riskanten Turnübung machte, besonders für eine Frau in dem damals üblichen knöchellangen und eng anliegenden Reisekostüm. Emma stand am Treppenansatz, bangte vor dem gefährlichen Abstieg und spähte hilfesuchend umher.

»In diesem Moment« – genießerisch schürte Molnár die Neugier seiner Zuhörer – »sieht sie unten auf dem Perron einen General vorübergehen. Also es war nicht direkt ein General, es war ein Sanitätsgefreiter – aber wenn man bedenkt – fremde Person aus Hannover – da ist so eine Uniform auch für einen General schön genug. Emma schaut hinunter – General schaut hinauf – merkt sofort, was los ist – breitet die Arme aus und hebt Emma über die Stiege auf den Perron. Es ist wichtig, daß er sie hebt. Denn schon in diesem Moment war ihr Schicksal entschieden. Er hat sie sofort hinübergeführt ins Hotel vis-à-vis vom Bahnhof, und dort hat er sie entjungfert, geschwängert und angesteckt. Sie war ruiniert, noch bevor sie ihren Fuß auf Budapester Boden gesetzt hat. Posten als Gouvernante hat sie gar nicht angetreten. Später ist sie Sitzkassierin geworden.«

Molnár machte eine kleine Pause, dann lehnte er sich zurück und setzte nach Art eines arabischen Märchenerzählers im Bazar den Schlußpunkt:

»Das«, sagte er, »ist die Geschichte von Emma aus dem Café Palermo.«

Ich habe Molnár immer deutsch erzählen hören, also in einer Sprache, die für ihn, obwohl sie ihm keinerlei Schwierigkeiten bereitete, dennoch eine Fremdsprache blieb; und ich besitze genügend Zuhörer-Routine, um beurteilen zu können, ob eine Geschichte improvisiert oder einstudiert ist. Molnár – zum Unterschied etwa von Curt Goetz, einem andern Meister der erzählten Anekdote, oder von Alfred Neugebauer, der als Schauspieler offenbar einen festgelegten Text brauchte –, Molnár improvisierte seine Geschichten. Aber er improvisierte sie mit dem ganzen dramaturgischen Raffinement, das auch seine Stücke auszeichnete, er konnte gar nicht anders, als Dinge und Menschen unter einem handwerklichen Blickwinkel zu sehen, so als wären sie schon auf die Bühne transportiert. Was er erzählte, nahm sofort Gestalt an, szenische Gestalt, Rollengestalt, selbst die unscheinbarste Begebenheit wurde den Gesetzen des Dramas so vollkommen gerecht, daß Aristoteles seine Freude daran gehabt hätte. (Übrigens hatte auch Molnár seine Freude daran; von den Zuhörern ganz zu schweigen.)

Zwei weit auseinanderliegende Reminiszenzen mögen veranschaulichen, was mit diesem »Bühnenblick« gemeint ist und wie er sich auswirkte.

In New York war Molnár einmal von einem ihm befreundeten Ehepaar zum Dinner eingeladen worden, von einem amerikanischen Ehepaar und nicht in ein Restaurant, sondern nach Hause. Es war eine jener Einladungen, die selbst Molnár mit all seiner Idiosynkrasie gegen häusliche Atmosphäre nicht gut ablehnen konnte, um so weniger, als es sich um ein sehr einflußreiches Ehepaar handelte, mit dem befreundet zu sein in mancher Hinsicht, auch in mancher von Molnár geschätzten, nützlich war. Dennoch zögerte Molnár, die Einladung anzunehmen. Und zögerte nicht minder, sie abzulehnen. In den solcherart entstandenen Konflikt wurde auch seine Umgebung einbezogen, mit der er sich täglich über das Für und Wider des Problems beriet. Und da die Entscheidung sich immer mehr einer Absage zuneigte, galten die Beratungen alsbald nur noch der Art, wie die Absage am besten zu erfolgen hätte. Eine plötzliche Erkrankung vorschützen? Oder eine Abreise? Oder wirklich verreisen? Der Meinungsaustausch, von Molnár unablässig um neue Möglichkeiten bereichert, wogte hin und her. Aber nichts geschah.

Näher und näher rückte der Schicksalstag. An Molnárs Tisch – vom dazugehörigen Lokal wird noch die Rede sein – gab es kein andres Gesprächsthema mehr. Molnár krümmte sich, nahm zu immer neuen Ausreden Zuflucht, steigerte sich in eine Hilf- und Entschlußlosigkeit, die keinen Ausweg bot.

»Haben Sie Ihren Freunden schon Nachricht gegeben, Herr Molnár?«

»Was für eine Nachricht?«

»Wegen der Einladung. Sie wollten doch absagen?«

»Ja. Eigentlich schon.«

»Oder haben Sie sich's überlegt?«

»Nein. Eigentlich nicht.«

»Na also. Dann sagen Sie doch endlich ab.«

»Ich weiß nicht, wie ich das machen soll.«

»Ganz einfach. Indem Sie anrufen und sich entschuldigen.«

»Anrufen? Ein Telephongespräch? Unmöglich!«

»Warum unmöglich?«

»Erstens weiß ich nicht, wann die Leute zu Hause sind. Zweitens weiß ich nicht, ob er oder sie zum Telephon kommen wird, oder vielleicht jemand vom Personal. Infolgedessen kann ich mir keinen Text zurechtlegen.«

»Das ergibt sich doch von selbst.«

»Glauben *Sie*. Sie vergessen, daß sich das Gespräch auf englisch abspielen würde, und da bin ich von vornherein geschlagen. Bevor ich noch ›sorry‹ sagen kann, haben die meinen Anruf schon mißverstanden und freuen sich, daß ich komme. Wie soll ich mich da herausdrehen? Noch dazu auf englisch? Nein, telephonisch geht's nicht.«

»Dann schreiben Sie einen Brief!«

»Einen Brief? Das hätte doch überhaupt keinen Zweck. Es sind bis dahin noch fünf Tage. Wenn ich denen heute einen Brief schreibe, haben sie noch Zeit genug, zurückzuschreiben oder mich anzurufen und mir die Ohren vollzujammern, wie unglücklich sie über meine Absage sind, und es kommen soundso viele Leute nur meinetwegen und das darf ich ihnen nicht antun – Sie wissen doch selbst, daß man gegen eine solche Erpressung nichts machen kann, und auf ja und nein habe ich zugesagt. Ich schreibe keinen Brief. Ausgeschlossen.«

Es war, wie man sieht, ein lückenlos funktionierender Handlungsablauf. Aus jeder möglichen Wendung ergab sich eine genau vorausbedachte Konsequenz, jede Aktion zog ihre folgerichtige

Gegenaktion nach sich, nichts blieb dem Zufall überlassen, Moira und Deus ex machina hatten ausgespielt, es spielte nur noch Molnár, und zwar den Verzweifelten.

Noch vier Tage. Noch drei. Noch zwei. Morgen abend.

»Haben Sie schon abgesagt, Herr Molnár?«

»Nein.«

»Dann wird Ihnen nichts andres übrigbleiben als zu telephonieren.«

»Ich habe Ihnen schon erklärt, warum das nicht geht. Und daran hat sich nichts geändert.«

»Lassen Sie jemand andern anrufen.«

»Soll ich die Leute beleidigen? Sie würden es mir mit Recht übelnehmen, wenn ich mir nicht einmal die Mühe einer persönlichen Absage mache. Das ist doch das mindeste, was sie von mir verlangen können.«

»Eben. Deshalb müssen Sie selbst absagen.«

»Ja. Aber wie?«

Der Tag, an dessen Abend das für Molnár veranstaltete Dinner stattfand, war angebrochen. Am Mittag versammelte Molnár seine Getreuen zu einer letzten, dringlichen Sitzung.

Eine telephonische Absage kam nach wie vor nicht in Betracht. Für eine briefliche Absage war es zu spät.

»Jetzt gibt's nur noch eins, Herr Molnár: ein Telegramm.«

»Ein Telegramm? Was fällt Ihnen ein! Können Sie sich nicht vorstellen, was da passieren würde? Haben Sie denn gar keine Phantasie?«

Offenbar hatte ich keine. Aber dafür kam Molnárs Phantasie auf Hochtouren. Die Konstruktion des Dramas strebte ihrem plastisch ausgemalten Höhepunkt zu.

»Das Telegramm wird im Lauf des Nachmittags zugestellt, nicht wahr. Das Stubenmädchen übernimmt es und trägt es der Hausfrau hinein. Die Hausfrau macht es auf – liest – verfärbt sich – ruft ihren Mann.« Molnár ergriff eine Papierserviette und hielt sie als Telegrammformular mit der linken Hand dem fiktiv herbeigeeilten Hausherrn entgegen: »Also bitte, faucht sie. Schau dir das an. Dieser Molnár. Sagt eine Stunde vorher ab. Telegraphisch.

Eine Unverschämtheit.« Er begann mit dem rechten Handrücken auf das Papier einzuschlagen, seine Lippen wurden schmal. »Sie ohrfeigt mein Telegramm. Sie ohrfeigt *mich*. Und wer weiß, was sie sonst noch sagt. Zum Schluß werde ich zerknüllt und in die Ecke geworfen. Telegraphieren soll ich? Ich denke nicht daran!«

Er stand abrupt auf und verließ den Tisch. Am Abend war er nicht erreichbar. Ob er telegraphiert hat oder nicht, ob er der Einladung doch noch gefolgt war – wir haben es nie erfahren. Aber wir hatten das Vergnügen eines Mini-Einakters von Franz Molnár gehabt.

Das andre Beispiel seiner plastischen Denkweise liegt viel weiter zurück, in den dreißiger Jahren, als Molnár wieder einmal den schmutzigen Kragen bei der Sitzkassierin deponiert hatte und sich in Wien aufhielt. Das Stammcafé der ungarischen Stückeschreiber, Komponisten und Schauspieler war damals das sogenannte »falsche Sacher« (später Café Prinz Eugen) am Ring, das ich nicht frequentierte – die dortigen Stammgäste hätten mir das als Zudringlichkeit auslegen können und die des Café Herrenhof als Verrat. Eines Abends jedoch war ich dort mit Gyuri Marton, dem legendären Inhaber des legendären Bühnenverlags (TJ S. 204) zu einer Besprechung verabredet, und aus intern-magyarischen Konstellationsgründen, deren Schilderung entschieden zu weit führen würde, bekam ich zu später Stunde von Freund Gyuri den ehrenvollen Auftrag, Molnár nach Hause zu begleiten; er war wie immer im Hotel Imperial abgestiegen.

Auf derselben Straßenseite des Rings befand sich ein Geschäftslokal der Nähmaschinenfirma Singer, das mit einem für damalige Verhältnisse geradezu sensationell modernen Reklame-Einfall prunkte: In der Auslage stand, vom scharfen Lichtkegel einer Arbeitslampe die ganze Nacht hindurch beleuchtet, eine Nähmaschine, in deren Nadel-Apparatur ein höchst natürlich gerafftes Stück Leinwand arbeitsfertig eingelegt war. Das Ganze sah zwingend danach aus, als könnte es jederzeit in Betrieb genommen werden.

Molnár blieb stehen und blickte mit nachdenklich gerunzelten

Brauen durch die Glasscheibe, vielleicht eine Minute lang; dann wandte er sich zu mir, den Zeigefinger auf die stumme Szenerie gerichtet:

»Mütterchen ist kacken gegangen«, sagte er.

Und man hatte sofort die Exposition des ersten Aktes vor sich, in der weiblichen Hauptrolle die verhärmte Arbeiterfrau, die noch spätnachts an der Nähmaschine sitzen muß, um für die vom trunksüchtigen Vater vernachlässigte Familie das Nötigste herbeizuschaffen. Gleich wird sie zurückkommen und den emsigen Fuß auf das Tretpedal setzen.

In der Geschichte, die noch zum falschen Café Sacher nachzutragen ist, spielt Molnár nur eine passive Rolle: indem auch er am Stammtisch der ungarischen Bühnenautoren saß, als der Agent Österreicher im Lokal erschien. Man nannte ihn den »Sommer-Österreicher«, teils zur Unterscheidung von einigen anderen Trägern dieses Namens, die sich gleichfalls im Theaterbetrieb betätigten, teils weil er seine Aktivitäten hauptsächlich während der Sommersaison entfaltete. Daß ihm plötzlich die Direktion des Deutschen Theaters in Preßburg übertragen wurde, kam für alle und möglicherweise auch für ihn selbst überraschend. Im Vollgefühl seiner neuen Würde näherte er sich dem Dramatiker-Stammtisch und rief den dort Sitzenden zu:

»Burschen, seids fleißig! Ich übernehm Preßburg!«

Damit näherten wir uns Molnárs eigentlichem und ureigenem Gebiet, dem Theater, dem füglichen Ort der Handlung eines Großteils der über ihn kursierenden, ihm zugeschriebenen oder von ihm selbst in Umlauf gesetzten Anekdoten. Ihre Zahl ist Legion und ganz gewiß auch von diesem Nachtrag nicht auszuschöpfen. Aber ich möchte doch wenigstens mit meinem Gedächtnis ins reine kommen und nichts einbehalten, wovon es inskünftig noch belastet werden könnte.

Zum Beispiel muß die blitzblanke Formulierung festgehalten werden, mit der Molnár während der »goldenen zwanziger Jahre« Berlins in die Beratungen der ungarischen Kolonie eingriff, die sich nicht erklären konnte, warum Gitta Alpár, der von triumphalen Erfolgen umstrahlte Operettenstar, im »Bau« so unbeliebt wäre. Nach längerem Hin und Her kam man zu dem Ergebnis, daß Gitta Alpár dem Neid der Kollegen ausgesetzt sei, weil sie zuviel Geld verdiente.

»Sie verdient nicht zuviel«, sagte Molnár. »Sie verdient zu laut.«

Er beteiligte sich auch an den Beratungen, die in den einschlägigen Wiener Kaffeehäusern über den Titel eines aus England importierten Stücks stattfanden. Das Stück – dessen Originaltitel »The Orchids of Silvergate Castle« für die deutsche Übersetzung unbrauchbar war – handelte von der inneren Zerrissenheit eines jungen Lords, der sich nicht entschließen konnte, um einer jungen Lady willen die Beziehung zu seinem Butler aufzugeben.

Molnárs Titelvorschlag lautete: »Der Arsch am Scheideweg.«

Eine Zeitlang wimmelte es auf den deutschen Bühnen von Stücken mit wirklich oder vermeintlich »freier« Thematik, mit Lesbierinnen, Inzest und Ödipuskomplex. Offenbar wollte auch Molnár sein Scherflein dazu beitragen.

»Ich habe einen sehr guten Stoff für ein neues Stück«, gab er am Kaffeehaustisch bekannt. »Wie man das ausbauen soll, weiß ich noch gar nicht, aber die Grundidee ist ganz einfach, wie bei allen großen Tragödien: Junger Mann – glücklich mit seiner Mutter verheiratet – kommt drauf, daß es gar nicht seine Mutter ist – erschießt sich.«

Molnár erfreute sich nicht nur der Zuneigung Max Reinhardts, auch Hugo von Hofmannsthal – dessen Humor einer gründlicheren Betrachtung wert wäre – brachte ihm Sympathie und Anerkennung entgegen. Zwar lag Molnárs Schaffensgebiet vom »Geretteten Venedig« und vom »Tod des Tizian« noch um einiges weiter entfernt als von Reinhardts Shakespeare-Inszenierungen, aber auch Hofmannsthal schätzte ihn als einen meisterhaften Beherrscher des Bühnenhandwerks, schätzte seinen Witz, schätzte sein Urteil. Und als nach langer Müh und Plage die erste Fassung des »Turms« so weit gereift war, daß Hofmannsthal sie in kleinem, ausgewähltem Kreis vorlesen konnte, wurde auch Molnár beigezogen.

Nun ist »Der Turm«, wie man weiß, ein besonders anspruchsvolles und tiefgründiges Theaterstück, wahrscheinlich Hofmannsthals tiefstes. Über die Bühnenwirksamkeit auch der späteren Fassungen gehen die Ansichten auseinander, und die erste Fassung präsentierte sich, um es vorsichtig zu sagen, ein wenig diffus und überfrachtet. Als Hofmannsthal die Vorlesung beendet hatte, herrschte verlegenes, wenn auch respektvolles Schweigen.

Es wurde nach einer klammen Weile von Molnár gebrochen:

»Also wissen Sie, Verehrtester«, begann er tastend, »Niveau hat das ja nicht sehr viel. Aber« – und er schüttelte zur Bekräftigung seiner Zuversicht die geballte Faust – »*so* ein Reißer!«

Die Anfänge der Emigration lagen auch für Molnár (wie für die meisten von uns) noch in Europa, ehe Amerika sich als rettende Endstation auftat.

Was ihn in Italien und später in Frankreich besonders erbitterte, waren die zahllosen Formulare, die man bei jeder Gelegenheit ausfüllen mußte, um in den Besitz irgendeiner von den Behörden gerade vorgeschriebenen Bescheinigung zu gelangen.

»Blöde Augenauswischerei«, stellte Molnár unmutig fest. »Wozu müssen wir uns mit diesen detaillierten Angaben plagen. Interessiert keinen Menschen. Es wäre viel einfacher, wenn wir alle Rubriken gleichlautend ausfüllen. Name: Jud. Beruf: Jud. Und so weiter. Etwas andres wollen die Leute doch gar nicht wissen.«

Er hatte natürlich recht. Und es half natürlich nichts.

In Amerika fand er wieder andere, gewissermaßen unpersönliche Mißstände zu bemäkeln – etwa daß man es dort schon auf Grund geringfügigster Kenntnisse zu fachmännischem Ansehen bringen könne. Einige Fertigkeiten im Okarinablasen, so fand er, reiche bereits für den Titel eines Doctor Musicae aus, und: »Wenn Sie zufällig wissen, daß Pétain zwei Vornamen hat, werden Sie sofort als Experte für europäische Politik interviewt.«

Einen weiteren Stein seines Anstoßes bildete die zumal in besseren Restaurants herrschende Gepflogenheit, die Rechnung für den ganzen Tisch einem einzigen, vom Kellner willkürlich auserkorenen Gast zu überreichen. Die ersten englischen Worte, die Molnár gelernt hatte, waren »Separate checks, please.«

Besonders erbosten ihn die amerikanischen Erfolgsbiographien, die in leuchtenden Farben den Aufstieg eines Selfmademan aus armseligen Anfängen zum millionenschweren Industriemagnaten schilderten:

»Da klafft immer eine Lücke«, beanstandete er. »Am Schluß vom dritten Kapitel ist der Mann noch Tellerwäscher – und am Anfang vom vierten hat er schon zwei Angestellte und telephoniert. *Nie* erfährt man, wen er zwischen dem dritten und dem vierten Kapitel umgebracht und beraubt hat.«

Mein Erinnerungsvermögen läßt nach. Es kursieren bereits Aussprüche von Ferenc Molnár, für die ich als Stichwortbringer fungiert habe und die man mir erst wieder ins Gedächtnis zurückrufen muß. Das besorgte anläßlich der 100. Wiederkehr seines Geburtstags eine Molnár-Gedenksendung des Österreichischen Rundfunks. Sie erinnerte mich daran, daß ich einmal mit Molnár auf der Straßenseite gegenüber dem Central Park spazierenging, dort, wo sich auch das Hotel Plaza befand, in dem Molnár wohnte. An jenem Nachmittag herrschte besonders reger Fußgängerverkehr, und wir mußten unausgesetzt den uns entgegenhastenden oder nachdrängenden Passanten ausweichen. Nach einer Weile schlug ich vor, auf die entlang des Parks verlaufende Straßenseite hinüberzuwechseln, die weniger frequentiert war.

Molnár wehrte mit gewohntem Mißtrauen ab: »Hinübergehen? Über die Straße? Mitten durch die Autos? Unmöglich. So etwas macht kein vernünftiger Mensch.«

»Aber Sie sehen doch, daß auch drüben Leute gehen, Herr Molnár. Wie sind denn die hinübergekommen?«

»Die sind schon dort geboren«, entschied Molnár, und damit war mein Vorschlag endgültig abgelehnt.

Sie trafen immer ins Schwarze, seine Äußerungen über die

Zeit, über die Emigration, über die Rolle, die uns und die ihm selbst zugewiesen war. Einmal in New York – und das ist nun wirklich die allerletzte Geschichte, die ich nach bestem Wissen und Gewissen noch zu überliefern habe – begleitete ich ihn in sein Zimmer im Hotel Plaza. Gleich nach uns betraten zwei Herren den Lift, ein Weißhaariger von sehr noblem Äußeren und sehr eindrucksvollen Gesichtszügen, sichtlich in der Obhut des etwas Jüngeren, der gleichfalls sehr soigniert aussah. Der Jüngere grüßte Molnár mit einem höflichen Kopfnicken und beugte sich, nachdem Molnár den Gruß erwidert hatte, an das Ohr des Weißhaarigen, flüsterte ihm etwas unverkennbar auf Molnár Bezogenes zu und verstummte betreten, als jener energisch den Kopf schüttelte. Die Situation war ein wenig peinlich, und Molnár hatte Mühe, sie zu ignorieren. Zum Glück konnten wir kurz darauf den Lift vor den beiden anderen verlassen.

»Wissen Sie, wer das war?« fragte mich Molnár.

Ich verneinte.

»Der Jüngere war der belgische Generalkonsul. Kennt mich von irgendeiner Party und hat mich gegrüßt. Und der Weißhaarige, der nichts mit mir zu tun haben will, war Maeterlinck. *Graf* Maeterlinck. Der berühmte Dichter. Schreibt jedes Jahr ein Gedicht in flämischer Sprache und gibt es in die Schublade. Dafür bezieht er eine sehr auskömmliche Apanage von der königlich belgischen Regierung, die ihn ja schon früher geadelt hat. Kümmert sich auch sonst um ihn. Schickt jede Weile den Generalkonsul nachschauen, ob er etwas braucht. Wenn ihm kalt ist, fährt er auf Regierungskosten nach Florida oder nach Kalifornien. Wenn die Sommerhitzen kommen, fragt man ihn, ob er vielleicht irgendwohin ins Gebirge fahren will. Hat ein sehr schönes Leben, für dieses eine flämische Gedicht pro Jahr.«

»Aber das ist doch kein Grund, daß er nicht mit Ihnen verkehren will«, wagte ich einzuwerfen.

»Nicht? Wieso nicht? Schauen Sie sich hier im Zimmer um, Liebster. Was liegt dort am Schreibtisch? Lauter abgelehnte Manuskripte. Dazu Briefe von Gyuri Marton aus Hollywood, daß er eine Filmstory von mir schon wieder allen möglichen Gesellschaften angeboten hat, und keine will sie haben. Auch mein letztes Theaterstück kann er nirgends anbringen.* ›Again you did not catch the spirit of Broadway‹, schreibt er mir. Er schreibt mir englisch, damit ich mich an den spirit of Broadway gewöhne. Ich bin froh, daß mir überhaupt jemand schreibt. Um mich kümmert sich keine Regierung. Wenn mir kalt ist, sitze ich im Mantel am Schreibtisch. Wenn mir heiß ist, mache ich das Fenster und die Türe auf, damit ein bißchen Zugluft entsteht. Mich fragt niemand, ob ich irgendwohin fahren will. Mir zahlt niemand eine Apanage. Zu mir kommt kein Generalkonsul. Und jetzt frage ich Sie, lieber Freund: *warum* soll mich Maeterlinck grüßen?«

Es war, mit aller wehleidig gespielten Übertreibung, die denkbar konziseste Schilderung jenes Niedergangs, den aus größerer oder geringerer Fallhöhe jeder von uns in der Emigration zu erdulden hatte. Und nicht jedem stand Molnárs Selbstironie zu Gebot.

Aber das gehört bereits in ein andres Kapitel.

* Es handelt sich um die Komödie »Panoptikum« (TJ S. 201), die später in einer von mir besorgten deutschen Bühnenfassung mit recht artigem Erfolg auf die Spielpläne der deutschsprachigen Theater kam.

Zusätzliches über Marton

Im Anschluß an Molnár darf György, Georg, Georges, George und, nehmt alles nur in allem: Gyuri Marton (TJ S. 204) nicht übergangen werden, das Unikum eines tüchtigen, ja gerissenen Bühnenverlegers, der seine Schutz- und Tantiemenbefohlenen dennoch mit wahrhaft väterlicher Sorge umhegte, der den harten Zugriff des Geschäftspraktikers mit einer fast schon sentimentalen, aus ungarisch-jüdischen Quellen gespeisten Weichherzigkeit verband und der den meisten seiner Autoren an Witz und Begabung kaum nachstand. Er hat so manchen von ihnen ohne die geringste Aussicht auf Gegenleistung jahrelang (zumal in den Jahren der Emigration) über Wasser gehalten, hat Vorschüsse gezahlt, deren Uneinbringlichkeit ihm von vornherein klar war – und ist bei alledem nicht schlecht gefahren. Man darf ihn getrost als einen der international Erfolgreichsten seines Genres bezeichnen.

Wie er das gemacht hat, weiß ich nicht und hätte es auch dann nicht zu erforschen begehrt, wenn unsere beruflichen Kontakte enger gewesen wären. Sie blieben indessen peripher – ich betätigte mich ja nur am Rande der von ihm beherrschten Branche, mit Übersetzungen, Bearbeitungen und, in meiner geldbedürftigen Frühzeit, mit untergeordneten Hilfsarbeiten. Aus dieser Zeit stammt mein einziger direkter Anhaltspunkt für Gyuri Martons Wesensart.

Es war um die Mitte der dreißiger Jahre. In Deutschland herrschte Hitler und herrschten die Rassengesetze, die sich auch auf den Theaterbetrieb des gesamten deutschsprachigen Raums verheerend auswirkten. Um in Deutschland aufgeführt zu werden, mußte man der Reichskulturkammer angehören, und um der Reichskulturkammer anzugehören, mußte man reinrassiger Arier sein – ein unter Marton-Autoren nur sporadisch vertretener

Menschenschlag. Infolgedessen wurde (und nicht allein vom Verlag Marton) »getarnt«. Es genügte jedoch keineswegs, die Stücke jüdischer Autoren nun etwa unter einem arisch klingenden Decknamen anzubieten. Vielmehr mußte der Inhaber dieses Namens tatsächlich existieren und den »Ariernachweis« beibringen, um in die Reichskulturkammer aufgenommen zu werden, die sowohl seinen bürgerlichen wie seinen Decknamen nach sorgfältiger Prüfung registrierte. Gegen entsprechendes Entgelt waren solche »Tarner« zumindest außerhalb Deutschlands leicht zu haben, und manch ein Gevatter Handschuhmacher oder Magistratsbeamter, der nie im Leben eine Zeile geschrieben hatte, sah sich plötzlich in einen beifallumrauschten Dramatiker verwandelt. Im Deutschen Volkstheater zu Wien – dessen Direktor Rolf Jahn für derlei Manöver besonders zugänglich war und daher den Ehrentitel »Tarnvater Jahn« trug – erschien der von Marton gemietete Tarner als Fleißaufgabe bei den Proben eines von ihm getarnten Stücks*, begann sogar dreinzureden und nahm nach der Premiere inmitten der Hauptdarsteller den Applaus des Publikums entgegen. Er hieß mit bürgerlichem Namen Krebs und hatte von Marton das Pseudonym Turner verpaßt bekommen, das in halbwegs englischer Aussprache seiner Funktion heimliche Rechnung trug.

Aussprache und Nomenklatur spielten bei Marton überhaupt eine große Rolle, wozu man wiederum wissen muß, daß es neben der für deutschsprachige Bühnenzwecke getarnten Produktion noch eine zweite, hauptsächlich für Frankreich, England und Amerika aufgezogene gab, die erst gar nicht darauf aspirierte, deutsches Rampenlicht zu erreichen, sondern lediglich Unterlagen lieferte, sei es für fremdsprachige Aufführungen, sei es für den Verkauf an ausländische Filmgesellschaften. Solche Produkte erkannten die Eingeweihten daran, daß der fiktive Autor einen auf deutsch, französisch und englisch gleichlautenden Vornamen trug. Hieß ein bis dahin unbekannter Dramatiker beispielsweise Paul, Alfred oder Robert, so wußte man, daß es sich in Wahrheit um ein Autoren-Kol-

* Es handelt sich um »Wasser für Canitoga«, ein Erzeugnis der gemeinsamen Federn von Otto und Egon Eis und Hans Rehfisch, das später mit Hans Albers verfilmt wurde und sich noch heute auf Tourneen bestens bewährt.

lektiv aus Martonogorsk handelte. Zusammensetzung: mindestens ein Ungar, mindestens einer der beiden Brüder Eis und entweder ein zweiter Ungar oder ein in Deutshland verbotener Deutscher. Die Ungarn ihrerseits – erfolgsträchtig genug, um außerhalb Deutschlands auch ungetarnt aufgeführt zu werden, aber einer zusätzlichen Einnahmequelle niemals abhold – hießen mit ihren echten Vornamen fast durchwegs Ladislaus, ungarisch László, abgekürzt Laci: Fodor, Bus-Fekete, Lakatos und andere. Eines Tages wurde Marton durch ein Telegramm des lapidaren Wortlauts »DRINGSENDET VORSCHUSS = LACI« in eine wahrhaft tragische Situation gebracht. Da Rückfragen bei den möglichen Absendern völlig sinnlos gewesen wären (denn welcher ungarische Autor, ja welcher Autor überhaupt, würde die Frage seines Verlegers, ob er Vorschuß brauche, mit Nein beantworten) und da Marton sich's mit keinem seiner Laci verderben wollte, mußte er im vollen Bewußtsein, daß nur ein einziger um Vorschuß telegraphiert hatte, an jeden von ihnen einen erheblichen Geldbetrag überweisen.

Für eine dieser Kollektivproduktionen – und damit kehre ich zu meinem Ausgangs- und Anhaltspunkt zurück – war ich als Dialogschreiber engagiert worden, was mir als eine ebenso irrtümliche wie ehrenvolle Bestellung erschien; irrtümlich, weil das Pseudostück im Schulmilieu spielte und weil man von mir offenbar auf Grund des »Schülers Gerber« nicht nur besondere Milieuvertrautheit erwartete, sondern gleich auch den dazugehörigen Bühnendialog; und ehrenvoll, weil es in der von Marton betriebenen Tarnfabrik natürlich weit routiniertere Dialogspezialisten gab, denen ich in diesem Fall, obwohl keineswegs routiniert, dennoch vorgezogen wurde. Übrigens beschäftigte Marton neben den Spezialisten für Dialoge auch solche für Aktschlüsse, für szenische Gags, für erregende und retardierende Momente, für Lokalkolorit, für Titel, für schlechterdings alles. Es gab sogar einen Spezialisten für die Erfindung von Decknamen, als dessen glorreichste Schöpfung die Kombination eines von O'Flaherty inspirierten Iren mit einem in Amerika bereits eingebürgerten ungarischen Juden galt; das unwiderstehliche Autorenpaar hieß Lliam O'Rourke und Ernö Fish.

Zu meiner nicht geringen Verblüffung wurde der von mir dialogisierte Stoff tatsächlich an eine französische Filmgesellschaft verkauft. Es war mir klar, daß ich als Neuling und Außenseiter bei der Verteilung der Beute am schlechtesten abschneiden würde, aber der Scheck, den ich bekam, lautete dann doch auf eine gar zu karge Summe.

Nach Rücksprache mit dem Aktschluß-Spezialisten, der sich gleichfalls benachteiligt fühlte, faßte ich mir ein Herz, ging zu Marton und hielt ihm den Scheck hin:

»Gyuri – ist das nicht ein bißchen wenig?«

Gyuri nahm mir den Scheck wortlos aus der Hand, zerriß ihn, schrieb einen neuen auf eine doppelt so hohe Summe aus und reichte ihn mir herüber.

»Also werde ich dich woanders betrügen«, sagte er.

Ich kniete nieder, küßte den Saum seines Gewandes und war ihm von Stund an verfallen.

Marton erkannte mit untrüglichem Instinkt, welcher Typ von Boulevardlustspielen, welche Art von Themen, welche talmigesellschaftlichen Hintergründe dem jeweils herrschenden Publikumsgeschmack entsprachen, und hat eine Reihe metastasengleich fortwuchernder Klischees in die Welt gesetzt. »Die Trafik ihrer Exzellenz« von Békeffy und Stella (Lebensglück trotz sozialem Abstieg) oder Fodors »Arm wie eine Kirchenmaus« (Sekretärin heiratet Chef) zogen ganze Serien von ähnlich konstruierten Stücken nach sich, die nicht selten in der eigenen Fabrik, ja manchmal vom selben Autor – natürlich unter einem anderen Namen – hergestellt wurden.

Dann und wann konnte es allerdings geschehen, daß einem außenstehenden, vielleicht gar ausländischen Boulevardier ein Lustspiel mit besonders tragfähigem Grundeinfall glückte, wie etwa dem Franzosen Jacques Deval mit »Towarisch« (russisches Aristokratenpaar meistert Emigrantenschicksal). In solchen Fällen wurde das betreffende Klischee von Martons Horden rücksichtslos aufgegriffen und abgewandelt. So ist es zu erklären, daß eine der sogenannten »Semmering-Konferenzen« – das alljährliche

Treffen sämtlicher Marton-Autoren in dem unweit Wiens gelegenen Höhenkurort – von Gyuri mit den mahnenden Worten eingeleitet wurde:

»Meine Herren – ›Towarisch‹ haben wir schon lang nicht geschrieben.«

Auf der Semmering-Konferenz wurden Stoffe vorgeschlagen, besprochen und vergeben, Autoren-Kombinate neu zusammengestellt und Vorschriften erlassen, was künftig im Dialog oder in der Schürzung des Handlungsknotens nicht mehr zulässig wäre. Beispielsweise fielen die Ausrufe: »Ah, *so* ist das!« und: »Ja, hast du denn meinen Brief nicht bekommen?« einem strikten Verbot anheim, die Anzahl der Rollen in den tatsächlich für Bühnenzwecke vorgesehenen Produkten durfte nicht höher sein als sechs (Begründung: »Das Stück soll ja auch in Troppau gespielt werden.« – Zwischenruf: »Wenn der Geyer den Dialog schreibt, wird es *nur* in Troppau gespielt!«), kleinere Rollen waren durch Telephongespräche zu ersetzen und dergleichen mehr.

Diese Vorschriften hatten nach ihrer Annahme verbindlichen Charakter für alle Marton-Autoren, aber sie wurden oft erst nach hitzigen, von Invektiven durchwürzten Debatten angenommen. Gewissermaßen zur Entspannung beriet man über die Titel importierter und noch zu übersetzender Stücke, über bestmögliche Rollenbesetzungen, über die Beeinflussung von Kritikern, und das Abschlußdiner fand dann schon in gelöster Stimmung statt.

Nur einmal schlich sich ein leiser Mißton ein. Gestützt auf die Angaben der Bewirteten, hatte Gyuri dem Zahlkellner alles Gehabte angesagt und hatte auf dessen Frage: »Sonst noch etwas?« den Kopf geschüttelt, als sich aus dem Hintergrund eine Stimme meldete:

»Hier war noch ein kleines Bier.«

Gyuri sah den Überkorrekten tadelnd an:

»Was ist?« fragte er. »Hältst du zu mir oder hältst du zum Kellner?«

Das ist nun mehr als vierzig Jahre her, und nur die wenigsten von denen, die damals am Tisch saßen, sind noch am Leben. Aber sie alle – ich darf das in ihrem Namen sagen (und es gilt nicht nur in der Kellner-Alternative) –, sie alle haben zu Gyuri Marton gehalten, und die noch leben, tun es bis auf den heutigen Tag.

Nachträgliches zu Alfred Polgar, Egon Friedell und Karl Kraus

Es erhebt sich die Frage, ob der Weg dieser Aufzeichnungen nunmehr von Gyuri Marton zum Theater führen soll oder von Ferenc Molnár zur Literatur, oder ganz einfach und ohne spezifische Zuordnung zu jenen Repräsentanten der untergegangenen Kaffeehauskultur, die sich auf beiden (sowieso ineinander verschwimmenden) Gebieten bewegt haben. Das wäre dann also der goldene Mittelweg, der seinerseits eine einschlägige Erinnerung an einen diesbezüglichen Ausspruch wachruft. Die Erinnerung ist um so einschlägiger, als der obendrein auf ungarische Quellen zurückgehende Ausspruch in den damaligen Theater-, Literatur- und Kaffeehauskreisen häufig zitiert wurde. Ein ungarischer Landedelmann, so heißt es, war von einem andern gebeten worden, ihm sein Reitpferd zu borgen, wollte die Bitte nicht abschlagen, um den Freund nicht zu kränken, wollte sie aber auch nicht erfüllen, weil man sein Reitpferd nicht herborgt, und berichtete stolz, wie ihm die Bewältigung der scheinbar unlösbaren Konfliktsituation schließlich gelungen war: »Hab ich gewählt goldenen Mittelweg und hab ihm gesagt, er soll mich im Arsch lecken.«

So auch ich, wobei die versöhnliche Aufforderung im Grunde an mich selbst gerichtet ist. Sie gilt dem von mir in Eigenproduktion erzeugten Konflikt, für den ich schon in der »Tante Jolesch« mehrmals die Nachsicht des Lesers erbitten mußte und der mir auch jetzt wieder arg zu schaffen macht, nämlich: wie die Fülle des Materials, mit dem ich's zu tun habe, am besten zu ordnen und zu präsentieren wäre. Es ist, bei aller Wesensgleichheit seiner Substanz, doch ein recht divergentes Material, an dessen Nahtstellen sich zahlreiche Anschlüsse und Übergänge anbieten – ohne daß ein richtig zwingender darunter wäre. Zwar hat die Gefahr, vom Hundertsten ins Tausendste zu geraten, sich inzwischen auf eine etwas bescheidenere Verhältnisziffer reduziert, aber die Lage bleibt für mich noch immer reichlich verwirrend. Ich kann nur hoffen, daß sie den Leser nicht desgleichen verwirren und ihn nicht davon abhalten wird, den unfreiwilligen Quersprüngen meiner Berichterstattung zu folgen.

Bei den Berichten, deren Erstattung mir obliegt, handelt es sich – wie bereits angedeutet – im wesentlichen um Nachträge zu den in der »Tante Jolesch« verbuchten Materialien, um Anekdoten, Geschichten und Aussprüche, die mir nicht rechtzeitig eingefallen sind. Wenn die an Molnár anschließende Reihe ihrer durchwegs schon gewürdigten Urheber nunmehr mit Alfred Polgar (TJ S. 162 f. und S. 218 f.) beginnt, so wirken, ähnlich wie bei Kisch und Kuh (TJ S. 26 f., S. 111 und S. 211 f.), auch phonetische Gründe mit, weil Molnár und Polgar eine naheliegende Assoziation ergeben. Es kommt freilich noch eine minder oberflächliche Stützung persönlicher und sachlicher Art hinzu: nicht nur waren die beiden, sehr zum Unterschied von Kisch und Kuh, miteinander befreundet, sondern die deutschen Bühnenfassungen fast aller Molnárschen Stücke stammen von Polgar.

Eigentlich hätte auch er seinen Namen – denn Polgar ist das ungarische Wort für Bürger – mit einem Akzent auf dem a schreiben müssen. Daß er das nicht getan hat, lag möglicherweise daran, daß er weder ein geborener Ungar noch ein geborener Polgar war.

Als einmal im Café Herrenhof von der Balustrade mit den Telephonzellen her der Oberkellner Hnatek den Ruf »Herr Pollak zum Telephon!« erschallen ließ, sollen sich außer dem tatsächlich gemeinten noch der Zeichner Carl Josef, der Verlagslektor Polzer und Alfred Polgar von ihren Tischen erhoben haben. Aber das muß in grauer Vorzeit gewesen sein, wird hier lediglich zur Erklärung eines fehlenden Akzents angeführt, ist aller Wahrscheinlichkeit nach erlogen und spielt im übrigen keine Rolle.

Ganz gewiß spielt es sie nicht für Polgars literarischen Status, für seine souveräne Urteilskraft als Theaterkritiker, für die erbarmungslose Präzision seiner Formulierungen und für seine sprachliche Meisterschaft überhaupt, von der sich zumal sein Witz mit feinschmeckerischer Sparsamkeit nährte. (Ich habe das in einer ihm gewidmeten »Geschichte vom Manne, der den Sprachschatz hob« genauer darzulegen versucht.) Die Art, wie er Phrasen auf den Grund ging, durch minimale Verschiebung ihren längst verschütteten Ursprung bloßlegte, leergedroschene Worthülsen mit neuem Sinn erfüllte, ist unerreicht und wird es bleiben.

Gegen die am Kaffeehaustisch geübte Unsitte, irgendeinen Tratsch mit der wichtigtuerischen Präambel »Bitte, das bleibt unter uns!« einzuleiten, setzte sich Polgar einmal dadurch zur Wehr, daß er sich hinabbeugte und nach einem besorgten Blick unter den Tisch feststellte: »Da ist aber kaum noch Platz!«

Der 1933 nach Hitlers Machtergreifung entstandene Ausspruch, der das Erscheinen der ersten deutschen Literatur-Emigranten im krisenerschütterten Österreich glossierte: »Die Ratten betreten das sinkende Schiff«, stammt von Alfred Polgar und nicht, wie manchmal angegeben wird, von Karl Kraus – immerhin ein verzeihlicher Irrtum, verzeihlich nicht nur im Hinblick darauf, daß Kraus und Polgar einander sehr geschätzt haben. (Hingegen zeugt es von geradezu monströser Ahnungslosigkeit, wenn man Karl Kraus den läppischen Kalauer über die Prager Literaturszene zuschreibt: »Es werfelt und brodelt und kafkat und kischt.« So billig hat er's nie gegeben.)

Bleiben wir gleich bei Prag. Ich war eine Zeitlang für das »Prager Tagblatt« als zweiter Wiener Theaterkritiker tätig, das heißt, daß ich über minder wichtige Premieren zu schreiben und außerdem Alfred Polgar zu vertreten hatte, wenn er gerade nicht in Wien war oder wenn er aus irgendwelchen Gründen nicht schreiben wollte.

Dieses ergab sich bei der deutschsprachigen Erstaufführung von Cocteaus »Höllenmaschine«, die wir gemeinsam besuchten. In der weiblichen Hauptrolle agierte die große, 1965 verstorbene Tragödin Maria Fein (deren inzwischen zu mindestens gleicher Größe herangereifte Tochter Maria Becker damals in einer Episodenrolle debütierte). Die männliche Hauptrolle gab Herbert Berghof (heute Leiter einer Schauspielschule in New York), ein hypersensibler, hypernervöser Nachwuchsmime, dessen heißes Bemühen zur eiskalten Routine seiner Partnerin heftig – und keineswegs reizlos – kontrastierte. Als dieser Kontrast in einer Szene besonders deutlich wurde, flüsterte mir Polgar zu: »Sie spielt im Schweiße seines Angesichts.«

Dergleichen sprachliche Kurzschlüsse bewerkstelligte er immer wieder, etwa wenn ihn die demonstrative Anmut der Filmschauspielerin Lilian Harvey zu der Bezeichnung »Filigrantrampel« anregte oder wenn er einem ihm besonders lieben, zartfühlenden Kollegen nachrühmte: »Wo er hintritt, wächst Gras.«

Wohl dem, den er mochte, weh dem, der ihm auf die Nerven ging. Zur Komparserie des großen, runden Literatenstammtisches im Café Central (ehe das Herrenhof dessen Nachfolge antrat) gehörten auch die Brüder und Doktoren Jakob und Hermann Th., angesehene Mitglieder der Wiener Ärzteschaft, sorgfältig gepflegt im Aussehen wie im Gehaben und von so erlesener Höflichkeit, wie sie an Literatenstammtischen weder üblich noch besonders geschätzt war. Sie betätigten ihre guten Manieren nicht nur der Umwelt gegenüber, sondern – als gälte es einen Lehrkurs für vorbildliches Benehmen – auch gegeneinander: »Darf ich mir eine Bemerkung erlauben, Hermann . . .« – »Aber gewiß, lieber Jakob . . .« und dergleichen Penetrantes mehr.

Einmal wurde an Hermann, es kann aber auch Jakob gewesen sein, der sich gerade in einer Unterhaltung mit dem rechts neben ihm Sitzenden befand, von weiter links eine Frage gerichtet, zu deren Beantwortung er sich von seinem bisherigen Gesprächspartner abwenden mußte. Natürlich versäumte er nicht, die fällige Floskel der Wohlerzogenheit anzubringen: »Entschuldigen Sie, daß ich Ihnen den Rücken zukehre«, sagte er, bevor er die Linksdrehung vornahm. Sie konfrontierte ihn mit dem gleichfalls links von ihm sitzenden Alfred Polgar, der den Höflichkeitsapostel mit der Erkundung empfing: »Und dafür, daß Sie mir das Gesicht zukehren, finden Sie kein Wort der Entschuldigung?«

Selbst wer in Polgars Gunst stand, mußte auf der Hut sein, um des Meisters latente Aversionen nicht aus dem Schlummer zu wecken. Das geschah meistens von der Sprache her, und davon bekam auch Fritz Kortner einmal eine Kostprobe ab. Er hatte nach seiner Rückkehr aus der Emigration in München eine Wohnung gefunden, auf die er sehr stolz war, und nötigte den für solcherlei nicht just empfänglichen Alfred Polgar zu einer Besichtigung, in deren Verlauf er nimmermüd die Vorzüge seines neuen Domizils pries. Als ihm nichts andres mehr einfiel, deutete er zur Fensterfront:

»Und das Angenehmste an der Wohnung ist, daß sie kein Visavis hat!«

Diesem triumphalen Hinweis setzte Polgar einen säuerlichen Dämpfer auf:

»Wenn Sie wüßten, wie angenehm das erst für das Visavis ist«, sagte er.

Es war einer der seltenen Fälle, in denen Fritz Kortner sich zur Entgegennahme einer Pointe verurteilt fand, statt sie selber zu produzieren. Daß er das konnte, muß ihm der Neid lassen. Ich lasse es ihm neidlos – was ich schon deshalb ausdrücklich festgestellt haben möchte, weil ich zu seinen Lebzeiten oft genug und ziemlich hart mit ihm aneinandergeraten bin, ohne daß wir von unserer im Grund sehr herzlichen Beziehung, der meinerseits eine gehörige Portion Respekt beigemischt war, jemals hätten loskommen mögen. Von »Haßliebe« zu sprechen schiene mir allzu pompös; ich halte mich an die weniger abgegriffene und weitaus witzigere Formel, mit der Kortner mich vorzustellen pflegte: »Mein Todfreund Herr Torberg.«

Den sonder Zahl herumgebotenen Anekdoten von und um Fritz Kortner sei hier eine einzige hinzugefügt, die sich meines Wissens noch nicht in Umlauf befindet, zumindest nicht in gedrucktem. Ort der Handlung ist eine PanAm-Maschine auf dem Flug von Berlin nach München, die Protagonisten sind Kortner und ein Passagier, der ihn unverhohlen beobachtet. Kortner, Böses ahnend, nämlich die Verwicklung in eine Gespräch, vertieft sich mit abweisender Intensität in die Lektüre eines Manuskripts.

Es hilft nichts. Der Interessent setzt sich auf den freien Platz neben ihn, faßt ihn aufs neue prüfend ins Auge und sagt, scheinbar halb für sich:

»Sie sehen einem bekannten Schauspieler ähnlich.«

Kortner reagiert nicht und liest verbissen weiter.

»Aber der können Sie ja nicht sein«, fährt jener im fingierten Selbstgespräch fort, nun schon deutlicher in Kortners Richtung. »Der ist ja tot.«

Kortner zuckt zusammen:

»*Wer* ist tot?« fragt er mit halbem Aufblick.

»Der, dem Sie ähnlich sehen. Der Kortner.«

Das geht weit über Kortners böse Ahnungen hinaus und läßt ihn noch heftiger zusammenzucken.

»Woher wissen Sie das?«

»Meine Frau hat's mir vor ein paar Tagen erzählt.«

»So.« Kortner holt grimmig Atem. »Dann sagen Sie Ihrer Frau: Kortner lebt.« Und setzt nach kurzem Bedenken hinzu: »Aber sagen Sie's ihr bald!«

Soviel sich feststellen ließ, war das die letzte Kortner-Anekdote, die noch authentisch – nämlich von ihm selbst – überliefert wurde. Nicht lange danach hätte die Frau seines Reisegefährten recht gehabt.

Auch eine letzte Polgar-Anekdote ist zu verbuchen. Sie spielt in den frühen fünfziger Jahren, während eines seiner Besuche in Wien, gekoppelt mit einem Besuch in der Wohnung Franz Theodor Csokors, der damals (und bis zu seinem 1969 erfolgten Ableben) dem Österreichischen PEN-Club als Präsident vorstand.

Csokor war ein liebenswerter, grundgütiger, arg- und neidloser Dichtersmann, der seine Freundlichkeit nicht selten auch Unwürdigen zugute kommen ließ, manchmal sogar den ultralinken Menschheitsbeglückern, von denen er irrigerweise annahm, daß es ihnen ebenso wie ihm um das Glück der Menschheit ginge. Und er war noch etwas andres, was es nicht mehr gibt: ein echter Bohemien. Überflüssig zu sagen, daß er jeglichen Wohlstands ermangelte und daß er diesen Mangel mit Fassung und Haltung trug, ja eigentlich ohne ihn zur Kenntnis zu nehmen. Die einzige Aktivität, die er um irdischer Genüsse willen entfaltete, galt dem Besuch der zahlreichen internationalen Schriftstellerkongresse, zu denen er entweder in seiner PEN-Funktion oder als Ehrengast eingeladen wurde und die immer mit reichlichen Banketten und kulinarisch unterspickten Festempfängen verbunden waren. Csokor führte genauestens und weit vorausblickend Buch über alle nahrhaften Veranstaltungen dieser Art und ließ es sich angelegen sein, in der betreffenden Landessprache rechtzeitig den Satz »Herr Ober, reichen Sie mir noch einmal von dieser Speise« auswendig zu lernen. Als einmal in Dubrovnik eine literarische Tagung stattfinden sollte, lernte er den Schlüsselsatz auf kroatisch. Die Tagung wurde kurzfristig abgesagt, und Csokor kam nie mehr in die Lage, seine kroatischen Sprachkenntnisse anzuwenden.

Daß und wie sehr seine Lebensweise die eines Bohemiens war, merkte man auch seiner beharrlich unaufgeräumten Wohnung an, die dem Besucher – im vorliegenden Fall war's also Alfred Polgar – ein wüstes Durcheinander von Büchern, Zeitungen, Manuskripten und Schreibbehelfen darbot. Nichts befand sich dort, wo es hingehört hätte. Auf dem Schreibtisch lagerte allerlei Eßzeug, das Fensterbrett beherbergte Gläser unterschiedlichen Formats, die Schnapsflasche kam aus dem Nachtkasten zum Vorschein, und was sich als Decke über das Sofa breitete, war zweifelsfrei einer der Fenstervorhänge.

Polgar hatte eine Zigarette zu rauchen begonnen und sah sich um:

»Würde es Sie stören, Csokor«, fragte er, »wenn ich die Asche in den Aschenbecher gebe?«

*

Von Alfred Polgar ist es nicht weit zu Egon Friedell, seinem langjährigen Freund und häufigen Mitautor, den meine ohnehin fragmentarische Schilderung in der »Tante Jolesch« (S. 219 f.) um eine wichtige Anekdote geprellt hat; sie wird hiermit nachgetragen.

Siegfried Trebitsch, in dessen miserabler Übersetzung George

Bernard Shaw auf der deutschen Bühne berühmt geworden ist (sogar berühmter, als es ihm zustand), sorgte mit nie erlahmender Betriebsamkeit für die Mehrung seines gleichermaßen unverdienten wie einträglichen Ruhms. So veranlaßte er einmal das »Neue Wiener Journal« zu einer Rundfrage an namhafte Zeitgenossen: »Was ist Ihrer Meinung nach die Gemeinsamkeit zwischen George Bernard Shaw und seinem Übersetzer Siegfried Trebitsch?« Sicherheitshalber übergab er der Redaktion eine Liste der zu Befragenden und suchte obendrein jeden einzelnen von ihnen auf, um eine möglichst freundliche Antwort zu erwirken. Auch bei Friedell erschien er, allerdings nicht mit dem gewünschten Erfolg. Friedells Antwort lautete:

»Die Gemeinsamkeit zwischen Shaw und Trebitsch besteht meiner Ansicht nach darin, daß beide nicht Deutsch können.«

Im Grund variierte Friedell damit eine Formulierung, die Karl Kraus schon lang vorher geprägt hatte, ohne besonderen Anlaß, nämlich im Zusammenhang mit seiner latenten (und wohlfundierten) Abneigung gegen Shaw: »Herr Siegfried Trebitsch, der die Theaterstücke Shaws aus dem Englischen in eine ihm gleichfalls fremde Sprache übersetzt . . .«

Trebitsch, im übrigen, war durch die Tantiemen dieser Übersetzungen so reich geworden, daß er sich's 1938, nach seiner Emigration in die Schweiz, leisten konnte, im sündteuren Nobelhotel Dolder zu wohnen. Von dort stieg er gelegentlich zu Tal und klagte mit leiser, weinerlicher Stimme – die ihm den Beinamen »der stille Dolder« eintrug – im Kreise minderbemittelter Schicksalsgefährten über sein trauriges Emigrantenlos. Auch Shaw gegenüber ließ er's an schriftlichen Verzweiflungsausbrüchen nicht fehlen.

»Werden wir uns jemals wiedersehen?« hieß es in einem seiner Briefe.

»Das hängt ganz von Ihrer Gesundheit ab«, erwiderte der damals 82jährige Shaw.

*

War es von Polgar nicht weit zu Friedell, so ist es von ihnen beiden – einschlägige Andeutungen sind ja schon erfolgt – nicht weit zu Karl Kraus (TJ S. 158 f.). Nun verhält es sich aber mit Geschichten, die über Karl Kraus erzählt werden könnten, mit Äußerungen, die sich ihm zuschreiben ließen und, kurzum, mit ihn betreffenden Anekdoten immer ein wenig prekär; je besser man ihn gekannt hat und je verantwortlicher man mit dieser Kenntnis umzugehen wünscht, desto sorgfältiger wird man es vermeiden müssen, Zweifelhaftes, ja auch nur Anzweifelbares über ihn zu erzählen.

Ich habe Karl Kraus immerhin gut genug gekannt, um mich der Verpflichtung zur Authentizität unterworfen zu fühlen; und daß von den Zeugen meines Umgangs mit ihm heute kaum noch jemand lebt, scheint mir jene Verpflichtung, obgleich sie praktisch unkontrollierbar geworden ist, eher zu steigern als zu entlasten. Das hat mir schon bei mancher früheren Wiedergabe meiner Reminiszenzen an ihn – in Vortragstexten, in einem Gedenkaufsatz anläßlich seines 100. Geburtstags* und schließlich in der »Tante Jolesch« – arge Hemmungen verursacht, denen durchaus Verbuchenswertes (und Authentisches) geopfert wurde, darunter seine nicht immer enthusiastischen Äußerungen über Bertold Brecht, seine Reaktion auf die »Dreigroschenoper«, auf das Lied der Polly, für die es selbst beim manierlichsten und bestgekleideten Mann, dessen Kragen auch werktags rein war, nur ein Nein gab, aber dann kam einer, der nicht wußte, was sich bei einer Dame schickt, und sein Kragen war auch sonntags nicht rein, und da mußte sie sich einfach hinlegen, da gab's überhaupt kein Nein: »Eine starke Überschätzung der Schmutzwäsche«, sagte Karl Kraus – aber wer weiß, ob man mir das glauben würde. Und so wüßte ich von ihm noch etliches mehr zu berichten, was auf vorgefaßten Unglauben stieße, obwohl es authentisch ist. Vielleicht findet sich's in meinem Nachlaß.

Hier jedenfalls begnüge ich mich mit einer Geschichte, zu der Karl Kraus nur in passiver Beziehung steht. Sie spielt 1933 in Prag unter den deutschen Emigranten, die nach Hitlers Machtergrei-

---

* »Er war genau so und er war ganz anders«, Neue Züricher Zeitung, 26. April 1974.

fung herüberkamen und von politischen Freunden aufgefangen und betreut wurden. Wir saßen mit ihnen in ständig wechselnden Kneipen beisammen, führten nächtelang die hitzigsten Diskussionen, deren Wirklichkeitsferne uns erst später klarwerden sollte und die sich bisweilen auch literarischen Themen zuwandten. Als das wieder einmal geschah, stellte sich heraus, daß einer der Neuankömmlinge, ein braver sächsischer Gewerkschaftsfunktionär, den Namen Karl Kraus noch nie gehört hatte, und da mußte natürlich Abhilfe geschaffen werden. Man gab ihm »Die letzten Tage der Menschheit« zu lesen, ohne zu bedenken, daß ihm das Lokalkolorit der meisten Szenen, ihr historischer Hintergrund und vor allem die verschiedenen altösterreichischen Dialekte, mochten sie wienerisch, böhmisch, jüdisch oder sonstwie gefärbt sein, völlig fremd wären.

Ein paar Tage später erkundigte man sich nach dem Eindruck, den die Lektüre auf ihn gemacht hätte.

Er könne noch kein Urteil abgeben, sagte der Wackere in wakkerem Sächsisch, denn er sei noch nicht fertig.

»Aber eins ist sicher«, fügte er nach einer kleinen Pause der Bedachtsamkeit hinzu. »*Deutsch* kann der Mann nu mal *nich!*«

Mein abermals zur Erfolglosigkeit verurteiltes Bestreben, irgendeine Ordnung in diese Aufzeichnungen zu bringen, verteilt sich auf drei erfolglose Ansätze: nach thematischen, personellen und zeitlichen Gesichtspunkten.

Zum Beispiel könnte ich im vorliegenden Fall von Karl Kraus auf das Thema Literatur übergehen, oder ich könnte noch ein wenig bei seiner Person verweilen und noch den oder jenen seiner Aussprüche festhalten, wobei es mich besonders auf eines hinzuweisen drängt: sein eminenter Sprachwitz rechtfertigt selbst die im allgemeinen eher billigen und peinlichen Wortspielereien, die sich einen Eigennamen zunutze machen. Daß er die Inhaftierung des wegen betrügerischer Krida verurteilten Bankiers Reitzes mit der Wendung glossierte: »Die Strafanstalt Stein entbehrt nicht eines gewissen Reitzes«, kann man in der »Fackel« nachlesen.

Nirgends gedruckt und wenig bekannt hingegen ist ein Aperçu

aus seinen früheren Jahren, als er eine junge Schauspielerin namens Elfriede Schopf umbuhlte, die sich jedoch zu seinem Leidwesen im sicheren Gewahrsam des Burgtheaterhelden Adolf Ritter von Sonnenthal befand; und die Nachricht von Sonnenthals plötzlichem Tod entlockte ihm den Ausruf: »Jetzt müßte man die Schopf bei der Gelegenheit packen!«

Wie sich soeben geklärt hat, werde ich von keiner dieser beiden Übergangsmöglichkeiten Gebrauch machen. Das Thema Literatur wird sich noch oft genug (und zwanglos genug) anbieten, und gegen meine schon dargelegte Hemmung, Kraus-Anekdoten wiederzugeben, möchte ich nicht weiter ankämpfen. Ich schließe also zeitlich an jenen sächsischen Emigranten an, der mit seiner Feststellung, daß Karl Kraus nu mal nich Deutsch könne, gewissermaßen den Kopf auf den Nagel getroffen hat. Ich schließe an die Zeit nach 1933 in Prag an.

Der Zwischenrufer Epstein und andere Originale

Die Emigranten aus Hitlerdeutschland erhielten immer stärkeren Zuwachs, begannen sich zu organisieren, gründeten Hilfs- und Sammelstellen, gründeten politische Zeitschriften wie den »Gegen-Angriff« oder den kurzlebigen »Simplicus« (den ein nicht nur juristisch gestützter Einspruch des gleichfalls nach Prag emigrierten Thomas Theodor Heine zur Namensänderung in »Simplicissimus« nötigte), gründeten eine Illustrierte (mit den Fotomontagen des genialen John Heartfield als Hauptattraktion) und gründeten teils landsmannschaftlich, teils politisch ausgerichtete Vereine, die im Kielwasser der damals herrschenden »Volksfront«-Ideologie auf das Wohlwollen der tschechoslowakischen Behörden rechnen durften, manchmal sogar auf gutgläubige Förderung. Fast alle diese Gründungen waren mehr oder weniger kommunistisch gesteuert – die monatliche Literaturzeitschrift »Das Wort«, von Wieland Herzfelde, dem ehemaligen Leiter des Berliner Malik-Verlags, in Prag vorbereitet und redigiert, erschien ganz offiziell in Moskau (als Herausgeber zeichneten Bert Brecht, Lion Feuchtwanger und der gepunzte Parteischriftsteller Willi Bredel).

Zu den kommunistischen Tarnorganisationen gehörte auch der »Bert-Brecht-Club«, eine – wie schon der Name sagt – vorgeblich auf Literatur und in Wahrheit auf Agitprop bedachte Körperschaft, die sich so geschickt in Szene zu setzen wußte, daß ihre Vortrags- und Diskussionsabende alsbald beträchtlichen Zulauf fanden. Das sprach sich allerdings nicht nur in den mit der Sowjetunion sympathisierenden Kreisen herum, sondern auch unter jenen, die sich schon damals vom Kommunismus abgewandt hatten (und das war zu einer Zeit, da man Stalin noch für den Todfeind Hitlers, ja wohl für dessen einzig zuverlässigen Gegenspieler hielt, weder leicht noch lohnend). Es fand sich also auch die antistalinistische Avantgarde allmählich bei den Diskussionsabenden des »Bert-Brecht-Clubs« ein, um die Dirigenten dieser Diskussionen – ich erinnere mich an Wieland Herzfelde, der noch heute in Ostberlin die linientreue Fahne hochhält, an Ernst Ottwald, der später in einem sowjetischen Gefängnis zugrunde gegangen ist, an den in Amerika friedlich verstorbenen Kurt Kersten – aus ihrer selbstgefälligen Demagogie aufzustören. Die Störung erfolgte entweder durch unangenehm formulierte Fragen oder durch Zwischenrufe. Und damit sind wir beim Zwischenrufer Epstein, der wahrlich auch noch aus anderen Gründen nicht vergessen werden sollte als aus denen, die ihm diesen Beinamen verschafft haben.

Julius Epstein, in Wien geboren, lange Jahre in Berlin wohnhaft (wo die von ihm herausgegebene Wochenzeitschrift »Das blaue Heft« sich gegen die Konkurrenz der »Weltbühne« und des »Tagebuchs« nicht durchsetzen konnte), 1933 nach Wien zurückgekehrt, 1934 nach Prag und 1938 nach Amerika emigriert, war ein kenntnisreicher Mann und einer der wenigen politisch denkfähigen Journalisten im deutschen Sprachraum, mit einem Wort: ein Außenseiter. Seine Fähigkeiten kamen erst in Amerika zu voller Geltung, aber auch dort hatte er gegen heftige Widerstände zu kämpfen, als er während des Kriegs die Urheberschaft des sowjetischen Bundesgenossen am Massaker der polnischen Offiziere in Katyn aufdeckte.

Ich habe Epstein in Prag kennengelernt und habe seinen scharfen, schlagfertigen Witz von Anfang an bewundert, gleich beim erstenmal, als er auf einer Veranstaltung des erwähnten »Bert-Brecht-Clubs« in Aktion trat. Neben ihm betätigte sich als Wortführer der damals aufkeimenden Opposition ein tschechischer Trotzkist namens Kafka (keine Verwandtschaft mit Franz), dessen gewähltes Deutsch zum harten tschechischen Akzent, mit dem er es sprach, in seltsamem Widerspruch stand. Ein Satz aus einem seiner Diskussionsbeiträge ist mir haften geblieben, beinahe ein Schlüsselsatz. Es ging um die ausbeuterischen Methoden des monopolkapitalistischen Schuhfabrikanten Bat'a, und Kafkas Schlüsselsatz – mit beharrlicher Langsamkeit vorgebracht und eben dadurch gegen jede Unterbrechung gefeit – lautete: »Vor die Wahl zwischen Bat'a und Stalin gestellt, entscheide ich mich für Bat'a, aber nicht, weil er bessere Schuhe macht, sondern weil er ethisch höher steht.« Man kann sich denken, welchen Entrüstungssturm ein solches Sakrileg bei der stalinistischen Mehrheit hervorrief.

Eines Abends entwickelte sich im Anschluß an einen Vortrag über das sowjetische Eherecht eine besonders lebhafte Diskussion. Die oppositionellen Wortmeldungen liefen fast durchweg darauf hinaus, daß die sowjetische Wirklichkeit sich immer weiter von ihren ursprünglichen Idealen entfernte, daß alles, was einen jungen Menschen einmal zum Kommunismus hingezogen hätte, längst beim Teufel wäre – die sowjetischen Ehegesetze überträfen die kapitalistischen bei weitem an bürgerlicher Strenge, freie Liebe begegne puritanischen Hindernissen, auf Abtreibung stünden strenge Strafen, und dergleichen mehr. Die Fragen an den verzweifelten Diskussionsleiter bezogen sich alsbald auch auf aktuellere Anlässe, vor allem auf das Schicksal der deutschen Kommunisten, die sich in die Sowjetunion gerettet hatten und dort von den stalinistischen Säuberungswellen verschluckt worden waren – was mit der Schauspielerin Carola Neher geschehen sei, wollte jemand wissen, ein andrer fragte nach Zenzi Mühsam, der sechzigjährigen Witwe des von den Nazis ermordeten Dichters Erich Mühsam, der Vorsitzende versuchte den Fragesteller zu überhören, aber der ließ sich nicht abschütteln: »Ich will wissen, warum die Zenzi Mühsam verhaftet wurde!« insistierte er, und in das verlegene Schweigen auf dem Podium ertönte Epsteins Zwischenruf:

»Vielleicht hat sie abgetrieben!«

Heftige Zusammenstöße zog auch André Gides Abkehr vom Kommunismus nach sich, die er mit seinem kritischen Reisebericht »Retour de l'U.R.S.S.« vollzogen hatte. Der jahrelang als weitblickender Anwalt des Fortschritts Gepriesene wurde in den Augen (und in der Sprachregelung) der Politruks über Nacht zu einem trotzkistischen Kleinbürger, und der »Bert-Brecht-Club« veranstaltete eilends einen Diskussionsabend, um die verwirrten

Geister zu beruhigen. Es bekam ihm schlecht. Die Parteiredner konnten keine einzige der von Gide vorgebrachten Anschuldigungen entkräften, keinen einzigen der von ihm angeprangerten Mißstände dementieren. Besonders hitzig ging es zu, als der mit Stalin getriebene Personenkult und dessen byzantineske Auswüchse zur Sprache kamen. Gide hatte unter anderem berichtet, daß er bei seiner Ausreise aus der Sowjetunion ein Telegramm an den Kreml abschicken wollte, um sich für die ihm erwiesene Gastfreundschaft – er war von der Regierung eingeladen gewesen – in aller Form zu bedanken. Der Postbeamte weigerte sich, das Telegramm anzunehmen, weil es schlicht an »Josef Wissarionowitsch Stalin, chef du parti communiste« adressiert war und keine der überschwenglichen Zusatztitel enthielt, die dem großen Führer gegenüber obligat waren. Auf dem Podium wußte man sich gegen die wütenden Anfälle der Oppositionellen kaum zu wehren. Diese würdelose Liebedienerei vor einem angeblichen Genossen sei eine Schande, hieß es, sie unterscheide sich in nichts von der in Deutschland geübten Vergötterung Hitlers, warum müsse man Stalin als »Vater des Proletariats« und »Steuermann der Weltrevolution« anreden, er sei der Vorsitzende des ZK der KPdSU, weiter nichts, ein Regierungsbeamter sei er, und in Frankreich sagt man dem Präsidenten der Republik ganz einfach Monsieur.

Hier sah der Diskussionsleiter endlich eine Chance:

»Falsch!« widersprach er mit sattem Triumph. »Man sagt ihm Monsieur le président!«

»Das *ist* er aber auch!« ließ sich der Zwischenrufer Epstein vernehmen.

Die Leidenschaft, mit der er der Entlarvung demagogischer Linksphrasen oblag, trieb ihn häufig zum Columbus Circle, dem New Yorker Gegenstück zu Londons Hyde Park, einem Freiluft-Tummelplatz für Volksredner, unter die sich mit schöner Regelmäßigkeit auch kommunistische Agitatoren mischten, um mit vorsichtig dosierten Hetzreden den revolutionären Tatendrang der Mengen anzustacheln. Wenn so einer die Übelstände des Kapitalismus im allgemeinen und der amerikanischen Gesellschaftsordnung im besonderen weidlich gegeißelt hatte, schaltete er aus taktischen Gründen unfehlbar die vertrauenerweckende Mitteilung ein, daß er kein Kommunist sei – womit er sich der ebenso unfehlbaren Frage des Zwischenrufers Epstein aussetzte:

»Warum nicht?«

Daraufhin zog er es meistens vor, den Platz zu räumen. Sonst hätte er dem Wißbegierigen die Vorzüge der Demokratie erklären müssen.

Ein Lieblingsziel der Epsteinschen Tücke waren die geschulten Dialektiker, die es verstanden, jede Maßnahme Stalins als die einzig richtige zu begründen, auch wenn kurz zuvor noch das genaue Gegenteil einzig richtig war. Am schwersten hatten sie es mit dem Stalin-Hitler-Pakt, an den sie zuerst gar nicht glauben wollten. Wie man weiß, haben sie nach Überwindung des ersten Schrecks auch das bewältigt.

Zu einem wesentlich harmloseren Purzelbaum dieser Art führten die Olympischen Spiele von 1936, zu denen die Japaner, Hitlers spätere Bundesgenossen, eine starke Equipe nach Berlin geschickt hatten. Sie wurde dort reichlich mit nationalsozialistischen Propagandaschriften versorgt und geriet damit bei den diversen Grenzkontrollen auf der Heimreise in einige Schwierigkeiten, worüber die internationale Presse denn auch berichtete.

In einem der Prager Kaffeehäuser, die den politisch Interessierten ungeachtet ihrer Herkunft und ihrer Überzeugung als Treffpunkt dienten, saß Epstein auf Lauer und pirschte sich an eine linientreue Clique heran.

Das ginge nun wirklich zu weit, begann er seine heuchlerische Klage: an jeder Grenze wären die japanischen Sportler wegen der mitgeführten Nazi-Drucksachen beanstandet worden – nur die Sowjets hätten sie glatt passieren lassen!

Selbstverständlich und was denn sonst, wurde er mit überlegenem Lächeln belehrt. Oder hätte man wegen einer solchen Lappalie vielleicht diplomatische Verwicklungen riskieren sollen, um den Herrn Epstein zufriedenzustellen? Man weiß in der Sowjetunion sehr gut, wie man sich zu verhalten hat. Da macht man nichts Unsinniges.

»Nicht?« verwunderte sich Epstein. »Warum hat man's dann gemacht?«

Und er präsentierte den betretenen Dialektikern die soeben erschienene Abendzeitung mit der Meldung, daß die japanische Olympiamannschaft an der sowjetischen Grenze aufgehalten worden war und erst nach Beschlagnahme des Propagandamaterials weiterreisen durfte.

Julius Epstein starb 1974 in Kalifornien, wo er an der Stanford University den Lehrstuhl für Politologie innehatte. Er war ein Zwischenrufer von höchstem künstlerischen Rang. Wir werden nimmer seinesgleichen hören.

*

Zwischen den hier als Neuerscheinung aufgetretenen Epstein und die teils schon früher verbuchten, teils aus späterer Zeit noch zu verbuchenden Repräsentanten der Sparte Literatur schiebt sich gebieterisch die füllige Gestalt Dr. Hugo Sperbers, der Anekdote liebstes Kind nach Ferenc Molnár und wie dieser in der »Tante Jolesch« (S. 176 ff.) ausführlich, wenn auch nicht restlos gewürdigt. Freundliche Zeitgenossen haben mir den Rest ins Gedächtnis gerufen. Er ist leider nicht so umfangreich wie bei Molnár, aber auch er hat Anspruch, dem Sog der Vergessenheit entrissen zu werden.

Daß Sperber das Kaffeehaus in erster Linie als Austragungsort von Kartenpartien betrachtete und, wenn kein Mäzen in der Nähe war, sich jeder zusätzlichen Geldausgabe, also jeder anderen Bestellung als der eines Pakets Spielkarten enthielt, wurde bereits geschildert (TJ S. 186). Die eherne Abwehr, die er allen diesbezüglichen Versuchen entgegensetzte, ließ sich durch kein kellnerisches Drängen erschüttern.

»Was wird sonst noch angenehm sein, Herr Doktor?«

Sperber hat nichts gehört.

»Darf ich vielleicht etwas bringen, Herr Doktor?«

Sperber schweigt verbissen.

»Noch einen Wunsch, Herr Doktor?«
»Jawohl!« röhrt Sperber. »Nicht danach gefragt zu werden!«

Ein wiederholt vorbestrafter Gewohnheitsdieb, dem wieder einmal ein Prozeß bevorstand, erschien in Sperbers Kanzlei und bat ihn um (natürlich kostenlose) Rechtsbetreuung. Während Sperber in den Akten blätterte, ließ der Besucher eine auf dem Rauchtisch liegende Zigarettendose in seine Hosentasche gleiten.
»Lieber Freund«, sagte Sperber, der das gesehen hatte, »legen Sie die Tabatiere wieder zurück. Hier ist *mein* Arbeitszimmer und nicht das Ihre.«

Die folgende Geschichte begab sich im Gerichtssaal selbst, als Sperber einen Einbrecher verteidigte. Der öffentliche Ankläger stützte sich auf Indizien, die sich als recht wackelig erwiesen und von denen als einzig beweiskräftiger Anhaltspunkt die Tasche mit dem Einbruchswerkzeug übrigblieb, die der Angeklagte im fraglichen Zeitpunkt bei sich hatte.
Sperber meldete sich zu Wort:
»Herr Vorsitzender, ich habe ständig das zum Ehebruch erforderliche Werkzeug bei mir. Ist das ein Verdachtsmoment?«

Zu Sperbers Ex-offo-Klienten gehörte einmal auch Egon Dietrichstein, eine nicht uninteressante, beinahe tragische Erscheinung der Wiener Kaffeehauswelt. Er hatte vor dem Ersten Weltkrieg einige journalistische und literarische Erfolge, die freilich an seiner schon damals unheilbaren Schnorrer-Existenz nichts änderten. Später ging's mit ihm immer tiefer bergab, sein Talent verkümmerte, niemand druckte ihn, er hörte mit dem Schreiben auf und lebte zum Schluß von dubiosen Wuchergeschäften, bei denen er einen blinden Inkassanten beschäftigt haben soll (mit der Begründung, daß man einen Blinden nicht so leicht die Stiegen hinunterwirft). Ab und zu sah man ihn durch seine einstigen Stammkaffeehäuser streifen, völlig verlottert, in abgerissener Kleidung und auf exzessive Weise ungepflegt, daß Gerüchte entstanden, er wäre auf eine anonyme Anzeige hin polizeilich geöffnet worden und man hätte an seiner Brust ein nistendes Eichhörnchen gefunden. Das stimmte natürlich nicht. Hingegen traf es zu, daß er einmal in der Wohnung von Leo Perutz (TJ S. 161 f.) meuchlings zwangsgebadet wurde und daß man bei dieser Gelegenheit auf einen nicht alltäglichen Behelf seiner Toilette stieß: als Sockenhalter diente ihm eine in zwei oberen Löchern befestigte und hinterm Nacken zusammengebundene Spagatschnur. (Übrigens ist auch zu Leo Perutz eine Kleinigkeit zu ergänzen, deren Besonderheit darin besteht, daß diesmal ausnahmsweise er selbst der Blamierte war. Er hatte für das Söhnchen eines mit ihm befreundeten Ehepaars zu Weihnachten ein Steckenpferd gekauft, brachte es persönlich angeschleppt, packte es an der Türe aus, bestieg es, kam unter lauten »Hoppa-hoppa«-Rufen ins Bescherungszimmer geritten und merkte – kurzsichtig, wie er war – erst nach der dritten Umkreisung des Weihnachtsbaums, daß er sich in einer falschen Wohnung befand.)

Als nun Egon Dietrichstein, um wieder auf ihn zurückzukommen, endlich von Schicksal ereilt wurde und seiner Wuchergeschäfte wegen mit dem Gesetz in Konflikt geriet, hätte er dem drohenden Gerichtsurteil nur durch Rückzahlung einer für ihn unerschwinglich hohen Geldsumme entgehen können. Um wenigstens eine bedingte Verurteilung zu erreichen, legte Sperber sein Plädoyer um Milde auf eine drastische Schilderung der desolaten Existenz Dietrichsteins an:

»Hohes Gericht«, begann er, »ich bin gewiß kein Arbiter elegantiarum – Egon Dietrichstein aber trägt einen von mir abgelegten Anzug am Sonntag . . .«

Für die schönste Dietrichstein-Anekdote hat er selbst gesorgt, als er während des Ersten Weltkriegs vom »Neuen Wiener Journal« den Auftrag zu einer Reportage über die kaiserliche Menagerie in Schönbrunn bekam. Wie sich herausstellte, wurde der Affenkäfig – eine der großen Attraktionen Schönbrunns, die unbedingt geschildert werden mußte – damals gerade umgebaut, so daß Dietrichstein seine Reportage zunächst nicht abschließen konnte. Er bat, von der Fertigstellung des Umbaus verständigt zu werden, und ließ in der Schönbrunner Hofkanzlei zu diesem Zweck seine Adresse zurück.

Nun muß man wissen, daß es in Österreich (wie auch in Ungarn und in Deutschland) jüdische Familiennamen gibt, die mit den Namen fürstlicher Häuser identisch sind. Die Vorfahren dieser Familien standen vor Zeiten als sogenannte »Schutzjuden« im Dienst der betreffenden Hocharistokraten und wurden im Zuge der Emanzipation und der damit verbundenen Zuteilung bürgerlicher Namen nach ihren Schutzherren bekannt. Man erzählte sich, daß der Bürgermeister Lueger, dem einmal mitten in einem wichtigen Aktenstudium der Besuch des Fürsten Löwenstein-Wertheim-Freudenberg gemeldet wurde, seinen Sekretär ein wenig zerstreut mit den Worten hinausgeschickt hätte: »Sagen S' den drei Juden, sie sollen warten.« Außer bei den hier Angeführten ist es auch bei Trägern des Namen Liechtenstein, Fürstenberg, Schwarzenberg, Nassau und anderen – wie eben Dietrichstein – nicht von vornherein klar, ob es sich um Fürsten oder Juden handelt. Und da der federführende Kanzlist der kaiserlichen Menagerieverwaltung sich gegen eine mögliche Verletzung der Etikette absichern wollte, adressierte er, als es soweit war, die fällige Verständigung an »Seine Durchlaucht Fürst Egon Dietrichstein, Wien II., Große Mohrengasse 16, IV. Stock, Tür 27, bei Frau Katz«.

Meine Begegnung mit Joachim Ringelnatz

Sie wurde mir 1929 dank der Initiative eines etwas älteren und bereits halbwegs arrivierten Schriftstellerkollegen zuteil, den ich hier nur mit seinen Anfangsbuchstaben nennen werde, A. E., denn er lebt noch, und es wäre ihm möglicherweise nicht recht, in dieser Geschichte mit vollem Namen aufzutreten.

Ich hatte ihn in Leipzig kennengelernt, wohin mich das »Prager Tagblatt« – ungefähr ein Jahr vor Erscheinen meines ersten Romans – in die journalistische Lehre geschickt hatte, zum »Leipziger Tagblatt«, das dem gleichen (mit Ullstein verschwägerten) Zeitungskonzern angehörte. Es war, dies nebenbei, eine sehr nutzbringende Lehre, vor allem in technischer Hinsicht, und was mir damals in der Setzerei von den sanft sächselnden Metteuren beigebracht wurde, ist mir noch Jahrzehnte später beim Umbruch des FORVM sehr zugute gekommen.

A. E. war kein Mitglied der Redaktion, sondern ein freier Mitarbeiter. Wir fanden Gefallen aneinander, gingen manchmal zusammen in die Konditorei Felsche oder zum Mittagessen in ein miserables Restaurant, das den pompösen Namen »Zur großen Feuerkugel« trug und sich damit brüstete, daß vor Zeiten einmal Goethe dort eingekehrt war. Ich erinnere mich noch deutlich an die grauenhaften Folgen dieses Ereignisses. Und zwar erschien, wenn man sich beispielsweise durch den »Suppe« geheißenen Dünnbrei weit genug hindurchgelöffelt hatte, auf des Tellers Grund das scherengeschnittene Profil des Dichterfürsten, umrandet von einer Inschrift in Fraktur, die einem den letzten Rest des etwa noch vorhandenen Appetits raubte.

Auch an Hans Reimann erinnere ich mich und an die Kolonialwarenhandlung Gück, an der er nie vorübergehen konnte, ohne zu murmeln: »Gück und Gas, wie leicht bricht das.«

Vor allem aber erinnere ich mich an A. E. und an sein wunderliches Auto, ein kleiner Fiat war's, wenn ich nicht irre, ein kleiner, offener Fiat, dergestalt offen, daß er sich um keinen Preis schließen ließ und sich bei heftigeren Regengüssen in eine Freiluftbadewanne verwandelte. Dennoch faßte A. E. eines Tages den tollkühnen Entschluß, mit diesem Wagen nach Berlin zu fahren, und ich meinerseits besaß den Heldenmut, seine Einladung zum Mitfahren anzunehmen. Unterwegs erzählte er mir Märchenhaftes vom Berliner Literaturbetrieb, wußte in wohldosierten Einflechtungen auch seinen eigenen Anteil daran hervorzukehren, versprach mir, mich mit allerlei wichtigen oder namhaften Leuten bekannt zu machen, und als wir nach wetterbegünstigter Fahrt und Überwindung eines unerläßlichen Minimums von Pannen in Berlin angelangt waren, stellte er sofort das Programm für den Abend zusammen. Es sah u. a. einen Besuch des berühmten Künstlerlokals Schwannecke vor. Und damit nähern wir uns dem Kern der Geschichte. Denn als wir hineinkamen, saß an einem ovalen Logentisch unweit der Garderobe Joachim Ringelnatz, allein und eine nicht mehr gänzlich gefüllte Kognakflasche vor sich.

Ich erkannte ihn sofort, was keine Kunst war. Sein scharf geschnittenes Gesicht mit der vorspringenden Adlernase erschien oft genug (zumeist als Karikatur) in irgendeiner Zeitung und zierte außerdem den Umschlag mancher seiner Gedichtbücher – ich besaß sie alle und liebte sie sehr.

»Dort sitzt Ringelnatz«, flüsterte A. E. mir zu. »Willst du ihn kennenlernen? Mach ich.«

Er straffte sich, als schlüge er innerlich die Hacken zusammen, und trat an den ovalen Tisch:

»Guten Abend, Jochen. Darf ich dir einen Freund von mir vorstellen? Friedrich Torberg, ein junger Schriftsteller aus Prag.«

Ringelnatz sah mit einem nicht übermäßig interessierten Blick zuerst A. E. an und dann mich.

»So«, sagte er. »Und nu geht mal beide wieder weg.«

Das war meine Begegnung mit Joachim Ringelnatz.

Von Literaten und Literatur

Wenn in den vorangegangenen Kapiteln Vertreter der Literatur auftraten, hatte der Auftritt fast niemals mit ihrem Fach zu tun. Das wird sich jetzt ändern. Die folgenden Geschichten handeln von Literatur *und* von Literaten.

Die am weitesten zurückliegende spielt in den frühen dreißiger Jahren, hätte also getrost schon in der »Tante Jolesch« vorkommen dürfen und ist eigentlich keine Geschichte, sondern ein Zitat, zu dessen richtiger Einschätzung die Kenntnis einer in der »Fackel« erschienenen Glosse erforderlich ist, die sich mit bestimmten mundartlichen Sprachverhunzungen und im besonderen mit einem talmiwienerischen Lied befaßte:

»Du guader Himmelsvoder,
Ich brauch kein Paradies.
Ich bleib viel lieber doder,
Weil hier mein Himmelreich is«

lautete der Refrain, und Karl Kraus fand es mit Recht deprimierend, in einer Stadt leben zu müssen, in der sich »Vater« auf »da« reimt.

Um jene Zeit wurde von der Wiener Journalistik noch die sogenannte »Schmucknotiz« gepflegt, auch »Spitze vom Tag« geheißen, weil sie an der Spitze der aktuellen Lokalnachrichten stand, mit abgehobener Überschrift und entweder mit einer Chiffre oder mit dem vollen Namen des Verfassers gezeichnet. Die Themen dieser Schmucknotiz – einer Art Mini-Feuilleton – konnten vom Lamento über die soeben ausgebrochene Hitze- bzw. Kältewelle bis zur launigen Betrachtung einer neu installierten Verkehrsampel reichen – der persönlichen Wahl und dem persönlichen Geschmack des Plauderers waren keine Grenzen gesetzt. Im Wiener »Tag«, einem liberalen, kurz nach dem Ersten Weltkrieg gegründeten und im Vergleich zu »Presse«, »Tagblatt«

und »Journal« beinahe modern redigierten Blatt, wirkten als Verfasser der Schmucknotiz eine Zeitlang, immer abwechselnd, Heimito von Doderer und Paris von Gütersloh, beide unter Weglassung des »von«, das nach der eben erst erfolgten Abschaffung aller Adelstitel nicht gerne gesehen wurde, selbst wenn es wie bei Paris von Gütersloh nur der Bestandteil eines kunstvoll gewählten Pseudonyms war. (Gütersloh, mit bürgerlichem Namen Kiehtreiber, verzichtete also auf ein »von«, das ihm gar nicht gehörte.) Er und Doderer waren eng miteinander befreundet, Doderer verehrte Gütersloh als seinen Lehrer und Meister, Gütersloh sah in Doderer seinen begabtesten Schüler, und beide brachten es zuwege, diese wechselseitige Wertschätzung in ihren Schmucknotizen zum Ausdruck zu bringen. Gleichgültig, worüber sie schrieben – in irgendeinen Nebensatz wußte jeder von ihnen eine bewundernde Äußerung über den andern einzuschmuggeln. Und damals also kursierte zwischen »Herrenhof«, »Central« und »Rebhuhn« eine Paraphrase auf den vorhin zitierten Kehrreim, des Wortlauts:

»Du guada Himmelsvoderer,
Ich brauch kein Paradies.
Ich les Heimito Doderer
Und Gütersloh Paris.«

Eine minder harmlose Textparodie geht angeblich auf Otto Soyka (TJ S. 161 ff.) zurück, der ein patriotisches Gedicht aus der Anfangszeit des Ersten Weltkriegs mit einer zynischen Variante versah. Offen gesagt: ich trau's ihm nicht recht zu; und noch offener, wenngleich nicht ganz ohne Hemmung gesagt: so sehr ich es für zulässig, ja wünschenswert halte, patriotische Gedichte zynisch zu verstümmeln – im vorliegenden Fall macht mir die (zweifellos geglückte) Pointe keine reine Freude. Denn das in Rede stehende Gedicht hat von Hurrapatriotismus und Kriegsbegeisterung, wie sie damals in üppigem Schwang waren, wenig an sich. Es atmet eine leise, alles eher als blutrünstige Melancholie, die auch in einigen anderen Kriegsgedichten desselben Autors (»Der Karst«, »Soldatengrab«) spürbar wird. Der heute längst vergessene Dichter heißt Hugo Zuckermann, war ein aus Eger in

Nordböhmen stammender Jude und hatte sich – in der völlig ehrlichen und rührend irrigen Meinung, daß eines der österreichischen Kriegsziele in der Befreiung der russischen Juden vom zaristischen Joch bestünde – als Reserveoffizier der Kavallerie freiwillig an die Front gemeldet.

Das Gedicht gelangte in den ersten Kriegsjahren zu großer Popularität, wurde mehrmals vertont, auf illustrierten Postkarten verbreitet und in die Schul-Lesebücher aufgenommen; es trug den Titel »Reiterlied« und begann:

»Drüben am Waldesrand
Hocken zwei Dohlen.
Fall ich am Donaustrand?
Fall ich in Polen?
Was liegt daran!
Eh sie meine Seele holen,
Kämpf ich als Reitersmann.«

Diese Strophe variierte Otto Soyka wie folgt:

»Drüben am Wiesenrand
Hocken zwei Dohlen.
Fall ich am Donaustrand?
Fall ich in Polen?
Mir is wurscht –
Hauptsach, ich fall.«

Soyka konnte freilich nicht wissen – und für die literarische Pointe bleibt es irrelevant –, daß Hugo Zuckermann 1915 bei einer Kavallerieattacke in Russisch-Polen eine tödliche Verwundung erleiden würde.

Zu jenen, die sich gleichermaßen in der Literatur wie im Theater beheimatet fühlen durften, gehörte Ernst Lothar, der in den Jahren vor 1938 Direktor des Theaters in der Josefstadt war. Manche stellten seine Romane über seine Inszenierungen, manchen galt er, zumal nach seiner Rückkehr aus der Emigration, als einer der letzten noch von altösterreichischer Theaterkultur geprägten Regisseure, dessen Kompetenz sich vor allem an Grillparzer, Schnitzler und Hofmannsthal bewies. Am Beginn seiner publizistischen Laufbahn schrieb er für die »Neue Freie Presse« Theaterkritiken und das Sonntagsfeuilleton, in dem er allerlei Schnurriges oder Herzerwärmendes von seinen beiden in zartem Kindesalter stehenden Töchterchen erzählte. Lothar, der ursprünglich Müller hieß, stammte aus der mährischen Landeshauptstadt Brünn, der künstlerischen Kornkammer Alt-Österreichs. Das war sein einziger Berührungspunkt mit Julius Korngold (TJ S. 239), dem grimmigen Musikkritiker der »Presse« und rücksichtslosen Förderer seines nicht mit Unrecht als Wunderkind geltenden Sohnes, des Komponisten Erich Wolfgang Korngold. (Auf Vater Julius, der auch sonst durch seine ungebärdigen Aktivitäten zahlreiches Mißfallen erregte, bezog sich ein Schüttelreim des in diesem Genre unerreichten Pianisten Franz Mittler: »Heut darf ein jeder Journalist aus Mähren in Wien beruhigt seinen Mist ausleeren.«)

Korngolds Herkunft äußerte sich aufs heftigste in seiner Sprechweise, vor allem in der strikten Vermeidung sämtlicher Umlaute (worüber an mehreren Stellen der »Tante Jolesch« alles Wissenswerte nachzulesen ist). Lothar hingegen sprach ein fast schon überkorrektes Deutsch, seltsamerweise mit leicht französischer Klangfärbung (weshalb Anton Kuh ihm nachsagte, er stamme aus Brünn an der Seine). Und wie das mit Brünnern, wenn sie fern der Heimat aufeinandertreffen, schon so geht – übrigens nicht nur mit Brünnern –: die beiden konnten einander nicht schmecken. Lothar war viel zu vornehm, sich das anmerken zu lassen – Korngold, das ziemlich genaue Gegenteil von Vornehmheit, machte kein Hehl daraus. Und um seinem Widerpart so recht zu demonstrieren, wie sehr er ihn nicht mochte und wie regelmäßig er das Sonntagsfeuilleton über die beiden kleinen Mädchen nicht las, empfing er ihn allmontäglich mit den Worten:

»Griß Sie Gott, Doktor Miller. Was machen die Buberln?«

Von Vater Korngold wird ferner berichtet, daß er, nachdem die Hofoper das »Schneemann«-Ballett des damals achtjährigen Erich Wolfgang angenommen hatte, ihn nicht nur zu den Proben begleitete, was ihm als Vater zweifellos zustand, sondern dem Kapellmeister ständig dreinredete. Als er an einer langsamen Stelle ein ungeduldiges »Schneller, schneller!« zum Dirigentenpult rief, entstand ein heftiger Wortwechsel, in den schließlich auch Klein Erich eingriff:

»Aber Papa – ich möchte hier wirklich ein Adagio haben«, sagte er schüchtern.

»*Du* halt gefälligst den Mund!« wies ihn die väterliche Autorität zurecht.

Die Tochter eines hohen Ministerialbeamten debütierte als Liedersängerin und wurde von Julius Korngold grauenhaft verrissen. Es gingen aber in der »Presse« alle Manuskripte über den Schreibtisch des Chefredakteurs Moritz Benedikt und von dort entweder in die Setzerei oder, wenn irgendwelche Änderungen gewünscht wurden, mit einem entsprechenden Vermerk an den Verfasser zurück. Solches geschah auch mit der Besprechung jenes Liederabends, die Benedikt zu scharf fand. Das heißt: es *sollte* geschehen. Der vielbeschäftigte Chef legte jedoch das Manuskript irrtümlich in den für die Setzerei bestimmten Korb, und am nächsten Tag bekamen die staunenden Leser der »Presse« eine Kritik vorgesetzt, die folgendermaßen schloß:

»Wir würden Fräulein Jäger empfehlen, sich lieber dem Stopfen von Strümpfen als dem Singen von Liedern zuzuwenden. J. K.

Wäre mir sehr peinlich, da mit Jäger intim. M. B.«

Puccinis nachgelassene Oper »Turandot« wurde 1926 an der Mailänder Scala unter Toscanini uraufgeführt, und zwar, wie man weiß, nur so weit, wie die (erst auf Grund von nachgelassenen Skizzen Puccinis komplettierte) Partitur im Original reichte. Ungefähr in der Mitte des dritten Akts fiel der Vorhang, Toscanini wandte sich an das Publikum, sagte: »Hier endet das Werk des Meisters« – und damit war zugleich das Ende der Aufführung gegeben.

Einige Jahre später glückte dem nach Korngold zweiten Musikkritiker der »Presse«, Josef Reitler, eine witzige Anwendung der inzwischen berühmt gewordenen Worte Toscaninis. Im »Theater an der Wien« fand die Uraufführung der Operette »Adieu, Mimi« von Ralph Benatzky statt, der in mißgünstigen Fachkreisen »Benutzky« genannt wurde, weil er sich mitunter – obwohl in keiner Weise darauf angewiesen – fremde musikalische Einfälle zunutze machte.

Die Ouvertüre setzte mit einem gewaltigen Trommelwirbel ein, der jäh abbrach. Und in die so entstandene Effektpause ließ sich deutlich der Kritiker Josef Reitler vernehmen:

»Hier endet das Werk des Meisters.«

Ich bin meinem Kollegen Hans Weigel zu Dank verpflichtet, daß er mir an Hand Benatzkys die Rückkehr zu meiner eingangs proklamierten Ankündigung ermöglicht, derzufolge in diesem Kapitel von Literaten und Literatur gehandelt werden soll.

Weigel hatte die Liedertexte zu Benatzkys Operette »Axel an der Himmelstür« verfaßt, die 1937 gleichfalls im »Theater an der Wien« herauskam und den Ruhm Zarah Leanders begründete (der ihr – und dem sie – dann während der ganzen Nazizeit treu blieb). Nun zählte Weigel damals zu den Hausautoren der Kleinkunstbühne »Literatur am Naschmarkt« und zu den witzigsten, aggressivsten Köpfen des literarischen Cabarets, ja der literarischen Szene schlechthin. Für einen solchen, wie überhaupt für einen Vertreter der jungen Generation, war es keine sonderlich würdige Beschäftigung, an einer Kommerzoperette mitzuarbeiten – aber würdige Beschäftigungen wurden in jenen Jahren unwürdig schlecht bezahlt, und keiner von uns (mich eingeschlossen) nahm Anstoß, wenn einer von uns (mich eingeschlossen) auf nicht ganz standesgemäße Weise zu etwas Geld kam. Wir alle freuten uns über den Erfolg, den Weigel mit seinen Texten einheimste, besonders mit dem von Zarah Leander gesungenen Schmachtfetzen: »Gebundene Hände / Das ist das Ende / Jeder verliebten Passion.« Es wurde ein richtiger Ohrwurm, der einem überallhin nachkroch, und man konnte kein mit Musik ausgestattetes Lokal betreten, ohne ihm ausgesetzt zu werden.

Eines Nachts landeten wir in einem der kleinen, heute leider ausgestorbenen Nachtcafés, deren entspannte Atmosphäre von einem meistens sehr guten Pianisten diskret gefördert wurde. Auch dieser hier intonierte, kaum daß wir uns niedergelassen hatten, die »Gebundenen Hände«, und als der Oberkellner ihm flüsterte, daß sich unter den neu eingelangten Gästen der Textautor befände – dem Text und Melodie nun schon weidlich zum Hals und zu den Ohren hinaushingen –, intonierte er abermals die »Gebundenen Hände« und alsbald nochmals die »Gebundenen Hände«. Dann kam er mit seinem Gästebuch an unsern Tisch und legte es vor Weigel hin.

Die Eintragung, mit der er es wieder an sich nahm, lautete: »Gebundene Hände – dies wünscht Ihnen Hans Weigel.«

Angesichts der tristen Erwerbslage der Wiener Schriftsteller wirkte es ungemein verheißungsvoll, als ein in Zürich neu gegründeter und offenbar sehr finanzkräftiger Verlag großes Interesse für die österreichische Literatur an den Tag legte und den Experten Ernst Polak mit der Anwerbung von Autoren betraute. Um der Seriosität seines Vorhabens Nachdruck zu verleihen, kam der Verleger – dem Kaufmannsstande zugehörig und in literarischen Dingen nicht eben bewandert – persönlich nach Wien und erschien gemeinsam mit Polak im Café Herrenhof. Polak, der aus purer Faulheit noch nichts Einschlägiges unternommen hatte, sah sich an Ort und Stelle zur Entfaltung seiner bis dahin vernachlässigten Regsamkeit genötigt, begab sich in eine Telephonzelle und wählte die Nummer einer Schriftstellerorganisation, deren Klublokal immer gut frequentiert war. Es entwickelte sich ein kurzer, jedoch inhaltsschwerer Dialog:

»Wollen Sie mit einem neu gegründeten Schweizer Verlag einen Vertrag abschließen?«

»Ja.«

»Haben Sie etwas in Arbeit?«

»Nein, aber ich kann sofort anfangen.«

»Mit einem Roman?«

»Ja.«

»Sind Sie mit dreitausend Franken Vorschuß einverstanden?«

»Ja.«

»In Ordnung. Sie hören noch Näheres. Wer spricht?«

Unter den von Polak angeworbenen Autoren befanden sich immerhin Robert Musil (mit dem Skizzenbuch »Nachlaß zu Lebzeiten«) und Karl Tschuppik (mit dem Roman »Ein Sohn aus gutem Hause«), befanden sich Robert Neumann und Gina Kaus und noch einige andere. Auch ich wurde mit einem Vertrag bedacht und habe ihn tatsächlich erfüllt, was mir bitteren Tadel besonders von Neumann und Gina Kaus eintrug, die keine Sekunde lang daran gedacht hatten, für den Vorschuß etwas zu liefern, und mir unkollegiales Verhalten vorwarfen.

Mein Roman »Abschied« erschien 1937 im Humanitas-Verlag, Zürich (denn um diesen handelt es sich), und Ernst Polak bekam von mir das übliche Pflichtexemplar. Er hätte es – ebenso wie von meinen drei vorangegangenen Büchern – in jedem Fall bekommen. Daß er am Erscheinen dieses vierten beteiligt war, veranlaßte ihn sogar, es umgehend zu lesen. Ich sah seinem Urteil mit der gebotenen Angst entgegen, denn schon der »Schüler Gerber« hatte vor seinem strengen, monokelbewehrten Kritikerauge nur bedingte Gnade gefunden (und damals durfte er mir noch zugute halten, daß es das Erstlingswerk eines Einundzwanzigjährigen war).

An einem der folgenden Nachmittage erwartete mich Ernst Polak, den »Abschied« vor sich auf dem Tisch, im Café Herrenhof. In banger Erwartung setzte ich mich ihm gegenüber, sah ihn das Monokel einklemmen und das Buch aufschlagen, welches vollständig »Abschied, Roman einer ersten Liebe« hieß, als Motto ein Zitat aus einem Gedicht von Hölderlin trug und meinem väterlichen Freund Max Brod gewidmet war.

»Der Titel«, hob Ernst Polak an, »ist nicht schlecht.« Er blätterte weiter und deutete auf das Hölderlin-Zitat. »Das hier ist sogar ganz hervorragend. Hier« – er war bei der Widmung an Max Brod angelangt – »wird's schon etwas schwächer. Und der Rest taugt überhaupt nichts.«

Damit klappte er das Buch wieder zu. Die Kritik war erledigt. Ich auch.

Noch bedeutend schlimmer erging es dem Lyriker Hugo Sonnenschein, der unter dem Pseudonym Sonka viele Gedichte anfertigte und nur wenige anbrachte. Das suchte er dadurch zu kompensieren, daß er nicht nur ständig über sein Schaffen sprach, sondern bei jeder sich bietenden oder von ihm herbeigezwungenen Gelegenheit etwas Gereimtes aufsagte, Verse von herzensgut revolutionärem Gepräge, denn er sorgte sich um das Wohl der Menschheit weit mehr als um sein eigenes, und man konnte ihm nicht ernstlich böse sein, auch wenn er noch so lästig wurde. Das war im höchsten Grad der Fall, als der Verlag Zsolnay, vielleicht um endlich Ruhe zu haben, ihm die Veröffentlichung eines Gedichtbandes versprach. Jetzt sagte Sonka nichts mehr auf, sondern schlug Titel vor, jeden Tag einen andern, und forderte von jedem erreichbaren Herrenhof-Tisch eine Beurteilung des jeweils jüngsten Vorschlags. Leider wollte er schon in den Titel alles hineinverpacken, was im Inhalt genauer ausgeführt wurde – und der Band hieß dann tatsächlich »Der Bruder Sonka und die allgemeine Sache oder Das Wort gegen die Ordnung«. Aber bevor das endlich feststand, gab er seine unaufmerksamen Zuhörern noch eine Menge anderer Möglichkeiten zu bedenken.

»Ich glaube, jetzt habe ich den besten Titel gefunden«, verkündete er eines Tages. »Sonka – ein Dichter, ein Narr, ein Niemand. Was halten Sie davon, Polak?«

Ernst Polak wiegte bedächtig den Kopf:

»Hm«, machte er. »Ein Titel ist das nicht. Aber vielleicht eine Visitkarte?«

Eine etwas freundlichere Erfahrung als mit Ernst Polak war mir mit Robert Neumann beschieden. Ich hatte ihm ein Exemplar meines 1935 erschienenen Sportromans »Die Mannschaft« überreicht, ein Widmungs- und nicht etwa ein Pflichtexemplar, weil er ja, anders als Polak, nicht als kritische Instanz fungierte und keinen Anspruch darauf erhob, daß ihm jede Neuerscheinung eines Herrenhof-Insassen zur Beurteilung vorgelegt werden müsse. Wir waren seit Jahren miteinander befreundet (wovon auch seine Autobiographie »Vielleicht das Heitere« an mehreren Stellen Zeugnis ablegt), sein zweiter Parodienband »Unter falscher Flagge« enthielt im Anhang eine Parodie von mir auf ihn, vor allem aber hatte sich Neumann in seiner Jugend ebenso wie ich als Sportschwimmer und Wasserballspieler betätigt. Ich durfte also schon aus diesem Grund für die »Mannschaft« sein besonderes Verständnis erwarten, ja sogar seine Zustimmung, mit der er im allgemeinen kargte. Außerdem hatte er kurz zuvor Kasimir Edschmids Roman »Sport um Gogaly« böse parodiert und würde, so nahm ich an, einen sozusagen »echten« Sportroman um so mehr goutieren.

Das tat er denn auch, allerdings auf seine Weise.

»Ich habe Ihr Buch gelesen«, teilte er mir mit, als er das nächstemal ins »Herrenhof« kam. »Und ich muß gestehen, daß ich ursprünglich sehr skeptisch war, schon weil Sportromane jetzt in Mode sind. O weh, dachte ich, da will sich ein Kaffeehausjud als Sportler gebärden. Jetzt weiß ich, daß Sie ein Sportler sind, der als Kaffeehausjud posiert.«

Übrigens haben wir im Anschluß daran unsere diesbezüglichen Rivalitäten ein- für allemal geschlichtet: Neumann, so beschlossen wir, war der beste Wasserballer unter den zeitgenössischen Schriftstellern und ich der beste Schriftsteller unter den zeitgenössischen Wasserballern. (Ich kann mich des Zusatzes nicht enthalten, daß diese Regelung einen Akt der Noblesse von meiner Seite darstellte, denn Neumann hatte den Meistertiteln, zu denen ich es gebracht habe, nichts annähernd Gleichwertiges entgegenzusetzen.)

Mit Robert Neumann hängt eine Geschichte zusammen, die auf unüberbietbare Weise in einen der vielen Abgründe des Literaturbetriebs hineinleuchtet. Sie spielt 1932 im Café Herrenhof, kurz nach Erscheinen des vorhin erwähnten Parodienbandes, der von der Kritik ebenso jubelnd begrüßt wurde wie Neumanns parodistischer Erstling »Mit fremden Federn«. Nur ein einziger prominenter Kritiker, Bernhard Diebold, jubelte nicht. Die »Fremden Federn« hatte er enthusiastisch gepriesen – an der »Falschen Flagge« ließ er kein gutes Haar.

Das Exemplar der »Frankfurter Zeitung« mit Diebolds Verriß

ging von Tisch zu Tisch, von Hand zu Hand, von Kopfschütteln zu Kopfschütteln. Was war da los? Was veranlaßte den Frankfurter Literaturpapst zu seinem negativen Urteil, was steckte hinter seinem überraschenden Gesinnungswandel? Befand sich unter den parodierten Autoren vielleicht einer seiner Lieblinge und nahm er Neumanns Schonungslosigkeit übel? Oder fehlte, im Gegenteil, ein ihm nicht genehmer Autor, den er gerne zerfleischt gesehen hätte? War er – die »Fremden Federn« lagen ja schon ein paar Jahre zurück – inzwischen alt und humorlos geworden? War zwischen ihm und Neumann (der infolge Abwesenheit nicht befragt werden konnte) eine persönliche Malaise entstanden? Warum, in aller Welt, hatte Diebold die »Falsche Flagge« verrissen?

Keine der in Vorschlag gebrachten Begründungen erwies sich als haltbar. Es blieb beim Kopfschütteln.

Plötzlich erklang in die allgemeine Ratlosigkeit eine zaghafte Stimme:

»Vielleicht hat ihm das Buch nicht gefallen?«

Das hatte freilich niemand bedacht. Und es hat's wohl auch niemand geglaubt.

Wieder einmal fragt es sich, ob der Inhalt einer Geschichte sie ins Kapitel Literatur verweist, oder ob nicht vielleicht die Zeit, in der sie spielt, entscheidendes Übergewicht besitzt. Anders gefragt: ist es eine zeittypische Geschichte oder ist sie typisch für eine bestimmte literarische Attitüde?

Wahrscheinlich beides. Und ganz gewiß hätte sie in keinem andern Jahr entstehen können als in dem ihrer tatsächlichen Entstehung. Dennoch scheint mir ihr Übergewicht auf der literarischen Seite zu liegen, nicht auf der zeitgebundenen. Wir haben den seltenen Glücksfall vor uns, daß politische Umstände eine literarische Anekdote hervorgebracht haben.

Sie beginnt 1956 in Budapest und wurde mir noch im selben Jahr von Professor Bodi, dem Germanisten der Budapester Universität, in Wien erzählt, wo er nach der Niederschlagung des ungarischen Volksaufstands vorübergehend Station machte. Seither ist er längst in Australien gelandet, heißt mit Vornamen nicht mehr László, sondern Leslie, leitet das German Department der Monash University in Melbourne und hat vor kurzem unter dem Titel »Tauwetter in Österreich« ein höchst bemerkenswertes Werk über die Prosa der österreichischen Aufklärung publiziert. Als Schüler des inzwischen verstorbenen Philosophen und Literaturhistorikers Georg Lukács steht er für die folgende Geschichte in jeder Hinsicht gut.

Vielleicht erinnert man sich noch, daß Lukács 1956 zu den verantwortlichen Köpfen des Aufstands und zur engsten Umgebung des ungarischen Premierministers Imre Nagy gehört hat. Gemeinsam mit ihm und den anderen gescheiterten Revolutionsführern flüchtete er vor den siegreichen Sowjetpanzern in die jugoslawische Botschaft, die jedoch dem Druck aus Moskau nicht standhielt und die ganze Gruppe auslieferte. Lukács war einer der wenigen, der das überlebte und nach einiger Zeit in Freiheit gesetzt wurde. Was dem voranging, schilderte er später seinem Schüler Bodi, dem ich's jetzt nacherzähle.

Die Ausgelieferten wurden (ohne zu wissen, daß sie's waren) nach Einbruch der Dunkelheit in einen Autobus verfrachtet, der sie mit verhängten Fenstern vor der jugoslawischen Botschaft erwartete und sie zu einem ihnen allen unbekannten, vermutlich militärischen Flugplatz brachte. Dort wurden sie auf drei Flugzeuge verteilt, deren Fenster gleichfalls verhängt und deren Hoheitszeichen verdeckt waren. Lukács konnte weder die Flugrichtung seiner Maschine ausmachen noch feststellen, in welchem Land sich der Flughafen befand, auf dem sie nach etwa zwei Stunden landeten. Einige Anhaltspunkte sprachen für Rumänien.

Die Fenster des Autobusses, den Lukács und seine Gefährten zu besteigen hatten, waren nicht verhängt, wahrscheinlich deshalb, weil er durch eine in völligem Dunkel liegende Gegend fuhr. Er hielt vor einem schloßartigen Gebäude, wo die Ankömmlinge von stumm agierenden Gestalten in Empfang genommen wurden. Es handelte sich zweifellos um Geheimpolizisten, die in sonderbares Zivil (Gehröcke und steife Umlegkragen) gekleidet waren. Vergebens suchte Lukács mit ihnen ins Gespräch zu kommen. Sie reagierten auf nichts. Der ihm Zugeteilte führte ihn wortlos in ein übermäßig großes, übermäßig hohes, schwach beleuchtetes Zimmer mit kahlen Wänden, deutete auf ein altmodisches Bett und entfernte sich wieder.

»Nach den vorangegangenen Aufregungen und Strapazen«, schloß Lukács seinen Bericht, »bin ich trotzdem bald eingeschlafen. Und mein letzter Gedanke vor dem Einschlafen war: Mir scheint, ich hab dem Kafka doch unrecht getan . . .«

Es ist noch eine weitere Geschichte ungarischen Ursprungs zu kodifizieren, nicht ganz so nobel, was den Ursprung betrifft, und schlechthin niederschmetternd in ihrer menschlichen Aussage, falls von »menschlich« hier überhaupt die Rede sein kann.

Frigyes Karinthy (TJ S. 156), der einzig würdige Zeitgenosse Ferenc Molnárs (und außerhalb Ungarns viel zu wenig bekannt), wurde eines Tages in seinem Sommerhaus am Plattensee durch einen Anruf seines Kollegen und besten Freundes Jenö H. aufgestört: ihm sei etwas Fürchterliches zugestoßen, er müsse dringend mit Karinthy sprechen, und er käme mit dem nächsten Zug zu ihm hinaus.

Nicht nötig, versuchte Karinthy abzuwehren, morgen fahre er ohnehin nach Budapest zurück, so lange würde es doch wohl Zeit haben und –

Nein, unterbrach H., eben nicht, es müsse noch heute sein, jetzt, sofort. Und er kam mit dem nächsten Zug.

Karinthy sah sich einem völlig verstörten, verzweifelten, vernichteten Jenö H. gegenüber, einem Wrack seines vordem so lebensfrohen Freundes, einer erschütternden Jammergestalt.

»Setz dich«, sagte er.

»Dazu bin ich zu nervös«, sagte Jenö H. »Gehen wir spazieren, und ich erzähl dir alles.«

Was er erzählte, war tatsächlich alles. Mehr an geballtem Unheil konnte über einen einzelnen Menschen nicht hereinbrechen: Seine Frau war ihm draufgekommen, daß er seit Jahren eine Geliebte hatte, wollte ihm aber die Scheidung nicht geben; die Geliebte wollte ihn verlassen, wenn er sie jetzt nicht endlich heiratete, und drohte überdies mit einem öffentlichen Skandal; die

Gläubiger, die ihn schon seit langem bedrängten, drohten mit Pfändung; sein Verleger, dem er das überfällige Manuskript noch immer nicht geliefert hatte, drohte mit einer Klage auf Rückzahlung des Vorschusses; die Zeitung, bei der er als Kritiker angestellt war, drohte ihm mit Entlassung; heute hätte er wieder einen Herzanfall gehabt, und morgen müsse er sich wieder auf Zucker untersuchen lassen, und so ging der Katastrophenbericht weiter und immer weiter ...

Nachdem die beiden eine Stunde lang am Seeufer auf und ab gewandelt waren, blieb Karinthy plötzlich stehen und legte seinem Freund die Hand auf die Schulter:

»Entschuldige«, murmelte er. »Ich hab nicht gut zugehört. *Was* hast du gesagt?«

Ich vermerke mit Dank und Vergnügen, daß ich diese Geschichte vom Ephraim Kishon geschenkt bekommen habe, der ganz genau weiß, wovon er spricht, wenn er »Karinthy« sagt. Er ist sein bester Schüler. Und er hat mir einmal einen Rat gegeben, der ihm und seinem Lehrer alle Ehre macht. Der Anlaß war ein langes, herzoffenes Gespräch über die Ehe im allgemeinen und eine damals gerade ausgebrochene Ehekrise Kishons im besonderen.

»Du wirst sehen«, sprach er mit dem ganzen Pessimismus unserer gemeinsamen Propheten auf mich ein, »auch in deiner Ehe wird einmal die Stunde der Wahrheit kommen. Deine Frau wird das Bedürfnis haben, dir alles zu sagen, und auch du wirst ihr alles sagen wollen. Für diese Stunde der Wahrheit rate ich dir eins: lügen, lügen, lügen.«

Einer der Stars des Budapester Journalismus war der Feuilletonist Dezsö Kosztolány – eigentlich Kosztolány Dezsö, denn ungarisches Brauchtum gebietet die Nachstellung des Vornamens. Ich habe bisher diesem Gebot regelmäßig zuwidergehandelt, meinen Verstoß jedoch nicht so weit getrieben, die ungarischen Vornamen etwa einzudeutschen, was im vorliegenden Fall einen Desider Kosztolány ergäbe. Bleiben wir also beim Kompromiß, den

Vornamen zwar nicht zum Nachnamen zu machen, aber seine ungarische Originalform beizubehalten.

Dezsö Kosztolány schrieb Feuilletons für eine große Budapester Tageszeitung, die sehr wohl wußte, wie gut das für ihr Prestige und ihre Auflage war. Dem Abwerbungsversuch eines Konkurrenzblatts begegnete sie deshalb mit dem sofortigen Angebot einer Amerikareise zu hervorragenden finanziellen Bedingungen; und erfüllte auch Kosztolánys Wunsch, seine über alles geliebte Frau mitzunehmen, ohne die er (eigener Angabe zufolge) nicht leben konnte. Die Großzügigkeit machte sich bezahlt: Kosztolánys Reiseberichte waren eine journalistische Sensation, die sich auf die Verkaufsziffern der Zeitung so vorteilhaft auswirkte, daß man ihm vorschlug, länger in Amerika zu bleiben und eine zweite Artikelserie zu schreiben. Die Kosten des verlängerten Aufenthalts würde man allerdings nur noch für ihn decken können. Für seine Frau müßte er entweder selber zahlen, oder er müßte sie nach Hause schicken.

Kosztolány wählte – zweifellos nach harten inneren Kämpfen – die zweite Möglichkeit und wußte in dem Bericht, der die Abschiedsszene im Hafen schilderte, seinem Schmerz ergreifenden Ausdruck zu geben. Nur mit Mühe, so schrieb er, hätte er sich zu Trost und Heiterkeit aufraffen können, fast wäre ihm die lächelnde Grimasse, mit der er der langsam entgleitenden Kató nachwinkte, in den Mundwinkeln erfroren, und als das Schiff mit seinem ein und alles, mit der unvergleichlichen Gefährtin seines Lebens, der unersetzlichen Begleiterin seiner Reise, am Horizont verschwand, hätte er – nein, er schäme sich nicht, es zu sagen – geweint.

Das war der Schluß dieses Berichts. Der nächste aber begann mit den Worten:

»Es gibt in Amerika so gut wie keine Prostitution.«

Ein Kapitel, das von Literatur und ein wenig von Musik handelt, mag füglich noch je eine Anekdote aus jedem der beiden Gebiete beibringen. Sie sollten der Nachwelt erhalten bleiben. Denn sie gehören, wie mir scheint, zu den besten ihrer Art.

Die literarische handelt von Jakob Wassermann, dem einst weltberühmten Erzähler, dessen Romane häufig den Namen ihrer Hauptfigur im Titel führten, und die aus der Wirklichkeit gegriffenen Modelle dieser Hauptfiguren waren von Experten leicht zu erkennen. Auf dem Höhepunkt seiner Erfolge als Romancier, zwischen dem »Fall Maurizius« und »Etzel Andergast«, versuchte sich Wassermann einmal auch an einer historischen Monographie. Der keineswegs erfolgreiche Abstecher zog jedoch – das war das Gute daran – die eingangs erwähnte Anekdote nach sich, und zwar in Form eines Gesprächs an einem der Literatentische im Café Herrenhof.

»Es ist merkwürdig«, verwunderte sich der Wortführer. »Wir alle kennen doch Wassermanns Titelhelden aus dem Leben. Ich selbst bin mit Christian Wahnschaffe in die Schule gegangen, Laudin und die Seinen hab ich heuer in der Sommerfrische getroffen, meine Schwester war mit der Renate Fuchs befreundet. Kurz und gut – man weiß beim Wassermann immer, wen er meint. Aber *wer* ist Kolumbus?!«

Die Musikeranekdote beruht auf der Existenz eines sudetendeutschen Tonsetzers, der im Gefolge Franz Schrekers dann und wann von sich hören machte. Er hieß Fidelio Finke, war der älteste Sohn einer kinderreichen Familie und hatte seinen nicht just alltäglichen Vornamen der fanatischen Beethoven-Verehrung seiner Eltern zu verdanken, über die sich prompt die Anekdote hermachte: der nächste Sohn, so munkelte man, sei Florestan genannt worden, der übernächste Fernando, auch ein Pizarro und ein Rocco kamen an die Reihe, daß die zwischendurch geborenen Töchter nicht anders als Leonore und Marzelline heißen konnten, verstand sich von selbst, und als dann noch Jaquino, der Jüngste, eintraf, war das Personenverzeichnis komplett und kein weiterer Kindersegen vorgesehen. Aber das Schicksal, unterstützt von Vater Finkes Zeugungskraft und Mutter Finkes Gebärfreudigkeit, wollte es anders, wollte es gründlich anders: dem Ehepaar Finke wurden Zwillinge beschert.

Sie hießen Erster und Zweiter Gefangener.

Man wird's mir hoffentlich nicht verübeln, wenn ich zum Abschluß dieses von Literatur und Literaten handelnden Kapitels einen Namen heranziehe, der im allgemeinen keine anekdotischen Assoziationen hervorruft und mit dessen Träger ich als sehr junger Mensch nur noch in eine sehr flüchtige persönliche Berührung gekommen bin; aber ich verehre ihn als einen der großen Leitsterne meiner literarischen Entwicklung, und ich bin nicht wenig stolz darauf, daß ich Jahrzehnte später, Anfang der fünfziger Jahre, als Theaterkritiker einiges zur Renaissance seines Lebenswerks und zur Erkenntnis seiner noch immer nicht voll erfaßten Bedeutung beitragen konnte. Ich spreche von Arthur Schnitzler. Und ich denke mit sattem Vergnügen an den umfangreichen Verriß zurück, den Siegfried Kracauer 1932 meinem zweiten Roman (»– und glauben, es wäre die Liebe«) in der Literaturbeilage der »Frankfurter Zeitung« angedeihen ließ. Er gipfelte in der Feststellung, daß meine Figuren und ihre Probleme nichts mit unsrer Zeit zu tun hätten und daß der ganze Roman geradezu an Arthur Schnitzler gemahnte. Das sollte Tadel sein.

Und es ist nicht der Grund, warum ich jetzt auf Schnitzler zu sprechen komme, sondern es sind mir zwei ihn betreffende Anekdoten zugetragen worden, die mich so entzückt haben, daß ich sie kodifizieren muß. Hätte ich sie rechtzeitig gehört, dann wären sie – wie so manche anderen – schon in der »Tante Jolesch« gestanden, in die sie zeitgeschichtlich hineingehören.

Die eine spielt vor dem Ersten Weltkrieg, in einer Abendgesellschaft, die im Haus eines Wiener Kunstmäzens zu Schnitzlers Ehren stattfand und zu deren Gästen auch ein Oberst der k.u.k. Artillerie gehörte. Wie das damals üblich war – und in manchen Kreisen auch heute noch üblich ist –, wurde der Dichter im Verlauf des Abends gebeten, etwas aus seinem jüngsten Werk zum besten zu geben.

»Gern«, antwortete Schnitzler. »Aber zuerst soll der Herr Oberst eine Kanone abschießen.«

Die zweite Geschichte hat sich erheblich später zugetragen, am ehesten um die Mitte der zwanziger Jahre und jedenfalls zu einer Zeit, da die Psychoanalyse im Bewußtsein der Öffentlichkeit schon einigermaßen verankert war. Schnitzler hat, wie man weiß, nicht wenige Einsichten Sigmund Freuds vorweggenommen (und stand mit ihm – der das willig anerkannte – auch in persönlichem Kontakt).

Unweit der im Währinger Cottage gelegenen Schnitzlerschen Wohnung, die mit der ärztlichen Ordination verbunden war, befand sich die Villa eines überaus reichen Industriellen, zu der auch ein großer, parkähnlicher Garten gehörte. Der Garten war so groß, daß der Sohn des Hauses, ein leicht exaltierter Jüngling von etwa vierzehn Jahren, auf seinem Pony darin herumreiten konnte. Wenn die Sommerhitzen kamen, tat er das mit Vorliebe nackt und legte sich einmal in diesem Zustand, als er vom Reiten genug hatte, unter eine schattenspendende Buche ins Moos, wo er unbekümmert einschlief. Nach einiger Zeit kam das Pony heran – beschnupperte ihn – der Jüngling fuhr hoch – das Pony erschrak – und der Biß, den es ihm zufügte, traf ihn an der peinlichsten, empfindlichsten, möglicherweise auch noch von einem Traum erhitzten Stelle seiner Nacktheit.

Die lauten Klagerufe des Verletzten lockten das Hauspersonal herbei, zwei Diener betteten ihn auf eine Tragbahre und brachten ihn in die zum Glück benachbarte Ordination des Doktor Schnitzler, der ihm einen Notverband anlegte. Dann gab er den beiden Trägern Weisung, den jungen Mann schleunigst auf die Unfallstation zu schaffen.

»Und das Pony zum Professor Freud!« rief er ihnen nach.

Die Tiefseelenforscher

Aus dieser Geschichte ergibt sich ein nahezu zwangsläufiger Übergang zur Tiefseelenforschung, die ja in Wien beheimatet ist und während der Zwischenkriegszeit das geistige Leben der Stadt wesentlich mitbestimmt hat. Um ihre beiden Protagonisten Sigmund Freud und Alfred Adler ranken sich zahllose Anekdoten, zum Teil auf tatsächlicher, ja sogar nachprüfbarer Bais, zum Teil auf der Basis sachkundiger Erfindung – alle jedoch an historische Figuren jener Jahre gebunden und somit von Aufschluß für die damalige Wiener Szene. Damit will gesagt sein, daß auch die erfundenen Geschichten in gewissem Sinn authentisch sind. Das unterscheidet sie von den späterhin sozusagen »frei« erfundenen, die vor allem in Amerika kursieren – wo ja die Psychoanalyse bald ebenso zum klischierten Alltag gehörte wie Drugstore und Supermarket. Daß diesem Klischee, wie eigentlich jedem, ein perfides Mißverständnis zugrunde liegt, sei nur der Ordnung halber vermerkt. Im übrigen sind einige dieser Geschichten gar nicht schlecht; das soll an späterer Stelle noch belegt werden.

Vorläufig befinden wir uns in Wien, etwa um 1930, und haben soeben durch einen unzweifelhaft legitimen Kenner der Verhältnisse von einer Begebenheit erfahren, die auf zweifach zugespitzte Weise die Rivalität zwischen der konservativen psychotherapeutischen Schule Julius Wagner-Jaureggs und der damals noch vielfach als revolutionär angesehenen Lehre Sigmund Freuds illustriert. Wagner-Jauregg sah die Psychoanalyse nicht einmal als revolutionär an, sondern ließ sie erst gar nicht als Wissenschaft gelten. Das geht aus einem seiner von urwüchsigem Witz zeugenden Aussprüche hervor, für die er bekannt und gefürchtet war und der hier zum Zweck der Einstimmung wiedergegeben sei.

Als Wagner-Jauregg 1927 den Nobelpreis für Medizin erhielt, veranstalteten seine Assistenzärzte ihm zu Ehren ein Festbankett.

Soweit sie der jungen Generation angehörten, neigten sie – und das wußte er – bereits der Psychoanalyse zu, was sie indessen nicht hinderte, ihren Chef in zahlreichen Reden und Trinksprüchen zu feiern. Wagner-Jauregg kam in seiner Dankrede ausdrücklich darauf zu sprechen. Die Lobesworte seiner jüngeren Kollegen hätten ihn ganz besonders gefreut, sagte er, und er hoffe, daß auch einer von ihnen einmal den Nobelpreis bekommen würde.

Dieses Zugeständnis, das eine völlige Umkehr seiner bisherigen Haltung anzudeuten schien, bewirkte spürbare Überraschung. Wagner-Jauregg kostete sie genießerisch aus; dann erläuterte er:

»Ich meine natürlich den Nobelpreis für Literatur.«

Zur Charakterisierung der saftigen Originalität Wagner-Jaureggs mag – ehe die eigentlich zu erzählende Geschichte beginnt – noch eine weitere, durchaus private und spontane Äußerung beitragen, für deren Authentizität einer seiner nahen persönlichen Bekannten gutsteht. Im selben Jahr, in dem er den Nobelpreis für Medizin bekam, ging der Nobelpreis für Literatur an die italienische Dichterin Grazia Deledda, und Wagner-Jauregg – vielleicht weil er das für eine Gepflogenheit unter Nobelpreisträgern hielt – wollte etwas vom Schaffen seiner gleichzeitig preisgekrönten Kollegin kennenlernen. Er machte sich (eben in Begleitung meines Gewährsmanns) auf die Suche nach einem ihrer Bücher, fand jedoch keines und ließ, nachdem er etwa ein Dutzend Buchhandlungen vergebens durchforscht hatte, von seinem Vorhaben ab.

»Man sollt's net glauben«, brummte er kopfschüttelnd. »Und in Rom rennt jetzt die Frau Deledda umeinand, weil s' ein Büchel von mir lesen will – und kriegt *auch* nix.«

Nun aber ist es hoch an der Zeit, von jenem steinreichen Amerikaner zu berichten, der zu seiner Umwelt keine Beziehung fand, allmählich einer aggressiven Form von Verfolgungswahn anheimfiel und sich zur Behandlung seines verstörten Bewußtseins in ein bestens empfohlenes Sanatorium in der Umgebung Wiens begab.

Die Sache ließ sich nicht gut an. Der Patient blieb unzugänglich, verschanzte sich hinter Sprachschwierigkeiten, die in Wahrheit – denn er war altösterreichischer Herkunft – nicht existierten, peinigte Schwestern und Wärter, machte den Ärzten das Leben sauer und reagierte auf ihre Bemühungen nicht selten mit Tobsuchtsanfällen.

Schließlich, da für einen steinreichen Amerikaner nichts zu teuer ist, wurde Professor Wagner-Jauregg geholt.

Auch ihm gegenüber verharrte der Patient in seiner störrischen Verschlossenheit. Nach wenigen Minuten begann er zu toben, und Wagner-Jauregg, der durch zwei rasch herbeigeholte Wärter vor Tätlichkeiten geschützt werden mußte, verließ die Stätte seines erfolglosen Besuchs.

Jetzt gab es nur noch eine letzte Hoffnung: Professor Freud. Aber würde er kommen?

Er kam. Man informierte ihn über die Situation, verheimlichte ihm natürlich, daß man sich nicht als ersten an ihn gewandt hatte und geleitete ihn zum Zimmer des Patienten. Vor der Türe nahmen neben den Ärzten zwei Wärter Aufstellung, für alle Fälle mit einer Zwangsjacke ausgerüstet.

Freud trat ein.

Drinnen blieb es ruhig, fünf Minuten lang, zehn Minuten lang. Dann riskierte es der Chefarzt, die Türe spaltbreit zu öffnen: Professor und Patient saßen in angeregtem Gespräch.

Als Freud nach einer halben Stunde herauskam, überschütteten ihn die Wartenden mit enthusiastischen Worten der Bewunderung und der Gratulation. Einer der Ärzte ermannte sich:

»Jetzt dürfen wir's Ihnen ja gestehen, Herr Professor. Vor Ihnen war Professor Wagner-Jauregg hier, und nicht einmal ihm ist es gelungen, mit dem Patienten Kontakt zu finden.«

Freud wehrte bescheiden ab:

»Ich bitte Sie – was versteht ein Goj von meschugge?«

Hier könnte die Geschichte enden, tut es aber nicht, sondern setzt sich zu einer Replik Wagner-Jaureggs fort, mit der er der Äußerung Freuds Paroli bot, ohne sie zu kennen.

Als nämlich ein Informierter bei Wagner-Jauregg erschien, um ihm jenen Vorfall zu hinterbringen: »Denken Sie nur, nach Ihnen ist der Professor Freud gekommen und hat mit dem Patienten eine halbe Stunde lang gesprochen, und dabei hat sich herausgestellt –«, da unterbrach ihn Wagner-Jauregg mit einer abtuerischen Handbewegung:

»Lassen S' mich aus«, sagte er. »Das interessiert mich nicht, was zwei Tepperte miteinander reden.«

Wäre es nicht Wagner-Jauregg, der hier die Schlußpointe einheimst – man könnte beinahe glauben, daß es sich bei dieser Geschichte um ein Fabrikat aus dem (längst abgerissenen) Café Siller handelt, dem Stammlokal der Individualpsychologen, deren Meister Alfred Adler von Freud abgefallen war und eine eigene Schule – eben die Individualpsychologie – begründet hatte. Nicht nur er selbst, auch seine Anhänger lagen mit der Psychoanalyse in hartem Widerstreit und versuchten sie durch arglistig erfundene Geschichten zu diskreditieren.

Eine der erfolgreichsten betraf den Sohn eines bekannten Wiener Privatbankiers. Der junge Mann litt an einem manischen Zwang, sich Geld auszuborgen, und dank der Bonität des Papas bekam er jeden Betrag geborgt. Da keine Gegenmaßnahmen halfen, versuchte man's schließlich mit einer psychoanalytischen Behandlung. Hier griff das Café Siller ein und ließ gerüchteweise verlauten, wie die erste Honorarnote des behandelnden Psychoanalytikers ausgesehen hätte:

10 Sitzungen à 50 S	S 500,–
Dem Herrn Sohn bar geborgt	S 200,–
	S 700,–

Eine andre, auch heute noch kursierende Anekdote gleicher Herkunft handelt von zwei Psychoanalytikern, die einander nach längerer Zeit wiederbegegnen und zwischen denen sich folgender Dialog entspinnt:

»Wie geht's Ihnen denn immer?«

»Danke. Ganz ausgezeichnet. Ich habe ungewöhnliches Glück.«

»Nämlich?«

»Ich behandle einen Schizophrenen.«

»Das ist doch nichts Ungewöhnliches.«
»In meinem Fall schon. Beide zahlen.«

Was ich über Alfred Adler zu erzählen habe, erzähle ich aus eigenem Erleben, das einer Vorgeschichte bedarf oder sie zumindest rechtfertigt.

Als Anfang 1930 mein Erstlingsroman vom »Schüler Gerber« erschienen war, brachte mir eines Tages Doktor F., ein junger, zu meinem engsten Freundeskreis gehöriger Adler-Schüler, das neueste Heft der monatlich erscheinenden »Zeitschrift für Individualpsychologie« mit einer seitenlangen Besprechung meines Romans, aus der hervorging, daß das seelische Charakterbild des Helden sich ziemlich genau mit den Thesen der Individualpsychologie deckte. Nun hatte ich von diesen Thesen (anders als von denen der Psychoanalyse) bis dahin so gut wie nichts gewußt und war – ich zählte damals wenig mehr als 21 Jahre – von der Beachtung und Anerkennung, die mir da zuteil wurde, gleichermaßen überrascht und geschmeichelt. Gewissermaßen als Gegenleistung begann ich mich mit der Adlerschen Lehre zu beschäftigen, fühlte mich von ihr in hohem Maß angesprochen, ja überzeugt – kurzum: ich wurde ein Anhänger der Individualpsychologie (der ich geblieben bin), und als Doktor F. mir bald darauf mitteilte, daß Alfred Adler mich kennenzulernen wünsche, durfte ich mich schon einigermaßen vorbereitet fühlen. Daß ich überdies von der Aussicht auf eine persönliche Begegnung mit ihm begeistert war, geschah nicht ganz ohne Hintergedanken, die ich hier redlicherweise preisgeben muß: Ich befand mich nämlich in einer Verfassung, die man nur deshalb nicht als Pubertätskrise bezeichnen kann, weil sie kein temporärer, sondern ein seit langem standhaft andauernder Zustand war, an dem auch der Erfolg meines Romans nichts ändern konnte. Und ich zweifelte keinen Augenblick, daß Adler, den ich für eine Art Wunderrabbi hielt, das richtige Heilmittel für mich parat hätte.

Das von mir so überschwenglicher Hoffnung erwartete Zusammentreffen fand im Café Siller statt. Adler machte auf mich den späterhin immer aufs neue bestätigten Eindruck eines umgängigen, fast schon gemütlichen Mannes aus der Wiener Vorstadt, wozu auch seine dialektgefärbte Ausdrucksweise und die von ihm gerauchte Virginier (die traditionelle Lieblingszigarre der Fiakerkutscher) einiges beitrug. Er hatte es in keiner Weise darauf angelegt, sich stelzbeinig oder bedeutungsschwer in Szene zu setzen – der leider unübersetzbare englische Ausdruck »down to earth« würde ihn (wie übrigens auch seine Lehre) am besten charakterisieren. Ich hatte sofort Vertrauen zu ihm, und je weiter das Gespräch fortschritt, desto sicherer war ich, daß es mir die ersehnten Ratschläge zur Bewältigung meiner Schwierigkeiten bringen würde.

Als Adler sich ausdrücklich und aufmunternd erkundigte, wie ich denn mit dem Leben zurechtkäme und was für Probleme ich hätte, schien mir der große Moment gekommen. Ich möchte sein Wohlwollen nicht mißbrauchen, begann ich, aber da er mich nun schon fragte ... und dann sprudelte ich los, dann begann ich ihm meine kleinen, banalen Wehwehchen aufzutischen, die ich natürlich für einmalige, noch nie dagewesene Katastrophen hielt: ich fühlte mich von meiner Umgebung nicht richtig eingeschätzt, besonders von ihrem weiblichen Teil, das läge wohl an meinen Minderwertigkeitsgefühlen (womit ich – vermeintlich raffinierterweise – auf eine der Adlerschen Grundthesen abzielte), ich hätte Hemmungen, ich könne mich immer nur unglücklich verlieben – die, die ich liebe, bekomme ich nicht – die, die ich bekomme, liebe ich nicht – natürlich wirke sich das auch nachteilig auf meine Arbeit aus, mit der es nicht vorwärtsgehen wolle –

Ungefähr an dieser Stelle merkte ich, daß Adler von meinen Mitteilungen in keiner Weise erschüttert war. Sie schienen ihn sogar zu langweilen, denn er trommelte mit den Fingern ziemlich unverhohlen auf die Tischplatte. Betreten brach ich meinen Redeschwall ab.

»Hm«, machte Adler. »Was ich da von Ihnen gehört hab – finden Sie das in Ordnung?«

Neue Hoffnung durchflutete mich. Jetzt, im nächsten Augenblick, würde er mir das heilende Rezept verabreichen. Gierig an seinen Lippen hängend, beugte ich mich vor:

»Nein, Herr Professor!«

Adler drehte die Handflächen nach oben:

»Na also«, sagte er in einem Tonfall, der keinen Zweifel daran ließ, daß er den Fall für gelöst hielt, und zwar durch mich gelöst. Offenbar war damit, daß ich alles nicht in Ordnung fand, alles in Ordnung.

Wie recht er hatte, und daß in diesem Rechthaben eines der Fundamente seiner Seelentherapie beschlossen lag, ist mir erst nach und nach aufgegangen. Und von da an war ich gegen die wehleidige Überschätzung meiner Kümmernisse gefeit.

Zu meinen Enthaltsamkeitsplänen gehört unter anderem – und schon seit vielen Jahren – der feste Entschluß, keine Memoiren zu schreiben. Es scheint mir (kurz und ein wenig plump gesagt) eitel und anmaßend, sein eigenes Leben für wichtig genug zu halten, um es im Druck zu schildern, und ich kann mich vice versa, nämlich wenn ich die Memoiren anderer Autoren lese, eines Gefühls der Indiskretion, und zwar einer von mir begangenen, nicht erwehren. Selbstverständlich gibt es Ausnahmen, aber sie sind sehr selten und merkwürdigerweise unabhängig von der Bedeutung des Schreibenden, die hinter der Bedeutung dessen, was er erlebt und mitzuteilen hat, getrost zurückstehen mag, zumal wenn es sich um einen Menschen handelt, der das Schreiben nicht als Beruf ausübt. Wer jedoch Erlebtes, Erfahrenes und Gedachtes von Berufs wegen mitteilt, hat so viele Möglichkeiten, das zu tun, daß es mir – von Eitelkeit und Anmaßung nun einmal abgesehen – beinahe wie das Einbekenntnis einer Unterlassung, wie die künstlich aufgewertete Wiedergutmachung versäumter Gelegenheiten vorkommt, wenn er dann noch mit eigens als Memoiren deklarierten Mitteilungen an die Öffentlichkeit tritt.

Von mir hat sie jedenfalls nichts dergleichen zu befürchten. Ich war stets bemüht – und werde es bleiben –, den Stoff, aus dem die mitteilenswerten Ereignisse meines Lebens gemacht sind, nicht zu selbstbiographischer Eigenständigkeit auszudehnen, sondern ihn in größere Stoffe einzuweben: wie das ja auch in diesem und dem ihm vorangegangenen Buch der Fall ist. Wenn ich über den einen oder anderen Zeitgenossen, dem ich begegnet bin, ausführlicher berichte, so geschieht das zur Befriedigung eines Interesses, das ich für jenen voraussetze, nicht für mich, und was dennoch an notgedrungener Selbstbiographie verbleibt, wird, so hoffe ich, nicht in Selbstbespiegelung und Selbstgefälligkeit entarten.

Ich habe Alfred Adler späterhin noch mehrmals gesehen und habe Gespräche mit ihm geführt, von denen ich heute noch zehre. Einmal wurde ich von ihm zu einem der »Privatseminare« zugezogen, die in seiner Wohnung auf der Dominikanerbastei stattfanden, auf ungefähr zwei Wochen verteilt und mit insgesamt zwanzig Teilnehmern, zehn davon individualpsychologisch geschulte Ärzte und zehn »interessierte Laien«, größtenteils freien Berufen angehörig: ein Maler, ein Komponist, ein Schauspieler, ein Schriftsteller und etliche Wissenschaftler aus verschiedenen Fächern. Wenigstens einer der nachhaltigen Eindrücke, die ich damals mitbekam, sei hier festgehalten.

Am Schluß einer Seminarstunde wurden – was mit dem besprochenen Thema zusammenhing – die »Laien« von Alfred Adler aufgefordert, sich einer nach dem andern in einen Nebenraum zu begeben und seiner Sekretärin je einen Traum und eine Kindheitserinnerung zu diktieren – in die Schreibmaschine, denn aus der Handschrift könnten Schlüsse gezogen werden. Er, Adler, würde dann die einzelnen Texte ihren Verfassern zuordnen.

Überflüssig zu sagen, daß das Zauberkunststück gelang: nach flüchtigem Überlesen verteilte Adler jedes der Blätter an den, der es diktiert hatte.

Auch ich bekam das meine sofort eingehändigt. Adler zögerte keine Sekunde – und ich hatte mir doch die größte Mühe gegeben, ihn irrezuführen, hatte neben einem völlig indifferenten Traum eine Kindheitserinnerung diktiert, von der ich sicher war, daß er sie für die des Malers halten würde. Sie bezog sich auf die Theateraufführung eines Märchens, die ich mit meiner jüngeren Schwester an einem Sonntagnachmittag besuchen sollte; infolge eines Irrtums unsres Kinderfräuleins waren wir verspätet aufgebrochen, ich war ungeduldig vorangelaufen, war im Haustor gestolpert und hingefallen, und vermerkte im Diktat meine genaue Erinnerung daran, daß das Drahtgeflecht des Schuhabstreifers auf meinen weißen Strümpfen ein schwarzes, quadratisches Muster eingezeichnet hatte. Mit diesem optischen Detail wollte ich Adler auf die falsche Spur des Malers lenken.

Ich gestand ihm das nachher ein, fragte ihn, warum mein Versuch mißglückt war, und bekam die folgende Auskunft:

»Weil an Ihrer Erinnerung nicht das Optische entscheidend ist, sondern das Detail. Ein Maler hätte sich vielleicht an das Straßenbild vor dem Haustor erinnert, an die Luft, an die Stimmung der ganzen Szenerie. Schriftsteller erinnern sich an Kleinigkeiten, die ein andrer gar nicht wahrnimmt. Sie werden noch merken, welche Rolle das Gedächtnis für Details auch bei Ihnen spielen wird.«

»Und was, Herr Professor, wenn ich die ganze Geschichte erfunden hätte?«

»Das hätte keinen Unterschied gemacht«, antwortete Adler nachsichtig. »Man erkennt einen Menschen an seiner Lüge genau so gut wie an seiner Wahrheit. Auch das werden Sie noch lernen.«

Es waren Formulierungen dieser Art, mit denen Adler selbst den kompliziertesten Sachverhalt zu durchleuchten wußte. Einem meiner Freunde, der sich viel darauf zugute tat, daß er sowohl seine Gattin wie seine Geliebte mit der gleichen Aufmerksamkeit behandelte, sagte er: »Das ist ja nicht schwer. Zwei Frauen sind weniger als eine.«

Wenn's ihm drauf ankam, besaß er freilich auch die Fähigkeit, sich auf hinterhältige Weise dumm zu stellen. Ich habe noch den Tonfall im Ohr, mit dem er in einem Vortrag über »Verbrechen und Strafe« eine der von ihm verworfenen psychoanalytischen Theorien abtat:

»Herr Professor Freud«, begann er tastend, »ist der Meinung, daß ein Verbrecher seine Tat auch deshalb begehen könne, *um* –« (er betonte dieses Wort mit ungläubigem Nachdruck und wiederholte es) – »*um* bestraft zu werden. Ja, also . . .« (jetzt schüttelte er den Kopf) ». . . bitte . . .« (verstärktes Kopfschütteln, gefolgt von einer resignierten Geste) ». . . *ich* versteh das nicht.«

Und es klang wahrhaftig so, als hätte Alfred Adler noch nie etwas von Masochismus gehört.

Er verstand auch nicht, warum ein junger Zuhörer seines Vortrags über den Generationenkonflikt ihn nachher um eine Unterredung bat. Adler war in diesem Vortrag besonders heftig über die Freudsche Lehre vom Ödipuskomplex hergezogen, und das schien den jungen Mann zu beunruhigen. Zaghaft und stotternd begann er seine eigene Situation zu schildern, genauer: das Verhältnis zu seiner Mutter, mit der ihn große Zuneigung verbinde und deren Zärtlichkeit ihm unentbehrlich sei ... ja er müsse gestehen, daß ihn beim Austausch dieser Zärtlichkeiten manchmal die sonderbarsten Regungen überkämen, über die er sich nicht recht klarwerden könne ... aber es schiene ihm, als wären sie zwischen Mutter und Sohn nicht unbedingt am Platz ... er wisse nicht, wie er sich ausdrücken solle ...

Adler hörte ihm mit wachsender Ungeduld zu und bekundete das durch sein mir bekannt gewordenes Fingertrommeln.

»Also bittschön«, unterbrach er schließlich den Stammelnden. »Was *wollen* S' denn eigentlich von der alten Dame?!«

In der Diskussion nach einem Vortrag über Alfred Adlers Lieblingsthese, das Minderwertigkeitsgefühl, soll eine amerikanische Teilnehmerin, die bis dahin stumm dagesessen war, ohne sichtbaren Grund ums Wort gebeten und nichts weiter gesagt haben als:

»Wir Amerikaner haben *auch* unsere Minderwertigkeitsgefühle.«

Ich weiß nicht, ob es ein Café Siller für Psychoanalytiker gegeben hat; wenn ja, könnte diese Anekdote von dort ausgegangen sein.

In der Schilderung meines ersten Zusammentreffens mit Alfred Adler habe ich die Bezeichnung »Wunderrabbi« gebraucht. Sie sollte nicht mißverstanden werden. Adler war in seinem ganzen Wesen, in seinem Gehaben und nicht zuletzt in seiner Lehre – die es ja gerade auf die Entschleierung scheinbarer Mysterien angelegt hatte – weit entfernt davon, sich mit der geheimnisvollen Aura eines Wunderrabbi zu umgeben. Aber es gibt eine Geschichte über ihn, die ihn beinahe als solchen erscheinen läßt. Sie wäre allerdings in eine Art von Geschichten einzureihen, mit denen die osteuropäischen Juden über die kleinen Unzulänglichkeiten oder ein gelegentliches Versagen ihrer Wundermänner zu spötteln liebten – wie etwa in der Geschichte von jenem Rabbi, der auf einer Überlandfahrt mit seinem Pferdewagen in einen dichten Wald geriet und sich plötzlich einem mächtigen Baum gegenübersah, den er weder rechts noch links umfahren konnte. Da der Wagen sich auf dem schmalen Waldweg auch nicht wenden ließ, griff der Rabbi zum äußersten seiner Mittel und erhob sich, um einem Fluch gegen den Baum zu schleudern. »Baum, du sollst umfallen!« rief er zum Schluß mit Donnerstimme. Und daraufhin, so geht die Legende, sei ein großes Wunder geschehen: der Baum fiel nicht um.

Es steht also, wie sich zeigt, selbst ein Wunderrabbi gelegentlich vor unlösbaren Problemen. Indessen war es im vorliegenden Fall zunächst nur der in Dresden wirkende Individualpsychologe Dr. Otto Rühle, der keinen Rat wußte, als ihn ein jungverheirateter Musiker aufsuchte, um ihm von unerwarteten Schwierigkeiten in seiner vor kurzem – und nach kurzer Bekanntschaft – geschlossenen Ehe zu berichten. Seine Frau hätte ihm vor der Hochzeit gestanden, daß sie nicht mehr jungfräulich sei, und das hätte er selbstverständlich mit einer bagatellisierenden Handbewegung weggewischt, wir leben ja schließlich im zwanzigsten Jahrhundert, nicht wahr, und da spielt so etwas keine Rolle. Jetzt aber müsse er merken, daß es leider doch eine Rolle spiele, zumindest führe er gewisse Mißhelligkeiten im ehelichen Zusammenleben auf jenes Geständnis zurück, und daran fühle eigentlich er sich schuldig, und jetzt möchte er gerne wissen, was er tun sollte.

Nichts weiter, beruhigte ihn Dr. Rühle, von einer wirklichen Störung könne da keine Rede sein, noch weniger von einer Schuld des jungen Ehemanns, das wären ganz natürliche Anfangsschwierigkeiten, die im Grund nur die Intensität seiner Liebe bewiesen und die er desto schneller bewältigt haben würde, je gründlicher er ihren vermeintlichen Ursprung vergäße. Und für alle Fälle möge er in ein paar Wochen wiederkommen.

Er kam früher und schüttelte auf Dr. Rühles Frage, ob sich die Dinge gebessert hätten, trübselig den Kopf. Nein, im Gegenteil. Es werde immer schlimmer, er quäle seine Frau mit völlig unmotivierten Aggressionen, mache ihr Vorwürfe, über deren Unangebrachtheit er genau Bescheid wisse, ohne sich dagegen helfen zu können, und seine Verzweiflung wachse von Tag zu Tag.

Aufseufzend entschloß sich Dr. Rühle zu einer genaueren Prüfung der Sachlage und forderte einen detaillierten Bericht über den Hergang der ganzen Beziehung, vom Augenblick der Bekanntschaft bis zum heutigen Tag. Er bekam den Bericht geliefert.

Jetzt sehe er um einiges klarer, stellte er anschließend fest, und gar so harmlos sei die Sache nicht. Er habe den Eindruck, als könne der junge Ehemann schon den bloßen Gedanken, daß seine Frau zuvor mit anderen Männern zu tun gehabt hätte, nicht ertragen, als erblicke er in ihrem unprovozierten Geständnis eine versteckte Provokation und verfolge sie mit sozusagen retroaktiver Eifersucht, um einer möglichen Wiederholung solcher Geständnisse vorzubeugen.

Das habe er sich schon selbst gedacht, entgegnete hoffnungslos der Patient. Das sei es wohl nicht.

Doch, doch, widersprach Dr. Rühle (und mußte einen kleinen Anfall von Gereiztheit unterdrücken). Nach allem, was er jetzt gehört habe, sei es ziemlich sicher, daß hier die Ursache liege. Wenn der verspätet Eifersüchtige sich erst einmal überzeugt hätte, daß zu irgendwelchen Vorbeugungsmaßnahmen kein Anlaß bestehe, fände er auch keinen Anlaß mehr, seine Frau und sich selbst zu peinigen. Das alles sollte er sich vor Augen halten, und nächstes Mal würde er sicherlich von einer Besserung zu berichten haben.

Was er das nächste Mal berichtete, war eine einzige Katastrophe. Er wisse nicht ein noch aus, er mache seiner Frau das Leben zur Hölle, und er bange ernstlich um den Fortbestand der ohnehin schon arg ramponierten Ehe.

Dr. Rühle sah sich zu einer noch gründlicheren, mit Träumen

und Kindheitserinnerungen und allem sonstigen Zubehör ausgestatteten Untersuchung genötigt. Sie ergab eine für den Patienten wenig erfreuliche Diagnose: nicht um allzu intensive Liebe handle es sich, bekam er zu hören, und nicht einmal um vorbeugende Eifersuchtsmanöver, sondern indem er immer wieder die einstigen Liebschaften seiner Frau hervorhole, wolle er sich einen Freibrief für eigene Seitensprünge verschaffen. Daher sein Schuldgefühl der ewigen Vorwürfe wegen, mit denen er nicht aufhören könne, weil er gar nicht aufhören wolle.

Das habe er sich schon selbst gedacht, und das sei es wohl nicht, ließ der Patient sich abermals vernehmen.

Jetzt war's mit der letzthin noch mühsam bewahrten Geduld des Seelenarztes vorbei.

»Hören Sie«, platzte er los. »Es gibt Patienten, die sich alles schon selbst gedacht haben, um dem Arzt zu beweisen, daß ihnen nicht zu helfen ist.«

Auch das wisse er, äußerte mit resigniertem Achselzucken der Zurechtgewiesene.

Einige Stunden später saß Dr. Rühle im D-Zug nach Wien. Der Fall ging ihm derart unter die Haut, daß er ihn dem Meister persönlich vortragen wollte, und er tat es mit aller Ausführlichkeit.

»Was halten Sie von der Sache, Herr Professor?« fragte er zum Schluß.

Adler paffte ein paarmal an seiner Virginier.

»Na ja«, antwortete er, und es klang ein wenig versonnen. »s' Madel hätt' ihm des halt net sagen sollen.«

Zur seelenforscherischen Szenerie jener Jahre gehört – ein wenig außerhalb ihrer akuten Rivalitäten stehend – auch der bedeutende Psychiater Otto Pötzl, dem wir die hervorragende Definition verdanken, wodurch sich die Ärzte einer geschlossenen Anstalt von den Patienten unterscheiden: der, der den Schlüssel hat, ist der Arzt.

Einer seiner Patienten, der an Verfolgungswahn litt, hatte Pötzls besonderes Interesse erregt und wurde von ihm besonders sorgfältig behandelt. Tatsächlich trat alsbald eine deutliche Besserung ein, die immer weiter fortschritt, so daß begründete Hoffnung auf eine vollständige Heilung bestand. Aber da erfolgte ein unerklärlicher Rückfall. Bei der Morgenvisite war der Patient plötzlich wieder verschlossen und feindselig wie zuvor, reagierte auf den Zuspruch seines verzweifelten Arztes entweder gar nicht oder mit sinnlosen Anfällen und ließ die typischen Krankheitssymptome erkennen, die er schon überwunden zu haben schien.

»Man trachtet mir hier nach dem Leben«, knurrte er abgewandten Gesichts.

»Aber, aber«, beschwichtigte Pötzl. »Kein Mensch denkt daran, Ihnen nach dem Leben zu trachten.«

Der Unglückselige beharrte auf seinem Unglück:

»Ich habe Beweise dafür. Man will mich vergiften.«

»Niemand will Sie vergiften. Wir haben uns doch schon so gut miteinander verstanden, lieber Freund. Warum glauben Sie mir nicht?«

Immer aufs neue versuchte Pötzl an die bereits erzielten Fortschritte anzuschließen, immer aufs neue brachte er die von seinem Patienten bereits akzeptierten Argumente vor, ruhig, eindringlich, mit unerschütterlicher Geduld. Es half nichts.

»Alle verfolgen mich hier«, lautete die stereotype Entgegnung. »Ich weiß es. Alle. Auch Sie, Herr Professor.«

»Ich?!« Jetzt war es mit Pötzls Unerschütterlichkeit vorbei. »Sie sind ja verrückt!«

Pötzl ist schließlich auch der (wenngleich passive) Held einer Geschichte, in deren Vorspiel zwei echte Vertreter der mehrfach erwähnten Kategorie »Wunderrabbi« auftreten, sogar zwei sehr berühmte, die es tatsächlich gegeben hat und die einander bis in die dreißiger Jahre den Rang des berühmtesten streitig machten. Dazu muß man wissen, daß die Juden im Osten der ehemaligen Habsburgermonarchie und im Westen des ehemals zaristischen Rußland größtenteils in bitterster Not und Armut lebten, ein Umstand, der den Glauben an die übernatürlichen Kräfte und die prophetische Weisheit einiger auserwählter Wundermänner entsprechend begünstigte und ihnen fast unbegrenzte Autorität sicherte, nicht nur unter den Armen, sondern ebenso unter den wenigen Reichen, die es in den großen Städten immerhin gab.

Ein solcher erschien einmal in Pötzls Privatordination, um Heilung für ein langwieriges und mindestens partiell somatisches Nervenleiden zu suchen, das nach allgemein vorherrschender (und von Pötzl keineswegs geteilter) Meinung eher in die Kompetenz Wagner-Jaureggs gefallen wäre. Als Pötzl im einleitenden Gespräch eine diesbezügliche Andeutung machte, die zugleich seine Genugtuung darüber verriet, daß ihm der Vorzug vor Wagner-Jauregg gegeben worden war, rückte sein Patient mit einem überraschenden Geständnis heraus: er hätte, ehe er sich überhaupt zur Reise nach Wien entschloß, nicht nur die medizinischen Kapazitäten seiner Heimatstadt konsultiert, sondern, wie das die dortigen Juden in allen wichtigen Angelegenheiten zu tun pflegten, auch rabbinischen Ratschlag eingeholt, und zwar – der Sicherheit halber und weil Geld bei ihm keine Rolle spielte – gleich bei den zwei bedeutendsten Rabbinern des Landes, dem Rabbi von Belz und dem Rabbi von Sadagora. Dieser hätte ihm zu Professor Wagner-Jauregg geraten (der Mann aus dem sehr nahen Osten sagte »Johregg«), jener hätte ihn hierher verwiesen – »zu Ihnen, Herr Professor!«

»Und?« fragte Pötzl, voll der Neugier, warum die Entscheidung zu seinen Gunsten gefallen sei.

Der Befragte sah ihn treuherzig an:

»Herr Professor«, sagte er. »Ich weiß, Wagner-Johregg ist greßer von Ihnen. Aber *ich* glaub dem Belzer.«

Die Geschichte, die dieses Kapitel abschließen soll, erzähle ich nicht wegen ihrer gleichfalls östlichen Färbung, sondern weil ich sie für die beste halte, die jemals über die Psychoanalyse in Umlauf gesetzt wurde. Sie spielt in Amerika, kurz vor Ausbruch des Zweiten Weltkriegs, in einer aus dem Osten Europas stammenden Familie, die sich indessen längst und gründlich akklimatisiert hatte und alle damals in Schwang befindlichen amerikanischen Unarten betrieb: der eine Sohn malte Abstraktes, der andre war Kommunist, die Tochter dichtete avantgardistisch, und nur der

Vater, wiewohl an der Börse zu erheblichem Wohlstand gelangt, fühlte sich noch mit der einstigen Heimat verbunden. Ihm war es auch zu danken, daß man den alten Großvater noch im letzten Augenblick aus dem bedrohten Polen nach Amerika herübergeholt hatte. Er befand sich bei seiner Ankunft in ziemlich jammervollem Zustand, erholte sich aber dank der ihm erwiesenen Obsorge in kurzer Zeit, aß mit Appetit, ging im Central Park spazieren, nahm Anteil an den Ereignissen, lernte Englisch und begann sogar Zeitungen zu lesen, als einziger in der Familie die jiddischen, aber, sobald seine neuerworbenen Sprachkenntnisse ausreichten, auch die »New York Times«. Alles schien bestens geregelt. Nur die Schlaflosigkeit, die er sich in den europäischen Angst- und Schreckenstagen eingewirtschaftet hatte, verfolgte ihn weiter. Man probierte alle möglichen Mittel an ihm aus, herkömmliche und neuartige, Medikamente und Vitamine und Proteine, Spezialdiät und Klimawechsel – vergebens. Er konnte nicht schlafen.

Wenn nichts andres hilft, muß ein Psychoanalytiker her. So auch hier.

Er ließ sich die Situation schildern, geleitete den Alten, der die Schilderung mit freundlich bestätigendem Nicken begleitet hatte, in ein angrenzendes Zimmer und bat ihn, sich's auf dem Sofa bequem zu machen.

»So plaudert sich's besser«, fing er an. »Wenn's Ihnen recht ist, unterhalten wir uns jetzt miteinander. Erzählen Sie mir etwas von sich. Es interessiert mich. Was Sie so erlebt haben . . . an was Sie sich erinnern . . . aus Ihrer Kindheit vielleicht . . . oder an was Sie denken, wenn Sie nicht einschlafen können . . . oder was Sie in der Zeit, als Sie noch schlafen konnten, geträumt haben . . . irgend etwas, was Ihnen gerade einfällt. Sie reden, und ich höre zu. Dann werde ich reden, und Sie werden zuhören. Wer weiß, vielleicht haben wir Glück, und Sie finden gleich jetzt ein wenig Schlaf. Das wäre schön.«

Und siehe da: es funktionierte. Schon nach wenigen Minuten lag der Alte in friedlichem Schlummer, ruhig atmend, ein Lächeln im faltigen Gesicht.

Auf Zehenspitzen begab sich der Seelenarzt zu den im Nebenraum wartenden Angehörigen zurück. Sie mögen sich keine Sorgen machen, ließ er sie wissen, einen so empfänglichen, kooperativen Patienten hätte er schon lange nicht gehabt, und er verbürge sich für eine baldige, restlose Heilung. Morgen käme er wieder.

Die unter allen Anzeichen der Befriedigung zurückbleibenden Familienmitglieder bestätigten sich gegenseitig die Trefflichkeit ihrer Maßnahme und fanden: das hätte ihnen früher einfallen können.

In diesem Augenblick schob der Großvater seinen Kopf durch die halb geöffnete Tür und lugte vorsichtig herein:

»Der Meschuggene ist schon weggegangen?« fragte er.

Und schlug damit auf seltsam schlüssige Art in die gleiche Kerbe wie die Doppelpointe der Geschichte von Freud und Wagner-Jauregg und wie das fundamentale Diktum von Karl Kraus: »Die Psychoanalyse ist jene Geisteskrankheit, für deren Therapie sie sich hält.«

Ergänzungen zum Kaffeehaus

Schon »Die Tante Jolesch« enthielt – im Kapitel »Kaffeehaus ist überall« (S. 155 ff.) – den Hinweis, daß eigentlich »das ganze Buch ein Buch vom Kaffeehaus« sei. Ähnlich verhält es sich mit dem vorliegenden Ergänzungsband, und ähnlich sind auch die Schwierigkeiten geartet, die mir von der nachquellenden Erinnerungsfülle verursacht werden: ich muß, wie sich zeigt, abermals auf ein halbwegs sinnvolles Ordnungsprinzip verzichten. Weshalb, so könnte gefragt werden, gehört die eine Anekdote in die Sparte »Theater« und die andre zur »Literatur«, weshalb verbuche ich jenen Ausspruch im Zusammenhang mit seinem Schöpfer und diesen als Illustration zu einem bestimmten Thema?

Die Antwort habe ich bereits gegeben: weil es im Grunde lauter Kaffeehausgeschichten sind. Sie müssen deshalb nicht unbedingt im Kaffeehaus entstanden sein (obwohl das bei den meisten von ihnen der Fall war) – es genügt, daß sie ohne den geistigen Hintergrund des Kaffeehauses nicht entstanden wären. Sie tragen, auch wenn man's ihrem Äußeren nicht anmerkt, das Kaffeehaus in sich. Oder zumindest haben sie es irgendwo auf ihrem Weg gekreuzt, mögen sie von noch so weit herkommen.

Ich wage die Behauptung, daß sogar die Geschichten, die der Schauspieler Alfred Neugebauer aus der Zeit seiner Kriegsgefangenschaft im Ersten Weltkrieg zum besten gab, vom Kaffeehausgeist infiltriert waren – nicht nur weil er, selbst ein Kaffeehausbesucher von Geblüt, sie mit Vorliebe im Kaffeehaus (wo denn sonst) erzählt hat, sondern weil sie bei ihren Zuhörern einen Sinn für die Kunst der Pointe, eine Empfänglichkeit für Nuancen und, kurzum, eine Aufnahmebereitschaft voraussetzten, die eben nur am Kaffeehaustisch gedieh. Im übrigen – und dieses Einbekenntnis kommt mich noch viel trauriger an als schon mehrmals zuvor – lassen sich Neugebauers Geschichten im Druck nicht wiedergeben und lassen sich auch mündlich kaum nacherzählen, es sei denn in einer perfekten Kopie der Neugebauerschen Erzählung, und wer brächte das fertig. Alfred Neugebauer, schon auf der Bühne eine Erscheinung von unnachahmlicher Eigenart (er selbst bezeichnete sich einmal in koketter Untertreibung als den bedeutendsten »Küß-die-Hand«-Sager des deutschen Theaters), war vollends als Geschichtenerzähler ein einsames Original, war es vor allem durch seine schier unglaubliche Beherrschung sämtlicher Dialekte, Akzente und Tonfärbungen, die es auf dem Gebiet der einstigen Habsburgermonarchie irgend gab. Er konnte böhmakeln und jüdeln wie kein zweiter und so, daß es niemals peinlich wurde (ich beanspruche für diese Feststellung sowohl die Kennerschaft wie die Empfindlichkeit des Dazugehörigen), er fand sich auf jeder Stufe des Wienerischen zwischen Vorstadt und Schönbrunn, zwischen Unterwelt und Aristokratie mühelos zurecht, und wenn es ihm oblag, Ungarisches sinnfällig zu machen, wurde man von heftigem Zweifel befallen, ob Deutsch denn wirklich seine Muttersprache sei. Er war, nochmals und hilflos sei's gesagt, unnachahmlich. Er hatte nicht seinesgleichen und wird es niemals haben.

Unter den Geschichten aus seiner Kriegsgefangenschaft gibt es eine, die ich dem Risiko einer Nacherzählung aussetzen muß, weil sie sonst wahrscheinlich in Vergessenheit geriete. Neugebauer gehörte zu einer Gruppe von k.u.k. Offizieren, die ständig zwischen verschiedenen Gefangenenlagern hin- und hertransportiert wurde – »instradiert«, wie man das im österreichischen Armee-Idiom nannte –, und er verwandelte sich, wenn er davon erzählte, ebenso glaubhaft in jedes einzelne Mitglied der Gruppe wie in ihre Bewacher, brave, bärtige Muschiks im vorgeschrittenen Landsturmalter, die den Gefangenen freundlichste Behandlung angedeihen ließen. Wenn der Zug auf seiner tagelangen Fahrt irgendwo längeren Halt machte, zogen Bewacher und Bewachte gemeinsam ins Dorf, zerstreuten sich dort in verschiedene Wirtshäuser und fanden sich zur festgesetzten Stunde des Weitertransports wieder auf dem Bahnhof zusammen, wo der Ordnung halber ein Appell abgehalten wurde, um sicherzustellen, daß alle Gefangenen zurückgekommen wären.

Und da geschah etwas Merkwürdiges. Der Zählappell stimmte – aber beim anschließenden Namensappell fehlte einer.

Die vorgesetzte Charge der Bewachungsmannschaft begann kopfschüttelnd aufs neue zu zählen, eins-zwei-drei und weiter bis siebzehn: es stimmte. Und begann aufs neue die Namen zu verlesen, langsam und mühsam, denn es waren fremde, schwer auszusprechende Namen, Graß-ljech-ner ... Kljess-mann ... Njew-ge-bawr ... nicht in alphabetischer, sondern in rangmäßig bestimmter Reihenfolge – gleichviel: einer fehlte.

Beide Prozeduren wurden unter verstärktem Kopfschütteln wiederholt. Der Zählappell verlief ordnungsgemäß, beim Namensappell klaffte eine Lücke.

Die Sache war die, daß sich unter den Gefangenen ein Angehöriger des gräflichen Hauses Hohenwart befand. Der aber wurde, weil das Russische kein H kennt, als Gog-gen-wart verlesen und meldete sich nicht, denn ein Hohenwart läßt seinen Namen nicht verstümmeln. Da konnte der bärtige Muschik immer wieder und immer verzweifelter die Namensliste herunterbuchstabieren – bei Goggenwart blieb es still.

Der Abend sank, die Kälte stieg. Die anderen Offiziere fanden das Spiel nicht länger amüsant und legten ihrem gräflichen Kameraden nahe, nun endlich damit aufzuhören, man möchte weiterfahren und er solle sich gefälligst melden.

So trat er denn, als das kritische »Gog-gen-wart« wieder erklang, aus der Reihe, schritt an den Bärtigen heran und legte ihm leutselig die Hand auf die Schulter:

»Horchen S' zu, lieber Freund«, sagte er mit nasalem Nachdruck. »Wann S' schon so eine ung'schickte Sprach' haben – fangen S' nächstens keine Leut' mit H!«

Zu den Personal-Ergänzungen, die im Zusammenhang mit dem Kaffeehaus fällig sind, gehört außer Neugebauer noch der »Central«-Stammgast Klauber, ein Mann von mieselsüchtiger, nachträgerischer Wesensart, der sich seinen Widerwillen gegen den geschwätzigen Stammgast Jellinek wahrlich etwas kosten ließ. Er kaufte sich einen Dackel, nannte ihn Jellinek und brachte ihm nicht ohne Mühe bei, auf ein bestimmtes Zeichen hin drohend zu knurren. Mit dem abgerichteten Dackel pflegte er dann in unmittelbarer Nähe des Tisches, an dem Jellinek saß, Platz zu nehmen, und wenn Jellinek wieder mit seiner Suada begann, ließ Klauber den Dackel knurren, um ihn mit dem lauten Zuruf »Kusch, Jellinek!« zu bedenken. Der in Wahrheit gemeinte Träger dieses Namens mußte es dulden.

Daß mir der »Herrenhof«-Stammgast Poldi Beck nicht rechtzeitig für die »Tante Jolesch« eingefallen ist, obwohl wir Altersgenossen und gute Freunde waren, kann ich mir nur damit erklären, daß ich ihn – wie so manchen andern auch – nach 1938 aus den Augen verloren hatte. Er war auf der Flucht vor den Nazis in sein Geburtsland Polen geraten und von dort in die Sowjetunion, galt unter seinen Freunden, soweit sie überlebt hatten und sich nachher wieder zusammenfanden, als verschollen und ließ erst viele Jahre später, nun abermals aus Polen, ein Lebenszeichen an mich gelangen, aus dem sich ein schwieriger, umwegiger und leider nur sporadischer Kontakt zwischen uns ergab. Wie es heute um ihn steht, weiß ich nicht. Wenn ich an ihn denke, denke ich an den »Herrenhof«-Stammgast der dreißiger Jahre, der zum Kreis um Manès Sperber und Alex Weißberg gehörte.

Poldi Beck war von kleinem, zierlichem Wuchs, neigte zur Melancholie und zum Alkoholgenuß und schrieb, wenn beides ihn überkam, verzweifelt komische Gedichte, in denen er einer von Karl May inspirierten Indianerromantik freien Lauf ließ. Ich erinnere mich noch an die Anfangsstrophe eines dieser Gedichte (die er auf unseren nächtlichen Café- und Kneipen-Wanderungen oft an gänzlich fremden Tischen zu deklamieren liebte):

»Wir wollen uns vom Freuerwasser kaufen,
Denn anders hat das Leben keinen Zweck,
Und wollen uns dann ganz enorm besaufen,
Du, Winnteou, und ich, der starke Beck.«

Öfter als mit Gedichten reagierte er auf die Mißhelligkeiten seines leiddurchtränkten Daseins mit dem Stoßseufzer »Oj, mach ich mit!«; das regte ihn zur Erfindung eines von ihm so genannten

Sorgenmessungsapparats an, des »Mitmachometers«, dessen Messungseinheit 1 Oj betrug. Angeblich registrierte sein Mitmachometer an manchen Tagen bis zu 30 Oj pro Minute, aber das ließ sich natürlich nicht nachprüfen.

Auch eine andre Erfindung oder Einrichtung ist ihm gutzuschreiben: einmal im Jahr veranstaltete er eine »Woche des zurückgegebenen Buches«, zu deren Eröffnung er alle jene einlud, die sich von ihm Bücher ausgeliehen und sie nicht retourniert hatten. In der Mitte des von seiner Frau artig angerichteten Jausentisches prangte in einem Lorbeerkranz das einzige zurückgegebene Buch.

Bis heute standgehalten hat Poldi Becks Einteilung der Menschen in fünf Kategorien, und zwar

1. Morgensänger
2. Schulterklopfer
3. Knopfabdreher
4. Zurückschicker
5. Grottenbahnhörer.

Die ersten beiden Kategorien bedürfen keiner Erklärung, die dritte vielleicht insoweit, als nicht jeder den Typ des intensiven Diskutierers kennt, der seinen im Sitzen, Stehen oder Gehen vorgebrachten Argumenten dadurch Nachdruck zu verleihen sucht, daß er sich ganz nahe zu seinem Gesprächspartner beugt, ihn an einem Sakko- oder Mantelknopf zu sich heranzieht und diesen Knopf vor lauter Hingabe an das Gespräch so lange dreht, bis er ihm in der Hand bleibt. Als »Knopfabdreher« gilt, wer seine Meinung um jeden Preis durchsetzen will. Daß der »Zurückschikker« nicht nur im Gasthaus auftritt, sondern überall dort, wo sich andere mit einem Achselzucken abwenden, dürfte klar sein. Und was schließlich die 5. Kategorie betrifft, so muß man wissen, daß die alte, längst dahingegangene Grottenbahn im Wiener Prater ein elektrisches Orchestrion eingebaut hatte, dessen Musik nicht nur die Züge auf ihrer Gruselfahrt begleitete, sondern zu Anlokkungszwecken auch am Eingang hörbar war – und wer sich dort hinstellte, um der Musik zu lauschen, war eben ein »Grottenbahnhörer«, ein in sich versponnener, den anspruchslosen Schönheiten des Daseins zugetaner Träumer.

Poldi Beck behauptete, es gäbe keinen Menschen, der nicht in eine dieser fünf Kategorien hineinpassen würde, und soweit meine Erfahrungen reichen, hat er recht gehabt.

Seine größte und wahrhaft unvergängliche Tat war jedoch die Herausgabe einer Zeitschrift, mit der er seiner Abneigung gegen die sinnentleerten Klischees und Gepflogenheiten des Pressewesens Luft machen wollte. Sie hieß »Die Binse, Zeitschrift zur Verbreitung von Licht und Wahrheit« und trug gleich unterm Titel den Vermerk: »Die Frage ›Wieso, es gibt doch kein Binsenlicht?‹ schließt den Fragesteller vom Erwerb der Zeitschrift aus.« Zu ihren Besonderheiten gehörte der Umstand, daß sie vorsätzlichermaßen nur ein einziges Mal erschien, weshalb der erste Satz des Eröffnungs-Leitartikels denn auch lautete: »Mit dieser Nummer stellt die ›Binse‹ ihr Erscheinen ein.« Als Tummelplatz der eingangs erwähnten Beckschen Idiosynkrasien präsentierte sich das Impressum. »›Die Binse‹ erscheint plötzlich« hieß es da, und weiter »Eigentümer: der Käufer« – ein Seitenhieb gegen die laut Beck »empörende Unsitte«, daß man für gutes Geld irgendeine Zeitung erstand und dann im Impressum beispielsweise durch die Mitteilung »Eigentümer: Steyrermühl A.G.« verhöhnt wurde. Es folgte die Angabe: »Der Stern ist ein Trottel.« Poldi Beck war der Meinung, daß das endlich gesagt werden müßte, wollte es aber – denn wer liest schon ein Impressum – nicht an die große Glocke hängen, um unsern Freund Ernst Stern (TJ S. 45 ff.) nicht zu kränken. Der Text eines auf der Titelseite eingebauten Kastens lautete: »Für den eiligen Leser: Schauen Sie gefälligst im Innern des Blattes nach.« Dort fanden sich so bemerkenswerte und, man darf wohl sagen, beispiellose Rubriken wie »Gleichgültiges aus aller Welt« und »Der Freudenbote«, der mit Kurzmeldungen über erfreuliche Vorkommnisse den Leser auf die Sonnenseiten des Alltags hinlenken wollte: »Gestern gegen 5 Uhr nachmittag gelang es der 47jährigen Köchin Anna Kratochwil, einen Autobus der Linie 12 an der Haltestelle Stephansplatz noch knapp zu erreichen«, oder: »Wie wir erfahren haben, nahm der 34jährige Handelsvertreter Jonas Grün am Dienstag im Gasthaus ›Zum wilden Mann‹ das Mittagsmahl ein, bestehend aus Schöberlsuppe, Rindfleisch garniert und Apfelstrudel. Es hat ihm sehr gut geschmeckt.«

Der übrige Inhalt jener einzigen, längst und hoffnungslos verschollenen Nummer der »Binse« bestand aus Beiträgen von Frigyes Karinthy, Fritz Grünbaum, Robert Neumann und anderen Herrenhof-Insassen (also auch von mir). Aber das war wirklich nur der »übrige« Inhalt; den eigentlichen und wesentlichen bildeten die kleinen, verschmitzten Marginalien, die ich im vorstehenden so genußfroh wiedergegeben habe. Unterliege ich da einer Art déformation professionnelle? Muß man Journalist gewesen sein, um zu merken, daß hinter diesem scheinbar oberflächlichen Gewitzel ein verärgertes Aufmucken steckt, ein ironischer Protest gegen eine träg und gedankenlos hingenommene Schablone der Meinungsbildung? Ich kann das nicht beurteilen. Aber es will mir scheinen, daß wir eine plötzlich erscheinende »Binse« auch heute ganz gut brauchen könnten.

In die Liste der Ergänzungen zur Kaffeehaus-Person gehört der Vollständigkeit halber noch der Pointenmörder Peter Paul Willner, er ruhe in Frieden und er war der Dümmsten einer, er war die Verkörperung jener niederschmetternden Humorlosigkeit, die schon so manchen, der einen Witz erzählen wollte, an den Rand des Wahnsinns getrieben hat. Begann der Erzähler etwa mit den Worten: »Zwei Juden fahren in der Eisenbahn« – flugs war der Pointenmörder zur Stelle und fragte: »Wohin?« Und wenn er gar selbst aktiv wurde, ergaben sich die grauenhaftesten Folgen. Ein Beispiel aus der Praxis:

Der kleine Max will schwimmen lernen, der Schwimmlehrer nimmt ihn an die mit einem Gurt versehene Angel und läßt ihn ins Wasser gleiten, der kleine Max ruft »Tauchen –!«, der Schwimmlehrer taucht ihn, der kleine Max kommt prustend hoch, ruft abermals »Tauchen –!« und wird abermals getaucht – bis es ihm endlich gelingt, sich am Angelstrick festzuhalten und dem Schwimmlehrer zuzurufen: »Tauchen hat mir der Arzt verboten!«

In der Fassung des Pointenmörders ruft der kleine Max nicht

»Tauchen –!«, sondern »Der Arzt –!« Und es geht trotzdem ganz genauso weiter, bis zum abschließenden Zuruf: »Der Arzt hat mir das Tauchen verboten!«

Nun könnte man, da es sich hier um ein konstruiertes und eher mittelmäßiges Witzchen handelt, die verstümmelte Fassung sogar für – unfreiwillig – lustiger halten. Aber Peter Paul Willner hat sich auch an Anekdoten vergriffen, deren Witz ein wenig tiefer reichte, zum Beispiel an der folgenden, noch in der Monarchie angesiedelten. Sie handelt von einem galizischen Juden, der zum erstenmal eine Reise nach Wien unternimmt und in dessen Phantasie sich märchenhafte Vorstellungen von der kaiserlichen Haupt- und Residenzstadt entwickelt haben. Er begibt sich vom Ostbahnhof sofort ins Café »Produktenbörse«, das ihm zu Hause empfohlen wurde (es liegt selbstverständlich in der Leopoldstadt, dem Wiener Judenbezirk), stellt seinen Handkoffer ab, und während der Kellner ihm aus dem Mantel hilft, dreht er sich halb um und fragt im strengen Tonfall eines Menschen, der seine berechtigten Erwartungen nicht getäuscht zu sehen wünscht:

»Der Kaiser is da?!«

Diese Geschichte gefiel dem Pointenmörder Willner so gut, daß er sie unbedingt weitererzählen mußte. Und er begann:

»Also Kinder, ich hab einen großartigen Witz gehört. In Galizien lebt ein Jud, der glaubt, in Wien sitzt der Kaiser im Café Produktenbörse . . .« Und dann fuhr er in seiner Erzählung fort und war sehr erstaunt, daß am Schluß niemand lachte.

Selbst wenn damit die Ergänzungen zur Kaffeehaus-Person abgeschlossen sind (und dessen kann man nie ganz sicher sein) – in jedem Fall bedarf es noch einiger Ergänzungen zur *Sache* des Kaffeehauses.

Wer vermöchte sich heute vorzustellen, daß der Naziputsch vom Juli 1934, der zur Ermordung des Bundeskanzlers Dollfuß geführt, aber sein politisches Ziel nicht erreicht hat – daß dieser Putsch, an den sich die Heutigen ohnehin nur noch dunkel erinnern, eigentlich an der Wiener Kaffeehauskultur gescheitert ist? Und das kam so:

Das Stammlokal der Putschistenführer war ein Kaffeehaus im VIII. Bezirk, das ich nicht beim Namen nennen will, weil es heute noch besteht und mit seiner damaligen Funktion nichts mehr zu tun hat. Dort sollte zu früher Vormittagsstunde am Tag der Aktion eine ihrer Schlüsselfiguren, ein von Dollfuß entlassener Exminister, auf die entscheidende Nachricht warten, die man ihm natürlich nicht unter seinem wirklichen Namen übermitteln würde, sondern unter dem Decknamen, mit dem er – wie alle Angehörigen dieses Gremiums – für den Ernstfall versehen war. Der Deckname des Ministers lautete Doktor Zimmermann, und pünktlich zur vereinbarten Zeit wurde Herr Doktor Zimmermann am Telephon verlangt. Da aber der Kellner, der den Anruf entgegennahm, ein wirklicher, geschulter Kaffeehauskellner war, fiel es ihm keineswegs bei, den Namen des Gewünschten nun etwa laut und plump ins Lokal hineinzurufen. Sondern er sagte »Momenterl«, trat aus der Telephonzelle hervor, ließ seinen Blick über die wenigen besetzten Tische schweifen, stellte fest, daß in der einen Fensterloge ein Damenkränzchen versammelt war und in der andern die Frau Wondratschek ihre Illustrierten las, sah an einem der Mitteltische ein sehr junges Liebespaar sitzen, dessen männlicher Teil unmöglich Inhaber eines Doktortitels sein konnte, sah an einem andern Tisch den ihm wohlbekannten Minister, trat in die Zelle zurück und sagte: »Bedaure, ein Herr Doktor Zimmermann ist nicht hier.«

Damit war der Zeitplan der Putschisten völlig durcheinandergebracht. Als das erwartete Signal dann doch erfolgte, hatte die Exekutive bereits Wind von der Sache bekommen, und der Naziputsch vom Juli 1934 schlug fehl.

*

In jeder Redaktion, die etwas auf sich hält, steckt bekanntlich – denn es wurde schon in der »Tante Jolesch« festgestellt – ein Stück Kaffeehaus, und vice versa umschließt jedes bessere Kaffeehaus ein bestimmtes Ausmaß von Redaktionsgetriebe. Selbst wenn es keine Journalistencafés gäbe, wäre es also durchaus am Platz, den Ergänzungen zum Kaffeehaus noch einige zum Thema Journalismus anzuschließen und beispielsweise jener internen Preiskonkurrenz zu gedenken, die Anfang der zwanziger Jahre im Berliner »Romanischen Café« ausgeschrieben wurde, um den sensationellsten Aufmacher zu ermitteln, der sich überhaupt vorstellen ließe. Preisgekrönt wurde der Titel: »Franz Ferdinand lebt – Weltkrieg überflüssig.«

Des genauen Gegenteils von sensationeller Aufmachung, nämlich der denkbar langweiligsten, befliß sich das »Neue Wiener Tagblatt«, wobei dahingestellt bleibe, ob das aus journalistischem Prinzip geschah oder weil das Durchschnittsalter der Redakteure bei 60 Jahren lag. Jedenfalls gab es so gut wie nichts, was die dort beamteten Herren aus der Ruhe gebracht oder gar veranlaßt hätte, für eine Nachricht, mochte sie noch so aufregend sein, größere Satztypen zu verwenden, von entsprechend aufregenden Überschriften ganz zu schweigen. Auch hielt man in der Rubrik »Lokalnachrichten« (die nicht nur Verkehrsunfälle und amtliche Verlautbarungen, sondern auch Morde und Sexualverbrechen enthielt) mit schöner Standhaftigkeit an den »eingezogenen« Titeln fest, das heißt, daß der Text der Nachricht unmittelbar an den – zu Unterscheidungszwecken immerhin eingeklammerten – Titel anschloß, also in der selben Zeile weiterlief.

Darauf zielte das Ergebnis eines im Wiener Journalistencafé »Rebhuhn« veranstalteten Wettbewerbs ab, einige Jahre nach jenem in Berlin, zur Zeit, als die Geheimverhandlungen über eine Zollunion zwischen Österreich und Deutschland geplatzt waren und von den Siegermächten endgültig inhibiert wurden – ein selbst für damalige Begriffe ungewöhnlicher Vorfall, der wochenlang im Mittelpunkt des öffentlichen Interesses stand. In der »Rebhuhn«-Konkurrenz sollte nun eine damit zusammenhängende Nachricht erfunden werden und dazu ihre Aufmachung in den verschiedenen Wiener Tageszeitungen. Siegreich blieb folgende Kombination:

Unter Mißachtung des erfolgten Vetos treffen der österreichische Bundeskanzler Seipel und der deutsche Reichskanzler Stresemann inkognito in einem Wiener Vorstadtwirtshaus zusammen, um ihre Geheimverhandlungen fortzusetzen. Der englische Spionagedienst kommt ihnen auf die Spur und benachrichtigt den Wiener Polizeipräsidenten Schober, der den drohenden politischen Skandal nur noch dadurch zu verhindern weiß, daß er in das angegebene Wirtshaus eilt, Seipel und Stresemann erschießt und anschließend Selbstmord begeht.

Über dieses Ereignis berichtet das »Neue Wiener Tagblatt« in den Lokalnachrichten unter dem eingezogenen Titel »(Neues aus dem Gastgewerbe)«.

Weniger der Aufmachung als vielmehr der Nachrichtenbeschaffung galt die Hauptsorge des »Neuen Wiener Journals«, das sich mit den Aussendungen einer kleinen, billigen Presseagentur begnügte und dessen wichtigste Redaktionsutensilien aus Schere und Kleister bestanden: damit kennzeichnete der Fachjargon die üble journalistische Praktik, brauchbares Material aus anderen Zeitungen auszuschneiden und zum eigenen Gebrauch zusammenzukleben. Das »Neue Wiener Journal« versuchte seine Leser durch pompöse redaktionelle Vermerke über die Herkunft der solcherart gestohlenen Nachrichten zu täuschen, und im »Bau« kannte man auch den dazugehörigen Schlüssel: Agenturmeldungen trugen den Vermerk »Privattelegramm des Neuen Wiener Journals«, und was als »Originalbericht des Neuen Wiener Journals« präsentiert wurde, war geschnitten.

Und jetzt bin ich wieder einmal darauf angewiesen, daß mir geglaubt wird, denn der Beleg ist mir – wie so manches andre – im Verlauf der Weltgeschichte abhanden geommen. Aber es wäre doch wohl zu dumm, so etwas zu erfinden, nämlich eine Meldung mit folgender Überschrift:

SCHARFER FROST AM NORDPOL
(Privattelegramm des Neuen Wiener Journals)

Der erfahrene Feuilletonschreiber muß wissen, daß er anspruchsvolle Ausdrücke wie »kosmisch« oder »eklektisch« besser vermeidet, weil sie im Druck unweigerlich als »komisch« bzw. »elektrisch« erscheinen. Und es ist nicht einmal sicher, ob es sich da um Druckfehler handelt. Es könnte auch der Metteur oder der mit dem Korrekturenlesen betraute Oberfaktor an einen Schreibfehler geglaubt und rettend eingegriffen haben. Ich selbst bin einmal zum Opfer eines solchen Eingriffs geworden – der obendrein jedem Pointenmörder Ehre gemacht hätte.

Um 1970 lud ein deutscher Verlag eine Reihe von Autoren ein, ihre eigenen »Nachrufe zu Lebzeiten« zu schreiben, und gab das gesammelte Ergebnis unter dem Titel »Vorletzte Worte« in Buchform heraus. Um allen literarischen Anfechtungen (und Anfechtbarkeiten) zu entgehen, kam ich in meinem Nachruf ausführlich auf Kulinarisches zu sprechen, auf die wichtige Rolle, die das Essen in meinem Leben gespielt hatte und die ich auch über den Tod hinaus festgehalten wissen wollte: »Essen war seine Lieblingsspeise«, sollte auf meinem Grabstein zu lesen sein. Und damit schloß der Nekrolog.

In der Setzerei der Wiener Tageszeitung, die ihn zum Vorabdruck erwarb, muß ein besonders gewissenhafter Korrektor am Werk gewesen sein, ein nachdenklicher Mann, dem die Bezeichnung »Lieblingsspeise« fürs Essen nicht einleuchtete. Zur Lieblingsspeise, so mag er gedacht haben, eignet sich vielleicht ein Beinfleisch oder ein Gollasch, aber doch kein Essen. Jedenfalls hielt er meine Schlußpointe für einen Irrtum und griff zum Korrekturstift, um sie zu morden. Ich will ja nicht behaupten, daß sie sich durch besondere Qualität auszeichnete, aber sie scheint mir doch um eine Kleinigkeit witziger als die korrigierte Fassung, welche lautete:

»Essen war seine Lieblingsbeschäftigung.«

Aus der annähernd gleichen Zeit ist noch von einem zweiten in einer Setzerei erfolgten Eingriff zu berichten, der sich freilich zugunsten der betroffenen Materie ausgewirkt hat. Manche Kenner werten ihn sogar als eine Sternstunde des zeitgenössischen Journalismus.

Es handelt sich um den Leitartikel einer andern Wiener Tageszeitung (Name und Datum auf Wunsch), der die damals bevorstehenden deutschen Bundestagswahlen behandelte. Als die Stunde des Umbruchs herankam und der Artikel noch immer nicht ausgesetzt war, begab sich sein Verfasser in die Setzerei, um nach dem Grund der Verzögerung zu forschen. Er erfuhr, daß der betreffende Metteur infolge heftigen Durchfalls immer wieder genötigt sei, seine Arbeit zu unterbrechen und die Toilette aufzusuchen. Auch eben jetzt war das der Fall, aber er würde sicherlich bald zurückkommen, und der Korrekturabzug würde nicht mehr lange auf sich warten lassen. Das wolle er hoffen, äußerte einigermaßen säuerlich der leicht verstimmte Leitartikler, und er sehe nicht ein, warum die Darmbeschwerden eines Metteurs das rechtzeitige Erscheinen der Zeitung gefährden sollten. Nachdem er sich mit der dringlichen Bitte um Eile entfernt hatte, nahm ein Kollege des Säumigen an dessen leerstehender Maschine Platz und setzte dort, wo jener aufgehört hatte, ein paar derbe Worte der Aufmunterung ein. Der Zurückgekehrte las sie, lachte herzlich und fuhr – da das Blei noch zu heiß war, um herausgenommen zu werden – in seiner Satzarbeit fort.

Der Umbruch rückte immer näher, der Leitartikler wurde immer nervöser, und es bedurfte wiederholter Urgenzen über das Haustelephon, ehe der Korrekturabzug endlich in die Redaktion gelangte, mitsamt der eingefügten Stelle. Sie wurde auch dort herzlich belacht, einer gab den Abzug an den andern weiter, jeder vertraute darauf, daß der nächste den nötigen Strich vornehmen würde, keiner nahm ihn vor, und die zuerst verblüfften, dann aber laut aufjauchzenden Leser des Leitartikels fanden – noch dazu im Anschluß an eine Stelle, die sich auf das unentschlossene Verhalten der SPD bezog – die zugleich passende und unpassende Frage:

»Warum so lange scheißen?«

An diesem Tag war der Absatz des Blattes reißend wie noch nie.

Was mit allseits beliebter Unermüdlichkeit vom »Druckfehlerteufel« berichtet wird, ist in den meisten Fällen ebenso humorig wie die Bezeichnung selbst, weshalb die meisten Fälle hier keinen Platz finden. Nur in einem einzigen Fall hat ein einziger Buchstabe tatsächlich ein Malheur bewirkt, das sich sehen lassen kann. Es widerfuhr in den zwanziger Jahren einem damals eben entstandenen, sehr schönen, von edlem Pathos getragenen Gedicht Franz

Werfels: »Echnatons Sonnengesang«, das in der Sonntagsbeilage der »Neuen Freien Presse« abgedruckt wurde und dessen erste Strophe folgendermaßen schließt:

»Dann tauml' ich auf, daß mich umbrause
Des Morgens sturmverwühlte See,
Dann kniee ich mit meinem Hause
Vor dir, mein Vater, Aton Re.«

Vielleicht war's gar kein Druckfehler, was da geschah. Vielleicht ging es – ähnlich wie meine Lieblingsbeschäftigung – auf die Nachdenklichkeit eines Korrektors zurück, der allenfalls noch bereit war, »Re« als Zunamen eines Vaters zu akzeptieren, aber den Vornamen »Aton« ließ er nicht mehr gelten, Echnaton hin und Sonnengesang her. Jedenfalls präsentierten sich die Schlußzeilen mit einer minimalen Veränderung:

». . . Dann kniee ich mit meinem Hause
Vor dir, mein Vater, Anton Re.«

Theater und Umgebung

Über Literaten lassen sich auch Geschichten erzählen, die nichts mit Literatur zu tun haben. Ob sich hingegen über Schauspieler Geschichten erzählen lassen, die nichts mit Theater zu tun haben, scheint mir fraglich. Denn für einen Schauspieler – oder wie wäre er's sonst geworden – existiert schlechterdings nichts als das Theater.

Manchmal, selten genug, kann es doch geschehen, daß er mit anderen Dingen, zum Beispiel mit dem Leben, in Berührung kommt oder in Berührung gebracht wird, und solch unverhoffte Zusammenstöße zeitigen im Glücksfall Ergebnisse, die schon um ihrer Rarität willen zur Verbuchung locken. Es handelt sich hier sozusagen um Sekundär-Anekdotik. Der Lockung, sozusagen primäre Theateranekdoten zu verbuchen, hoffe ich widerstehen zu können. Das ist ja einer der unveräußerlichen Strukturgrundsätze dieses Buches: daß ich zu den hier wiedergegebenen Geschichten entweder in einer (sei's auch noch so indirekten) Beziehung stehe oder daß ich mit Fug annehmen darf, sie würden andernfalls verlorengehen.

Der wahrscheinlich letzte große Repräsentant jenes totalen Schauspielertyps, ja geradezu dessen Verkörperung, war der 1958 verstorbene Burgtheatermime Raoul Aslan. Seine herrisch elegante Gestalt mit dem edel geschnittenen Antlitz (»Gesicht« wäre eine unpassend profane Bezeichnung), sein Gang und seine Gebärden, seine sonore Stimme mit dem immer noch leise und reizvoll durchklingenden exotischen Akzent (er stammte aus Armenien), die Art, wie er diese Stimme einsetzte, wie er sprach und schwieg und dreinsah –: man konnte keine Sekunde zweifeln, daß man einem Schauspieler gegenüberstand, nein, dem Schauspieler an sich. Indessen hätte ihn nicht nur solcher Zweifel beleidigt – er empfand schon den bloßen Versuch, mit ihm über etwas andres als über das Theater zu sprechen, als gezielten Affront oder bestenfalls, in Augenblicken der Nachsicht, als ein Armutszeugnis dessen, der den Versuch unternahm.

Nach alledem ist es nicht ohne weiteres glaubhaft zu machen, daß dieser Raoul Aslan, wenn's darauf ankam, sich als kluger und kenntnisreicher Gesprächspartner entpuppen konnte, als Mann von Welt und Witz und souveräner Haltung. Die Geschichte, die das belegt, ist so über alle Maßen schön, daß ich sie hier festhalten müßte, auch wenn ich nicht das Glück gehabt hätte, sie von ihm selbst erzählt zu bekommen.

Es war nicht lange nach Beendigung des Zweiten Weltkriegs. Das Ensemble des Burgtheaters – dessen provisorische Spielstätte (ebenso wie das zerbombte Stammhaus) in der turnusweise unter sowjetischer Verwaltung stehenden Inneren Stadt lag – wurde zu einem Gastspiel nach Moskau eingeladen, wurde bejubelt und hofiert und wurde von den auf Sympathiewerbung bedachten Gastgebern mit wohlüberlegtem Takt behandelt: es war immer nur vom Theater die Rede, von seiner völkerversöhnenden Mission, von kulturellen Beziehungen, von historischen Berührungspunkten – aber mit keinem Wort von Politik. Erst beim festlichen Abschiedsbankett, als die von Wein und Wodka geförderte Stimmung zu zwanglosen Kontakten animierte, machte sich der russische Kulturoffizier – der natürlich perfekt Deutsch sprach – an Aslan als den Doyen des Ensembles heran, zog ihn ins Gespräch und stellte ihm nach einigem Hin und Her unvermittelt die Frage, um die man bis dahin einen weiten Bogen gemacht hatte:

»Herr Aslan, wie stehen Sie eigentlich zum Kommunismus?«

Nun war Aslan aus der von ihm glorreich und konzessionslos überstandenen Nazizeit an verfängliche Fragen gewöhnt und um unverfängliche Antworten nicht verlegen:

»Sie wissen«, sagte er und breitete mit hilfloser Grandezza die Arme aus, »ich bin ein gläubiger Christ.«

Der Kultur- und Werbe-Beauftragte schien etwas dergleichen erwartet zu haben; er nickte zustimmend:

»Dann sind wir uns einig, Herr Aslan. Jesus Christus war ja der erste Kommunist.«

Auch Aslan nickte und sah aus braunen Augen träumerisch vor sich hin:

»Ja«, sagte er. »Gewiß«, sagte er. »Und wenn Sie mir jetzt noch zugeben, daß er Gottes Sohn war, bin ich der Ihre.«

Das muß einem einfallen, meine ich. Und man darf füglich behaupten, daß Aslan mit dieser genialen Replik einem der primitivsten (und folglich beliebtesten) kommunistischen Propagandatricks endgültig den Garaus gemacht hat.

Wir verdanken ihm noch eine zweite endgültige Feststellung, seinem ureigenen Bereich entstammend und auf eine Ureigenschaft des Schauspielers bezogen, von der auch er selbst keineswegs frei war – was er wußte und bei ebendieser Gelegenheit eingestand. Die Eigenschaft heißt Erfolgsneid, und die Gelegenheit ergab sich, als Aslan einmal an der Leistung eines Kollegen kein gutes Haar ließ, obwohl sie, sowohl vom Rollenfach wie von der Altersstufe her, weit jenseits dessen lag, was er selbst hätte spielen können.

Einer der Zuhörer verwunderte sich über die Heftigkeit, mit der Aslan gegen jenen zu Felde zog:

»Das kann Ihnen doch gleichgültig sein, Herr Aslan. Auch wenn er noch so gut gewesen wäre, hätte er Ihnen keine Konkurrenz gemacht.«

»Was reden Sie da?« schnaubte Aslan. »Was wissen Sie vom Theater? Ich sage Ihnen: wenn die komische Alte in Iglau einen Lacher hat, nimmt sie ihn *mir* weg!«

Für den Fortbestand und die Weitergabe der zahllosen anderen Theatergeschichten, die ihn zum Mittelpunkt haben, ist – in welcher Form immer – gesorgt; eine einzige scheint mir vor der Gefahr, vergessen zu werden, nicht gänzlich gesichert. Sie betrifft den damals noch jungen Regisseur eines Ödipus-Dramas (nicht des klassischen, eines modernen), der mit Aslans Rollenauffassung nicht einverstanden war und sich in den ein wenig unglücklich formulierten Wunsch verrannte, Aslan möge die Figur des Ödipus »plastischer« anlegen. Als die Sache mit der Plastik zum fünften oder sechsten Mal an Aslans widerwilliges Ohr gedrungen war, konnte er nicht länger umhin:

»Ja ... gewiß ...«, sagte er (das sagte er immer, um einen vernichtenden Widerspruch scheinbar versöhnlich einzuleiten). »Es ist nur so ... Wenn Sie ›Plastik‹ sagen, denke *ich* an eine Statue des Praxiteles – und *Sie* an das Liebenbergdenkmal.«

Für alle Fälle sei vermerkt, daß das Denkmal des verdienstvollen Bürgermeisters zu den häßlichsten gehört, von denen das Stadtbild Wiens verunziert wird.

Ich würde nicht so weit gehen, den Schauspieler Eugen Jensen in den Rang der komischen Alten von Iglau einzustufen, aber sehr viel höher rangierte er nicht, das muß – bei allem Frieden, in dem er ruhe – denn doch gesagt sein. Jedenfalls hat er es in den achtzig Jahren seines Erden- und den sechzig Jahren seines Bühnenwallens über mehr oder minder wichtige Nebenrollen nie hinausgebracht. Ob er sich damit abgefunden hatte oder nicht – er war ein freundlicher alter Herr, und als ich ihn einmal allein an einem Kaffeehaustisch sitzen sah, schien es mir ein Gebot der Nächstenliebe, ihm mit einer kleinen Reminiszenz aufzuwarten, die für ihn um so erfreulicher sein mußte, als sie einen Zusammenhang zwischen ihm und dem großen Charakterkomiker Heinrich Eisenbach (TJ S. 91) herstellte. Die ganze Sache lag schon Jahrzehnte zurück, und es handelte sich, wie bei Jensen üblich, nur um eine kleine Charge – immerhin hatte er damals am Serienerfolg eines Lustspiels mit dem Titel »Doktor Stieglitz« (einer Glanzrolle Eisenbachs) mitgewirkt, und es würde ihn sicherlich freuen, daran erinnert zu werden; oder so dachte ich, als ich mich zu ihm an den Tisch setzte:

»Wissen Sie, Herr Jensen, daß ich Sie noch mit dem Eisenbach in ›Doktor Stieglitz‹ gesehen habe? Das muß Anfang der zwanziger Jahre gewesen sein.«

Jensen war sofort im Bild:

»Ja. Was sagen Sie, wie schlecht der Eisenbach war?«

Ist schon das Weltbild des Schauspielers einigermaßen eingeengt – das Weltbild seiner Mutter ist es noch mehr. Der Schauspieler mag sich unter Umständen zu dem Zugeständnis bereitfinden, daß es außer ihm noch ein paar andere gibt (wenn auch schlechtere) – für seine Mutter ist er nicht nur der beste, sondern der einzige Schauspieler überhaupt. Fritz Kortners Mutter saß einmal in einer Aufführung von Shakespeares »Richard II.«, in der ihr Sohn die Titelrolle und Mathias Wieman den Bolingbroke gab. Sie saß neben einer Dame, von der sie nicht wissen konnte, daß es die Gattin Wiemans war, die jedoch ihrerseits wußte, wer neben ihr saß. Sonst hätten wir niemals erfahren, daß während der großen Szene zwischen Richard und Bolingbroke im 3. Akt Kortners Mutter sich zu ihrer Sitznachbarin beugte und fragte:

»Wer ist der andre?«

Die Überzeugung, daß es nur *einen* Schauspieler gebe, war ebenso tief in der Mutter des Heldendarstellers Fritz Valk verankert, und sie gab dieser Überzeugung jedesmal, wenn sie ihren Sohn nach einer Premiere vor der Bühnentüre erwartete, weithin hörbaren Ausdruck. Nicht genug daran, äußerte sie auch ihre abfällige Meinung über alle übrigen Mitwirkenden so lautstark, daß sie damit den Unwillen der Betroffenen hervorrief, die sich bei Valk immer nachdrücklicher beklagten. Valk, dem das natürlich unangenehm war, beschwor seine Mutter, sich größere Zurückhaltung aufzuerlegen, und als das nichts fruchtete – »Warum soll ich denn nicht die Wahrheit sagen dürfen?« beharrte die alte Dame –, schärfte er ihr ein, in Hinkunft wenigstens keine Namen zu nennen, sondern, wenn's denn schon sein muß, sich mit den Anfangsbuchstaben zu begnügen. Was sie ihm auch versprach.

Und so empfing sie nach einer Aufführung der »Räuber«, in der Valk den Franz Moor gab, ihren Sohn im Kreise der Wartenden mit dem Zuruf:

»Ich bitte dich, Fritz – welcher Patzer hat heute den alten M. gespielt?«

Es folgen drei weitere »primäre« Theatergeschichten, zu deren

Verbuchung ich mich aus einem einleuchtenden Grund gehalten und berechtigt, wo nicht gar verpflichtet fühle: sie stammen aus Budapest und könnten, da sie nichts mit Ferenc Molnár zu tun haben, nur allzu leicht in Vergessenheit geraten. Ich verdanke ihre Kenntnis dem ungarischen Bühnen- und Filmschriftsteller Miklos Lászlo, der sie mir in Hollywood erzählt hat und von dem im dazugehörigen Abschnitt noch die Rede sein wird.

Ihr Held ist Sándor Hevesi, langjähriger Direktor des ungarischen Nationaltheaters und im ganzen Lande nicht nur als Theatermann, sondern mehr noch seines beißenden Witzes wegen hochberühmt. Alle Geschichten, die über ihn erzählt werden, sind – wie ausnahmslos alle Erzähler ungarischer Geschichten mit Tränen in den Augen versichern – auf ungarisch selbstverständlich tausendmal besser als in irgendeiner andern Sprache; aber zumindest die beiden folgenden werden auch auf deutsch ihre Wirkung ausüben – vielleicht weil sie nicht auf Ungarn und nicht einmal auf das ungarische Theater beschränkt sind; sie umfassen das Phänomen Theater schlechthin.

Zu den Klassikern der nicht exportierbaren ungarischen Bühnenliteratur gehört ein Volksstück, das »Süt a Nap (Es scheint die Sonne)« heißt und von der Lebens- und Leidensgeschichte eines Dorfpfarrers handelt. Dieser Pfarrer, Wunsch- und Traumrolle von Generationen ungarischer Heldenväter, war im unantastbaren Besitz des populären Schauspielers Imre Pethes, und als er gestorben war, wagte sich kein andrer an die Rolle heran. Endlich, weil das Stück doch nicht vom Spielplan verschwinden durfte, wurde es im Nationaltheater wieder angesetzt. Endre Almásy, der erste Charakterdarsteller des Hauses, ging das Risiko ein, sich dem Vergleich mit Pethes auszusetzen, und Direktor Hevesi persönlich übernahm die Regie.

Nach langer, gründlicher Probenzeit war er mit allem zufrieden – nur mit der Schlußszene nicht, die für das Stück von entscheidender Wichtigkeit ist. Der Pfarrer nämlich (aus Gründen, deren Darlegung hier zu weit führen würde) liegt mit sich selbst in schwerem Hader, ob er noch einmal in die Kirche gehen und predigen soll, scheint sich bereits zum Verzicht entschlossen zu haben und stößt seinen Entschluß, von dem zahlreiches Menschenschicksal abhängt, im letzten Augenblick doch wieder um. Die Bühne stellt den Pfarrplatz dar, links die Kirche, rechts das Pfarrhaus, vor dem Kirchenportal die reglose Schar der Gläubigen, und man kann sich denken, mit welch angespannter Erregung sie darauf warten, ob die Türe des Pfarrhauses sich öffnen und der Pfarrer erscheinen wird, um seines Amtes zu walten. Sie öffnet sich, er erscheint, er waltet, und alles ist gut.

An dieser Szene wollte Hevesi keinen rechten Gefallen finden. Die Art, wie der Pfarrer seinen Weg zur Kirche nahm, überzeugte ihn nicht. Etwas fehlte, ohne daß er genau zu sagen vermochte, was. Immer wieder ließ er den Gang wiederholen – bis aus dem geplagten Almásy schließlich die laute Verzweiflung hervorbrach:

»Ich weiß wirklich nicht, was Sie wollen, Herr Direktor. Auch Pethes hat die Szene nicht anders gespielt!«

Hevesi schüttelte traurig den Kopf:

»Sie irren, lieber Freund. Pethes ist aus seinem Haus über den Pfarrplatz in die Kirche gegangen. Sie, Herr Almásy, gehen aus der Kulisse rechts über die Bühne zur Kulisse links.«

Nicht minder profund durchleuchtete Hevesi das Wesen der Schauspielerei, als er mit einer Einstudierung des »König Lear« einen sehr jungen Regisseur betraut hatte, der gleich auf der ersten Probe mit dem königlichen Hauptdarsteller heftigst aneinandergeriet. Neuling, der er auch im Umgang mit Schauspielern war, wußte er sich gegen die wüsten Invektiven des auf Ruhm und Erfahrung pochenden Stars nicht zu helfen und flüchtete schließlich zitternd in die Direktionskanzlei.

Hevesi hörte sich seine Beschwerde mit väterlicher Geduld bis zum Ende an, ehe er ihn beschwichtigte:

»Lieber junger Freund, Sie dürfen sich nicht kränken und Sie dürfen sich nicht wundern. Bedenken Sie doch, mit wem Sie es zu tun haben: ein erwachsener Mensch, der sich jeden Abend einen Bart ins Gesicht klebt – schreit, daß er ein König ist – und *glaubt's!*«

Die dritte Theateranekdote magyarischen Ursprungs zeichnet sich durch ein seltsames Ineinanderquellen der an sich divergenten Sphären »Kunst« und »jüdisches Familienleben« aus.

Am Nationaltheater gab es einen kleinen Chargenspieler namens Gyula Boros, der so erbärmlich schlecht war, daß die Kritik keine Gelegenheit vorbeigehen ließ, ohne ihn ausführlich zu verreißen, wobei der Verriß nicht selten größeren Textumfang aufwies als die von Bardos dargestellte Rolle. Allmählich sprach sich das bis ins heimatliche Szeged herum, und als der zu so trauriger Berühmtheit gelangte Mime wieder einmal an den hohen jüdischen Feiertagen nach Hause kam, empfing ihn gedrückte Stimmung.

Indessen fiel während der festlichen Mahlzeit kein Wort, das ihn darüber aufgeklärt hätte. Erst nachher winkte ihn sein Vater ins Nebenzimmer:

»Gyula, mein Junge«, begann er stockend. »Es ist nicht meinetwegen ... Aber die Mama kränkt sich so ... Ich bitte dich: spiel gut!«

Ungefähr in die gleiche Zeit, um 1930, fällt der Besuch des Hollywooder Filmproduzenten George Cukor in Budapest. Als Sohn eines jüdischen Getreidehändlers namens Zucker in Debrecen geboren, kam er jetzt, vom Glanz des Filmmagnaten umstrahlt, in die alte Heimat und erfreute sich dort der liebevollen Aufmerksamkeit nicht nur der Film- und Theaterwelt und nicht nur der Freunde von früher, sondern ganz besonders der Bühnenautoren, die sich von ihm ein Engagement nach Hollywood erhofften. Zwei der prominentesten, László Fodor und László Bus-Fekete, wetteiferten im Bestreben, seine Aufmerksamkeit zu erregen, bestachen – unabhängig voneinander – den Hotelportier, sie über die Pläne und Wege des umworbenen Gastes zu informieren, bald saß der eine im Theater neben ihm, bald der andre in einem Restaurant – doch konnte keiner, wie raffiniert er auch zu Werke ging, seinem Konkurrenten den Rang ablaufen.

Eines Tages wurde dem offenbar finanzkräftigeren Fodor unter dem Siegel sowohl der Verschwiegenheit wie der Exklusivität die

Nachricht zugespielt, daß Cukor sich morgen mit dem Mittagsschnellzug nach Debrecen begeben würde, um das Grab seiner Eltern zu besuchen. Fodor wußte sofort, was er zu tun hatte. Er machte eine etwas frühere Zugverbindung ausfindig, erstand am Debrecener Bahnhof einen großen Blumenstrauß, ließ sich vom Friedhofswärter die Lage des Zuckerschen Familiengrabs angeben, folgte dem Haupteingang II, bog in den Seitengang 7 ein – und prallte entsetzt zurück:

Über dem Grab lag schluchzend Bus-Fekete.

Ich bin mit den beiden Lászlós (und noch einigen anderen) zehn Jahre später in Hollywood oft beisammengesessen und werde von ihnen noch manches zu erzählen haben, wenn mein Bericht in den vierziger Jahren angelangt ist. Dann aber wird jenes Budapest, in dem wir jetzt zu Gast waren, für alle Zeiten ausgelöscht sein, das Budapest der Molnár und Marton, der Fodor und Bus-Fekete, des »Pester Lloyd« und des »Pester Journal« – ja, in der Tat, es gab in Budapest noch jahrelang zwei deutschsprachige Tageszeitungen, von denen der »Pester Lloyd« als eine Art Gegenstück zur Wiener »Neuen Freien Presse« galt und jedenfalls als eine Zeitung von Niveau, welches man weder dem »Pester Journal« noch dessen Lesern nachrühmen konnte, und einer nie dementierten Legende zufolge soll ein jüdischer Kolporteur dieses Blättchens, der an einer Straßenecke unablässig und lautstark »Kaufen Sie den Pester Journal! Kaufen Sie den Pester Journal!« ausrief, vom zufällig des Weges kommenden Chefredakteur ermahnt worden sein, daß es nicht *der* sondern *das* Journal heiße, und soll ihm darauf geantwortet haben: »Herr Doktor, die was das wissen, kaufen sowieso den Pester Lloyd« . . . dieses Budapest also, dessen Kaffeehauskultur den Vergleich mit Wien und Prag in keiner Weise zu scheuen brauchte, hat ungefähr um die gleiche Zeit wie jenes Wien und jenes Prag zu existieren aufgehört, und wer es noch gekannt hat, wird es nicht vergessen.

Mir jedoch stünde es übel an, Budapesterisches zu registrieren und Prag zu vernachlässigen.

Was eine richtige Pointe ist, muß das Zeug zum Zitat in sich haben, muß sich in möglichst vielen und vom ursprünglichen Anlaß möglichst weit entfernten Zusammenhängen anwenden lassen. Die Geschichte vom Theaterdebüt Hans Oplateks aus Prag hat eine solche Pointe, und ihre Anwendbarkeit wurde (nicht just zu meiner Freude) an mir selbst ausprobiert.

Hans Oplatek entstammte einer braven israelitischen Kaufmannsfamilie und stieß mit seinem frühzeitig geäußerten Wunsch, zum Theater zu gehen, auf jenen damals traditionellen Widerstand, mit dem brave Kaufmannsfamilien (und keineswegs nur israelitische) allen derartigen Wünschen, ja dem Theater als Ganzem, zu begegnen pflegten.

Hier wird, zu Illustrationszwecken, eine Einschub-Geschichte fällig; ihr Gewährsmann ist der heute hochbetagt in Hollywood lebende Roman- und Filmschriftsteller Georg Fröschel, der in seiner Jugend – sie fiel noch in die Zeit vor dem Ersten Weltkrieg – zwar nicht zum, aber desto leidenschaftlicher *ins* Theater gehen wollte. Er war, kurz gesagt, ein Theaternarr und im besonderen ein Verehrer des großen Burgtragöden Josef Kainz (der auf die Frage, warum er nie den Faust gespielt habe, eine Antwort von wahrhaft klassischem Format gab: »Den Faust kann nur ein wirklich bedeutender Mensch spielen – und ein wirklich bedeutender Mensch wird nicht Schauspieler«). Der Gymnasiast Fröschel fand für seine Theaterleidenschaft und seine Kainz-Verehrung volles Verständnis bei Mutter und Schwester – nur der mehr kommerziell eingestellte Papa wollte von diesen Narreteien nichts wissen. Als nun Kainz wieder einmal den Hamlet spielte – laut einhelligen Berichten noch lebender Augenzeugen eine unerreichte Meisterleistung –, gelang es der Familie, ihr theaterfeindliches Oberhaupt zum Mitkommen zu bewegen. Das war, wie sich zeigte, allerdings schon der einzige Erfolg ihrer Bemühungen. Vater Fröschel verschlief gut die Hälfte der Vorstellung und war zu keiner wie immer gearteten Äußerung über die empfangenen Eindrücke bereit, auch auf dem Heimweg nicht, der von allen Beteiligten stumm zurückgelegt wurde. Während das jedoch bei Mutter, Sohn und Tochter daran lag, daß sie für den Tiefgang des Erlebnisses keine Worte fanden, hatte das väterliche Schweigen etwas unverkennbar Griesgrämiges an sich.

Man war zu Hause angelangt und stand, immer noch stumm, im Vorzimmer. Endlich, weil irgend etwas doch wohl gesagt werden mußte, raffte sich die Mutter zu einem hilflosen Ausdruck ihrer Erschütterung auf:

»Es war wunderbar«, hauchte sie beseligt vor sich hin.

Auch die Tochter verzichtete auf jedwede Blumigkeit:

»Wunderbar«, wiederholte sie. »Einfach wunderbar.«

Und Georg resümierte:

»Ja, wirklich. Man kann nichts andres sagen als wunderbar.«

Vater Fröschel hatte die Sprechenden aufmerksam angesehen und jede ihrer kargen Äußerungen mit galligem Nicken zur Kenntnis genommen. Jetzt deutete er mit dem Zeigefinger der Reihe nach auf seine Familienmitglieder und wiederholte mit geschäftsmäßig nüchterner Stimme, wie er sie sonst etwa beim Zusammenfassen der einzelnen Posten eines Lieferauftrags einsetzen mochte:

»Wunderbar – wunderbar – wunderbar. Gehmer schlafen.«

Der in ähnlichem Milieu aufgewachsene Hans Oplatek also ließ sich vom Widerstand seiner Familie nicht hindern, besuchte eine Schauspielschule und absolvierte sie mit dem greifbaren Erfolg, daß er als einziger seiner Klasse sofort ein Engagement bekam; und zwar nach Budweis, wo es damals – wie in einer Reihe anderer gemischtsprachiger Städte – noch ein deutsches Theater gab. Nicht genug am Engagement als solchem, bekam er auch gleich eine Rolle in der Eröffnungspremiere: den Oberpriester Arkas in Goethes »Iphigenie auf Tauris« (auch heute noch gehört es zum ehernen Brauchtum sämtlicher Provinzbühnen, die Saison mit einem schweren Klassiker zu eröffnen). Oplatek kostete seinen minder glücklichen Kollegen gegenüber den zweifachen Triumph weidlich aus, begann jedoch unter ihren hämischen Gegenäußerungen und schwarzmalerischen Prophezeiungen allmählich Wirkung zu zeigen, und als er wenige Tage vor der Premiere an die Stätte seiner künftigen Tätigkeit und seines künftigen Ruhms abreiste, um mit der nicht sehr umfangreichen Rolle des Arkas in die letzten Proben einzusteigen, hatte sich seine hoffärtige Zukunftsgewißheit auf ein Minimum reduziert, gegen das seine Neider nicht ankonnten: »Was immer geschieht«, hielt er ihnen trotzig entgegen, »nächste Woche steht mein Name in der Zeitung – und das ist mehr, als einer von euch sagen kann.«

Die Premiere fand unter allen üblichen Erfolgsanzeichen statt und wurde tags darauf mit der üblichen Ausführlichkeit im »Budweiser Tagblatt« besprochen. Hohes Lob ergoß sich auf alle Beteiligten: auf den Direktor für das Niveau seiner Spielplangestaltung, auf Regisseur und Bühnenbildner für die hervorragende Künstlerschaft, mit der sie die Intentionen unsres Dichterfürsten verwirklicht hatten, und vor allem auf die Darsteller, deren jeder in einem eigenen Absatz gewürdigt wurde, Iphigenie und Thoas, Orest und Pylades. Der letzte dieser Absätze aber bestand aus einem einzigen, kurzen Satz von solcher Wucht, daß sogar sein grammatikalisches Gefüge ins Wanken geriet:

»Arkasse hatten wir in Budweis schon bessere.«

Die lapidare Formulierung gelangte alsbald und mit Recht zu großer Popularität und wurde in den kunstsinnigen Kreisen Prags zu einem häufig angewandten Zitat, dessen Spitze – wie eingangs angedeutet – sich einmal auch gegen mich kehrte. Egon Erwin Kisch, dem ich auf seinen Wunsch eines meiner Bücher geschickt hatte, teilte mir auf offener Karte sein Urteil mit; es bestand aus dem oben zitierten Satz.

Über eine wesentlich kräftiger ausgebildete Selbstsicherheit als Hans Oplatek (der seine Bühnenkarriere nach kurzem aufgab) verfügte der aus dem Osten der einstigen Monarchie stammende Baßbariton Josef Schwarz, der als blutjunger Anfänger nach Prag engagiert wurde und sich dort zu einem gefeierten Wagnersänger entwickelte. Das stand nicht unbedingt im Einklang mit seiner Herkunft, die sich unter anderm in einer mangelnden Vertrautheit mit den germanischen Aspekten der Wagnerschen Szenerie geltend machte. »Ich bitt' Sie, Frau Appelt«, wandte er sich einmal an seine Zimmervermieterin, »Sie kennen doch die Leute – wer ist Walhalla?« Aber es dauerte nicht lange, bis er nicht nur über die altdeutschen Götter, sondern, was ihm wichtiger war, auch über seinen eigenen Wert Bescheid wußte, und bis Leopold Kramer, der damalige Direktor des Prager Deutschen Theaters, die Zeit gekommen sah, ihm einen Dämpfer aufzusetzen; er beschied den nun schon ein wenig Dünkelhaften zu sich:

»Herr Schwarz«, begann er, »ich habe Sie gestern als Wotan gehört. Sie waren nicht sehr gut.«

»Sagen *Sie*«, entgegnete Schwarz geringschätzig.

Kramer, seinerseits ein Schaupsieler und Regisseur von Rang, aber kein Opernfachmann, fand es angezeigt, sich auf das Urteil Zemlinskys zu berufen, des Dirigenten der Aufführung:

»Es tut mir leid, aber auch Herr Zemlinsky ist der Meinung, daß Ihr Wotan einiges zu wünschen übrig läßt.«

»Sagt *er*«, lautete die abermals bagatellisierende Replik des Sängers Schwarz. Er war durch nichts an sich irrezumachen.

Von durchaus andrer Herkunft als Schwarz, nämlich von alpenländischer, war der Bassist Grengg, der an der Wiener Oper wirkte, als sie noch k.k. Hofoper hieß. Er stand im Ruf jenes wienerisch jovialen Antisemitismus, wie ihn der damalige Bürgermeister Lueger gepflegt hatte, stieß auf dieser Basis wiederholt mit dem Hofoperndirektor Gustav Mahler zusammen und ist der Held einer Geschichte, die von Leo Slezak an seinen Sohn Walter gelangt war und von Freund Walter (TJ S. 71) an mich. Die Vorgeschichte der Geschichte entbehrt nicht eines gewissen zeitsymptomatischen Hintergrunds: Ein vom Judentum zum Katholizismus konvertiertes Ehepaar namens Zwack hatte in Rom an einem Pilgerempfang teilgenommen und hatte – sei's vor Aufregung, sei's aus Unkenntnis der Zeremonie – bei der Darreichung der Hostie auf unglückselige Art versagt, hatte die Oblate nicht zu schlucken vermocht und sie nach einigem Würgen wieder von sich gegeben. Der Vorfall erregte beträchtliches Aufsehen und wurde von einem Teil der Presse zu einem Akt vorsätzlicher Religionsschändung gestempelt – eine tendenziöse Mißdeutung, die sich der Bassist Grengg prompt zu eigen machte. Um seinen Unmut an die richtige Adresse loszuwerden, ließ er mangels eines andern zweckdienlichen Empfängers den jüdischen Souffleur Blau in seine Garderobe kommen:

»Alsdann, Blau«, begann er mit unheilvoll gerunzelter Stirn. »Ös Juden habts unsre heiliche Hostie ausg'spieben.« Und richtete sich drohend auf und donnerte: »Da werden *wir* euch nächstens in die Bundeslade scheißen!«

Zweierlei ist an dieser Äußerung bemerkenswert: erstens schien Grengg den Schrein, in dem die Torah als Zeichen des Bundes zwischen Gott und den Kindern Israels aufbewahrt wird, für eine Art Schublade zu halten, und zweitens haben wir hier einen ersten, noch rudimentären Fall von Kollektivschuld und Sippenhaftung vor uns.

Der Broadway, New Yorks weltberühmte Hauptverkehrsader, beginnt am Hafen und erstreckt sich viele Kilometer lang bis nach Harlem hinauf. Als Leo Slezak wieder einmal an der Metropolitan Opera gastierte, brach in einem der am Hafen gelegenen Lagerhäuser ein Großbrand aus. Es dauerte ein wenig, ehe die Nachricht in die Wiener Blätter gelangte, und es dauerte noch etwas länger, ehe Slezak in seinem Ecke Broadway und 74. Straße gelegenen Hotel einen Brief seiner in Wien zurückgebliebenen Familie erhielt, in dem es hieß:

»Wir haben in der Zeitung mit großem Schrecken gelesen, daß es in Deiner Gasse gebrannt hat . . .«

Einerseits kann man nicht über das deutschsprachige Theater der Zwischenkriegszeit schreiben und Max Reinhardt übergehen, anderseits kann man über Max Reinhardt nicht »nur so«, nicht en passant und nebenbei schreiben; dazu war er, wie immer man ihn als Regisseur beurteilen mag (und ich für meine Person mag ihn beurteilen wie immer), eine zu große Persönlichkeit. Unter den vielen Schauspielern, denen ich begegnet bin, gab es keinen einzigen, der von Reinhardt nicht geschwärmt hätte, einschließlich derer, die ebenso wie ich an Karl Kraus und an seine künstlerische Urteilskraft glaubten, also auch seine Vorbehalte gegen Reinhardt hätten teilen müssen. Aber die teilten sie nicht, gerade die nicht.

In dieser und nur in dieser Alternative standen sie auf der Seite Max Reinhardts. Sie waren von seiner Größe überzeugt, ohne daß sie's zu begründen gewußt hätten – und das ist eine Art von Begründung, gegen die man nicht aufkommt. Da ich kein Schauspieler bin, entzog sie sich meinem Verständnis.

Als ich Max Reinhardt kennenlernte, verstand ich sie. Und da ich hier über den Theatermann Max Reinhardt – weil's nicht hierher gehört, weil ich kein Bedürfnis danach habe und weil's mir vielleicht auch an der nötigen Kompetenz gebricht – nichts aussagen kann, möchte ich wenigstens seiner Persönlichkeit huldigen, der ich schon nach wenigen Minuten verfallen war, nicht anders als die kleinsten und die größten Schauspieler, die jemals mit ihm zu tun hatten.

Unsre erste Begegnung – sie blieb nicht die einzige (wobei es höchst förderlich ins Gewicht fiel, daß auch er ein Nachtmensch war) – erfolgte Anfang der vierziger Jahre in Hollywood, im Haus von Franz und Alma Werfel, dem ich noch andere wertvolle Bekanntschaften zu verdanken hatte (TJ S. 239). An eine frühere, flüchtig-formelle Begegnung in Wien konnte sich Reinhardt begreiflicherweise nicht erinnern, und von mir konnte er nichts weiter gewußt haben, als daß ich ein verhältnismäßig junger Schriftsteller war.

Irgendwie brachte Reinhardt unser Gespräch, an dem sich auch Werfel beteiligte, auf Dostojewski und auf die Unmöglichkeit, seine Romane zu dramatisieren – eine Ansicht, die Werfel und ich vollauf bejahten. Allerdings gäbe es da eine Ausnahme, meinte Reinhardt, eine einzige Ausnahme: den »Spieler«. Plötzlich heftete er den Blick seiner strahlend blauen Augen sekundenlang auf mich und sagte im Tonfall einer längst getroffenen Klarstellung, die es jetzt nur noch zu bestätigen galt:

»Das wäre doch etwas für Sie.«

Ich erbleichte. Denn schon als Gymnasiast, bei meiner ersten Lektüre des »Spielers«, hatte ich das zwingende Gefühl gehabt, daß man aus diesem Roman ein Theaterstück machen müßte; und meine geheime Hoffnung, dazu vielleicht selbst einmal in der Lage zu sein, hatte mich nie verlassen.

Wieso Max Reinhardt das ahnte, ist mir unerfindlich. Aber wenn er mich damals noch fünf Sekunden länger angesehen hätte, wäre ich sofort nach Hause und an die Arbeit gegangen – an eine völlig aussichtslose, völlig brotlose Arbeit, die auch nicht die allergeringste Chance besaß, jemals ein Theater zu erreichen. Ich hätte sie trotzdem auf mich genommen, betört von Reinhardts verführerischem Blick und weil er gewußt hatte, daß das etwas für mich wäre. Zum Glück ist er nie wieder darauf zu sprechen gekommen.

Es lag mir daran, seiner faszinierenden Persönlichkeit – deren Wirkung auf Schauspieler mir von Stund an kein Rätsel mehr war – diesen kleinen Tribut zu zollen, ehe ich mich an die Aufzeichnung einiger Geschichten mache, die – wie schon ihre Vorgänger (TJ S. 221) – nur insoweit mit Reinhardt zu tun haben, als sie in seiner unmittelbaren Umgebung spielen. Er fungiert sozusagen als Ort der Handlung, die sich freilich ohne ihn nicht hätte entwikkeln können.

Zum Beispiel hätte es dann die ihrerseits höchst originelle, fast schon geheimnisvolle und jedenfalls undefinierbare Figur seines Betreuers Rudolf Kommer nicht gegeben, um dessen Entschlüsselung sich schon Alfred Polgar vergebens bemüht hat. Gelegentliche, aus Ratlosigkeit entstandene Vermutungen, daß es sich vielleicht um einen heimlichen Mäzen handle oder um den Beauftragten eines solchen, wurden von Reinhardt selbst (unbeabsichtigt und unbewußt) dementiert, als er einmal Alfred Polgar beiseite nahm und ihn flüsternd fragte: »Können *Sie* mir vielleicht sagen, wovon dieser Kommer eigentlich lebt?« Er war vorhanden und war ständig um Reinhardt herum – Konkreteres wird sich wohl kaum über ihn aussagen lassen. Am ehesten entsprach er noch dem Begriff des »Kümmerers«, wie er sonst im Gefolge verwöhnter Damen auftritt: ein erfolgloser Liebhaber, der sich mit seiner Erfolglosigkeit abgefunden und seine Zielstrebigkeit aufgegeben hat, um weiterhin im Bannkreis der Umworbenen verbleiben zu dürfen. Gleichviel: Kommer war akzeptiert, Kommer gehörte dazu, ohne Kommer kein Reinhardt.

Er stammte aus Czernowitz, der Hauptstadt des einstigen k.k. Kronlandes Bukowina, einer schon damals beinahe legendären

Mischsiedlung aus ruthenischen, polnischen, deutschen und jüdischen Elementen, die sich dort zu einem besonders fruchtbaren Humus zusammengetan hatten und die altösterreichische Kulturlandschaft so saftig speisten, daß man füglich von einem »Brünn des Ostens« hätte sprechen dürfen. Mir selbst wurde noch die unvergeßliche Schicksalsgunst zuteil, daß meine ersten Veröffentlichungen in Wiener und Prager Zeitungen vom »Czernowitzer Morgenblatt« nicht nur nachgedruckt, sondern sogar honoriert wurden. Die Czernowitzer Universität und das Czernowitzer Theater – beide deutschsprachig – erfreuten sich in der alten Monarchie und ihren Nachfolgestaaten hohen Ansehens, und das deutsch-jüdische Czernowitzer Idiom leistete den zahllosen Witzchen und Spötteleien, mit denen man die Betriebsamkeit der kulturhungrigen Einwohner bedachte, Vorschub und gute Dienste.

Rudolf Kommer bekannte sich stolz und trotzig zu seiner Czernowitzer Herkunft und kam all denen, die sich dieserhalb über ihn lustig machen wollten, schon dadurch zuvor, daß er seine Visitkarte mit den Initialen »a. C.« versehen ließ, um auf die Frage, was diese ungewöhnliche Abkürzung bedeute, herausfordernd antworten zu können: »aus Czernowitz!« Auch verschreckte er Neulinge im Kreis um Reinhardt gerne mit der Behauptung, daß Czernowitz kulturell höher stünde als London: in der Royal Library gäbe es nur ein einziges Buch über Czernowitz, indessen die Czernowitzer Stadtbibliothek ein Dutzend Bücher über London bereithielte.

Ohne Kommers demonstrative Beziehung zu seiner Heimatstadt wäre es nie zu jener Geschichte mit Herrn von Seeckt gekommen, die keinesfalls in Vergessenheit geraten darf. Sie spielt Anfang der dreißiger Jahre auf Schloß Leopoldskron bei Salzburg, an einem der berühmten Empfänge, die Max Reinhardt während der Festspielzeit zu veranstalten liebte. Unter den Geladenen befand sich auch Generaloberst Hans von Seeckt, einer der namhaften deutschen Heerführer und – was nicht ohne weiteres zu vermuten, jedoch vielfach erhärtete Tatsache war – ein ungemein artikulierter, feinsinniger, dem Theatermann Reinhardt verehrungsvoll zugetaner Kunstfreund, also das ziemlich genaue Gegenteil seiner äußeren Erscheinung, welche durchaus dem Klischee des monokelbewehrten preußischen Junkers entsprach. Nur ganz selten einmal brach dennoch das Militärische aus ihm hervor.

Als der offizielle Teil des Abends sich dem Ende näherte, wurde Kommer – wie das bei solchen Anlässen häufig geschah – beauftragt, einigen auserwählten Gästen, darunter auch Herrn von Seeckt, unauffällig zuzuflüstern, daß sie ein wenig länger bleiben sollten, der Professor würde hernach im Bibliothekszimmer gerne noch mit ihnen plaudern.

An diesem Abend war Kommer häufiger als sonst mit Anspielungen auf Czernowitz gehänselt worden, und als die Sticheleien sich auch im intimen Kreis fortsetzten, fühlte er sich gehalten, den Fremdling aus Preußen, dem das vielleicht nicht verständlich wäre, über die Hintergründe aufzuklären:

»Sie müssen wissen, Exzellenz, daß ich aus Czernowitz stamme«, begann er. »Czernowitz liegt im Osten der ehemaligen Habsburgermonarchie und steht im Ruf –«

Aber da wehrte der Generaloberst von Seeckt mit einer knappen Handbewegung jede weitere Erklärung ab:

»Danke«, schnarrte er. »Habe die Stadt zweimal eingenommen.«

Es ist keine Frage, daß zur Umgebung des Theaters auch das Cabaret gehört, mit verschwimmenden Grenzen sogar, und zur Blütezeit beider – in den späten zwanziger und frühen dreißiger Jahren – wurde manch ein Star des Cabarets ans Theater geholt, ohne daß er das etwa als Aufstieg empfunden hätte, so wenig wie ein am Cabaret gastierender Bühnenstar befürchten mußte, daß dies vielleicht als Abstieg gedeutet werden könnte. Ich habe Fritz Grünbaum in der ursprünglich von Werner Krauß kreierten Titelrolle von Hasenclevers »Napoleon greift ein« am Wiener Volkstheater gesehen und in Berlin Harald Paulsen am »Kabarett der Komiker« in der Hauptrolle einer richtigen kleinen Spieloper (»Spuk im Warenhaus«). Da hier kein Fach- oder Nachschlagewerk zu schreiben ist, unterbleibt die Nennung der vielen prominenten Namen, die in jedem Programm dieses von Kurt Robitschek geleiteten Kabaretts aufgeboten waren. Berichtet wird lediglich, daß Robitschek, um den künstlerischen Rang seines Instituts ins rechte Licht zu setzen, unter weithin schallendem Reklamegetrommel ermäßigte Studentenkarten einführte, wie es sie im allgemeinen nur bei den Klassikeraufführungen der großen Theater gab. Er wollte eben dartun, daß auch er der studierenden und somit bildungsbeflissenen Jugend etwas zu bieten hatte.

Nun war Robitschek kein uneigennütziger Kunst- und Niveauförderer, sondern ein Geschäftsmann von penibler Geldgier; infolgedessen stand er, als die Neueinführung erstmals in Kraft trat, nahe der Kassa am Kontroll-Eingang, um jeglichen Mißbrauch hintanzuhalten.

Es nahte ein junger Mann, wies sich mit seiner Studentenlegitimation aus und beanspruchte die angekündigte Ermäßigung.

Schon näherte sich Robitschek.

»Wissen Sie nicht, daß Studentenkarten am Vormittag abgeholt werden müssen?«

»Entschuldigen Sie«, rechtfertigte sich zaghaft der Zurechtgewiesene. »Am Vormittag bin ich auf der Universität.«

»Ja – wenn Ihnen das wichtiger ist?!« tadelte Robitschek, wandte sich mit einem bedauernden Achselzucken ab und überließ den Armen der Pein, entweder eine Karte zum vollen Preis zu erwerben oder auf den erhofften Kunstgenuß zu verzichten.

Dann und wann trat Robitschek – vielleicht um Gagen zu sparen, vielleicht aus altem Rampenehrgeiz – in seinem eigenen Haus mit Solodarbietungen auf, die nicht gerade zu den Glanzpunkten des betreffenden Programms gehörten und weder vom Publikum noch von den übrigen Mitwirkenden besonders geschätzt wurden; aber gegen den Direktor – der auch sonst keine übergroße Beliebtheit genoß – waren sie alle machtlos.

Ein einziger war es nicht: der unvergleichliche, auf einsamer Höhe über dem Kabarett-Gewimmel thronende Fritz Grünbaum, einer der gescheitesten, geistreichsten, liebenswertesten Menschen, denen ich jemals begegnet bin und um dessen freundschaftliche Zuneigung – sie wurde mir durch seinen Tod im KZ Dachau gewaltsam entrissen – ich noch heute trauere.

Grünbaums Conférencen waren kleine Meisterwerke einer subtilen, niemals aufdringlichen Pointierungskunst, waren gesprochene Feuilletons, die auch als solche hätten bestehen können. (Ich habe ihm, wenn ich mich ausnahmsweise einmal selbst zitieren darf, in der Kritik eines von ihm gehaltenen Vortrags über »Humor als Weltanschauung« nachgerühmt, daß er auf derselben Etage wie Alfred Polgar wohnt und nur zu einem anderen Fenster hinaussieht.)

Es fügte sich, daß Grünbaum am »Kabarett der Komiker« die Conférence innehatte, als Robitschek wieder einmal das dringende Bedürfnis verspürte, im Solo aufzutreten. Grünbaum pflegte zu seinen Conférencen von so entlegenen Ansatzpunkten auszuholen, daß man sich immer zu der Frage versucht fand, wie er denn von hier aus das Thema ansteuern wollte. So geschah es auch diesmal. Er begann scheinbar planlos von einer lebensgefährlichen Situation zu erzählen, in die er vor kurzem geraten sei, von der Todesangst, die er ausgestanden und von dem Schwur, den er da abgelegt habe: nie wieder würde er sich zu einer häßlichen Äußerung über einen seiner Mitmenschen hinreißen lassen, kein böses Wort sollte jemals über seine Lippen kommen, und da könnte einer noch so widerlich, noch so unbegabt und humorlos sein – er, Grünbaum, würde nur Gutes über ihn sagen. Dann machte er eine kleine Pause und schloß:

»Meine Damen und Herren, ich habe das Vergnügen, Ihnen den Auftritt eines besonders sympathischen, talentierten und humorvollen Künstlers anzukündigen – Kurt Robitschek.«

Wer sich an die Verfilmung des Romans »Ariane« von Claude Anet (mit Elisabeth Bergner und Rudolf Forster) nicht erinnert, dem sei die berühmte Schlußszene ins Gedächtnis gerufen: Forster, der männliche Teil des allem Anschein nach endgültig auseinandergegangenen Liebespaars, steht unmittelbar vor seiner Abreise in der Bahnhofshalle, verzweifelt Ausschau haltend, ob die

Geliebte nicht vielleicht doch ... aber nein, sie kommt nicht, Abfahrtssignale ertönen, Türen fallen zu, auch Forster muß einsteigen, schon steht er auf dem Trittbrett – und da, im allerletzten Augenblick, taucht Elisabeth Bergner auf, rennt atemlos neben dem langsam anfahrenden Zug einher und auf Forster zu, der sie noch ganz knapp zu sich hinaufreißen kann, ehe der Zug langsam aus der Halle und in die Abblendung des Happy-Ends hineinrollt.

Es war ein eindrucksvoller Schluß, der bei der Wiener Premiere spontanen Beifall hervorrief, auch in der Loge, in der mit einigen Freunden und Kollegen Fritz Grünbaum saß. Während die anderen applaudierten, sah er stumm und trübselig vor sich hin.

»Was ist los, Fritz?« fragte ihn jemand. »Hat's dir nicht gefallen?«

»Doch, doch«, klang es nicht sehr überzeugend zurück. »Aber ich muß schon jetzt dran denken, wie er sie in St. Pölten wieder hinausfeuern wird.«

St. Pölten ist die erste Schnellzugstation auf der Westbahnstrecke.

Als einer der wenigen seines Fachs war Grünbaum nicht nur imstande, die Leistungen anderer anzuerkennen – er konnte sogar über sie lachen und mußte diesem Lachreiz in manchen Fällen auch auf der Bühne nachgeben. Besonders hilflos war er dem Komiker Armin Berg (TJ S. 90 ff.) ausgeliefert, der das natürlich wußte und rücksichtslos darauf ausging, ihn zum Lachen zu bringen, etwa indem er ihm in seiner Dialogszene am Ende des eigenen Textes aus halbem, dem Publikum abgekehrtem Mundwinkel zuraunte: »Jetzt kommst *du.*« Grünbaum kam dann sehr häufig nicht. Er hing.

Einer der fürchterlichsten Hänger, zu denen es jemals auf einer Bühne kam, wurde von Armin Berg auf vollkommen einmalige Art bereinigt. Der Hänger, Alptraum und Schreckgespenst jedes Schauspielers, entsteht in den meisten Fällen durch eine plötzlich einsetzende Gedächtnisschwäche, die den fälligen Text unauffindbar im Nichts verschwinden läßt, oder dadurch, daß der Partner ein falsches Stichwort bringt. Ebendieses begab sich einmal im Wiener »Simpl«, wo Armin Berg zusammen mit dem ihm wesensverwandten Armin Springer und einigen anderen Jargonmimen einen Sketch spielte, dessen erregendes Moment darin bestand, daß ein Herr Schapira (dargestellt von Armin Springer) mit einem nicht anwesenden Herrn Spira verwechselt wird, und ohne diese Verwechslung kann das Stück nicht stattfinden.

Springer, zu jener Zeit schon ein wenig vergreist und textunsicher – für einen Souffleur gab es auf der Miniaturbühne des »Simpl« keinen Platz –, wurde gleich bei seinem ersten Auftritt, der auf einer Polizeistube spielte, vom verhörenden Beamten nach seinem Namen gefragt und hatte daraufhin »Schapira« zu sagen. Eines Abends geschah das Unheil: er sagte »Spira«. Im selben Augenblick hatte man kein Stück mehr, lähmendes Entsetzen senkte sich herab, eigentlich hätte die Vorstellung abgebrochen werden müssen.

Da löste sich Armin Berg aus der Reihe der erstarrten Dasitzenden, trat auf Springer zu und faßte ihn prüfend ins Auge:

»Spira? Sehen Sie – *das* glaub ich *nicht.* Wenn Sie Schapira gesagt hätten, wär's etwas andres gewesen.«

Die Vorstellung ging weiter.

Berg entwickelte auch im Privatleben – anders als der eher melancholische Grünbaum – eine rasante, von unwiderstehlicher Wohlgelauntheit gespeiste Komik und betätigte sie an unschuldigen Passanten oder Kaffeehausgästen ebenso hemmungslos wie an irgendwelchen Amts- oder Würdenträgern, die dann nicht so recht wußten, wie sie reagieren sollten, und immer ein wenig dümmlich dreinsahen.

In den Jahren nach dem Ersten Weltkrieg, in denen Vergnügungsstätten jeglicher Art üppig ins Kraut schossen, etablierte sich auch Armin Berg als Besitzer eines Nachtlokals mit gemischtem, aus Sketchen, Tanz- und Vortragsdarbietungen bestehendem Programm. Er nannte es »Die kleine Lachbühne«, und eine Zeitlang ging es ganz gut – bis Wiens gestrenger und vielgelästerter Stadtrat Hugo Breitner, dem besonders das öffentliche Gesundheitswesen lieb und teuer war, eines Tages zuschlug: er belegte alles, was ihm als Amüsierbetrieb erschien, von der Tanzbar bis zum regulären Theater, mit hohen Steuern, die er zum Bau von Spitälern und Erholungsheimen verwenden wollte. Nicht wenige der von dieser drastischen Maßnahme betroffenen Unternehmen mußten zusperren.

Als Armin Berg seine »Lachbühne« vom gleichen Schicksal bedroht sah, machte er sich auf den Weg zu Breitner, um einen Steuernachlaß zu erwirken.

Er stieß auf keinerlei Verständnis. Die Zeiten seien schwer, bedeutete ihm der vergnügungsfeindliche Stadtrat, die Bevölkerung habe Anspruch auf die Erfüllung ihrer dringlicheren Bedürfnisse, und man brauche jetzt keine Theater, man brauche Spitäler.

Die Replik, zu der sich Armin Berg aufraffte, bewies vor allem in ihrer Präambel wahre Größe:

»Herr Stadtrat«, sagte er, »ich bin aus der Branche. Spitäler brauchen die Kranken. Die Gesunden brauchen Theater.«

Zu den regelmäßigen Sommer-Engagements der Wiener Kabarettisten gehörte – noch aus jener Zeit, als man dazu keinen Reisepaß benötigte – eine Tournee durch die böhmischen Bäder, wobei man für gewöhnlich in Karlsbad (TJ S. 82 f.) am längsten Station machte. Karlsbad war ein teures Pflaster, und Armin Berg war in Gelddingen alles eher als leichtfertig. Dennoch beschloß er, sich und seiner Frau einmal das Vergnügen eines Fünfuhrtees im Nobelhotel Pupp zu gönnen. Daß es ein kostspieliges Vergnügen sein würde, wußte er, aber die tatsächlichen Kosten überstiegen seine Erwartungen dann doch um ein sehr beträchtliches: für zwei Portionen Tee in hauchdünnen Tassen und je zwei filigrane Petit fours wurde ihm die für damalige Verhältnisse horrende Summe von 70 Kronen abgefordert. Berg zuckte zusammen, zahlte, gab ein maßvolles Trinkgeld und richtete an den Kellner folgende Ansprache:

»Wollen Sie mir einen Gefallen tun? Dann gehen Sie zum Koch – sagen Sie ihm, ich laß ihn schön grüßen – und für morgen kann er auf jeden Fall zwei Portionen weniger machen. Mit mir und meiner Frau braucht er nicht mehr zu rechnen.«

Zur bestenfalls zweiten Garnitur der damaligen Wiener Komikergarde zählte ein Coupletsänger namens Hans Kolischer. Außerhalb Wiens erfreute er sich jedoch großer Beliebtheit, vor allem in der Provinz und seltsamerweise auch in Zürich, wohin er immer wieder engagiert wurde. Er besaß dort sogar einen fanatischen Verehrer, der ihm begeisterte Briefe schrieb, Zeitungsausschnitte für ihn sammelte und nicht nur über das Datum seines jeweiligen Engagements, sondern auch über den Zeitpunkt seiner Ankunft in Zürich genauestens informiert war. Einmal holte er ihn vom Bahnhof ab und überreichte ihm zum Empfang einen Blumenstrauß.

Kolischer, dem Takt und Zimperlichkeit durchaus fernlagen, sah die Blumen an, sah den Spender an und schüttelte den Kopf:

»So ein Pech«, sagte er. »Und grad ich bin Zigarrenraucher.«

Wenn in der Umgebung des Theaters dem Kabarett ein Platz eingeräumt ist, hat auch der Film Anspruch darauf, gewürdigt zu werden. Ob die zur Befriedigung dieses Anspruchs nunmehr wiedergegebene Episode etwas mit »Würde« zu tun hat, bleibe dahingestellt.

Wie schon mehrmals angedeutet, war es seit 1933 um die Verdienstmöglichkeiten jener Schriftsteller, die den Rassegesetzen des Dritten Reichs nicht entsprachen, äußerst mangelhaft bestellt. Auch in der vormals so ergiebigen Filmbranche gab es kaum noch etwas zu holen, denn die Produzenten der wenigen deutschsprachigen Filme, die in Österreich und der Tschechoslowakei hergestellt wurden, spekulierten insgeheim auf einen vielleicht doch noch durchführbaren Verkauf nach Deutschland und ließen sich's angelegen sein, dem »Arierparagraphen« nicht allzu offen zuwiderzuhandeln. Ausnahmsfälle ereigneten sich nur ganz selten.

So lagen die Dinge, als Anfang 1937 ein solcher Ausnahmsfall an mich herantrat: eine österreichische Produktionsfirma erkundigte sich, ob ich für eine Verfilmung des Volksstücks »Der Pfarrer von Kirchfeld« von Ludwig Anzengruber das Drehbuch schreiben würde. Nun war, bei aller Integrität des längst verstorbenen Autors, sein Heimatdrama aus den Alpen nicht just ein Stoff nach meinem literarischen Geschmack – anderseits jedoch betraf mich das unverhoffte Angebot in einer bitteren finanziellen Talsohle. Ich gab der Firma also meine Zusage, unter der Voraussetzung, daß ich meinen Namen nicht nennen müßte. Das sei ihr sogar sehr recht, sagt die Firma, denn es hätte sich auch in Österreich schon herumgesprochen, daß ich ein Asphaltliterat sei, und ich sollte mir nur ja nicht einbilden, daß mein Name zumal in jenen Kreisen, auf die es für den Absatz des Films ankäme, irgendwelche Zugkraft besäße. Im übrigen – damit wurde der vorsorgliche Druck auf meine Honoraransprüche noch weiter verstärkt – müßte ich einen erfahrenen, sozusagen hauptberuflichen Drehbuchautor als Mitarbeiter bei- und in das noch zu wählende Pseudonym einbringen.

Diese Forderung nahm ich gelassen hin. Ich war sicher, auf die mit mir befreundeten Brüder Eis rechnen zu können, die zu den Stützen des Marton-Betriebs zählten und noch von ihrer Berliner Tätigkeit her auch als Filmautoren anerkannten Kurswert besaßen. Allerdings hielt sich nur der eine von ihnen, Otto, in Wien auf; der andre, Egon, bastelte gerade in Paris an einem von Marton eingefädelten Projekt.

Damit begannen die eigentlichen Komplikationen. Otto erklärte sich nach längerem Zureden zur Annahme meines Vorschlags bereit, wollte aber nur der Produktionsfirma gegenüber und keinesfalls in Wirklichkeit als mein Mitarbeiter fungieren. Da es mir an Lust und wohl auch an der Fähigkeit zur alleinigen Anfertigung des Drehbuchs gebrach, mußte ich mich nach einem andern, möglichst versierten Mitarbeiter umsehen, und das war die erste Schwierigkeit. Die zweite bestand darin, daß die Produktionsleitung von diesem Mitarbeiter nichts erfahren durfte. Nachdem ich ihn in Gestalt eines von Otto namhaft gemachten Vertreters gefunden und durch entsprechende Beteiligung am Honorar zur Schattenexistenz überredet hatte, ergab sich die dritte Schwierigkeit. Der Produktionsleiter – nennen wir ihn Dr. Hügel – reagierte auf meine sieghaft vorgebrachte Mitteilung, daß ich den bekannten Filmschriftsteller Otto Eis als Mitarbeiter gewonnen hätte, überraschend sauer: *ein* Eis genüge ihm nicht, er kenne die Brüder Eis nur als Ganzes, woher sollte er wissen, ob Otto nicht der schwächere von beiden wäre, und es müsse das komplette Brüderpaar sein, natürlich zum Preis eines einzigen Bruders.

Mit dieser Nachricht begab ich mich einigermaßen verstört zu Otto. In Ordnung, sagte er. Egon würde aus Paris rechtzeitig zurückkommen, um notfalls persönlich in Erscheinung zu treten, und das Honorar ginge mich sowieso nichts an. Hauptsache bleibe doch wohl, daß er jederzeit bereit sei, der Produktionsfirma auf einen etwaigen Anruf hin zu bestätigen: jawohl, er habe bis vor wenigen Minuten mit mir am Drehbuch gearbeitet.

Zwar erfolgte kein solcher Anruf, aber Dr. Hügel und der Regisseur des Films, ein alter Routinier namens Fleck, verlangten immer häufiger nach Manuskriptproben des Drehbuchs, an dem ich und mein anonymer Mitarbeiter werkten. Unser Plan ging von Anfang an dahin, die Fertigstellung zeitlich mit Egons Rückkehr aus Paris zu koordinieren, aber da mittlerweile schon einige Schauspieler engagiert waren, konnten wir uns dem dringlichen Wunsch Dr. Hügels nach einer Besprechung mit Fleck und den Drehbuchautoren nicht länger widersetzen. Das Drehbuch lag vor, die Besprechung in Ottos Wohnung wurde festgesetzt und Egon aus Paris herbeitelegraphiert.

Was jetzt geschah, übertraf den »Pfarrer von Kirchfeld« bei weitem an dramatischer Spannung. Alles drängte sich auf einen Nachmittag zusammen. Dr. Hügel und Fleck erschienen in Ottos Wohnung, wo sie von seiner Frau empfangen und zeitraubend bewirtet wurden, und während Otto in einem andern Zimmer das Drehbuch las, um in der bevorstehenden Debatte mitreden zu können, holte ich den immer noch ahnungslosen Egon vom Westbahnhof ab. Das hastige Gespräch im Taxi verlief ungefähr wie folgt:

»Um was geht's denn eigentlich?« fragte Egon.

»Du nimmst sofort an einer Produktionsbesprechung über das

Drehbuch zum ›Pfarrer von Kirchfeld‹ teil, das ich mit einem andern geschrieben habe. Für die Produktionsfirma hab ich's mit dir und dem Otto geschrieben.«

»Aha«, sagte auch Egon und erkundigte sich nicht nach weiteren Details, denn er war Kummer gewöhnt. »Muß ich wirklich arbeiten?«

»Nein.«

»Sehr gut. Bekomme ich Geld?«

»Nein.«

»Ich soll meinen Namen umsonst hergeben?«

»Du sollst deinen Namen überhaupt nicht hergeben. Auch ich gebe meinen nicht her. Wir zeichnen mit dem Pseudonym Hubert Frohn. Ich habe nur die Bedingung gestellt, daß wir ein steirischer Heimatdichter sind und aus Judenburg stammen.«

»Einen Augenblick«, sagte Egon. »Ich muß nicht arbeiten, ich bekomme kein Geld und ich zeichne nicht. Wozu habt ihr mich aus Paris herkommen lassen?«

»Damit du jetzt in der Besprechung so tust, als ob du am Drehbuch mitgearbeitet hättest.«

»Kann ich's vorher lesen?«

»Dazu ist keine Zeit mehr. Das Drehbuch liest gerade der Otto. Du bist der jüngere Bruder und wirst immer seiner Meinung sein.«

»Ich verstehe«, sagte Egon und verstand tatsächlich.

Es klappte alles anstandslos. Nur eine letzte Hürde mußte genommen werden, als Otto wenige Minuten nach unsrer Ankunft zur wartenden Versammlung stieß und das vorgeblich von ihm mitverfaßte Drehbuch vor mich hinknallte:

»Idiot!« herrschte er mich an. »Ich hab dir doch schon hundertmal gesagt, daß man heute nicht mehr mit Wischblenden arbeitet. Wirst du denn nie etwas lernen?!«

Betretenes Schweigen entstand.

»Ja, aber –«, ließ Dr. Hügel sich vernehmen. »Ich denke, Herr Eis hätte selbst –«

»Das sind so seine Marotten«, unterbrach ich eilends. »Wir haben uns während der Arbeit über ein paar Einstellungen gestritten, und ich hab dann meiner Sekretärin die von mir bevorzugte Fassung diktiert. Machen Sie sich keine Sorgen. Das regeln wir noch.«

Manches regelte sich sogar im anschließenden Gespräch, in das nach kurzer Orientierungspause auch Egon lebhaft und sachkundig eingriff.

»Der Pfarrer von Kirchfeld«, Österreichs letzter unabhängig hergesteller Film vor der Annexion, wurde mit Hans Jaray in der Titelrolle, mit Frida Richard, Karl Paryla, Otto Stoessel und anderen ein großer, nachhaltiger Erfolg. Noch zwei Jahre später, als ich's in der Schweiz – wie so viele meiner Emigrationsgefährten – mit Aufenthaltsschwierigkeiten zu tun bekam, machte meine (zum Glück beweisbare) Angabe, daß ich das Drehbuch zum »Pfarrer von Kirchfeld« geschrieben hätte, auf die eidgenössische Fremdenpolizei ungleich größeren Eindruck als meine bis dahin erschienenen Romane.

Aber das ist es nicht, warum ich diese Episode berichtet habe. Mein Bericht soll vielmehr illustrieren, auf welche Weise damals Filme entstanden sind.

Viele, viele Jahre später, als das alles längst vorbei war, spielt eine Geschichte, die infolgedessen gar nicht hierhergehört – aber da sie immerhin mit dem Theater zu tun hat und da ich nicht weiß, wo ich sie sonst etwa unterbringen sollte, möchte ich dieses Kapitel mit ihr abschließen; man wird gleich sehen, warum sie mir am Herzen liegt.

1957 fand an den Münchner Kammerspielen die Uraufführung des parodistischen Singspiels »Kaiser Joseph und die Bahnwärterstochter« von Fritz von Herzmanovsky-Orlando statt, in meiner Bearbeitung und mit großem Erfolg, der den eigentlichen Durchbruch Herzmanovskys zu seinem heutigen Ruhm bedeutete. Axel von Ambesser spielte den Kaiser Joseph, Gertrud Kückelmann die Bahnwärterstochter, Otto Schenk ihren Bräutigam. Den Bahnwärter und Wilderer, der in einer späteren Verfilmung des Stücks von Hans Moser dargestellt wurde, gab – das waren noch Zeiten – Fritz Eckhardt, und in der Rolle der »beleibten

Witfrau Leopoldine Gackermeier« wirkte die herrliche Therese Giehse mit, um derentwillen die Geschichte erzählt sein muß.

Axel von Ambesser führte Regie, und es fiel ihm immer noch etwas ein, auch auf den letzten Proben noch (zu denen ich aus Wien angereist war). Ja sogar auf der Hauptprobe, die der fast schon öffentlichen Generalprobe voranging und bei der es üblicherweise keine Änderungen zu geben hatte, unterbrach er den Auftritt der Giehse, um ihr eine Textvariante vorzuschlagen.

Abwehrend hob ihm Therese Giehse die Hände entgegen:

»Bitte nichts mehr«, stöhnte sie. »Das Stück ist schon voll!«

Und man sah es förmlich wie einen dicht besetzten Autobus abfahren.

Lieben Sie Sport?

Andernfalls würde es sich nämlich empfehlen, dieses Kapitel zu überschlagen. Nicht als ob zu seinem Verständnis besondere Fach- und Regelkenntnisse erforderlich wären oder gar aktive Erfahrungen. Wohl aber braucht es eine möglichst freundliche Bereitschaft seitens des Lesers, das Phänomen »Sport« mitsamt seinem Drum und Dran als integralen Bestandteil jener historisch fixierten Zeitspanne zu werten, von der hier hauptsächlich gehandelt wird, also als Bestandteil eines anekdotisch zu erfassenden Untergangs des Abendlandes. Dabei geht es nicht etwa darum, inwieweit ein zum Showbusineß und zu professioneller Geschäftemacherei entarteter Sportbetrieb – der mit der ursprünglichen Idee des Sports nur noch peripher zusammenhängt – tatsächlich als Untergangs-Symptom gelten könnte. Das wäre ernsthaft zu analysieren, und eine solche Analyse wird hier, ebendarum, nicht stattfinden. Nicht einmal das, was eigentlich sportlich ist am Sport, wird hier ernstgenommen werden, und ich möchte gleich jetzt gestehen, daß mir das gar nicht leichtfällt. Denn der Sport war für mich – wie für jeden, der sich als »Leistungssportler« betätigt hat – durchaus ein Gegenstand der Ernstnahme, viele entscheidende Jugendjahre lang, und er hat meine Entwicklung so nachhaltig beeinflußt wie kaum eine andre der damals von mir ernstgenommenen Betätigungen. Aber auch das würde viel zu weit führen, als daß ich's hier analysieren wollte.

Genug daran, daß dem so war und daß ich dessen bis heute froh bin. Ich möchte nichts von dem, was mich der Sport erleben ließ, hergeben. Und nichts von dem, was ich mir dazu dachte und denke, zurücknehmen.

Was soll's dann aber hier, in diesem Buch? Was hat der Sport mit der Tante Jolesch oder mit ihren Erben zu tun? Daß er ein Bestandteil des von ihr symbolisierten Zeitraums war, genügt nicht – es gab wahrlich noch eine Menge anderer, ebensowenig wegzuleugnender Bestandteile, die ich dennoch mit keiner Silbe erwähne. Warum komme ich gerade auf den Sport zu sprechen, in einem eigenen Kapitel gar?

Die Antwort ist einfach genug: weil er nicht bloß zu der in Rede stehenden Zeit gehört hat, sondern zur *Atmosphäre,* aus der ich sie zu rekonstruieren versuche, zu ihrer von Kaffeehaus und Theater, von Zeitungswelt und bürgerlichem Familienleben bestimmten Atmosphäre. Und es stieben nicht die schlechtesten Funken, wenn der Sport mit diesen scheinbar sportfremden Provinzen des untergehenden Abendlandes zusammenstößt.

Einen Zusammenstoß mit dem Kaffeehaus habe ich bereits in der »Tante Jolesch« geschildert und halte ihn für symptomatisch genug, um es diesmal nicht beim bloßen Hinweis auf die Seitenzahl bewenden zu lassen. Es war die Geschichte, in der mein Freund Ernst Stern, Erkenntnistheoretiker und Ringkämpfer, eine unabwendbar scheinende Niederlage im letzten Augenblick in einen sensationellen Sieg verkehrt hatte und hernach von einem der ihn umdrängenden Journalisten gefragt wurde, was er sich denn in jenen bedrohlichen Sekunden, als er fast schon auf beiden Schultern lag, gedacht habe. Er antwortete: »Da hab ich mir gedacht: ein Jud gehört ins Kaffeehaus.«

Der ironische Witz dieser Antwort bestand darin, daß ein Ringkämpfer, also der Inbegriff körperlicher Tüchtigkeit, sich mit dem Gegenteil solchen Inbegriffs, nämlich mit einem Kaffeehausbesucher, gleichsetzen konnte – und Ernst Stern war ja tatsächlich beides. Aber der Witz reichte noch ein wenig tiefer. Er entlarvte zugleich das damals noch sehr populäre (und zum Teil von den Betroffenen selbst popularisierte) Klischee, das den Juden als eine körperlich minderwertige, feige, wasserscheue und zu irgendwelcher physischen Leistung völlig untaugliche Figur hinstellte. Dieses vulgärantisemitische Klischee via facti zu dementieren, war einer der Hauptantriebe der jüdischen Sportbewegung (und war der Grund, warum ich mich ihr angeschlossen habe). Heute wird das Dementi vom Staat Israel und seiner Armee besorgt, aber damals bot der Sport die einzige Möglichkeit dazu. Sie wurde lebhaft praktiziert. Das jüdische Bürgertum der Zwischenkriegszeit – und erst recht das in Wien massenhaft vorhandene jüdische Proletariat – haben am Sport begeistert Anteil genommen, und keinen bloß passiven im Zuschauerraum oder in Funktionärstellungen (das unübertroffene Fußball-»Wunderteam« Österreichs war eine Schöpfung des jüdischen Verbandskapitäns Hugo Meisl), sondern aktiven und höchst erfolgreichen Anteil. Der jüdische Allround-Sportklub »Hakoah« exzellierte in nahezu allen Sportzweigen, seine Fußballer gewannen 1925 die österreichische Meisterschaft, seine Ringkämpfer gewannen sie jahrelang hintereinander, seine Schwimmer und Wasserballer ebenso, und nebenan in Prag und Preßburg taten es ihnen die jüdischen Sportvereine »Hagibor« und »Bar Kochba« jahrelang gleich.

Der Vollständigkeit halber sei vermerkt, daß auch Deutschland eine Reihe jüdischer Spitzensportler besaß (die Fechtmeisterin Helene Mayer, den Eishockeystar Rudi Ball, den Sieger vieler internationaler Tennisturniere Daniel Prenn) und daß die führenden ungarischen Fußballmannschaften sich zu einem guten Drittel auf jüdische Spieler stützten. Und der Ruhmredigkeit halber sei hinzugefügt, daß Anfang der dreißiger Jahre von den damals offiziellen acht Gewichtsklassen im Boxen nicht weniger als fünf mit jüdischen Weltmeistern besetzt waren: Young Perez im Bantamgewicht, Bennie Leonard im Leicht- und Weltergewicht, Maxie Rosenblum im Halbschwergewicht und der Schmeling-Bezwinger Max Baer, zugleich Weltmeister aller Klassen, im Schwergewicht.

Zum vorhin geschilderten Zusammenstoß des Sports mit dem Kaffeehaus gesellt sich ein ebensolcher mit dem Theater und läßt desgleichen ein wenig tiefer blicken, als es den Anschein hat. Auf die Frage eines Laien an einen meiner theater- und fußballbesessenen Freunde, was er für Sonntag nachmittag vorhabe (und nur ein Laie konnte das am Sonntag vormittag fragen), erfolgte die Antwort:

»Ich geh ins Stadion zum Mitropacupspiel Austria gegen Bologna. Es interessiert mich, wie Sindelar heute die Rolle des Mittelstürmers auffaßt.«

Damit wollte keineswegs gesagt sein, daß Mathias Sindelar, der legendäre Mittelstürmer der Austria und des österreichischen Wunderteams, etwa »für die Galerie« gespielt hätte. Aber er verfügte über einen so unglaublichen Variations- und Einfallsreichtum, daß man tatsächlich niemals wissen konnte, welche Spielanlage von ihm zu erwarten war. Er hatte kein System, geschweige denn eine Schablone. Er hatte – man wird diesen Ausdruck gestatten müssen – Genie.*

Übrigens nahmen die Spiele um den Mitropacup, als die Konkurrenz immer schärfer und zu einer nationalen Prestige-Affäre wurde, immer derbere Formen an. Es kam zu Schlägereien auf dem Spielfeld, zu Skandalszenen im Zuschauerraum, manchmal zum vorzeitigen Abbruch des Spiels und in weiterer Folge sogar zu diplomatischen Verwicklungen. Das sensationsgierige Publikum fühlte sich nachgerade enttäuscht, wenn nichts dergleichen geschah. Ein Kenner der Volksseele faßte das in die Worte:

»Was ein richtiges Mitropacupmatch ist, muß auf der Botschaft zu Ende gespielt werden.«

Zu meinen liebsten Freunden aus der Sport- und Kaffeehauswelt zählte Dr. Paul Schneeberger, mit dem ich auch während der Emigrationszeit in engem brieflichen Kontakt blieb und den ich später, wenn er aus England zu Besuch auf den Kontinent kam (meistens in die Schweiz), noch ein paarmal wiedergesehen habe. Täuscht mich meine Erinnerung oder haben wir uns wann und wo immer, mündlich oder brieflich, über nichts andres unterhalten als über Fußball? Er ist leider nicht mehr am Leben, und ich kann ihn nicht fragen, aber es spricht manches dafür. Selbst im Café Herrenhof, wo er sich das Sitz- und Siedlungsrecht doch ganz gewiß durch kompetente Behandlung anspruchsvollerer Themen erworben haben muß, schlug er die Zeitungen immer auf der Sportseite auf und legte sie nach deren Lektüre wieder weg.

---

* Im Frühjahr 1938, bald nach der Annexion Österreichs durch die Nazis, beging Sindelar Selbstmord. In meinem Gedichtband »Lebenslied« steht die ihm gewidmete »Ballade auf den Tod eines Fußballspielers«.

Einmal hielt er mir ein ganzseitiges Inserat der damals neu in Szene gegangenen »Burgspiele Kreuzenstein« hin, das als Werbefigur einen Ritter in voller Rüstung mit aufgeklapptem Visier zeigte.

»Wem sieht der ähnlich?« fragte er.

In meiner bodenlosen Unwissenheit flüchtete ich auf einen naheliegenden Ausweg:

»Dem Herzog Heinrich Jasomirgott«, schlug ich vor.

Schneeberger sah mich verächtlich an:

»Trottel. Dem rechten Half der Admira-Reserve.«

Einem solchen Ausmaß von Sachkenntnis und Weltblickverengung hatte ich nichts entgegenzusetzen; es war noch ein Akt der Nachsicht von seiten Schneebergers, mich nicht einfach mit dem Namen jenes Halfs zu konfrontieren – in der richtigen Annahme, daß ich ihn nicht kennen würde.

Mehr aus innerem Zwang als zu Erwerbszwecken arbeitete Schneeberger in der Redaktion einer Sportzeitung, wo seine offenbar nicht sehr tüchtige Sekretärin sich bei den Namen der diversen Fußballklubs immer wieder vertippte. Diesem anhaltenden Defekt suchte er schließlich dadurch beizukommen, daß er ihr die betreffenden Namen gleich mit den Tippfehlern diktierte, in der Hoffnung, daß sie sich dann vielleicht zur richtigen Fassung vertippen würde. Uneingeweihte, die etwa am Sonntag abend sein Redaktionszimmer betraten, hörten mit Erstaunen, wer da heute gespielt hatte, also schreiben Sie, Fräulein: Asutria gegen Rapdi . . . Hunagria gegen Sprotkulb . . . haben Sie?

Seine manische Fußballbesessenheit wirkte zerstörerisch in alle Sparten seines Daseins hinein, auch in sein Liebes- und Eheleben. Er hatte in jungen Jahren eine Frauensperson geehelicht, die zahlreiche Vorzüge aufwies und nur einen einzigen, allerdings monströsen Nachteil: sie verstand nichts von Fußball. Ihre Beziehung zum Sport beschränkte sich auf muntere Tennispartien in der Sommerfrische und vielleicht noch auf den gelegentlichen Besuch eines Reitturniers, aber daß es so etwas wie Fußball überhaupt gab, wußte sie nicht. Pauli Schneeberger, jung und verliebt, wie er war, heiratete sie trotzdem (was ihm in reiferen Jahren nie passiert wäre) und hoffte zuversichtlich, daß der verhängnisvolle Übelstand sich durch kluge Gegenmaßnahmen überwinden ließe. Die Gegenmaßnahmen bestanden darin, daß man Madame bei der ersten Gelegenheit auf den Fußballplatz mitnahm. Man ging diesmal schon etwas früher hin, zum Vorspiel der Reservemannschaften, das noch keine sonderlich emotionelle Anteilnahme verlangte, so daß man der Ignorantin an Hand des Spielverlaufs alles Nötige erklären konnte. Da Pauli sich selbst dazu außerstande fühlte, übernahmen zwei opfermutige Freunde die heikle Aufgabe und beantworteten mit Engelsgeduld die dummen Fragen der jungen Ehegattin, ja sie gaben sogar ungefragt allerlei Erläuterungen ab, die sie für zielführend hielten.

Das Vorspiel war beendet. Unter dem Begrüßungsapplaus ihrer Anhänger kamen die beiden Ligamannschaften auf den Platz gelaufen und begannen mit den üblichen Aufwärmungsmanövern.

Noch sei es Zeit für Erkundigkungen, gab man der Premierenbesucherin zu verstehen. Sowie das Hauptspiel angepfiffen sei, möchte man nicht mehr gestört werden. Wenn sie also noch irgendwelche Fragen hätte, dann bitte jetzt.

Nein, danke, sie wisse alles.

Wirklich? Denk gut nach!

Sie dachte gut nach und gestand, daß ihrer Aufmerksamkeit etwas entgangen wäre, und sie hätte tatsächlich noch eine kleine Frage.

Nämlich?

»Wo sitzt der Schiedsrichter?« fragte sie.

Die Ehe wurde bald darauf geschieden.

Unser eingangs erwähnter brieflicher Kontakt während der Emigrationszeit drohte nach Kriegsbeginn ins Stocken zu geraten. Die Postverbindung zwischen Los Angeles und London dauerte sowieso sehr lange und dauerte noch länger, als nach dem Eintritt Amerikas in den Krieg eine doppelte Briefzensur hinzukam. Um der lästigen Verzögerung zu entgehen, stellten wir uns auf offene Karten um, und das klappte eine Zeitlang ganz gut. Allerdings gestattete uns der karge Raum keine ausführlichen Fußball-Reminiszenzen, weshalb wir beschlossen, durch gegenseitige Quizfragen nach lang zurückliegenden Resultaten, Mannschaftsaufstellungen, Meisterschaftstabellen und dergleichen unser Gedächtnis zu prüfen. So fragte ich Schneeberger nach den Ergebnissen des internationalen Osterturniers 1920 auf dem WAC-Platz, und zwar sowohl des ersten wie des zweiten Tags, mit Halbzeitstand. Ich bekam nie eine Antwort. Als ich ihn viele Jahre später bei unserm ersten Wiedersehen darob verhöhnte, schwor er die heiligsten ihm zur Verfügung stehenden Eide, daß er mir damals geantwortet hätte, und erhärtete seinen Schwur durch korrekte Angaben der von mir eingeforderten Resultate.

Wahrscheinlich rätseln die alliierten Geheimdienste noch heute, was der chiffrierte Text jener Postkarte bedeuten mochte:

I.	
WAC – MTK	2:1 (2:0)
FTC – VIENNA	4:2 (2:2)
II.	
WAC – FTC	3:0 (0:0)
MTK – VIENNA	1:1 (1:1)

Ein wieder in andrer Hinsicht bemerkenswerter Fall des Zusammenklangs von Sport und Intellekt war Dr. Willy Meisl, jüngerer Bruder des bereits rühmend erwähnten österreichischen Verbandskapitäns Hugo Meisl und, anders als dieser, Absolvent einer aktiven Laufbahn: er hatte bei den »Amateuren« (der späteren »Austria«) sowohl das Fußball- wie das Wasserballtor gehütet, und das ergab immerhin einen persönlichen Berührungspunkt zwischen uns. Meisl emigrierte in den dreißiger Jahren nach England und brachte es in der dortigen Sportpublizistik zu so hohem Ansehen, daß der englische Fußballverband eine von ihm, dem Ausländer, vorgeschlagene Regeländerung akzeptierte, was fast schon einer Erhebung in den Adelsstand gleichkam. Bei der 1954 in der Schweiz abgehaltenen Fußballweltmeisterschaft trafen wir häufig zusammen, auch nach dem Entscheidungsspiel, in dem sich Deutschland durch seinen 3:2-Sieg über Ungarn an die Spitze der Weltrangliste setzte – nachdem es in der Vorrunde den

Österreichern mit 6:1 die vernichtendste Niederlage seit Königgrätz zugefügt hatte. Ich war – wie sehr viele andere – vom Sieg der deutschen Mannschaft nicht nur überrascht, sondern geradewegs schockiert, und daraus machte ich am Expertentisch kein Hehl. In meinen Augen war es ein Sieg des nüchternden Zweckfußballs über die technisch ungleich schönere Spielweise der Ungarn, ein Sieg der nur aufs Endziel gedrillten Roboter über die Vertreter der Fußballästhetik, in meinen Augen hatte ein Kombinationszug zwischen den ungarischen Ballkünstlern Puskas und Hidegkuti, auch wenn er zu nichts führte, mehr mit dem Sinn des Spiels zu tun als ein erfolgreicher Torschuß des bulligen deutschen Außenstürmers Rahn.

»Es ist das Ende der Poesie im Fußball«, resümierte ich.

»Regen Sie sich nicht auf«, beruhigte mich Willy Meisl. »Es ist nur das Ende des Hexameters.«

Eine gleichfalls im Grenzgebiet zwischen Sport und Intellekt angesiedelte Geschichte aus meinem Erlebnisvorrat hat direkt mit Literatur zu tun. In ihrem Mittelpunkt steht Dr. Paul Fischel, Herausgeber der Mährisch-Ostrauer »Morgenzeitung« (TJ S. 108) und zugleich Inhaber des Verlags J. Kittls Nachfolger, der nach 1933 den in Deutschland verfemten Autoren eine neue Heimstatt bot und mit Büchern von Ernst Weiß, Ludwig Winder, Julien Green, Sinclair Lewis und den ersten übersetzten Romanen von Louis-Ferdinand Céline nicht weiter hinter den großen Amsterdamer Emigrationsverlagen Querido und Allert de Lange rangierte. Indessen schätzte ich Dr. Fischel nicht nur als Zeitungsmann und Verleger. Ich bewunderte in ihm einen der besten Fußballer aus der Zeit vor dem Ersten Weltkrieg. Er zählte damals zu den Stützen des kurz »DFC« genannten Deutschen Fußball-Clubs Prag, war wiederholt in das österreichische Auswahlteam berufen worden (u. a. bei den Stockholmer Olympischen Spielen von 1912) und erschien mir aus allen diesen Gründen als der naturgegebene Verleger für meinen Sportroman »Die Mannschaft«, den ich 1932 zu schreiben begonnen hatte, bald nachdem ich infolge unsportlicher Lebensweise meine Wasserballkarriere hatte aufgeben müssen. 1934, als der Roman fertig war, stand ich zwar noch unter Vertrag mit Paul Zsolnay, dem Verleger meiner beiden ersten Romane, aber da ich jetzt schon zu den im Dritten Reich verbotenen Autoren gehörte, zeigte man bei Zsolnay großes Verständnis für den von mir gewünschten Verlagswechsel und ließ mich ziehen. »Die Mannschaft« erschien 1935 bei Kittl.

Ich traf mit Dr. Fischel zu Vorbesprechungen in Prag zusammen, und wir berieten, was man für dieses nicht eben leicht verkäufliche Buch tun könnte, bei welchen Zeitungen und welchen Buchhandlungen auf Unterstützung zu rechnen wäre, welche Kritiker man mit Vorausexemplaren beschicken sollte, und dergleichen mehr. Im Lauf unsres Gesprächs erwähnte ich, daß der ehemalige Hakoah-Fußballer Juhn in Prag eine Buchhandlung eröffnet hätte, ich sei mit ihm befreundet, und er würde sich bestimmt für das Buch einsetzen.

Dr. Fischel horchte auf:

»Juhn ...«, sagte er nachdenklich. »Juhn von Hakoah Wien ... Dem bin ich doch *auch* einmal ins Schienbein gestiegen!«

Es dürfte in den Annalen der deutschsprachigen Literatur nicht allzu oft verzeichnet sein, daß ein Buchhändler im Gespräch zwischen einem Verleger und einem Autor auf solche Weise identifiziert wurde.

Jedweden intellektuellen oder gar literarischen Anstrichs entrát eine aus Gründen andrer Qualität zu verbuchende Geschichte. Man könnte sie schlechterdings als ordinär bezeichnen, obwohl sie vom Tennis handelt, das zur Zeit des Geschehens, in den frühen zwanziger Jahren, noch als vornehmer Sport galt, und obwohl ihr Held von blauem Blute war: Graf Ludi Salm, Österreichs Tennismeister und eines jener Originale, die seither nicht nur im Sport ausgestorben sind. Seine noble Erscheinung stand in auffälligem Gegensatz zu seinem alles eher als noblen Benehmen, und die gute Erziehung, die er doch zweifellos genossen hatte, hinterließ keine Spuren in seiner mit unflätigen Kraftausdrücken gespickten Redeweise. Nicht nur Schiedsrichter und Zuschauer, auch Gegner und Partner waren seinen wilden Disziplinlosigkeiten ausgesetzt – wehrlos ausgesetzt, denn er konnte, wenn's nottat, auch hinreißenden Charme entwickeln.

Besonders arg trieb er's einmal bei einem Sommerturnier mit seinem Doppelpartner, einem Angehörigen des gräflichen Hauses Lodron-Lodron, der auch größten Wert darauf legte, daß er kein bloßer Lodron war, sondern ein Lodron-Lodron. Ludi Salm nahm das in den kurzen, heftigen Zurufen, mit denen er seinen nicht sehr spieltüchtigen Partner immer wieder bedachte, natürlich nicht zur Kenntnis: »Lodron, dein Ball!« brüllte er, oder »Lodron, geh zum Netz!« oder »Achtung, Lodron!« Und immer wieder berichtigte der Angebrüllte ungerührt und schmallippig:

»Lodron-Lodron, wenn ich bitten darf.«

Bis es dem Grafen Salm zu blöd wurde. Krachend schmiß er das Racket zu Boden, und dröhnend ließ er seine Stimme erschallen:

»Lodron-Lodron, leckmimoasch-leckmimoasch!«

In jenen Jahren gab es zu Ostern und zu Pfingsten große internationale Fußballturniere, an denen immer zwei heimische und zwei ausländische Mannschaften teilnahmen, wobei am zweiten Tag die Sieger des Vortags das Entscheidungsspiel um einen vom Veranstalter gestifteten Ehrenpreis bestritten. Damals ging's noch um die Ehre.

Ohne die Teilnahme Rapids, der populärsten Wiener Mannschaft, war ein solches Turnier kaum denkbar, und ohne übermächtig zwingenden Grund hätte kein Rapid-Anhänger darauf verzichtet, schon am ersten Tag dabeizusein. Es war ein von diesem Verzicht Betroffener, der sich am zweiten Tag bei seinem Stehplatznachbarn über die Details des gestrigen Rapidsiegs erkundigte, und er wollte es ganz genau wissen. Die beiden bedienten sich des schärfsten Vorstadtdialekts und nannten die Spieler nur bei ihren Vor- und Kosenamen.

»Wer war denn der Beste?«

»Da fragst noch? Der Tank natürlich. Der Pepi. Zwa von die drei Goals hat er g'schossen.«

»Und des dritte?«

»Alsdann der Ferdl geht am linken Flug durch – eini mit der Flanken – und der Blitz braucht nur'n Kopf hinhalten.«

»Wie war denn der Seppl?«

»Klaß. Leinwand. Eisen. Wie immer.«

»Und der Rigo?«

Da aber verwandelte sich das freudig leuchtende Gesicht des Mitteilsamen in eine steinerne Maske, er fiel aus seinem vertraulichen Tonfall jählings ins gestelzte Hochdeutsch der Zeitungsphraseologie, und die schlechte Leistung des Rapid-Mittelstürmers schien ihn noch rückwirkend dermaßen zu verbittern, daß er sich vom zärtlichen »Rigo« sogar durch den offiziellen Zunamen distanzierte:

»Kuthan enttäuschte«, sagte er mit eisiger Stimme.

Ein Teil der Fußballpoesie, deren Entschwinden ich trotz Willy Meisls Einwand wohl nicht ganz zu Unrecht beklagt habe, waren die heimlichen und offenen Vergünstigungen, die den »Schroppen«, den jüngsten und allerjüngsten Fußballpartisanen, damals gewährt wurden – damals, in den Jahren nach dem Ersten Weltkrieg, als noch niemand an pompöse Stadien mit betoniertem Zuschaueroval dachte, als die Fußballplätze dem Besucher noch das intime Gefühl einer Familienzugehörigkeit vermittelten und die Zuschauerräume noch im gleichen Rechteck wie das Spielfeld angelegt waren, durch keine vorsorglich breiten Zwischenräume und keine hohen Drahtzäune vom Rasen getrennt, damals, als die Spieler noch nicht aus abgesicherten Katakomben auftauchten, sondern aus den ebenerdig gelegenen Kabinenverschlägen hervorkamen, um für alle sichtbar ihren Weg aufs Spielfeld zu nehmen, und wir Schroppen standen Spalier und waren selig, wenn es uns gelang, einem unserer Lieblinge auf die Schulter zu klopfen, und durften uns nachher entlang der Outlinie niederlassen, mit untergeschlagenen Beinen, erregend nahe dem Rasen, auf dem in den nächsten anderhalb Stunden das wichtigste, das einzig wichtige Weltereignis vor sich gehen würde. Ein paar Beherzte wagten sich manchmal vor Spielbeginn in die unmittelbare Nähe der Umkleideräume, wo sie nichts zu suchen hatten und Gefahr liefen, von grimmigen Ordnern davongejagt zu werden, aber vielleicht hatte man vorher schon irgendeine Neuigkeit aufgeschnappt, eine geänderte Mannschaftsaufstellung, eine neue Anordnung der Klubfarben in den Dressen oder sonst etwas, womit man dann vor den anderen großtun konnte. Und notfalls konnte man das ja auch mit Erfindungen.

Ich selbst habe einmal bei einer solchen Gelegenheit etwas aufgeschnappt, was auf seltsame Weise bis heute gültig geblieben ist. Man wird gleich sehen, wieso.

Es war die Zeit, als mein Klub, die Hakoah, sich den Aufstieg aus der zweiten in die erste Spielklasse erkämpfte und auf dem Weg dorthin auch an allerlei wüste Vorstadtmannschaften geriet, die sich gegen den jüdischen Gegner ganz besonders energisch, ja man darf ruhig sagen: brutal ins Zeug legten. Nicht nur auf dem Spielfeld und nicht nur im Zuschauerraum wußten die Rowdies – im Fachjargon »Pülcher« geheißen – dafür zu sorgen, daß es mitunter lebensgefährlich zuging, auch hinter den Kulissen ließ man nichts unversucht, um die mißliebigen Siegesanwärter zu blockieren.

Wieder einmal hatte die Hakoah unter derart bedrohlichen Umständen anzutreten, gegen eine selbst für unterklassige Verhältnisse besonders derbe Mannschaft, auf einem graslosen, holprigen, schotterhaltigen Spielfeld, einer sogenannten »Gstätten«. In diesem Match sollte sie durch einen aus Budapest herübergeholten Stürmer verstärkt werden, aber es war nicht sicher, ob die Formalitäten des Übertritts von einem Verband zum andern rechtzeitig erledigt werden könnten und ob der neue Mann spielberechtigt wäre. In der Hoffnung, Endgültiges über seine Mitwirkung zu erfahren, trieb ich mich im Kabinengeviert herum und gelangte in Hörweite eines Gesprächs, das der Schiedsrichter mit einem Funktionär des gegnerischen Vereins führte. Der Schiedsrichter war zweifelsfrei als solcher kenntlich, und daß der Funktionär nur dem gegnerischen Verein angehören konnte, unterlag gleichfalls keinem Zweifel (denn die eigenen Funktionäre, die man natürlich kannte, sahen anders aus). Das Gespräch hatte allem Anschein nach ergeben, daß der Ungar trotz ungeklärter Sachlage spielen würde, und was der Funktionär jetzt äußerte, bildete unverkennbar den Abschluß:

»I sag Ihna wos. Mir treten unter Protest an. Wann mir g'winnen, is eh guat. Und wann die Juden g'winnen, gilt's nix.«

Es will mir scheinen, als hätte dieser Ausspruch die Situation des Staates Israel um Jahrzehnte vorweggenommen.

Noch ein zweiter Ausspruch von tragfähiger Gültigkeit gehört hierher. Ich verdanke ihn einem glaubwürdigen Ohrenzeugen.

1920 fand zum erstenmal das Schwimmen »Quer durch Wien« statt und wurde von einem Langstreckenschwimmer namens Kohn (der übrigens nicht für Hakoah startete) gewonnen. Das Ziel lag bei der Uraniabrücke, wo sich eine nicht übermäßig große Schar von Zuschauern angesammelt hatte.

Im Vorübergehen erkundigte sich ein Passant, was den hier los sei.

»Ein Wettschwimmen. Quer durch Wien.«

»Aha. Ist schon vorbei?«

»Noch nicht ganz. Aber der Sieger ist schon angekommen.«

»Wie heißt er denn?«

»Kohn.«

Die Reaktion des Fragestellers war ebenso eindeutig wie der Name:

»Daß sich die Juden überall vordrängen müssen!« brummte er und entfernte sich angewidert.

Unter ähnlichen Umständen wie in jenem Protestspiel, noch in der zweiten Klasse und auf einem erbärmlichen Platz, hatte die Hakoah einen andern Vorstadtklub zum Gegner, den vom Abstieg in die dritte Klasse bedrohten Brigittenauer A. C. Er lag auf dem vorletzten Tabellenplatz und würde im Fall einer Niederlage vom Letzten der Tabelle, dem im Wiener Vorstadtbezirk Simmering beheimateten F. C. Vorwärts 06, überholt werden. Die Simmeringer Anhänger hatten somit alles Interesse an einem Sieg der Hakoah und sahen sich in der absonderlichen Zwangslage, für eine jüdische Mannschaft Partei ergreifen zu müssen, was sie mit lautstarker Selbstverleugnung besorgten.

Die Hakoah, obwohl spielerisch weit besser und ständig feldüberlegen, hatte es auf dem holprigen Boden gegen die mit rücksichtslosem Einsatz agierenden Brigittenauer nicht leicht, und das Spiel stand lange Zeit 0:0. Endlich, um die Mitte der zweiten Halbzeit, bekam Norbert Katz, Hakoahs gefährlich schneller Linksaußen, einen weiten Vorleger, der mit größter Wahrscheinlichkeit zu einem Tor führen mußte – vorausgesetzt, daß Katz den Ball erlief. Die Anfeuerungsrufe, unter denen er startete, kamen nicht nur vom Hakoah-Anhang, auch die Simmeringer stimmten kräftig ein, und einer von ihnen, mit hochrotem Gesicht über die Barriere vorgebeugt, konnte sich an wilden »Hoppauf!«-Rufen nicht genug tun. Nun wird dem »Hoppauf« üblicherweise auch der Name des Angefeuerten hinzugefügt, aber den kannte der wackere Simmeringer nicht, und das geläufige »Saujud«, das er und seinesgleichen immer bereit hatten, schien ihm in der gegebenen Situation nicht recht angebracht.

Da überkam ihn die rettende Erleuchtung:

»Hoppauf!« brüllte er. »Hoppauf, Herr Jud!«

Es versteht sich, daß die mehr als 200 000 Juden, die vor 1938 in Wien lebten, weder gesellschaftlich noch politisch auf einen Nenner zu bringen waren. Sie zerfielen, nicht anders als ihre Umwelt, in eine Ober-, eine Mittel- und eine Unterschicht, in ein Bürgertum, das oft schon seit Generationen in den westlichen Kronländern der Monarchie angesiedelt war, und in die zahlenmäßig weit stärkere Gruppe der während des Ersten Weltkriegs aus dem Osten Zugewanderten. Die ideologischen und religiösen Unterschiede verliefen quer durch alle Schichten, es gab Strenggläubige und Atheisten ebensogut unter den Fabrikanten und Bankiers wie unter den Kleinbürgern und Proletariern, es gab sozialdemokratische Ärzte und Anwälte, es gab – in der Stadt Theodor Herzls – überzeugte Zionisten, aber auch programmatische Assimilanten, die sich manchmal bis ins Deutschnationale verirrten (von den Konvertiten ganz zu schweigen).

Das alles spielte natürlich auch in die Sportszenerie hinein, mit Reflexen aus dem Zusammenstoß zwischen Sport und Kaffeehaus als Draufgabe. Die Hakoah hatte unter den Wiener Juden neben leidenschaftlichen Anhängern nicht minder dezidierte Gegner, und zumal in den sogenannten »besseren Kreisen« – denen auch ich entsprossen und entronnen war – wollte man nichts von ihr wissen. Ein wohlerzogener Knabe aus gutem jüdischen Haus hatte Tennis beim WAC zu spielen, nicht Fußball bei der Hakoah, und eine bedrächtliche Anzahl derer, die sich in anderen Sportzweigen betätigten, vor allem als Leichtathleten und Schwimmer, gehörten nichtjüdischen Vereinen an.

Im Fußball hatte sich eine besonders heftige Rivalität zwischen Hakoah und Austria entwickelt. Wenn die beiden Mannschaften aufeinandertrafen, geschah das unter dem Kennwort »Juden gegen Israeliten«, das sich allerdings mehr auf die beiderseitigen Anhänger und vielleicht noch auf die Funktionäre bezog, nicht auf die Spieler. Wie weit diese Rivalität gehen konnte, lehrt das folgende Beispiel, zu dessen vollem Verständnis die vorstehende Einleitung notwendig war.

Am Ende der Spielzeit 1924/25 gab es nur noch zwei Anwärter auf den Meistertitel, Austria und Hakoah. Die Konstellation der Tabelle war auf höchste Spannung angelegt: Austria hatte bereits alle Spiele absolviert und führte um einen Punkt vor Hakoah, die ihr letztes Spiel unbedingt gewinnen mußte, um Meister zu werden – wenn sie nur unentschieden spielte, wäre Austria Meister. Gegner der Hakoah war der Wiener Sportclub, im Mittelfeld der Tabelle liegend, also für sich selbst chancenlos; aber die Hakoah um den Meistertitel zu bringen, war auch für ihn – wie Hamlet so richtig sagte – »ein Ziel, aufs innigste zu wünschen« und war es vor allem für den Austria-Anhang, der zur Unterstützung der Sportclub-Mannschaft in voller Stärke angerückt kam.

Wohlhabende Freunde hatten mich auf die Tribüne mitgenommen und fieberten mit mir dem Kommenden entgegen. Unmittelbar vor uns saßen zwei feindliche Anhänger, das war schon nach wenigen Minuten klar; abgesehen davon, daß sie kein Wort miteinander sprachen, ging es eindeutig aus ihren diametral ge-

gensätzlichen Reaktionen auf das Spielgeschehen hervor. Wenn der eine »Pfui!« rief, rief der andre »Bravo!«, wenn die Hakoah einen Angriff unternahm, schrie der eine »Hoppauf!« und der andre schwieg, bei einem Sportclub-Angriff verhielt sich's umgekehrt, ebenso bei den Entscheidungen des Schiedsrichters – es bestand, kurzum, kein Zweifel, daß der eine den Sieg der Hakoah herbeisehnte und der andre ihre Niederlage oder wenigstens ein Unentschieden.

Hakoah ging 1:0 in Führung, Sportclub erzielte den Ausgleich, zur Pause stand's 1:1, ungefähr in der 30. Minute der zweiten Halbzeit schoß Hakoah ein zweites Tor, und da sie auch weiterhin überlegen blieb, sah es ganz danach aus, als sollte sie den Vorsprung halten können. Wir begannen uns bereits dem triumphalen Hochgefühl hinzugeben, daß der österreichische Fußballmeister Hakoah heißen würde.

Da, zehn Minuten vor Schluß, führte ein Gegenangriff des Sportclubs zu einem Corner, der Ball kam hoch herein, die Hakoah-Verteidigung brachte ihn nicht rechtzeitig weg, und es hieß 2:2. Daran nicht genug: in dem entstandenen Gedränge hatte der Hakoah-Tormann Fabian eine Verletzung erlitten, wurde vom Platz getragen und mußte, da es damals noch keinen Austausch gab, durch einen Feldspieler ersetzt werden. Die Wahl fiel notgedrungen auf den auch als Tormann geschulten Stürmer Nemes, den einzigen, der vielleicht imstande gewesen wäre, in den verbleibenden 10 Minuten das Spiel doch noch für Hakoah zu entscheiden. Mit ihm im Tor statt im Sturm und mit einem Mann weniger im Feld gab es nichts mehr zu hoffen. Der Meistertitel war beim Teufel oder auf dem Weg dorthin. Nur ein Wunder konnte ihn retten.

Das Wunder geschah. Es begann damit, daß Fabian, den verletzten Arm in einer Schlinge, wieder aufs Feld kam, natürlich nicht um seinen Posten im Tor einzunehmen, sondern um die Mannschaft wenigstens zahlenmäßig zu komplettieren. Er lief recht und schlecht auf dem von Nemes verlassenen rechten Flügel mit, und da es die Sportclub-Verteidigung für überflüssig hielt, den Halbinvaliden zu decken, stand er plötzlich frei – bekam den

Ball zugespielt – riskierte auf gut Glück einen Schuß – und es stand 3:2 für Hakoah. Bis zum Spielende fehlten nur noch wenige Minuten. Hakoah hatte die österreichische Fußballmeisterschaft gewonnen. Es war die tollste Sensation, die sich denken ließ.

Orkanartiger Jubel brach los, riß die Hakoah-Anhänger auf der Tribüne von ihren Sitzen hoch, meine Freunde und mich und unsern Vordermann, der in besinnungslosem Triumphgeheul immer wieder die Arme emporwarf. Auch der neben ihm sitzende Austria-Anhänger sprang auf, aber bei ihm war's die Verzweiflung über den im letzten Augenblick verlorenen Meistertitel. Und er wußte seiner ohnmächtigen Wut nur dadurch Luft zu machen, daß er den neben ihm jubelnden Hakoah-Anhänger mit einem wohlgezielten Kinnhaken zu Boden streckte.

Zwei meiner Freunde, kampferprobte Raufbolde und obendrein vom Siegesrausch beflügelt, stürzten sich auf ihn, schwangen die Fäuste und schickten sich an, ihm Fürchterliches zuzufügen.

Da aber ertönte von unten her die Stimme des Mißhandelten: »Ich bitt' Sie, lassen Sie ihn in Ruh'. Er ist mein Cousin.«

Wie aus den beiden vorangegangenen Geschichten hervorgeht, kamen die Anhänger einer Mannschaft oft genug in die Lage, für eine andre Mannschaft zu »drucken«, sei es aus Gründen einer bestimmten Tabellenkonstellation, sei es aus Sympathie oder aus nationaler Verbundenheit, die vor allem gegen ausländische Mannschaften zum Tragen kam. Das ging so weit, daß die Hakoah, als sie einmal in Wien gegen den jüdischen Sportklub Vivo Budapest ein Freundschaftsspiel austrug, vom nichtjüdischen Teil des Wiener Publikums mit Rufen wie »Hoppauf Hakoah, zeigt's es denen Juden!« angefeuert wurde. Für die Dauer dieses Spiels war sie eben keine jüdische, sondern eine Wiener Mannschaft. Juden waren die Ungarn.

Auch in Brünn gab es einen jüdischen Sportverein namens Makkabi, der eine eher bescheidene Rolle spielte – bis einige Mäzene aus der finanzkräftigen Textilbranche sich zusammentaten und, vom Ruhm der Hakoah angestachelt, aus Budapest eine Anzahl jüdischer Klassespieler nach Brünn holten (»kaperten«, wie man das damals nannte). Auf diesen Kader gestützt, kam Makkabi tatsächlich zu beachtlichen Erfolgen, konnte eine Zeitlang im internationalen Spitzenfußball mithalten, brachte zu Hause dem oftmaligen österreichischen Fußballmeister Rapid eine Niederlage bei und wurde zu einem Revanchespiel nach Wien eingeladen. Überflüssig zu sagen, daß der Hakoah-Anhang sich vollzählig auf dem Rapidplatz einfand, um dem Brünner Bruderklub den in der Fremde doppelt nötigen stimmlichen Rückhalt zu geben.

Irgendwie, sei's durch den Irrtum einer Vorverkaufsstelle oder aus sonst einem unerforschlichen Versehen, war unter die Hakoahner, die einen Teil der Tribüne besetzt hielten, ein Rapid-Anhänger geraten, an seinem Äußeren wie an seinen Äußerungen sofort als solcher erkennbar und, wie man sich denken kann, in einer nicht just beneidenswerten Situation. Sie wurde ihm obendrein dadurch versauert, daß Makkabi sich an diesem Tag in Hochform befand und nach furiosem Angriffsspiel zur Halbzeit 3:0 in Führung lag (das Endergebnis lautete 4:2). Und nach jedem Tor fand sich der versprengte Rapid-Anhänger dem von Mal zu Mal gesteigerten Beifallsgetöse seiner Umgebung ausgesetzt. Beim 1:0 ließ ihn das noch einigermaßen gleichgültig – es hatten schon andere Mannschaften gegen Rapid geführt und dann verloren. Beim zweiten Tor, daß ihm sichtlich näher ging, reagierte er auf den ringsumher losgebrochenen Jubel mit unverhohlener Mißbilligung und dem brummigen Ratschlag an seine Sitznachbarn, sie mögen sich gefälligst nichts antun. Als aber das 3:0 kam, litt es ihn nicht länger. Er wartete, bis der feindliche Beifall, der ihn umdröhnte, verebbt war, dann erhob er sich und blickte kopfschüttelnd in die Runde:

»Was is denn?« fragte er ungläubig. »Lauter Brünner san do? Lauter Brünner?!«

Gegen die Wucht solcher Erlebnisse müssen die eigenen – nämlich die, bei denen meine eigene Tätigkeit eine Rolle gespielt hat – zurücktreten, wenn auch nicht so weit, daß sie beim Rückblick gänzlich entschwänden. Seltsamerweise geben meine gewissermaßen aktiven Erinnerungen weit weniger an Witz und Heiterkeit her als die aus dem Zuschauerraum, vielleicht deshalb, weil man als Schwimmer oder Wasserballer – vom Trainer gehetzt, vom Gegner geschunden – wenig zu lachen hatte. Ereignete sich dennoch etwas Komisches, so kam es meistens außerhalb des Wassers zustande, in der Kabine oder auf Sportreisen, und unterschied sich allenfalls im geistigen Gepräge, nicht jedoch im Prinzip von den heiteren Vorkommnissen in einer Schauspielergarderobe oder auf einer Theatertournee. Es entzieht sich somit als untypisch der ohnehin fragwürdigen Rubrik »Sporthumor«.

Auch manches, was sich im Wasser begab und komisch aussah, entriet der wahren Komik, zumindest für den unmittelbar Betroffenen. Im vorliegenden Fall war es der »Maggi« genannte Hakoah-Stürmer Max Rosenblatt, ein schneller, gefinkelter Techniker, aber von etwas schwächlicherem Körperbau, als es sich für Wasserballer empfiehlt. Seine erste Berufung in die österreichische Nationalmannschaft erfolgte gegen Ungarn, das viele Jahre lang im Wasserball eine ähnlich dominierende Stellung einnahm wie Kanada im Eishockey. Und ähnlich wie die Kanadier ließen es auch die Ungarn nicht bei ihrem überlegenen Können bewenden, sondern spielten, um den Gegner von Anfang an einzuschüchtern, über die Maßen derb. Auch nachdem ihr Trainer Komjádi – eine Straße in Budapest trägt seinen Namen – durch eine vom Fußball übernommene Bewegungstaktik das Spiel revolutioniert hatte, blieb es bei hautnaher Manndeckung, die jedem Spieler einen bestimmten Gegenspieler zuwies, von dem er bewacht wurde oder den er zu bewachen hatte (es lief in der Praxis auf eins hinaus), und die ungarischen Spieler empfingen »ihren« Mann gleich beim Aufschwimmen mit einer kombinierten Ober- und Unterwasserattacke, die als »ungarische Begrüßung« bekannt war: rechter Ellbogen in den Brustkasten, linke Faust in die Magengrube und mit dem Knie von unten ins primäre männliche Geschlechtsmerkmal.

Das alles muß man wissen, um zu ermessen, mit welcher Besorgnis wir dem Debüt unsres Maggi auf dem Rechtsaußenposten des österreichischen Teams entgegensahen; er würde voraussichtlich gegen den gefürchteten linken Verteidiger Homonay zu spielen haben, den rohesten der ungarischen Rohlinge, und dann gnade ihm Gott.

Es kam wie erwartet, Maggi schwamm auf und wurde in der gegnerischen Hälfte von Homonay ungarisch begrüßt.

Dann aber kam etwas Unerwartetes. Der Schmerz dieser Begrüßung war offenbar so groß, daß Maggi seinerseits in einer besinnungslosen Wutreaktion nach oben ausschlug und Homonay mit dem Handrücken voll ins Gesicht traf.

Die es gesehen hatte, erbleichten. Was stand dem armen Maggi jetzt bevor? Wie würde Homonay die unerhörte Freveltat bestrafen? Würde er ihn knockout schlagen, in den Grund bohren, zerfleischen?

Nichts dergleichen geschah. Homonay zeigte keinerlei Wirkung. Lächelnd beugte er sich zu dem tollkühnen Neuling, den er nun schon eisern umklammert hielt, hinab und fragte im Tonfall freundlichen Interesses:

»Wie heißt du?«

Denn ein Revanchefoul an Homonay war in der Geschichte des Wasserballsports noch nie vorgekommen, und da wollte er doch den Namen dessen, der es gewagt hatte, kennenlernen.

Der Stürmer Rosenblatt wurde in der Pause von einem rasch herbeigeholten Arzt notdürftig zusammengeleimt und spielte in der zweiten Halbzeit auf einem anderen Posten.

Natürlich gab es auf dem weiten Gebiet der Wasserballverteidigung noch ein paar andere, die ihr Amt unter völliger Mißachtung aller humanitären Grundsätze ausübten. Mit einem von ihnen, der zwar bei weitem nicht an Homonays Klasse, aber sehr nahe an seine Spielauffassung herankam, bin ich einmal aneinandergeraten. Ich spielte bei einem Turnier in Brüssel für eine tschechoslowakische Auswahlmannschaft gegen eine belgische und bekam als Gegenspieler den berüchtigten Verteidiger von Maccabi Antwerpen, Maurice Blitz (dessen Bruder Gérard zwei Europarekorde im Rückenschwimmen hielt). Maurice, weniger formell und weniger französisch auch Moische gerufen, war – um es vorsichtig auszudrücken – eine Art Zwischenstufe zwischen Mensch und Gorilla, ein ungefüger, nicht ganz zu Ende modellierter Brocken mit wild behaarter Brust und ebensolchen Armen, die in zwei schaufelradähnlichen Tatzen endeten. Mit diesen Tatzen riß er mir, kaum daß ich in den Besitz des Balls gelangte, blutige Striemen in den Rücken, oder er ließ sie, wenn der Schiedsrichter anderswohin schaute, mit phantasieloser Regelmäßigkeit auf mich niedersausen. Ein paarmal schlug ich zurück, tat mir aber an den Kanten seines briefkastenförmig angelegten Oberkörpers so weh, daß ich's wieder bleiben ließ. Ich beschränkte mich darauf, ihm beim Schwimmen – wenn ich weit genug freikam – mit der Ferse ins Gesicht zu treten.

Als wir zur Pause aus dem Wasser stiegen, machte ich mich an ihn heran und versuchte in einem Gemisch aus Französisch und Jiddisch, ihn zu einer Mäßigung seiner Spielweise zu bewegen. Zwei Juden gegeneinander – ob das denn unbedingt ein Blutbad geben müsse?

Moische Blitz hörte mir freundlich grinsend zu. Dann legte er mir die eine Pranke kameradschaftlich auf die schmerzende Schulter und hob den Zeigefinger der andern lehrhaft hoch:

»Wasserball ist kein Schalomspiel«, sagte er.

Zwar konnte ich – anders als Maggi Rosenblatt gegen Ungarn – auf ärztliche Hilfe verzichten, zog es aber desgleichen vor, in der zweiten Halbzeit den Posten zu wechseln. Der Stürmer Schulz, der sich zu diesem Wechsel bereit erklärt hatte, sprach dann noch tagelang kein Wort mit mir.

Ein entferntes Parallelbeispiel zu jenem Rapid-Anhänger, der sich aus gegebenem Anlaß eine Zeitungsphrase zu eigen machte, wurde an mir selbst exemplifiziert. (Vorausgeschickt sei, daß ich seit meiner Übersiedlung zu Hagibor Prag den Spitznamen »Schani« trug, denn ich war von der Wiener Hakoah gekommen, und nach Ansicht meiner Prager Klubkollegen konnte ein Wiener nur Schani heißen.)

Aus irgendwelchen Gründen, vielleicht weil sich's um ein Jubiläumsdatum handelte, wurde am Beginn eines im Wiener Dianabad abgehaltenen internationalen Wasserballturniers, an dem aus der Tschechoslowakei Hagibor Prag und aus Ungarn MAC Budapest teilnahmen, die österreichische Nationalhymne gespielt. Wir hatten im Einleitungsmatch gegen Austria anzutreten, die beiden Mannschaften nahmen längs des Schwimmbeckens Aufstellung, und da ich damals Kapitän der Hagibor-Mannschaft war, kam ich neben den Austria-Kapitän zu stehen, einen Prachtkerl namens Schackerl Dworschak, der auch außerhalb des Wassers über Witz und Durchschlagskraft verfügte und dem die feierliche Zeremonie ebenso auf die Nerven ging wie mir. Ich meinerseits ließ das offenbar allzu deutlich merken, denn plötzlich spürte ich Schakkerls Ellbogen unsanft in meiner Hüfte:

»Hörst, Schani«, zischte er mir zu. »Wanns d' net sofort habtacht stehst, schmeiß i di in die Bassena!« Und nahm auch gleich die fällige Berichterstatter-Phrase vorweg: »Zum Gaudium des Publikums!«

Glücklicherweise war die Hymne zu Ende, ehe sein Vorhaben ins Hochdeutsche entarten konnte.

Es scheint mir im Stil der Sache zu liegen, wenn ich meine Wasserball-Reminiszenzen mit etwas Ungarischem abschließe. Ab 1929 hatten wir bei Hagibor Prag – weil die Vereinsleitung wußte, was sie unserem 1928 errungenen Meistertitel schuldig war – einen ungarischen Trainer. 1930 erschien mein »Schüler Gerber« und wurde in eine Reihe anderer Sprachen übersetzt, unter dem Titel »A Gerber érettsegye« auch ins Ungarische. Budapester Freunde schickten mir ein paar Kritiken zu, darunter eine, die sich über eine ganze Seite der Literaturbeilage des »Pesti Hirlap« erstreckte. Da ich sie nicht verstand, ging ich zu Sarkany, unserm Wasserballtrainer, und bat ihn, sie mir zu übersetzen. Er hatte einige Schwierigkeiten, für alle darin vorkommenden Superlative den richtigen deutschen Ausdruck zu finden, aber auch so war es klar, daß mein Roman im »Pesti Hirlap« enthusiastisch gelobt wurde.

Als Sarkany sein mühsames Übersetzungswerk beendet hatte, reichte er mir das Blatt zurück und sah mir tief in die Augen:

»Gib ehrlich zu«, sagte er. »Wär dir nicht lieber, ungarische Zeitung möchte so gut schreiben über dich auf Sportseite in Wasserball?«

Ich gab es ehrlich zu. Und Jahrzehnte später, als ich von einem Interviewer nach dem »schönsten Tag meines Lebens« gefragt wurde, habe ich ebenso ehrlich geantwortet, daß ich mich noch immer nicht entscheiden könne: ob es der Tag gewesen sei, an dem mir innerhalb einer Viertelstunde Karl Kraus von Alfred Polgars guter Meinung über mich erzählte und Alfred Polgar ein gleiches von Karl Kraus – oder der Tag, an dem ich im Entscheidungsspiel um die tschechoslowakische Wasserballmeisterschaft, das Hagibor Prag gegen PTE Preßburg 2:0 gewann, beide Tore geschossen habe.

Sollte ein sportfremder oder gar sportfeindlicher Leser sich trotzdem auf eine widerwillige Lektüre dieses Kapitels eingelassen haben, dann möchte ich ihm das abschließende Kopfschütteln über meine Niveaulosigkeit durch die Mitteilung erleichtern, daß ich in der Wahl zwischen jenen zwei Tagen – die übrigens gar nicht so weit auseinanderlagen – mit zunehmendem Alter immer mehr dem Tag des 2:0 zuneige.

Die Zeitwende

I. Vorher

Wenn die Funktion, die der Anekdote in diesem Buch (und dem ihm vorangegangenen) zugewiesen ist, auf das Einverständnis des Lesers rechnen darf, dann kann sich also ein bestimmter Zeitabschnitt – repräsentiert durch Personen, Einrichtungen und gesellschaftliche Zustände – in den Anekdoten, die er hervorgebracht hat, so aufschlußreich spiegeln, daß er aus ihnen darstellbar wird.

Zur Vermeidung von Pauschalurteilen bin ich gehalten, jetzt und hier an diesem hoffnungsfroh vorausgesetzten Einverständnis einen kleinen Abstrich vorzunehmen: der anekdotische Spiegel kann das Zeitbild immer nur zu einem Teil einfangen und reflektieren, niemals zur Gänze. Aus persönlichen Anekdoten mag ein mehr oder minder komplettes Persönlichkeitsbild etwa Ferenc Molnárs erstehen, aus Kaffeehausgeschichten ein zulängliches Panorama des Literatencafés. Aber je näher sich die Anekdote an eine politische Situation heranmacht, desto unzulänglicher und fragwürdiger wird sie. An den grauenhaften Aspekten, die solchen Situationen nur allzu häufig eignen, müßte das Unterfangen, ihren eine »heitere Seite« abzugewinnen, eigentlich hinfällig werden, oder es müßte einem in Gedanken daran, was hinter der Heiterkeit steckt, das Lachen gründlich vergehen. Die politische Anekdote ist allenfalls als Illustration zu den jeweils herrschenden Verhältnissen statthaft und illustriert weniger die Verhältnisse selbst als vielmehr das Ventil, durch das sich die jeweils Betroffenen Luft machen möchten. Schlüssigkeit oder gar Totalität sind in derlei Zusammenhängen weder angestrebt noch erzielbar. Der im Februar 1934 blutig niedergeschlagene Aufstand der sozialdemokratischen Arbeiterschaft Österreichs und das nachfolgende Regime des autoritären Christlichen Ständestaats waren keine komischen Anlässe, und die Ereignisse, die 1938 einsetzten, waren es erst recht nicht. Aber was sich da an peripherer und teilweise unfreiwilliger Komik begab, gehört dennoch mit dazu.

Unter diesen komischen Randerscheinungen figurieren in meiner Erinnerung zwei Aushängekasten an führender Stelle. Der eine gehörte zum Haus einer Bezirksleitung der kurz zuvor verbotenen Sozialdemokratischen Partei und enthielt einen Zettel mit der folgenden handgeschriebenen Mitteilung:

»Da unser Parteilokal leider polizeilich geschlossen wurde, findet die nächste Vertrauensmännersitzung am kommenden Donnerstag illegal beim Genossen Neidhartinger statt.«

Der andre Kasten hing vor dem Zentralgebäude der »Vaterländischen Front«, jener unglückseligen, im Ständestaat einzig zugelassenen Einheitsorganisation, in der sich nach dem Willen der Regierung die nunmehr vom Unwesen der politischen Parteien erlösten Volksmassen zusammenfinden sollten. Die Massen fanden sich jedoch nicht, und wer der oktroyierten Sammelbewegung unter dem damals sogenannten »freiwilligen Zwang« beitrat, tat das möglichst heimlich und vermied es, das von der Vaterländischen Front zum Emblem erkorene Kruckenkreuz als Abzeichen zu tragen. Daraus erklärt sich der einigermaßen entlarvende Reim, den der erwähnte Aushängekasten als Begleit- und Werbetext zu einem überdimensionalen Kruckenkreuz präsentierte:

»Wer mich nicht trägt
Und feig verbigt,
Der hat sein Recht
Bei uns verwirkt.«

Was dem offiziellen Eingeständnis gleichkam, daß Mut dazu gehörte, sich zur repräsentativen Körperschaft des neuen Staates zu bekennen.

Tatsächlich verfügte die Vaterländische Front nur über einen kümmerlich formellen Rückhalt im Volk, und die Auskunft, die einer ihrer Funktionäre gelegentlich einer Erkundungsreise durch die Provinz vom Bürgermeister eines Städtchens einheimste, darf – obwohl vermutlich erfunden – als typisch gelten. Auf die Frage nach der politischen Haltung der Einwohnerschaft antwortete der staatlich installierte Würdenträger hinter vorgehaltener Hand, es seien ungefähr 40% Nazi, 40% Sozi und 20% alte Christlichsoziale.

Und bei der Vaterländischen Front sei niemand?

»Ah ja!« beeilte sich der Befragte voll pflichtbewußten Eifers. »Bei der Vaterländischen Fronst san s' alle!«

Daß auch ein einzelner solche Gesinnungsvielfalt in sich vereinigen konnte, geht aus einer von Anton Kuh, dem unermüdlichen Heurigenforscher, aus Grinzing berichteten Episode hervor. Dort sei ein Bäckermeister nach dem Genuß mehrerer Viertel dem heulenden Elend anheimgefallen und habe in lautstarker Verzweiflung seinen persönlichen Niedergang beklagt:

»Mei Vater selig hat für'n Kaiser Franz Joseph die Salzstangerln zum Frühstückskaffee in die Burg g'schickt . . . a Hoflieferant war er, mei seliger Vater . . . a Monarchist . . . allerweil christlichsozial, sei ganzes Lebtag . . . mir ham immer christlichsozial g'wählt bei uns zuhaus . . . mei Vater war a guader Österreicher . . . grad aso wie mei seligs Muatterl . . . und was bin i? Was bin i?« Waidwund blickte er in die Runde, dann schlug er jammernd die Hände vors Gesicht: »A Nazi bin i! A Nazi! Der christlichsoziale Sohn von an k. k. monarchistischen Bäckermeister is a Nazi!«

Von allen Seiten drangen ängstliche Ermahnungen auf ihn ein:

»Red net so laut, Xandl! Pass auf! Halt die Goschen, sonst sperrn s' di ein!«

Aber der Bußfertige ließ sich nicht mehr bremsen:

»Sollen s' mi einsperren!« röhrte er. »Triff i im Gefängnis wenigstens mein' liaben, guaden Bürgermeister Seitz!«

Karl Seitz, nach dem Februar 1934 vorübergehend inhaftiert, war der letzte sozialdemokratische Bürgermeister Wiens.

Die Ventilfunktion des politischen Witzes hielt sich unter dem christlich-autoritären Regime in Grenzen, begnügte sich etwa mit der Erfindung neu eingeführter Staatsfeiertage wie »Maria Denunziata« und »Mariä Hausdurchsuchung« oder stellte politische Attentatsversuche unter besonders strenge Freiheitsstrafen: Wer auf den Führer der »Österreichischen Sturmscharen« schießt, bekommt 20 Jahre Kerker, wer auf den Heimwehrführer schießt, wird zu lebenslänglichem Kerker verurteilt, und auf den Herrn Bundeskanzler zu schießen, ist überhaupt verboten.

Es wurde, wie man weiß, trotzdem auf ihn geschossen, und selbst wenn man für die Politik des Engelbert Dollfuß so wenig übrig hat wie ich, wird man seinem Märtyrertod Respekt zollen müssen. Daß er nichts ändern, daß er die in Gang geratene Entwicklung nur verzögern und nicht verhindern konnte, stellt sich dem Rückblick ungleich klarer und zwangsläufiger dar, als es damals aussah. Während die Dinge ihren Lauf nahmen, haben nur wenige Hellsichtige erkannt, daß und warum es ein unaufhaltsamer Lauf war.

Zumindest die Frage nach dem Warum fand ihre Antwort, als das Staatliche Deutsche Reisebüro, an einer verkehrsreichen Straßenecke der Inneren Stadt gelegen, in seinem Schaufenster ein riesiges, von Lorbeer umkränztes Hitlerbild installierte und damit zu einem Wallfahrts- und Demonstrationsort der in Österreich um jene Zeit noch illegalen Nationalsozialisten wurde. Zu verbieten gab es da nichts. Die Leute vom Deutschen Reisebüro hatten das Recht, ein Bildnis ihres Staatsoberhauptes auszustellen, und die vielen weißbestrumpften Spaziergänger, die vor diesem Bildnis stundenlang auf und ab marschierten, verstießen damit gegen keines der gültigen Gesetze. Dementsprechend lahm reagierte die Öffentlichkeit (sofern sie nicht selber weiße Strümpfe trug). Dann und wann erschien in einer der wenigen deklariert nazifeindlichen Zeitungen ein kleiner Artikel, der das Ereignis mit der amtlich vorgeschriebenen Zurückhaltung glossierte, dann und wann kam es vor dem Reisebüro zu kleinen Raufhändeln, und im Cabaret »Simpl« ließ Fritz Grünbaum in seinem allabendlich aktualisierten Vorhang-Dialog mit Karl Farkas die Bemerkung fallen, daß er sich morgen in der Galerie Albertina die Fahrkarte für seine bevorstehende Reise nach Prag holen würde, worauf Farkas fragte, seit wann man denn in Bildergalerien Fahrkarten bekäme, und worauf Grünbaum antwortete: seit die Reisebüros Bilder ausstellen. Das war ungefähr alles, was an Gegenwehr gegen die gezielte Provokation zustande kam, sehr zum Mißmut derer, die sich ein kräftigeres Zeichen österreichischer Selbstbehauptung gewünscht hätten.

Auch im Café Herrenhof wurde über etwaige Möglichkeiten dieser Art debattiert.

»Wie wär's«, schlug einer vor, »und das offizielle Österreichische Reisebüro in Berlin stellt ein Bild von Dollfuß in die Auslage, schwarz umrahmt und mit der Aufschrift ›Ermordet am 25. Juli 1934‹?«

In die lebhaften Rufe der Zustimmung klang der bedächtige Einwand des trefflichen Dr. Inngraf, eines mit dem Literaturklüngel befreundeten Regierungsbeamten (dessen Freundschaft uns schon oft zugute gekommen war):

»Ein ausgezeichneter Vorschlag«, sagte er. »Wirklich ausgezeichnet. Das Ganze hat nur einen Nachteil: die Deutschen werden's nicht erlauben.«

Und damit war die politische Gesamtsituation, wie sie zwischen Österreich und Deutschland bestand, auf ihre einfachste Formel gebracht.

Alles übrige bleibt nachträgliche und darum doppelt müßige Spekulation. Wenn aus der weiteren Entwicklung der Dinge überhaupt auf etwas geschlossen werden kann, dann auf die sichere Erfolglosigkeit jedweden Versuchs, einen im Aufwind operierender Gegner durch Konzessionen zum Stillstand zu bringen oder – wie die ins Bild passende Phrase es ausdrückt – ihm »den Wind aus den Segeln zu nehmen«. Tatsächlich wurde das damals immer wieder als Motiv und Ziel der österreichischen Politik angeführt. Die fatale, von Dollfuß' Nachfolger Schuschnigg programmatisch hochgespielte Tendenz, Österreich als »zweiten deutschen Staat« zu legitimieren statt als einzigen österreichischen, hat die ohnehin wackelige Bereitschaft des Österreichers, sich *als solcher* gegen den deutschen Ansturm zu behaupten, noch weiter geschwächt, hat ihm im Grunde seine ganze Raison d'être entzogen – denn wenn schon deutscher Staat, dann doch gleich Deutschland, dann eben »ein Volk – ein Reich – ein Führer«. Das Kruckenkreuz war keine Antwort auf das Hakenkreuz, sondern dessen Abklatsch, die autoritäre Ordnung mit ihrer aufdringlichen Deutschtümelei kein Gegensatz zur Nazidiktatur, sondern deren schwächere Ausgabe, in der Theorie vielleicht eigenständig, in der Praxis hauptsächlich darauf ausgerichtet, dem großen Bruder zu zeigen, daß man's beinahe genausogut kann. Das reichte von der Bevorzugung der knorrigen gotischen Schrift bis zu den Heilrufen, mit denen die Führer des Ständestaats bejubelt werden wollten. Wenn in Deutschland einer »Hoch Hitler!« gerufen hätte, wäre er wegen Verhöhnung des Führers verhaftet worden. In Österreich riefen sie »Heil Dollfuß!« und »Heil Schuschnigg!« und wußten nicht, daß sie sich damit selber verhöhnten, wußten nicht, daß sie mit ihrem selbstverständlichen Verzicht auf den Hochruf zugleich auf die Selbstverständlichkeit ihrer Existenz verzichteten.

Was sie schon gar nicht wußten: daß »Heil« den Dativ verlangt und daß die alte Volkshymne, wie sie zu Lebzeiten der Kaiserin Elisabeth gesungen wurde, diesem Verlangen entsprochen hatte: »Heil Franz Joseph, heil Elisabeth!« hieß es dort. Und von Rechts wegen hätte es »Heil Hitlern!« heißen müssen.

Aber wer sprach schon in Deutschland von Recht. Und wer rief schon in Österreich »Hoch!«

So kam es denn, wie es wahrscheinlich kommen mußte und jedenfalls wie es gekommen ist.

Jahrelang waren die beiden Zeitungskolporteure an der Ecke Schottenring/Schottengasse gestanden und hatten ihre Nachmittagsblätter ausgerufen, den »Telegraf« und das »Echo«. Mitte März, nach dem Einzug Hitlers in Österreich, stand plötzlich nur noch der eine da. Und als zwei – drei Tage später der andre auftauchte, kam er mit den Händen in den Hosentaschen herangeschlendert, ohne das übliche Zeitungspaket.

»Verkaufst keine Zeitungen mehr?« fragte erstaunt sein Kollege.

Ein Kopfschütteln ging der belämmerten Antwort voraus:
»Na. I derf nimmer.«
»Warum derfst nimmer? Hast was ang'stellt?«
Abermaliges Kopfschütteln:
»Na. I derf nimmer, weil i a Jud bin.«
Seinem Kollegen wären vor Verblüffung beinahe die Zeitungen aus der Hand gefallen. Er glotzte ungläubig:
»*Wos* bist?!«
»Hab's ja eh scho g'sagt. I bin a Jud.«
»Geh hörst!« Jetzt war das Kopfschütteln an dem immer noch Glotzenden. »Des is ja der helle Wahnsinn!« rief er aus.

Es war wirklich der helle Wahnsinn, in Wien nach dem März 1938 ein Jud zu sein, aber man konnte sich's bekanntlich nicht aussuchen. Man konnte nur trachten, möglichst rasch wegzukommen. Gegen den Irrtum der deutschen Juden, die oft jahrelang nach dem nationalsozalistischen Umbruch von 1933 in Deutschland verblieben waren, weil sie hofften, daß es »schon nicht so schlimm« werden würde und daß man sich mit den neuen Machthabern vielleicht doch noch arrangieren könnte – gegen diesen in mehr als einer Hinsicht tragischen Irrtum durfte man sich ja in Österreich 1938, nach dem Anschauungsunterricht der vorangegangenen fünf Jahre, zum Glück gefeit fühlen. (Und es war ein Glück durchaus im Sinn jenes häufig anwendbaren Ausspruchs der Tante Jolesch: »Gott soll einen hüten vor allem, was noch ein Glück ist.«)

Wie weit der Irrtum gehen konnte, bekundete jener aus Hitlerdeutschland geflüchtete Vertreter der Gattung »Preußenkohn« (einer Kombination von preußischem Charme mit jüdischer Bescheidenheit), der sich anläßlich einer Heimwehr-Parade an seinen Nebenmann im Spalier wandte:
»So etwas nennt man hier 'nen Aufmarsch?« tadelte er. »Da sollten Se mal unsre SA sehen!«

Die Einsicht, daß man nichts mehr zu hoffen hatte, und die Absicht, dem Hitlerschen Machtbereich zu entrinnen, ließ sich allerdings nicht mit der gewünschten (und gebotenen) Schnelligkeit in die Tat umsetzen. Es gab eine Unmenge von Schikanen und Gefährdungen, an denen die Flucht oft noch im letzten Augenblick scheiterte, und selbst wenn man um Gefängnishaft oder Konzentrationslager herumkam, blieben bange Wochen und Monate zu überstehen, als deren einziger Lichtblick sich der postalische Kontakt mit den schon ins Ausland Gelangten darbot. Natürlich mußte man da wieder auf die Zensur Bedacht nehmen, vor der man Fragen und Informationen harmlos zu tarnen versuchte. Es bleibe dahingestellt, ob diese Tarnung von den deutschen Zensurbeamten tatsächlich nicht durchschaut wurde; möglicherweise fanden sie es bloß nicht der Mühe wert, die betreffenden Stellen auszuschwärzen oder den ganzen Brief zu beschlagnahmen. Manche der geradezu kindisch naiven und ständig wiederkehrenden Chiffren – für Hitler setzte man den geläufigen jüdischen Familiennamen Horowitz, die Gestapo war der »Herr Lehrer«, statt »Konzentrationslager« schrieb man »Konzerthaus« – ließen sich so leicht entschlüsseln, daß man getrost die richtigen Bezeichnungen hätte verwenden dürfen. Sie wären um nichts verfänglicher gewesen als »chiffrierte« Mitteilungen wie etwa: »Horowitz hat wieder eine antisemitische Rede gehalten«, oder: »Der arme Onkel Sigi sitzt schon seit zwei Wochen im Konzerthaus«, oder: »Gestern wurden wir zum Herrn Lehrer ins Hotel Metropol bestellt« (wo sich der Hauptsitz der Geheimen Staatspolizei befand).

In einigen Fällen kreuzte sich vermeintliches Raffinement mit echter Dummheit. Zum Beispiel wäre die Chiffre, die zwei Freunde vereinbart hatten, an sich brauchbar gewesen: Dem einen war die Flucht ins Ausland bereits geglückt, und dorthin sollte ihm der andre, noch in Wien zurückgebliebene allwöchentlich einen Situationsbericht schicken, und zwar im Stil eines mit den Geschehnissen begeistert einverstandenen Nazi: »Jetzt sind herrliche Zeiten angebrochen«, hieß es da. »Soeben wurden in der Inneren Stadt wieder ein paar jüdische Geschäfte arisiert. Die Besitzer haben wir in den Prater geführt, um sie dort turnen zu lassen. Es war ein köstlicher Anblick und noch viel zu wenig für diese

Blutsauger. Hoffentlich kann ich Dir bald wieder so gute Nachrichten geben. Heil Hitler! Dein Sami Grünzweig.«

Auch die alte Frau Goldblatt hätte ihrer Tochter beinahe einen ähnlichen Strich durch die mühsam ausgeheckte Rechnung gemacht. Die Tochter, unter dem Bühnennamen Garden am Deutschen Theater in Mährisch-Ostrau tätig, hatte angesichts der komplizierten Devisenvorschriften beschlossen, ihre Geldzuwendungen an die in Wien lebende Mama auf ebenso einfache wie riskante Weise vorzunehmen, indem sie auf gut Glück tschechoslowakische Banknoten in einen gewöhnlichen Brief ohne Absenderadresse steckte – wenn er einer Kontrolle zum Opfer fiel, hatte man Pecht gehabt, wenn er durchkam, sollte Frau Goldblatt den Empfang auf offener Postkarte bestätigen und für die Banknoten das im Verkehr mit einer Schauspielerin durchaus einleuchtende Kennwort »Bühnenphotos« verwenden. Frau Goldblatt bestätigte: »Mein liebes Kind, Deine Bühnenphotos sind angekommen und haben mich sehr gefreut. Aber bitte, schick mir nächstens etwas kleinere Photos. Die letzten waren so groß, daß ich Schwierigkeiten hatte, sie zu wechseln.«

Ungefähr ein Jahr später konnte man aus der Tschechoslowakei kein Geld mehr nach Wien schicken, weil die Tschechoslowakei nicht mehr existierte. Über den Devisenverkehr zwischen der Ostmark und dem Protektorat Böhmen-Mähren bin ich nicht unterrichtet. Ich befand mich um diese Zeit bereits als Emigrant in der Schweiz (und ein weiteres Jahr später als Freiwilliger in der tschechoslowakischen Exilarmee in Frankreich).

Bevor es soweit war, zur Zeit, als man aus Wien noch nach Prag flüchtete, war mir dort mein alter Freund Heinz Politzer begegnet, Lyriker, Essayist, gemeinsam mit Max Brod Mitherausgeber der ersten Kafka-Gesamtausgabe und Inhaber einer wohlgepflegten Neigung zur Depression, für die sich in jenen Märztagen des Jahres 1938 ein weites Betätigungsfeld öffnete. Politzer machte zünftigen Gebrauch davon. Sein Blick in die Zukunft ließ – um Herzmanovsky-Orlando zu zitieren – den Propheten Jeremias vergleichsweise als Humoristen erscheinen. Nichts konnte seine Düsternis aufheitern, nicht einmal die Titelseite einer Schweizer Provinzzeitung, die ich ständig bei mir trug – hatte sie doch am 13. März, dem Tag des Nazi-Einzugs in Österreich, ihren Aufmacher mit der dreispaltigen Überschrift versehen: »1938 – ein gutes Nußjahr«. Selbst dieses Zeugnis einer optimistischen Lagebeurteilung entlockte dem Deprimierten nur ein müdes Achselzucken.

Ich versuchte es mit wuchtigeren Argumenten:

»Politzer«, sprach ich ihm zu, »es mag ja im Augenblick nicht besonders günstig für uns aussehen – aber eines dürfen wir uns sagen: Wir erleben Geschichte!«

»Ich möchte lieber Geographie erleben«, replizierte Politzer. (Die Lehrfächer »Geographie« und »Geschichte« waren an den österreichischen Mittelschulen gekoppelt und wurden immer vom selben Professor unterrichtet.)

Sein Wunsch ist ihm in Erfüllung gegangen. Heinz Politzer, der sich inzwischen durch einige gewichtige Werke hohen Rang als Literaturhistoriker erworben hat, war 1938 auf ziemlich abenteuerlichen Wegen nach Palästina gelangt und lehrt heute an einer amerikanischen Universität. Er hat Geographie erlebt.

II. Mittendrin

Wem es geglückt war, sich aus dem Bereich der von Horowitz eingerichteten Konzerthäuser zu retten, der hatte zumeist nicht viel mehr als sein nacktes Leben gerettet und vielleicht noch seine Freiheit, sofern man darunter eine von zahllosen behördlichen Auflagen, Beschränkungen, Vorschriften, Stempeln und Bewilligungen eingeengte Bewegungsfreiheit verstehen will. Im Epilog zur »Tante Jolesch« (S. 227 ff.) habe ich einiges über die Fährnisse und Tücken der Emigration berichtet, über die Struktur der Emigranten und wie sie dieser Fährnisse und Tücken Herr wurden oder auch nicht, über die unbeabsichtigte und die desperat beabsichtigte Komik des Emigrantendaseins – es ist, wahrlich, ein eigenes Kapitel, und seine Behandlung verursacht mir, nicht minder wahrlich, nach wie vor gewaltige Hemmungen. Die Unannehmlichkeiten, die unsere alles eher als gastlichen Gastländer uns mit nimmermüdem Eifer bereiteten, wurden schon so oft (und, wie soeben angedeutet, auch von mir) geschildert, daß weitere Schilderungen unweigerlich die Langeweile des Lesers hervorrufen würden und seinen Stoßseufzer »Ach, das kenne ich schon!«, welcher selbst dann geseufzt wird, wenn der Leser »das« – was immer es sei – gar nicht kennt, sondern nur weiß, daß es schon oft geschildert wurde. (Auf solche oder ähnliche Weise entsteht nicht ungern eine sogenannte »öffentliche Meinung« und verfestigt sich binnen kurzem so sehr, daß sie einer nächsten bereits als Grundlage dient.)

Es scheint mir deshalb geboten, auch einmal von den anderen Unannehmlichkeiten zu sprechen, von denen, die sich die Emigranten selber schufen, untereinander und gegeneinander, in einer bemerkenswert leistungsfähigen Eigenproduktion. Diese gewissermaßen autarken Unannehmlichkeiten konnten es zwar mit dem konkreten Bedrohungseffekt der staatlich produzierten nicht aufnehmen, bewirkten jedoch eine mindestens ebenso quälende Abnützung der Nervensubstanz und, zumal bei Personen von labiler Wesensart, eine oft bis zum Selbstmordgedanken gesteigerte Verzweiflung über die unentrinnbare Zugehörigkeit zu der als »Emigranten« gekennzeichneten Menschengruppe. Hab ich mich denn, so mochte manch einer sich fragen, dem Zugriff Hitlers entzogen, um hier in Paris diesem widerlichen Benno Steiner in die Arme zu laufen, dem ich zu Hause immer im Bogen ausgewichen bin, und muß ich mich von ihm, nur weil auch er emigriert ist, auf offener Straße umarmen, ja duzen lassen? Und es mochte manch einer angesichts der Tatsache, daß es darauf keine andre Antwort gab als Ja, dem Trübsinn verfallen. Jedenfalls war in meinem privaten Friedensvertrag schon damals die Rückgängigmachung aller nach dem 11. März 1938 entstandenen Duzfreundschaften vorgesehen. (Jahre später erzählte mir in München Barbara Martini, des Winfrieds liebenswerte Gattin, von ähnlichen Erfahrungen; sie bezeichnete diese unwillkommene Form der Anbiederung als »Boots-Du«, weil diejenigen, die es beanspruchen, sich immer darauf berufen, daß man doch im selben Boot säße.)

Die fettig-familiäre Intimität, die sich innerhalb der Emigration entwickelte, war tatsächlich schwer zu ertragen, und wenn man dasselbe Boot, in dem man saß, nicht durch eine unbeherrscht heftige Abwehrbewegung zum Kentern bringen wollte, mußte man sich rechtzeitig die komische Seite der Situation vor Augen halten. In besonders versöhnlichen Augenblicken zog man sogar ins Kalkül, daß die überwiegende Mehrzahl der Emigranten, jählings ihres ohnehin dürftigen gesellschaftlichen Rückhalts beraubt, nicht länger in der Lage, an ihren geschäftlichen Erfolgen Trost und Stütze zu finden, übergangslos aus einer Bahn geschleudert, die sie niemals mit der Frage nach dem Sinn ihres Lebens konfrontiert hatte – daß diese geistig und nunmehr auch finanzell Minderbemittelten sich wenigstens daran schadlos halten wollten, daß es den Namhaften von einst genauso erging wie ihnen und daß sie den vormals Unnahbaren in gemeinsamem Schicksal verbunden waren.

Im übrigen ließen sich diesen nervengängerischen Gesellen nicht alle Meriten absprechen. Der Schriftsteller, von dem sie auf der vertraulichen Grundlage der Schicksalsgemeinschaft behandelt zu werden wünschten, durfte sich ja auf dieser Grundlage seiner immer noch vorhandenen, wenn auch arg ramponierten Prominenz vergewissern, die er nirgends sonst bestätigt bekam. Ein Schuft, wer da vorgibt, daß ihm das gleichgültig war, wer so tut, als hätte er im Umgang mit den Agenten der amerikanischen Film- und Verlagsbranche nie unter jener brutalsten Formel seiner Unbekanntheit gelitten, unter der erniedrigenden Frage: »How do you spell your name?« Gewiß, sie waren einem nicht eben angenehm, die Intimitätsheischer, denen man seinen Namen nicht zu buchstabieren brauchte. Aber wer weiß, wie unangenehm es erst gewesen wäre, wenn es sie nicht gegeben hätte.

Der junge, aus Wien emigrierte Buchhändler Peter Thomas Fischer hatte in New York eine Buchhandlung eröffnet und sie allmählich zu einer Art Kaffeehaus-Ersatz umgestaltet. Unter den Vertretern der Exilliteratur, die sich dort zusammenfanden, erschien eines Tags auch Carl Zuckmayer.

»Ich habe gestern ein Exemplar Ihrer ›Magdalena von Bozen‹ nach Chicago verkauft«, begrüßte ihn Fischer.

Zuckmayer wußte sofort Bescheid:

»Ja, an Frau Malwine Popper«, sagte er.

Denn die emigrierten Autoren kannten nicht nur ihre Leser, sondern auch ihre Käufer. Wenn ein Buch von Zuckmayer nach Chicago verkauft wurde, konnte es nur an Frau Popper verkauft worden sein.

Die Leser ihrerseits, auch die zahlreichen Nichtkäufer unter ihnen, ja besonders diese, setzten es als selbstverständlich voraus, von den ihnen bekannten Autoren gekannt zu werden, und reagierten höchst ungehalten, wenn ein Autor dieser Voraussetzung nicht entsprach. Ich erinnere mich an ein von Bruno Walter dirigiertes Symphoniekonzert in Los Angeles, das Franz Werfel und ich gemeinsam besucht hatten und nach dessen Ende wir zu Walter ins Künstlerzimmer kommen sollten. In dem Gedränge, das die ausgedehnten Vorräume, Korridore und Garderoben durchwogte, wurde ich von Werfel getrennt, verlor ihn aus den Augen, nahm an, daß er nach mir Ausschau halten würde, und blieb stehen.

»Herr Torberg, Sie werden gesucht«, sagte plötzlich dicht neben mir die Stimme eines unverkennbar aus Wien oder Prag, vielleicht auch aus Brünn stammenden Mitemigranten, den ich noch nie gesehen hatte. »Sie werden gesucht«, wiederholte er, nun schon ein wenig gereizt. »Von Herrn Werfel«, ergänzte er mit einem so deutlich tadelnden Unterton, als hätte ich seine Mitteilung angezweifelt. »Danke schön«, sagte ich, versäumte es jedoch, ein freudiges Aufleuchten des Erkennens über mein Gesicht gehen zu lassen. Daraufhin sah er mich böse an und ließ mich stehen, ohne daß ich ihn hätte fragen können, wo Herr Werfel mich suchte. Offenbar empfand er mein Versäumnis als Arroganz, als ein unausgesprochenes »Wer sind Sie eigentlich?« Hätte ich's ausgesprochen, dann hätte er zweifellos geantwortet: »Sie kennen mich nicht? Ich hab doch den ›Schüler Gerber‹ gelesen!« Und zu Hause wird er die Geschichte bestimmt so erzählt haben, daß ich schlecht dabei wegkam.

Gelegentlich konnten Erkennungsszenen auch auf andre Art mißglücken. An einem Terrassentisch eines jener Cafés auf den Champs-Élysées, die dem literarischen Sektor der österreichischen Emigration als Treffpunkt dienten, saß eines Nachmittags mit einigen seiner Wiener Freunde Alfred Polgar, von den anderen mit Recht als Star der Gruppe behandelt und dementsprechend respektvoll angesprochen. Und immer, wenn sein Name fiel, beugte sich vom Nebentisch her ein sofort als Emigrant kenntlicher Gast – jawohl, Emigranten waren sofort als solche kenntlich – ein wenig zu uns herüber, sichtlich interessiert, was der berühmte Mann jetzt sagen würde.

Als wir aufbrachen, erhob er sich und trat auf Polgar zu:

»Entschuldigen Sie bitte – sind Sie Herr Polgar?« Es klang bescheiden und ein wenig erwartungsvoll.

Insgeheim nicht minder erwartungsvoll kam Alfred Polgars Antwort:

»Ja, der bin ich.«

»Herr Eugen Polgar aus Preßburg?«

Eine lautlose Schreckenssekunde – dann hatte sich Polgar gefaßt:

»Nein«, sagte er höflich. »Ich bin Franz Polgar aus Olmütz.«

Der Name, um den sich die folgende Geschichte dreht, ist der Name eines Franzosen, und die Geschichte spielt im Sommer 1939 in einer »Correspondance« der Pariser Métro, einem dieser langen, unendlich wirrsälig angelegten Katakombengänge, die man beim Umsteigen von einer Linie in die andre zu durchwandern hat. Ich war in Gesellschaft eines über die politische Entwicklung jener Tage äußerst besorgten Freundes, und wir zottelten ziemlich unfroh dahin. Plötzlich blieb er stehen, packte mich am Arm und deutete auf die gegenüberliegende Korridormauer. »Vive Bucard!« stand dort mit Kreide geschrieben.

»Großer Gott!« flüsterte er entsetzt. »Schau dir das an!«

Ich schaute es mir an und wußte mit dem Namen nichts anzufangen.

»Wer ist Bucard?« fragte ich.

»Keine Ahnung«, antwortete mit bleichen Lippen mein Freund. »Aber wenn man ihn hochleben läßt – heute – in Frankreich – – das *kann* für die Juden nicht gut sein.«

Wie man 1945 aus Zeitungsmeldungen erfuhr, war Bucard einer der ersten französischen Nazi-Kollaborateure, die nach der Befreiung Frankreichs hingerichtet wurden.

Ähnlich wie früher einmal zwischen Wien und Prag, pendelte ich damals – schon um die Vorteile meines tschechoslowakischen Reisepasses auszunützen, solange es noch Zeit war und solange ich von einem der Emigrantenverlage noch Vorschuß bezog – zwischen Zürich und Paris. Das bescherte mir (neben anderen Wahrnehmungen, Erfahrungen und Erlebnissen) ein zweimaliges Wiedersehen mit Schorschi Loew, das erste unter bedrohlich gehetzten Umständen, das zweite unter den fast schon als normal zu bezeichnenden der Emigration. Schorschi, mein einstiger Schulkollege am Wiener Wasa-Gymnasium, pfiffig und quicklebendig schon damals, war unter Beibehaltung dieser Eigenschaften zu einem erfolgreichen Antiquitätenhändler gereift, hatte sie jedoch nach dem Einzug Hitlers in Österreich hintangestellt und auf die Möglichkeit einer raschen Flucht verzichtet, weil er Wien nur mit seiner Frau und deren Mutter verlassen wollte. Das gelang ihm erst nach vieler Mühe und auf denkbar knapp bemessener Basis: die drei trafen in Zürich mit einem für 24 Stunden gültigen Transitvisum ein, und die angeschlossene Aufenthaltsbewilligung in Frankreich, ohne die ihnen die Schweizer Durchreise nicht bewilligt worden wäre, erstreckte sich auf ganze drei Tage. Was nach Ablauf dieser Frist mit ihm und den beiden Frauen geschehen würde, lag in tiefem, unfreundlichem Nebel, aus dem es erfahrungsgemäß nur einen einzigen Ausweg gab: ein auf längere Sicht ausgestelltes Einreisevisum in irgendeinen überseeischen Staat, so überseeisch, daß man den Franzosen allein für die Reisevorbereitungen eine auskömmliche Zeitspanne abluchsen konnte.

Gleich nach seiner Ankunft traf ich mit Schorschi Loew zwecks Besprechung seiner höchst prekären, von schärfstem Zeitdruck bedrängten Situation zusammen. Er mußte die Schweiz spätestens am folgenden Abend mit dem Pariser Schnellzug verlassen und mußte sich bis dahin ein Visum verschafft haben, das für die nötige Atempause in Frankreich gut war. Nun bekam man solche Visa um jene Zeit entweder gar nicht mehr oder nur noch »schwarz«, nämlich gegen Geldbeträge von einer für Schorschi unerreichbaren Höhe. Unsere Nachforschungen in den einschlägig informierten Kreisen trugen uns immerhin einen Geheimtip zu: die konsularische Vertretung einer mittelamerikanischen Republik lag in den Händen eines jüdischen Großkaufmanns, der angeblich mit sich reden ließ. Gegen ein verhältnismäßig geringes Entgelt bekam Schorschi die Adresse des Konsulats, die mit der Wohnungsadresse identisch war.

Hoffnungsfroh machte er sich mit seinen Damen am nächsten Vormittag auf den Weg. Und wirklich: der Konsul, tief beeindruckt von des Besuchers dokumentarisch belegten Nöten und wohl auch vom mitleiderregenden Pathos ihrer Schilderung, da konnte man sich auf Schorschi verlassen und damit hatte er sich schon im Gymnasium aus mancher Patsche geholfen – der Konsul also erklärte sich bereit, seinem bedrängten Glaubensgenossen das ersehnte Visum auszustellen.

Auch für Frau und Schwiegermutter?

Ja, selbstverständlich.

Schorschi ernannte ihn zu einem Engel in Menschengestalt, gab wahrheitsgemäß an, daß er nicht wisse, wie er ihm danken solle, und zog aufatmend die drei Pässe hervor.

Er brauche ihm nicht zu danken, winkte der Engel in Menschengestalt ab, und morgen vormittag bekäme er die Visa.

Nein, jetzt gleich, berichtigte Schorschi. Nicht morgen vormittag. Jetzt.

Nein, beharrte nun seinerseits der Konsul. Nicht jetzt. Morgen vormittag.

Aber warum, um Himmels willen? Nur mit Mühe meisterte Schorschi seine Erregung. Er habe doch zur Genüge dargetan, wie dringend er die Visa brauche. Warum nicht jetzt?

Weil heute Samstag sei, erklärte der Konsul, und weil er als strenggläubiger Jude am Samstag nicht schreiben dürfe.

Schorschi Loew benötigte eine Weile, um sich zu erholen. Dann kramte er sein ganzes jüdisches Wissen hervor: Er kenne die religiösen Vorschriften gewiß nicht so gut wie der Herr Konsul, aber er glaube einmal gehört oder gelesen zu haben, daß die Rettung eines Menschenlebens das höchste Gebot von allen sei und jedes andre Gebot außer Kraft setze, also auch das Schreibverbot am Sabbat.

Das träfe zwar zu, wurde ihm erwidert, aber er befände sich ja nicht in unmittelbarer Lebensgefahr, die eine Verletzung der heiligen Sabbatgesetze rechtfertigen würde.

Nach kurzem Bedenken entschied sich Schorschi Loew gegen eine Fortsetzung der offenkundig aussichtslosen Diskussion. Er stand auf, trat nahe an den Konsul heran und sprach wie folgt:

»Hören Sie gut zu, was ich Ihnen sage, Herr Konsul. Wir werden Sie jetzt verlassen. Um drei Uhr nachmittags sind wir wieder da. Und wenn wir dann nicht die Visa bekommen, springen wir vor Ihren Augen aus dem Fenster, meine Frau, meine Schwiegermutter und ich. Meine Schwiegermutter ist siebzig Jahre alt. Aber ich mache Sie aufmerksam« – und hier erhob er drohend die Stimme – »springen kann sie wie eine Junge!!«

Die Visa wurden erteilt, die Familie Loew traf rechtzeitig in Frankreich ein, und als ich meinen Freund Schorschi einige Wochen später zum andern Male in Paris wiedersah, war er bereits im Besitz einer provisorischen Aufenthaltsbewilligung für vier Wochen.

Der halbwegs Kundige – das steht schon im Epilog zur »Tante Jolesch« – kann einer jeden Emigrations-Anekdote anmerken, wo sie entstanden ist. Bei den in London entstandenen bin ich auf Berichte angewiesen, möchte sie aber deshalb nicht gänzlich beiseite lassen. Einige von ihnen sind viel zu schön, als daß sie in Vergessenheit geraten dürften; und viel zu lokalgebunden, als daß sie sich anderswo einschmuggeln ließen.

So kann ein hungriger Neuankömmling eben nur in London ein ihm als besonders wohlfeil empfohlenes »Lyon's Cornerhouse« aufgesucht haben, wo er sich angesichts seiner geringen Barschaft mit der Bestellung einer Suppe begnügte. Er wußte nicht, was ihm bevorstand. Und nahm, als der Kellner den Teller vor ihn hingesetzt hatte, ahnungslos den ersten Löffel und verzog das Gesicht zu schmerzlicher Grimasse und schüttelte hinter des Kellners Rücken die Faust und rief ihm nach:

»Aber Meere beherrschen – das *ja!!*«

Läßt sich Schlüssigeres über die englische Küche sagen und über die ohnmächtige Erbitterung derer, die ihr ausgeliefert waren?

Ebenso darf das gespenstergläubige England als einzig stilvoller Schauplatz jenes Vorfalls gelten, in dessen Mittelpunkt der aus Wien emigrierte Schriftsteller Paul F. steht, der immer bei Nacht zu arbeiten pflegte. Dazu bot ihm das verlassene Landhaus eines Londoner Kollegen willkommene Gelegenheit, und dort wurde er einmal in seiner Nachtarbeit durch einen dem Hausbesitzer geltenden Telephonanruf gestört, von dem er jedoch, da er des Englischen nur mangelhaft kundig war, kein Wort verstand und dessen er sich zu entledigen versuchte, so gut er konnte. Er konnte aber nicht sehr gut, sondern kleidete die Mitteilung, daß er hier nur zu Gast sei und arbeiten wolle, in den folgenden Wortlaut:

»Nobody is here. I am the ghost and it is midnight. Please let me work.«

Am nächsten Tag berichtete er seinen Freunden nicht ohne Stolz, daß der Anrufer sofort aufgelegt hätte.

Neben diesen zwei Kurzgeschichten sind noch zwei längere zu verbuchen, die sich desgleichen nur in England zutragen konnten.

Die erste spielt in London, hat den Onkel Dori (mit vollem Namen Isidor Zuckermann) zum Helden und wurde mir von seinem Neffen Fritz erzählt.

Es war die Zeit der nahezu pausenlosen deutschen Luftangriffe. Die Familie Zuckermann war bereits zweimal ausgebombt worden und sah sich auch in ihrem dritten Domizil immer wieder genötigt, bald nach Einbruch der Dunkelheit den nächstgelegenen Luftschutzkeller aufzusuchen. Onkel Dori ertrug sowohl die Übersiedlungen wie die nächtlichen Aufenthaltswechsel mit der

Gelassenheit seines weit vorgerückten Alters; er schien das alles für eine der vielen unerklärlichen Eigenheiten des englischen Lebensstils zu halten, ohne etwas von den damit verbundenen Gefahren zu merken. Eines Nachts, als das Bombardement besonders lange dauerte, wurde er aber doch ein wenig nervös und winkte seinen Neffen Fritz zu sich:

»Mir will das heute nicht gefallen«, sagte er. »Man weiß ja nie, was passiert – vielleicht müssen wir nachher wieder übersiedeln – kurz und gut: in meinem Schreibtisch liegt eine Mappe mit wichtigen Dokumenten, die ich gerne bei mir hätte. Sei so gut und bring sie mir. In der Mittellade, rechts hinten. Hier hast du den Schlüssel.«

Neffe Fritz nahm den Schlüssel an sich und versuchte erst gar nicht, dem alten Herrn beizubringen, daß und warum die Situation sich nicht zum Abholen von Mappen eignete. Er tat seinem Auftrag scheinbar Genüge, strebte dem Ausgang zu und wollte sich von dort, sobald es möglich wäre, auf den Weg machen. Dazu mußte er nicht unbedingt das Entwarnungssignal abwarten – er besaß Erfahrung genug, um aus den von draußen hereindringenden Geräuschen die entsprechenden Schlüsse zu ziehen.

Als er auf die Straße hinaustrat, stellte er fest, daß tatsächlich wieder eine Übersiedlung fällig war: das Haus, in dem die Zukkermanns gewohnt hatten, war kein Haus mehr. Es hatte einen Volltreffer abbekommen.

Auf einem der Trümmerhaufen aber, aus denen es nunmehr bestand, entdeckte er Onkel Doris Schreibtisch, halb in den Schutt eingeschrägt und gerade noch zugänglich.

Er schloß die Mittellade auf, entnahm ihr die gewünschte Mappe, ging in den Luftschutzkeller zurück und händigte sie dem wartenden Onkel Dori ein.

»Danke schön, mein Junge«, sagte Onkel Dori.

Und das war alles, was er von diesem Ereignis zur Kenntnis nahm.

Auch für die folgende Geschichte kommt den deutschen Luftbombardements eine Art Urheberrecht zu. Mein Gewährsmann ist der Prager Komponist und Dirigent Bernhard Grün, der mit zwei exzellenten Sammlungen von Musikeranekdoten auch auf literarischem Gebiet hervorgetreten ist; auf dem musikalischen besorgte er das durch eine erkleckliche Anzahl von Operetten, deren eine, »Balalaika«, ein Welterfolg wurde. In der Londoner Emigration hatte er sich des Umlauts in seinem Namen entledigt und hieß Grun. Für mich bleibt er der Bernhard Grün, mit dem ich seit meinen in Prag verbrachten Jahren befreundet war und dessen unerwartet frühen Tod nicht nur ich beklagt habe.

Es war keine seiner eigenen Operetten, sondern Kálmáns »Gräfin Mariza«, die er damals in London mit Richard Tauber in der Hauptrolle dirigierte. Wenn im Verlauf der Vorstellung – was häufig geschah – ein Vorwarnungsalarm gegeben wurde, bekam einer der auf der Bühne Agierenden vom Inspizienten aus der Kulisse ein verabredetes Zeichen, worauf er an die Rampe zu treten und dem Publikum mitzuteilen hatte, daß ein Luftangriff bevorstünde – der nächste Luftschutzkeller befinde sich dort und dort, wer ihn aufsuchen wolle, möge das jetzt tun, wer bleiben wolle, könne bleiben. Die Vorstellung durch eine solche Nachricht zu unterbrechen, war natürlich eine unangenehme Aufgabe, die niemand gerne übernahm. Hingegen lauerte jeder auf das vom Inspizienten vermittelte Entwarnungssignal, dessen Weitergabe an das Publikum garantiert Beifall auslöste.

Einmal erspähte nun Richard Tauber das begehrte Handzeichen als erster, hörte sofort zu singen auf, trat an die Rampe und verkündete in seinem besten Englisch (welches ein berüchtigt schlechtes war):

»Ladies and Gentlemen, I have the pleasure to tell you that the All Clear was just sounded.« Den aufrauschenden Applaus wartete er genießerisch ab, dann fuhr er fort: »And now, back to reality.« Und schon erklang sein strahlender Tenor: »Komm, Zigan, komm, Zigan, spiel mir was vor . . .«

Über Lissabon, die letzte Fluchtstation auf dem europäischen Festland, die zu meinem eigenen Erlebnisbereich gehört, habe ich alles Erlebte – wie immer auf seine anekdotische Brauchbarkeit hin gesiebt – schon in der »Tante Jolesch« (S. 233 f.) berichtet. Daß es bei weitem nicht alles ist, was als berichtenswert gelten dürfte, versteht sich aus ebendieser Siebung. Ihr mußten ja auch die letzten Fluchttage in Frankreich geopfert werden, jene hektischen Tage in Bayonne, als Hunderttausende von südwärts Flüchtenden sich in der aufgeschreckten Stadt zusammenstauten, weil ihnen die letzten Konsulate vor der spanischen Grenze die letzte Hoffnung boten, den nachrückenden Deutschen noch zu entrinnen. Was sich vor und in diesen Konsulaten abspielte, oder im Hafen, aus dem die letzten Schiffe nach England oder Afrika ausfuhren, oder auf dem Bahnhof, den die letzten Züge zur französisch-spanischen Grenze in Richtung Hendaye-Irun verließen, und wie es in der Stadt selbst zuging, die bis dahin nicht das allermindeste vom Krieg verspürt hatte und inmitten des jäh und fremdartig über sie hereingebrochenen Chaos an ihrem störrischen Kleinstadtleben festhielt, als stünden nur die Visa der Flüchtlingshorden auf dem Spiel und nicht das Schicksal Frankreichs – ach, wer wollte und könnte aus dieser Apokalypse des Irrsinns die tragigrotesken Begleiterscheinungen herausklauben, die der Irrsinn mit sich brachte. Übrigens ist der in Bayonne amtierende portugiesische Konsul, ein wahrer Menschenfreund, damals wirklich irrsinnig geworden. Unterm Übermaß seiner hilfreichen Bemühungen zusammengebrochen, sprang er mit einer Anzahl von Pässen, die bei ihm zur Vidierung erlagen und die er nicht mehr bewältigen konnte, ins Wasser. Er wurde gerettet. Die Pässe nicht. Was mit ihren Inhabern geschehen ist, wissen nur sie selbst.

Die anderen Konsuln amtierten – wenn man den hier einigermaßen deplacierten Ausdruck gebrauchen darf – normal, das heißt: sie entfernten sich nach Ablauf der vorgeschriebenen Amtsstunden durch die Hintertür aus dem Konsulatsgebäude, um den heulenden Menschenmengen, die es umlagerten, zu entgehen. Und die französischen Behörden – es sei zu ihrer Ehrenrettung gesagt, die sie dringend benötigen (und auf die sie vermutlich auch heute noch keinen Wert legen) – amtierten nicht nur normal, sie machten sogar Überstunden, sie stempelten bis in die

Nacht hinein ihre Ausreisevisa, ohne die man aus Frankreich nicht hinauskonnte, in die Pässe der oft seit Tagen Anstehenden, sie stempelten und stempelten und kamen nicht und nicht auf den Gedanken, das Ausreisevisum einfach abzuschaffen. Das hätte ihnen und Abertausenden das Leben ganz enorm erleichert. Manchen hätte es das Leben sogar gerettet.

Ich selbst war auf verschlungenen Wegen im Auto eines ebenso beherzten wie gefinkelten Freundes aus Paris nach Bayonne gelangt, wobei alle Beteiligten – mein Freund, das Auto und ich – erst im letzten Augenblick zueinander gefunden hatten. Dieser letzte Augenblick nahte heran, als Paris bereits von drei Seiten eingeschlossen und nur eine einzige Ausfallstraße nach Süden, die Route d'Orléans, noch offen war. Und wir hätten ihn in jedem Fall abwarten müssen, auch im Fall eines längst bereitstehenden Autos. Denn solange die Straßenkontrollen noch halbwegs funktionierten, wären wir mit unseren mehr als dubiosen Papieren nicht durchgekommen. Dazu bedurfte es jenes heillosen Durcheinanders, das vom letzten Schub der Massenflucht aus Paris ausgelöst wurde.

Was mich betrifft, so hatte ich mich in Paris mit einem Urlaubsschein der tschechoslowakischen Armee aufgehalten, französisch und tschechisch abgefaßt und mit zahlreichen Stempeln und Zusatzklausen versehen, deren eine besagte, daß ich Paris ohne ausdrückliche Ordre meines Regimentskommandos nicht verlassen dürfe. Wenn ich hiemit zu Protokoll gebe, daß ich mit diesem Urlaubsschein unterwegs Benzin requiriert habe, so ist über die Umstände, unter denen sich unsre Flucht vollzog, beinahe alles gesagt. Daß ich noch in Uniform war, kam mir bei meinen mit forschem militärischen Auftreten durchgeführten Benzinaktionen zweifellos zustatten, und daß wir zu deren Durchführung auf die rätselhafterweise kaum befahrenenen Nebenstraßen auswichen, hatte noch andere Gründe als den höchst plausiblen, daß es auf den vom Flüchtlingsstrom durchwälzten Hauptstraßen kein Benzin mehr gab.

Wie ich in Bayonne zu einem Zivilanzug kam; wie ich dort auf wieder andere Freunde stieß, mit denen ich die Flucht dann fortsetzte; wie wir abwechselnd unter freiem Himmel und in einer ausgeraubten Wohnung nächtigten (den Tip hatten wir von einem Gendarmen bekommen, der uns ursprünglich verhaften wollte); wie mein Freund, der Autofahrer, uns ein wahrhaft glorreiches Schnippchen schlug, indem er sich von der Verwalterin einer öffentlichen Bedürfnisanstalt allabendlich nach Betriebsschluß einsperren ließ, so daß er bei jeder Witterung ein Dach überm Kopf hatte und obendrein eine Waschgelegenheit am Morgen; wie wir uns die nötigen Aus-, Durch- und Einreisevisa verschafften; und daß wir diesen ganzen, von Weltuntergangspanik und Spitzelhysterie verschärften Höllenwirbel überstanden haben, will mir im Rückblick doppelt unglaublich erscheinen. Zu einer kompakten Schilderung – sie liegt ja ohnehin nicht in meiner Absicht – würden die wüsten Erinnerungsfetzen, mit denen ich's dann und wann noch zu tun bekomme, keinesfalls ausreichen.

Besonders grell ist mir ein Straßenauflauf vor einem der Konsulate im Gedächtnis geblieben. Er war um einen offenbar Abgewiesenen entstanden, der sich gegen das Schicksal, in Hitlers Fänge zu geraten, mit lautem Wehklagen aufbäumte und den auch die gutgemeinten Trostesworte eines dicken, ausnahmsweise freundlichen Franzosen nicht beruhigen konnten.

»Mais calmez-vous donc, calmez-vous«, sprach jener auf ihn ein. »Enfin, Hitler ne va pas vous manger.«

Aber das wirkte auf den Verängstigten nicht:

»Il *va* me manger, il *va* me manger«, rief er ein übers andre Mal, und es läßt sich leider nicht leugnen: die Beharrlichkeit, mit der er darauf bestand, von Hitler gegessen zu werden, hatte etwas absurd Komisches an sich.

Absurd und komisch ging es auch zu, als meine Freunde und ich dann endlich über die französisch-spanische Grenze gelangten, über die schmale Brücke zwischen Hendaye und Irun, die wir aus dem Kino kannten, aus den Wochenschauberichten vom Ende des Spanischen Bürgerkriegs. Damals waren die spanischen Loyalisten über diese Brücke nach Frankreich geflüchtet – jetzt flüchteten wir in die umgekehrte Richtung und fühlten uns beim

Anblick der Guardia Civil in ihren Quertschakos, fühlten uns bei dem Gedanken, daß wir jetzt gerettet waren, nicht besonders wohl. Aber kurz zuvor hatten wir uns noch bedeutend unwohler gefühlt, denn es war höchste Zeit, es war, wie sich alsbald erwies, der letzte Tag, an dem man die Grenze noch überschreiten konnte. Am folgenden Tag wurde sie von den deutschen Truppen gesperrt.

Zu unsrer Gruppe gehörte mein schon früher in filmischen Zusammenhängen erwähnter Freund Otto Eis, der seit Jahren an einer ungewöhnlichen Krankheit – »Morbus Bechterew« – litt, die er mit Gleichmut und Humor ertrug. Sie befand sich seit längerer Zeit im Stadium einer völligen Versteinerung und Fühllosigkeit seiner Hals- und Rückenwirbel, so daß er sich rücklings hinfallen lassen konnte, ohne das geringste zu spüren. Davon hatten wir schon in Wien gelegentlich profitiert, etwa wenn wir uns um Kinokarten anstellen mußten und rascher vorwärtskommen wollten: dann ließ sich Otto lautlos hinfallen, wir und die vor uns Stehenden umringten ihn unter Schreckensrufen, und während er behutsam aufgerichtet und abgeputzt wurde, hatte sich einer von uns zur Kassa gestohlen und die Eintrittskarten gelöst.

Jetzt, angesichts der besorgniserregend langen Schlange, die sich auf der französischen Seite an das Paß- und Zollgebäude heranschob, langsam, viel zu langsam (und wie wir später erfuhren, war ihr letztes Drittel tatsächlich nicht mehr hinübergelangt) – jetzt sollte uns diese Prozedur aus einer beträchlich ernsthafteren Bedrängnis helfen. Otto fiel hin, blieb in einwandfrei gespielter Ohnmacht liegen, und niemand konnte etwas dagegen einwenden, daß wir den Reglosen ins Zollhaus trugen. Erst dort kam er zu sich und kam noch rechtzeitig über die Grenze. Wir immer mit. Bis nach Portugal.

Es war, um auch das noch anzudeuten, eine grauenhaft deprimierende Fahrt, die uns aus dem vom Bürgerkrieg halb zerstörten Irun in versiegelten Waggons durch jämmerlich verwahrloste Landstriche zur spanisch-portugiesischen Grenze brachte, nach Fuentes de Oñoro mit seinem armseligen kleinen Bahnhof und weiter über eine trostlose Strecke Niemandsland in die portugiesische Grenzstation Vilar Formoso. Dort durften wir aussteigen. Dort gab's ein richtiges, sauberes Bahnhofsrestaurant mit weiß gedeckten Tischen. Dort tranken wir Kaffee wie schon lange nicht und aßen dazu Gebäck wie schon lange nicht, und der sanfte Melancholiker Jan Lustig, aus wochenlangem Trübsal erwacht, wischte sich den Mund ab und lehnte sich zurück und sagte:

»So. Und jetzt noch nackerte Weiber!«

Kein Zweifel: wir waren im Paradies.

Wir waren es natürlich nicht, das merkten wir bald genug. Aber im Vergleich zu dem, was wir hinter uns hatten, wirkten die Zustände und die Menschen, die uns jetzt in Empfang nahmen, geradezu überirdisch. Freundliche Grenzer verteilten Flugzettel mit mehrsprachigem Text, in dem man freundlich um Geduld gebeten wurde, bis die Behörden entschieden hätten, nach welchem Ort die in Intervallen einlaufenden Züge – die zunächst auf Abstellgeleisen stehenblieben – zwecks Aufnahme ihrer Insassen geleitet werden sollten. Die Hauptstadt Lissabon, damals gerade Schauplatz einer pompös aufgezogenen »Portugiesischen Weltausstellung«, war seit einigen Tagen gesperrt – eine durchaus verständliche Maßnahme, denn die politischen und wirtschaftlichen Repräsentationszwecke der Ausstellung wären durch die keineswegs repräsentablen Scharen umherstreunender Anwärter auf überseeische Visa nicht just gefördert worden. Daß die Anwärter sich auf die Dauer von Lissabon nicht fernhalten ließen, ist ebenso verständlich. Denn nur dort bekam man Visa.

Meine Freunde und ich wurden nach Curia dirigiert, dem einstigen Sommersitz der Braganza, dessen Parkanlagen noch Spuren königlicher Pracht und dessen Herbergen noch Spuren früherer Palasteinrichtungen aufwiesen. Indessen hatte man sich ja nicht zum Behuf historischer Studien nach Portugal begeben, sondern um möglichst rasch zu einem Visum und weiter nach Übersee zu kommen. Also bemühte man sich, kaum daß man ein wenig zu Atem gekommen war, um die behördliche Bewilligung, den Aufenthaltsort zu wechseln, wobei man darauf Bedacht nahm, möglichst nahe an Lissabon mit seinen Konsulaten heranzugelangen. Solche Bewilligungen waren in der ersten Zeit noch ohne große Mühe zu haben – schwierig wurde das (und manches andre) erst später, als deutsche Bestechungsgelder und deutsche Agenten auch hier in Aktion traten. (Aber selbst dann, es sei nochmals und dankbar festgehalten, zeigte sich Portugal uns Emigranten gegenüber freundlicher und verständnisvoller als irgendein andres unserer vorangegangenen Zufluchtsländer.)

Man hatte mir Porto als neuen Aufenthaltsort zugewiesen, die zweitgrößte Stadt des Landes und für Kontakte zur Außenwelt weit besser geeignet als das abgeschiedene Curia. Auch das amerikanisch-jüdische Hilfskomitee, das mich – wie alle Flüchtlinge einschließlich der nichtjüdischen – finanziell über Wasser hielt, war mit dem Ortswechsel einverstanden und löste mir die Ausspeisungs-Bons in barem ab, so daß ich mich nach einem Privatquartier umsehen konnte. Ich fand es in einer Pension, die den übertriebenen Namen »Elite« führte und deren Besitzer, nachdem er mehrmals händeringend »Sacrificio, sacrificio!« ausgerufen hatte, eine Tagesmiete in der Höhe von 6 Escudos begehrte. Das war nicht viel Geld – es entsprach ungefähr dem Preis einer Büchse Sardinen, meiner täglichen Hauptnahrung –, aber das Zimmer, das ich dafür bekam, war ja auch nicht viel Zimmer. Hier ist vielleicht eine etwas ausführlichere Schilderung am Platz.

Manche portugiesischen Häuser, zumindest in Porto und jedenfalls soweit sie als Pensionen firmierten, zeichneten sich durch eine nicht restlos durchdachte architektonische Planung aus. Ich stellte das noch an einer andern Pension fest, die von einem unserer reichsdeutschen Fluchtgefährten bewohnt wurde – er hatte übrigens für das portugiesische Cedille-Zeichen, das die Vokalfolge ao zu einem einzigen Nasallaut zusammenzieht, nichts übrig und sprach mit preußischer Präzision von der »Pensá-o Sá-o Jo-á-o«. Sie bot, ebenso wie ihr »Elite« geheißenes Schwesterinstitut, von außen noch einen halbwegs manierlichen Anblick, aber innerwärts stimmte es weder dort noch da. Das begann in der Pension »Elite« schon beim Lift, der auf einem stufenförmig überhöhten Podest stand und sich zwar wie ein normaler Lift in Bewegung setzte, aber das angestrebte Ziel niemals gänzlich erreichte, sondern immer ein wenig unterhalb stehenblieb. Man mußte sich dann mittels Klimmzugs auf den Korridor des betreffenden Stockwerks (bei mir war es das zweite) hinaufstemmen. Der Korridor wurde von einer mit den eindeutigen Lettern »WC« versehenen Milchglastür abgeschlossen, und wenn man sie öffnete, hatte man gute Chancen, auf die Straße zu fallen, denn an dieser Stelle war das Haus zu Ende. Links vor dem Milchglas aber war dem Baumeister noch etwas Platz übriggeblieben, zu wenig für einen richtigen Wohnraum, zu viel für das dennoch installierte WC. Dort wohnte ich. Ich wohnte in einem Klosett mit eingebautem Zimmer, Sacrificio.

In Porto gab es endlich wieder Zeitungen, darunter auch solche aus dem Dritten Reich und dem Protektorat, man traf alte Freunde, darunter auch solche, die über Geld verfügten und zur Abgabe kleinerer Teilbeträge bereit waren – nur Konsulate, von denen man ein Visum bekommen hätte, gab es in Porto nicht. Dazu mußte man nach Lissabon, und die jetzt schon recht feindselig operierende Fremdenpolizei bewilligte für Reise und Aufenthalt insgesamt 24 Stunden, gerade genug, damit man überhaupt in Sichtweite des Eingangs zum amerikanischen Generalkonsulat käme, um dessen Gebäude sich eine mehrgliedrige Schlange von Petenten ringelte. Nach Ablauf der 24 Stunden stand man vor der Wahl, entweder in Befolgung der fremdenpolizeilichen Vorschrift dorthin zurückzukehren, wo man gemeldet war, oder unter Verletzung dieser Vorschrift illegal in Lissabon zu bleiben. Ich entschied mich, nicht zum erstenmal und nicht als einziger, für die Illegalität.

Sie brachte prekäre Begleiterscheinungen mit sich. Zunächst galt es, in einer Privatwohnung unterzukommen, deren Besitzer risikofreudig genug war, die vorgeschriebene Anmeldung bei der Fremdenpolizei zu unterlassen – und dieses Risiko ließ er sich hoch bezahlen. Zweitens aber (zweitens in zeitlicher Hinsicht, denn ein paar Tage lang blieb man ungeschoren) kamen die fremdenpolizeilichen Schnüffler dem widerrechtlich in Lissabon Verbliebenen unweigerlich auf die Spur. Vom Wohnungsinhaber wurden sie durch eine angemessene Summe beschwichtigt, für den Mieter, den sie fast niemals antrafen, ließen sie eine gedruckte Vorladung zurück, abgefaßt in jenem blumenreichen, altmodisch devoten Amtsstil, der sich auf der Iberischen Halbinsel noch aus Feudalzeiten her erhalten hat. In leicht verzerrter Übersetzung lautete der Text etwa folgendermaßen:

»Eure Exzellenz! Erlauchter Herr! Verzeihen Sie, daß wir Ihre Behaglichkeit stören und die untertänige Bitte an Sie richten, Ihren erhabenen Fuß über die schmutzige Schwelle unseres Amtsgebäudes zu setzen, wo wir uns erdreisten werden, Sie mit einigen Fragen zu behelligen. Wir erwarten Eure Exzellenz . . .« (folgte Ort- und Zeitangabe).

Wer am angegebenen Ort erschien und dieses Papier vorwies, wurde sofort verhaftet, das hatte sich rasch herumgesprochen. In dem schweren Gewissenskonflikt, dem man nun aufs neue ausgesetzt war – entweder der Urias-Einladung zu folgen oder sich schleunigst wieder in den alten, legalen Aufenthaltsort zu verfügen –, entschied man sich gewöhnlich für die dritte Möglichkeit und blieb weiterhin illegal in Lissabon. Man mußte dann eben, solange man noch kein Visum bekommen hatte, eine andre »schwarze« Unterkunft finden und notfalls noch eine dritte. Auch mir blieb nichts andres übrig, obwohl ich mich um diese Zeit bereits in einer zumindest formell bevorzugten Lage befand: Der amerikanische PEN-Club hatte mich in eine ausgewählte Gruppe von Schriftstellern eingereiht, die unter der wuchtigen Sammelbezeichnung »Ten Outstanding German Anti-Nazi-Writers« für beschleunigte Visa vorgesehen waren (zu ihnen gehörten Heinrich Mann, Franz Werfel, Alfred Döblin, Leonhard Frank, Alfred Polgar und andere). Dennoch ließ das angekündigte Visum – oder die Bereitschaft des amerikanischen Konsuls, es auszustellen – auf sich warten, in meinem Fall möglicherweise deshalb, weil meine Reisedokumente mich vor dem Konsul nicht als German und nicht einmal als Austrian legitimierten; vermutlich mußte er erst in Washington rückfragen, ob man auch mit tschechoslowakischem Paß ein Anti-Nazi-Writer sein konnte.

Da ich zunächst der einzige Angehörige jener Gruppe war, der sich bereits nach Portugal abgesetzt hatte – die anderen hielten sich noch im unbesetzten Teil Frankreichs auf –, konnte ich gelegentlich als erste Informationsquelle für die aus Amerika entsandten Vertreter der verschiedenen caritativen und politischen Hilfsorganisationen fungieren, eine ebenso ehren- wie verantwortungsvolle Aufgabe, deren zusätzlicher Reiz darin bestand, daß ich bei solchen Gelegenheiten mit den portugiesischen Behörden, die mich auf ihren Suchlisten verzeichnet hielten, in urbanen Kontakt trat. Ein weiterer, nicht immer leicht zu verkraftender Reiz ergab sich aus dem persönlichen Lern- und Bildungsbedürfnis mancher Delegierten, die ihren Besuch in Old Europe unbedingt zur Erweiterung ihres Horizonts ausnützen wollten und auf Spaziergängen durch Lissabon, das für die schon erwähnte Weltausstellung auf Hochglanz hergerichtet war, unermüdlich ihre Fragen stellten. Beim Anblick des berühmten, aus dem 16. Jahrhundert stammenden Klosters Dos Jeronymos de Belem, dessen herrliche Fassade frisch gestrichen und von Scheinwerfern blendend angestrahlt war, äußerte ein besonders wißbegieriger Herr aus Chicago schwere Bedenken, ob das auch wirklich der Originalbau sei und ob ich ihm nicht vielleicht etwas weismache. Nach einigem ermüdenden Hin und Her gab ich klein bei, gratulierte ihm zu seiner Skepsis und gestand, daß es sich um eine täuschend ähnliche Nachbildung aus Pappmaché handelte, was ihn sichtlich befriedigte. Als er dann noch wissen wollte, welche Bewandtnis es mit einer Plastik zweier sich bäumender Pferde hätte, die der optischen Verschönerung eines ansonsten leeren Rasenplatzes diente, ließ ich mich auf eine wahrheitsgemäß nüchterne Erklärung nicht mehr ein und informierte ihn: dies wären die beiden mythologischen Pferde Porto und Ugal, nach denen das Land benannt sei. Der Mann hat reiche Kenntnisse nach Chicago mitgenommen und hat sie dort sicherlich zu seinem Ruhm verwertet.

Indessen sind alle nervlichen Anfechtungen, und etliche andere Strapazen dazu, ohne Schaden an mir vorbeigegangen. Noch ein letzter Unterkunftswechsel in Lissabon, der mich in eines dieser verbauten portugiesischen Häuser brachte, wo mir ein völlig unmotivierter, mitten durchs Haus geleiteter Lichtschacht tagelang vorenthielt, daß ich dicht neben Oscar Karlweis wohnte, einem meiner Fluchtgefährten aus Irun; noch ein Zusammentreffen mit dem Prager Schauspieler Hugo Haas, seiner prächtigen Ehefrau Bibi und seinem pechschwarzen Scotchterrier Dybuk (Haas wartete noch immer auf sein Affidavit, aber Dybuk, so teilte er mir erleichtert mit, hätte schon eines von Rintintin aus Hollywood bekommen); noch eine lästige Episode, die mir just am Tag der Visumerteilung eine vorübergehende Festnahme eintrug; noch ein beinahe gescheiterter und schließlich doch geglückter Versuch, das Geld für die Schiffspassage zusammenzukratzen –: dann war es soweit. Auf der »Exeter«, einem der letzten noch aus Europa abgehenden Schiffe der »American Express Company«, trat ich gemeinsam mit Leonhard Frank die Überfahrt nach Amerika an. Wir schliefen auf Matratzen, die man in einem sonst als Musikzimmer dienenden Raum für uns installiert hatte, wurden jedoch im übrigen wie normale Passagiere behandelt und waren's hoch zufrieden.

Kurz vor der Abfahrt hatten wir von unserm amerikanischen Hilfskomitee eine wahrhaft erhebende Nachricht bekommen: Die zehn Anti-Nazi-Writers waren zur Hälfte von Metro-Goldwyn-Mayer und zur Hälfte von Warner Brothers unter Vertrag genommen worden, für 100 Dollar wöchentlich, die uns in Portugal wie eine Phantasiesumme vorkamen (und sich an Ort und Stelle als knapp bemessenes Taschengeld erwiesen).

Leonhard Frank ließ sich durch die frohe Botschaft in seiner permanenten Übellaune nicht beeinträchtigen und konzentrierte seine Gedanken auf die Befürchtung, man würde uns in New York ohne jedes Bargeld nicht an Land gehen lassen. Als er immer wieder darauf zu sprechen kam, was mir allmählich die Fahrt vergällte, setzte ich mich mit einer kühnen Vision zur Wehr:

»Seien Sie unbesorgt, Herr Frank. Bei unsrer Ankunft wird ein Mann mit einem breitkrempigen Hut am Pier stehen, wird auf uns zutreten und sagen: ›Mister Frank? Mister Torberg? Ich komme von Warner Brothers. Hier sind zweihundert Dollar für jeden von Ihnen. Sie können noch ein paar Tage in New York bleiben, dann erwarten wir Sie in Hollywood.‹ So wird sich's abspielen, ich habe es im Gefühl.«

»Erzählen Sie mir keine Märchen«, knurrte Frank und wandte sich mißmutig ab.

Bei unsrer Ankunft im Hafen von New Jersey stand ein Mann mit einem breitkrempigen Hut am Pier, trat auf uns zu und händigte jedem von uns im Auftrag der Warner Brothers zweihundert Dollar ein.

Es war das erste und das letzte Mal, daß ich in Amerika etwas Märchenhaftes erlebte.

III. Zwischendurch

Aber wie käme Amerika dazu, mich Märchenhaftes erleben zu lassen? Hat denn jemals ein andres Land etwas dergleichen für mich getan? Warum verlange ich's von Amerika oder fühle mich zumindest veranlaßt, mit hämischem Unterton zu konstatieren, daß ich dort keine märchenhaften Erlebnisse hatte?

Wahrscheinlich weil die Lockung, Hämisches über Amerika zu äußern, so nahe liegt. Aber man sollte ihr nicht nachgeben, auch wenn man eine ganze Menge tiefschürfender Erklärungen dafür beibringen könnte und sogar ein paar haltbare. Es bliebe dennoch ein billiges Umsichschlagen, gerade von seiten des Emigranten und obwohl es für ihn die einzige Möglichkeit war, sich ein Restchen jener vermeintlichen Überlegenheit zu bewahren, deren ihn Europa so gründlich entkleidet hatte.

Über die Wandlung des Flüchtlings zum Einwanderer und später zum Bürger der Vereinigten Staaten, über seinen ungemindert weiterbestehenden Haltungskonflikt und dessen extreme Ausprägungen, die verbittert europäische und die begeistert amerikanische, habe ich schon in der »Tante Jolesch« (S. 236 f.) einiges angedeutet, und bei Andeutungen möchte ich's belassen. Es ist nicht mein Problem und nicht das Problem dieses Buchs. Wohl dem, der in Amerika tatsächlich eine neue Heimat gefunden hat, wohl dem, der niemals nachdenken mußte, ob er sich diese neue Heimat auch dann gesucht hätte, wenn er aus der alten nicht verjagt worden wäre. Was sonst noch gesagt werden könnte, ist eigentlich schon in der seither berühmt gewordenen Antwort der greisen Annette Kolb enthalten, als man sie fragte, wie sie sich in Amerika fühle: »Dankbar und unglücklich«, sagte sie.

Und dazu muß sofort eine ähnliche Formulierung zitiert werden, die – freilich von minder elitärem Niveau – einer gleichfalls betagten Emigrantin auf eine ähnliche Frage glückte. »Are you happy?« wurde sie gefragt. Und antwortete: »Happy bin ich schon, aber glücklich bin ich nicht.«

Damit ist zugleich der ungefähre Maßstab bestimmt, nach dem ich mich bei der Wiedergabe jener als billig bezeichneten Reaktionen richten möchte. Billigkeit allein genügt nicht. Sie muß auch anekdotisch brauchbar sein.

Solches bescherte mir die am ersten Tag meines New Yorker Aufenthalts erfolgte Begegnung mit dem bereits mehrmals von mir gerühmten Komiker Armin Berg. Wir trafen einander zufällig am Broadway, freuten uns des unverhofften Wiedersehens und versahen einander mit den wichtigsten Kurznachrichten über Woher und Wieso und Wohin. Sie mündeten in meine Erkundigung, was er denn hier so treibe und wie es ihm gefiele.

Armin Berg sah sich aus wohlgepolsterten Schweinsäuglein nach allen Seiten um, als müßte man bei Äußerungen auf offener Straße auch hier die gleiche Vorsicht walten lassen wie einst in Wien. Dann beugte er sich noch näher zu mir:

»Hör zu – warum *wir* da sind, weiß ich. Aber warum sind die Amerikaner da?«

Daß er die tief verwurzelte, aus beruflicher Rivalität und persönlichem Antagonismus zusammengeschweißte Abneigung gegen seinen Kollegen Karl Farkas aus allen Wirren der Emigration gerettet hatte und sie auch unter völlig veränderten Lebensumständen aufrechthielt, bekundete das Resümee, mit dem er, Jahre später, ein Gespräch über seine Existenz in Amerika abschloß:

»Ich *kann* in Amerika nicht leben«, seufzte er. »Wenn ich den Farkas nur *seh,* geht mir die Gall' heraus.«

Das war zweifellos das seltsamste von allen Argumenten, die sich gegen ein Leben in Amerika vorbringen ließen.

Karl Farkas fand sich in New York etwas besser zurecht, aber was Betätigung und Wirkung betraf, blieb auch er – wie fast alle seinesgleichen – weitgehend auf die Emigrantenkreise und ihre gelegentlichen Kabarettabende angewiesen. Daneben schrieb er für Emigrantenzeitungen, und ich erinnere mich mit großem Vergnügen an ein umfangreiches, im New Yorker »Aufbau« erschienenes Gedicht, in dem er mit gewohnt kunstvollen Reimen die Schicksale seiner in alle Welt verstreuten Familienmitglieder schilderte; wie zum Beispiel:

»Mein Schwiegervater lebt in China,
Im gelben Himmelreich der Mings,
Assimiliert sich in die Tiefe
Und schreibt mir vertikale Briefe,
Anstatt wie einst von rechts nach links . . .«

Farkas war übrigens der einzige unter den nach Kriegsschluß in die alte Heimat Zurückgekehrten, der an seine vor 1938 liegende Erfolgszeit anschließen konnte und im »Simpl« noch viele Jahre lang einem anderwärts längst ausgestorbenen kabarettistischen Genre zu letzter Blüte verhalf.

Aber soweit sind wir noch nicht. Wir sind in Amerika, Ende 1940, und ich meinerseits bin in Hollywood, als zehnter und jüngster jener Outstanding Anti-Nazi-Writers im Besitz eines Jahresvertrages mit Warner Brothers, wo auch Heinrich Mann, Leonhard Frank, Alfred Neumann und Wilhelm Speyer untergebracht waren. Die anderen landeten bei der Metro-Goldwyn.

Daß es um unsere 100-Dollar-Wochengage nicht annähernd so imposant bestellt war, wie wir in Portugal geglaubt hatten, wurde ja schon gesagt. Die 100 Dollar lagen beträchtlich unter dem von der »Screen Writers' Guild« (eine Art Gewerkschaft der Filmschreiber) zugelassenen Minimum und wurden in unserm Fall nur deshalb zugelassen, weil man die ganze Sache nicht streng geschäftlich behandelte, sondern mehr als Rettungsaktion für die europäische Kultur. Nach Abzug aller Spesen (Steuer, Social Security, Ausländerabgabe etc.) blieb von den 100 Dollar gerade so viel übrig, daß wir der Sorge um unser tägliches Brot enthoben waren, an Sonn- und Feiertagen mit etwas Butter, und damit hatten wir immer noch mehr, als anderen, minder Glücklichen, zuteil wurde. Dankenswert mehr, das sei in aller Form und Deutlichkeit festgehalten. Und es beeinträchtigt diesen Dank in keiner Weise, daß Warner Brothers und Metro-Goldwyn sich mit ihrer Rettungsaktion ein Ausmaß von Publicity verschafft hatten, für das sie auf normalem Weg ungleich mehr hätten zahlen müssen, als alle zehn Anti-Nazi-Writers sie im Jahr kosteten.

In den Rahmen dieser Publicity gehörte auch eine groß aufgezogene Veranstaltung, auf der die endlich komplett in Hollywood versammelte Zehnerschaft einem interessierten und selbstverständlich zahlungskräftigen Publikum – dessen Eintrittsgelder dem zur Unterstützung der vielen Bedürftigeren ins Leben gerufenen »International Film Fund« zuflossen – vorgestellt oder eigentlich vorgeführt wurden. Wir saßen auf dem Podium, an einer langen Tafel aufgereiht, mit Namensschildchen vor jedem von uns und in der eher schützenden als störenden Gewißheit, daß kaum einer dieser Namen den neugierig zu uns Heraufl ugenden etwas bedeutete. Sie betrachteten uns nicht ganz mit Unrecht als Ausstellungsobjekt, als den nunmehr in Fleisch und Blut zur Besichtigung freigegebenen Inhalt der Zeitungsmeldungen, die ihnen zuvor von der Rettungsaktion der beiden Filmfirmen berichtet hatten, und Alfred Polgar äußerte, gleichfalls nicht ganz mit Unrecht: vielleicht hätten wir unrasiert und in abgerissenen Gewändern erscheinen sollen, um so recht zu dokumentieren, daß wir gerettete Flüchtlinge wären.

Den Vorsitz an der Tafel führte der uns allen ungemein mißliebige Emil Ludwig, der schon lang zuvor, unterm eigenen Dampf seiner Bestseller-Monographien, nach Amerika gekommen war und mit der ganzen Sache überhaupt nichts zu tun hatte, aber einen nicht minder ausgeprägten Sinn für Selbstreklame besaß als die Filmindustrie und sich die Gelegenheit zu einem öffentlichen Auftritt nicht entgehen ließ. Den Veranstaltern war er willkommen, weil er – ebenso wie die neben ihm sitzende französische Journalistin Geneviève Tabouis, damals ein Star der internationalen Kriegsberichterstattung – die Anziehungskraft eines bekannten Namens mitbrachte. Er und Mme. Tabouis waren »celebrities«, und die sieht man in Amerika immer gern.

Wir hingegen sahen es äußerst ungern, als Emil Ludwig ans Glas klopfte und sich zur Eröffnungsrede erhob. Sie zeichnete sich durch eine vollzählige Anhäufung aller aus dem gegebenen Anlaß denkbaren Platitüden aus und gipfelte in einem wahrhaft monströsen Mißverständnis, verursacht von dem in der Nähe gelegenen Nobelrestaurant »Victor Hugo«, genauer »Victor Hugo's« sprich »Jugos«. Es hieß so nach dem Besitzer, der von seiner Namensgleichheit mit einem der berühmtesten Dichter Frankreichs vermutlich nichts wußte. Wohl aber wußte das der profund gebildete Emil Ludwig und leitete daraus eine geistreiche Zukunftsvision ab. Bedeutende Dichter, sagte er mit einer breit ausladenden Gebärde nach rechts und links, hätten seit jeher das Schicksal des Exils auf sich nehmen müssen und keine Einbuße ihres Ruhms erlitten, im Gegenteil, sagte er, ihre Namen wären dadurch in der ganzen Welt nur um so bekannter geworden, und das sähe man, sagte er, auch hier in Hollywood, wo sogar ein Restaurant nach dem großen, zur Zeit des Zweiten Kaiserreichs aus Frankreich exilierten Victor Ügoh benannt sei, sagte er. Und spann, des befremdeten Aufmurmelns im Saal nicht achtend, den Faden genießerisch weiter: vielleicht würde es einmal in Hollywood auch Restaurants mit den Namen der jetzt aus Europa Exilierten geben, vielleicht wird dann eines Abends jemand den Vorschlag machen: »Gehen wir doch heute in den Heinrich Mann zum Dinner«, und ein andrer wird sagen: »Wollen wir nicht vorher zum Aperitif in die Geneviève Tabouis gehen?« und wieder ein andrer: »Aber den Kaffee nehmen wir nachher im Leonhard Frank . . .«

An dieser Stelle litt es mich nicht länger:

»Und zwischendurch gehen wir auf den Emil Ludwig scheißen«, sagte ich halblaut, obschon nicht halb genug, denn Heinrich Manns unweit von mir placierte Gattin Nelly, für ihr schlechtes Benehmen bekannt (und von Thomas Mann häufig gerügt), mußte über meine Worte so herzlich lachen, daß der Festredner einen tadelnden Blick nach ihr warf, ohne sich indessen in seiner läppischen Suada stören zu lassen.

Wie wenig unsere 100-Dollar-Verträge als seriöse Geschäftsangelegenheit galten, merkten wir unter anderm daran, daß der Agent, der uns den beiden Filmfirmen gegenüber vertrat – denn nach den strengen Gesetzen des Hollywoodbetriebs durften Verträge nur durch Agenten abgeschlossen werden –, sich eigens einen Sub-Agenten engagierte, der ihm die exilierten Schreiber vom Leib zu halten hatte. Andrerseits bestanden unsere Vertragspartner auf ihrem Schein und forderten für die wöchentlichen 100 Dollar unsre reguläre Anwesenheit im Studio, teilten jedem von uns ein »Office« und eine Sekretärin zu und ließen uns täglich acht Stunden lang sitzen, ohne Gebrauch von uns zu machen. Wozu hätten sie uns auch brauchen können? Soviel ich weiß, war ich von den bei Warners Engagierten der einzige, der über ausreichende Englischkenntnisse verfügte (und ging infolgedessen wochenlang mit einer leichten Schultersenkung einher, weil jeder, den ich im Studio kennenlernte, mir nach kurzem Phrasenwechsel mit einem dröhnenden »Well, I don't worry about *you,* Fred!« auf die Schulter schlug).

Das »Writers' Building«, wo ich mich zur aufgezwungenen Morgenstunde einfand, war in einer gelben Farbe gestrichen, die man in Wien »Schönbrunnergelb« nannte, und erinnerte auch durch seine flache Bauart so sehr an die Tierbehausungen der einstmals kaiserlichen Menagerie, daß ich in der ersten Zeit beim Eintritt unwillkürlich zu den umliegenden Palmen aufsah, ob dort nicht ein paar Produzenten schaukelten. Manchmal legte ich die Fahrt nach Burbank gemeinsam mit dem stillen, noblen, heute bei weitem nicht nach Gebühr geschätzten Romancier Alfred Neumann zurück, dessen historischer Roman »Der Patriot« am Beginn der Tonfilm-Ära mit Emil Jannings in der Hauptrolle verfilmt worden war und als ein richtungweisender Erfolg in die Filmgeschichte einging. Viel zu spät, erst nach Ablauf seines Vertrages, entdeckten die Brüder Warner Neumanns Identität mit dem gleichnamigen Erfolgsautor und rauften sich die schütteren Haare, weil sie versäumt hatten, ihn gewinnbringend auszunützen, sei's auch nur durch Verwendung seines Namens. Sie waren gar nicht auf den Gedanken gekommen, daß ein europäischer

Schriftsteller, der für lächerliche 100 Wochendollar bei ihnen herumsaß, etwas wert sein könnte, und Neumann war viel zu bescheiden, um sie auf diese Möglichkeit hinzuweisen.

Mir, das muß ich gestehen, war solche Zurückhaltung nicht gegeben, schon aus nervlichen Gründen nicht, und das sollte ich bitter bereuen. Nachdem ich einem amerikanischen Kollegen, der eine in Brasilien spielende Diamantenschmugglergeschichte anzufertigen hatte, eine Zeitlang als Sachbearbeiter zur Seite gestanden war (indessen nebenan ein andrer an einem von den europäischen Kriegswirren handelnden Stoff bastelte und sich bei mir vertraulich nach dem Unterschied zwischen Budapest und Bukarest erkundigte), überfiel mich unziemlicher Tatendrang. Und das kam so.

In Hollywood erschienen zwei Tageszeitungen, die sich ausschließlich filmischen Belangen widmeten, »Hollywood Reporter« und »Daily Variety«, beide strotzend vom perversen Branchenjargon, der besonders in seinen Kürzeln auf den Uneingeweihten den Eindruck lallenden Schwachsinns machen mußte. Oder was sollte sich ein normaler Mensch unter einer Überschrift vorstellen wie »PARA PICKS DOSTY YARN FOR TY VEHICLE«? Er mochte zur Not noch wissen, daß »vehicle« nicht nur ein Fahrzeug bezeichnete, sondern auch die auf bestimmte Stars zugeschnittenen Filme, und »yarn« nicht nur ein Garnknäuel, sondern die dem Film zugrunde liegende Geschichte. Aber was bedeutete das Ganze? Nun, es bedeutete in annähernd wortgetreuer Reihenfolge, daß die Paramount eine Geschichte von Dostojewski für einen Film mit Tyrone Power ausgewählt hatte. Mir ist dieser Titel deshalb in Erinnerung geblieben, weil er der Aufmacher des »Hollywood Reporter« am 22. Juni 1941 war, dem Tag, an dem die Sowjetunion in den Zweiten Weltkrieg eintrat.

Im »Hollywood Reporter« also hatte ich eines Tags die Nachricht gelesen, daß ein mir unbekannter Ben Markson für den mir gleichfalls unbekannten Warner Brothers-Produzenten Mike Jacobs eine »Bomb Shelter« geheißene Story vorbereitete. Und da ich aus Frankreich einige Erfahrung über Luftschutzkeller besaß, schien mir jetzt endlich die Gelegenheit gegeben, mich nützlich zu machen. Ich überhörte die Warnungen meiner Sekretärin, ließ mich bei Mr. Jacobs melden und offerierte ihm meine sachkundigen Dienste. Mr. Jacobs war hocherfreut und sagte mich sofort telephonisch bei Ben Markson an. Ben Markson war noch höher erfreut und gab mir die Grundzüge der Story bekannt, auf die er sich mit Mr. Jacobs geeinigt hatte: Bei einem Flugangriff auf London wird ein deutscher Bomberpilot abgeschossen, landet mittels Fallschirms in einem Luftschutzkeller und trifft dort – wie das im Leben schon geht – seine Jugendgeliebte, eine aus Berlin geflohene Jüdin. So weit, sagte Ben Markson, sei er gekommen, und von hier aus sollte ich allein weiterdichten, er hätte ohnehin einen andern Stoff in Arbeit und würde das mit Mr. Jacobs regeln, I don't worry about you, Fred, see you later.

Sicherheitshalber erkundigte ich mich bei Mr. Jacobs, ob das alles ernst gemeint sei. Es war ernst gemeint.

Ich dichtete also weiter und hatte nach zwei Monaten schweißtreibender Arbeit ein Exposé zurechtgezimmert – in Hollywood »treatment« geheißen –, von dem ich mir immerhin vorstellen konnte, daß es sich zu einem halbwegs verfilmbaren Drehbuch ausbauen ließe; damit suchte ich Mr. Jacobs auf.

Mr. Jacobs schien nicht recht zu wissen, wovon ich sprach. Erst als ich ihm unsre erste Unterredung und den Namen Ben Markson ins Gedächtnis rief, begann er sich zurechtzufinden.

»Oh yes, now I remember«, sagte er. Und teilte mir ohne den leisesten Ausdruck des Bedauerns mit, daß Warner Brothers die ganze Sache längst fallengelassen hätten. »We've dropped the whole thing long ago«, sagte er. Warum er nicht auf den eigentlichen naheliegenden Einfall gekommen war, mich zu verständigen und mir damit viele Wochen vergeblicher Arbeit zu ersparen, sagte er nicht.

Allem Anschein nach bin ich aber nicht schlecht damit gefahren, daß ich zu Mr. Jacobs in keinen intensiveren Arbeitskontakt trat. Dafür sprachen nicht nur die Warnungen meiner Sekretärin, sondern noch deutlicher ein Erlebnis, das mir Howard Koch, einer der besseren bei Warner tätigen Autoren, von seiner Zusammenarbeit mit Mr. Jacobs erzählte. Er mußte allwöchentlich bei ihm erscheinen, um ihn über die Fortschritte der im Entstehen begriffenen Story zu informieren, und berichtete ihm einmal von einer neu eingeführten Nebenfigur, die er als einen »little frustrated man« charakterisierte. Das hätte er nicht tun sollen. »Was heißt ›frustrated‹?« verlangte Mr. Jacobs mißtrauisch zu wissen, denn die psychoanalytischen Fachausdrücke gehörten damals, es müssen schöne Zeiten gewesen sein, noch nicht zur Terminologie des amerikanischen Alltags. Howard Koch, jählings der unvorhergesehenen Notlage ausgesetzt, seinem in jeder Hinsicht aufs Filmgeschäft beschränkten Boß den immerhin mehrschichtigen und eher abstrakten Begriff »frustriert« zu erklären, wählte den Ausweg ins Gegenständliche: »Hm«, machte er. »Frustriert. Da haben wir also diesen kleinen Mann, nicht wahr. Und der träumt zum Beispiel davon, einmal eine Yacht zu besitzen. Aber er weiß, daß er sie nie besitzen wird. Und aus diesem Gefühl der Vergeblichkeit gerät er in einen Zustand, den man ›frustriert‹ nennt.« Mr. Jacobs nickte, Howard Koch fuhr in seinem Rechenschaftsbericht fort, und als er fertig war, nickte Mr. Jacobs abermals:

»Okay. Die Yacht kann bleiben.«

Daß ich die Behandlung, die Mr. Jacobs mir hatte angedeihen lassen, als einigermaßen entwürdigend empfand, war eine Voreiligkeit – das zeigte sich beim Auslaufen meines Jahresvertrages, der nur pro forma als solcher bezeichnet wurde und sich de facto (wie alle gleichartigen) nur auf 40 Wochen erstreckte; die restlichen 12 galten als Optionsfrist für seine Verlängerung oder Nichtverlängerung. Da der Sub-Agent, der den wirklichen Agenten vor uns zu schützen hatte, von nichts wußte, erschien ich auch am Beginn der 41. Woche wie üblich im Studio Burbank. Der Eintritt pflegte sich in einem immer gleichen Ritual zu vollziehen: Ich nickte der mit Brille und perfekt ondulierter Frisur versehenen Dame, die rechts in einem Glasverschlag saß, freundlich zu, sie nickte freundlich zurück und drückte auf einen Knopf, worauf die eigentliche Eingangstüre sich öffnete und mir den Weg ins Writers' Building freigab.

Auch an jenem 41. Montag hatte ich freundlich genickt, jedoch übersehen, daß kein freundliches Zurücknicken erfolgt war.

Ich schlug mit der Stirn an die Glastüre an, die sich entgegen meiner automatischen Erwartung nicht geöffnet hatte.

Als ich mich verdutzt umsah, drückte die perfekt Ondulierte auf einen andern Knopf, der das Fensterchen ihres Glasverschlags hochgehen ließ, und beugte sich unverändert freundlich hervor:

»You have an appointment, Mr. Torberg?« fragte sie.

Denn ein im Studio nicht Beschäftigter wurde nur eingelassen, wenn er eine Verabredung hatte.

Ich hatte keine. Und ich gehörte nicht mehr zu den bei Warner Brothers Beschäftigten. Wie ich soeben erfahren hatte, war mein Vertrag nicht verlängert worden.

Ganz ungleich kräftiger wußten sich die nach Hollywood emigrierten Ungarn durchzusetzen – eine Tätigkeit, die ja von Ungarn überhaupt gerne ausgeübt wird und für die sie in Hollywood um so besseren Boden vorfanden, als sie dort auf eine schon früher etablierte Kolonie ihrer Landsleute stießen, mit einflußreichen Produzenten wie Joe Paszternak und arrivierten Regisseuren wie Mike Curtis, vormals Mihaly Kertesz, ganz zu schweigen von Gyuri Marton, dem welterfahrenen Theater- und Filmagenten, der seine Unterstützung seit jeher auch nichtungarischen Autoren angedeihen ließ.

Es wäre kindisch, das schreiberische Talent der ungarischen – ob sie nun Fodor oder Bus-Fekete hießen, Lengyel oder László – etwa leugnen zu wollen. Sie hatten es schon in Europa bewiesen und sie bewiesen es nun auch in Hollywood. Ihr delikates Gespür für die jeweiligen Marktbedürfnisse setzte sie in die Lage, erfolgversprechende Stoffe immer um eine Kleinigkeit früher anzubieten, als die Produzenten überhaupt wußten, daß es gerade dieser Stoff war, den sie suchten. Das brachten ihnen die Ungarn schon bei, und damit dokumentierten sie ein weiteres ihrer Talente. Als das stärkste jedoch erwies sich ein drittes. Merkwürdigerweise hatten nämlich jene erfolgversprechenden Stoffe nur in den seltensten Fällen den versprochenen Erfolg, obwohl ihre Hersteller zumeist auch am Drehbuch mitschrieben, so daß sich die in solchen Fällen übliche Ausrede, eine gute Story wäre durch das

Drehbuch verpatzt worden, nicht anwenden ließ. Und was noch merkwürdiger war: die für den Mißerfolg verantwortlichen Ungarn verkauften daraufhin sofort eine nächste Story, sogar zu einem höheren Preis, und wurden zu einer höheren Gage auch wieder für das Drehbuch engagiert. Alle Versuche, das Mysterium dieses Vorgangs zu ergründen, blieben ergebnislos. Über ein Achselzucken und den Stoßseufzer »Ungar müßte man sein!« kam niemand hinaus. Am Eingang zum Writers' Building der »20th Century Fox«, die damals ein halbes Dutzend Ungarn unter Vertrag hatte, prangte eines Tags ein Transparent: »Being Hungarian is not enough«. Aber es *war* genug, und der ohnmächtige Aufschrei konnte nichts daran ändern. (Jahre später, wieder in Europa, wurde auf einen jüdischen Schauspieler – eifersuchtshalber von einem anderen jüdischen Schauspieler – ein ähnlich strukturierter Ausspruch gemünzt: »Jud allein ist nicht abendfüllend.«)

Auch ihre Sprachschwierigkeiten – mit denen es ja alle Ausländer zu tun bekamen – bewältigten die Hollywood-Ungarn auf originelle Art. Selbstverständlich bedienten sie sich, wenn sie in der Kantine beisammensaßen, ihrer Muttersprache, die Kurt Tucholsky einmal »die aufdringlichste Geheimsprache der Welt« genannt hatte und die – wofür sich bei eingehendem Studium des finnisch-ungarischen Sprachstamms vielleicht Gründe auffinden ließen – nur oberhalb einer bestimmten Lautstärke gesprochen werden kann. Das erregte nach Kriegsbeginn, als die Sprachen der Feindländer in Amerika ungern gehört wurden, den Mißmut der übrigen Kantinenbesucher, und man legte den Ungarn nahe, doch lieber Englisch zu sprechen. Aber wie sehr sie sich mühten – es klang noch immer ungarisch. Die Lösung, auf die sie schließlich verfielen, hatte den Vorteil, daß nun wirklich niemand mehr wußte, um welches Idiom es sich handelte: sie sprachen Ungarisch mit englischem Akzent.

Einen gleichfalls bemerkenswerten Ausweg aus dem Sprachdilemma, der sich besonders für den Besuch öffentlicher Gaststätten eignete, fand mein Freund Walter Slezak. Er ließ seine 125 Kilo Lebendgewicht aufatmend in den Sessel plumpsen und verlautbarte weithin hörbar: »Gott sei Dank, daß wir Schweizer sind!«

Einer Unterhaltung in deutscher Sprache stand dann nichts mehr im Weg.

Einige Mitglieder der ungarischen Kolonie kannte ich noch von Wien her, einige lernte ich in Hollywood kennen und schätzen, darunter einen der wenigen, der den weit verbreiteten, von Fodor, Bus-Fekete, Lakatos und anderen innegehabten Vornamen László als Zunamen trug. Aladár László. Im ungarischen Original hätte das, wie man weiß, die verwirrende Abfolge László Aladár erfordert. Es gab auch einen Miklos László oder László Miklos. Einen László László gab es nicht, denn bei einem solchen wäre die Voranstellung des Zunamens völlig nutzlos gewesen, und ein ungarischer Autor tut nichts Nutzloses.

Aladár László zehrte vom Ansehen und wohl auch vom Geld, das ihm seine von Ernst Lubitsch verfilmte Geschichte »The Shop around the Corner« eingebracht hatte, und unterschied sich von seinen Artgenossen durch einen völligen Mangel an Ehrgeiz und Betriebsamkeit. Dabei kam ihm sein Magenleiden und die damit verbundene Mißgelauntheit zustatten, die sich jedoch insofern produktiv auswirkte, als ihm dann und wann eine besonders treffende Bemerkung zu unsrer Hollywood-Malaise gelang.

Wir hatten, ob man's glaubt oder nicht, ein Stammcafé gefunden, noch dazu am repräsentativen Sunset Boulevard, »Players« geheißen und abends ein Treffpunkt der Filmprominenz; aber bei Tag durften auch wir, die kleinen Niemande, denen in der gesellschaftlichen Hierarchie Hollywoods ungefähr der Rang eines postenlosen Kanalräumers zukam, das Nobellokal frequentieren. Hans, ein freundlicher, aus Bayern stammender Kellner, ließ uns oft stundenlang bei einem Kaffee auf der Terrasse sitzen, die als eine Art Wintergarten eingerichtet, also gegen die Straße zu gläsern abgedeckt war.

Als ich dort einmal allein mit László an unserm Tisch saß – die anderen kamen erst später –, brach er sein ausgiebiges Schweigen durch eine angesichts des gepflegten Rahmens eher unverständliche Bemerkung (er sprach ein langsames und recht mühsames Deutsch):

»Weiß du – manchmal ich komme mir vor wie ungarische Rekrut auf Latrine. Was machen wir hier?«

Ich mußte gestehen, daß ich ihm das auch nicht genau sagen könnte und wollte wissen, welche Bewandtnis es mit dem rätselhaften ungarischen Rekruten hätte.

»Werde ich dir erklären«, hob László an. »Ungarische Rekrut ist von irgendwo aus kleine Bauerndorf in Kaserne nach Kecskemét gekommen und sitzt auf Latrine und jammert: ›Liebe Mutter, liebe Mutter, immer du hast mir gesagt, ich soll weiter weggehen von Haus zum Scheißen. Jetzt bin ich weit genug.‹ Du verstehst?«

Ich verstand.

Noch eine andre seiner bedrückenden Gedankenassoziationen ist mir in Erinnerung geblieben. Es war zur strahlenden kalifornischen Mittagszeit. Ein trostlos blauer Himmel, von dem man wußte, daß er viele Wochen lang auch nicht die leiseste Abwechslung durch ein bis zwei Wölkchen zulassen würde, wölbte sich über die »Players«-Terrasse und die niedrigen, weißgetünchten Bauwerke des Sunset Boulevards, die sich im gleißenden Sonnenlicht sonderbar exotisch ausnahmen. Wir kamen uns wieder einmal völlig deplaciert vor.

Schweigsam und mißgelaunt starrte László durch das Glasfenster in die unbeweglich fremdartige Gegend. Dann seufzte er auf und wandte sich zu mir:

»Jetzt könnte Zug schon weiterfahren«, sagte er.

Bei »Players« geschah es auch, daß Laci Fodor, obwohl gerade ohne Engagement, in einem unverkennbar fabriksneuen Packard-Cabriolet aufkreuzte, das in der kalifornischen Vormittagssonne nur so funkelte. Allgemeine Verblüffung und wißbegierige Fragen, wie die Neuanschaffung zu erklären sei, empfingen ihn.

»Lengyel hat eine Story an Universal verkauft«, lautete die von Fodor bereitwillig erteilte Auskunft.

Und da war schon alles drin, da war die Plagiatsklage, die von der Universal-Film zwecks Vermeidung lästiger Komplikationen gezahlte Abstandssumme und die von Lengyel nachträglich angebotene Beteiligung schon eskomptiert.

Noch eine letzte, zur Illustration magyarischer Wesensart bestens geeignete Geschichte, an deren innerer Wahrheit die Frage, ob sie sich tatsächlich zugetragen hat oder nicht, hinfällig wird.

Metro-Goldwyn plante die Kálmán-Operette »Gräfin Mariza« in einer Superproduktion zu verfilmen, und der große Louis B. Mayer persönlich empfing den Komponisten zu einer Vorbesprechung, um das Projekt in seiner ganzen Pracht vor ihm auszubreiten:

»Wir möchten von Anfang an im Einvernehmen mit Ihnen vorgehen, Mr. Kálmán. Schon der Autor des Drehbuchs soll Ihre Billigung finden. Wir dachten an George Allison. Kennen Sie ihn?«

»Nein, leider«, bedauerte Kálmán.

»Macht nichts. Es kommen ja noch ein paar andere in Betracht.« Verstohlen warf Louis B. Mayer einen Blick auf seine Notizen. »Kennen Sie Ladislas Fodor?«

»Ob ich ihn kenne?« Kálmán tat beleidigt. »Wer kennt nicht Fodor Laci? Weiß doch jedes Kind, daß er einer der größten europäischen Dramatiker ist.«

»Das freut mich zu hören. Und wie wäre es mit Bus-Fekete?«

»Bus-Fekete!« jauchzte Kálmán. »Einen besseren gibt's überhaupt nicht. Den könnten wir kriegen?«

»Ja, warum nicht. Und dann . . .« (abermals wurde der Zettel zu Rate gezogen) ». . . dann hätten wir noch Melchior Lengyel. Was halten Sie von ihm?«

Kálmán straffte sich. Seine Stimme klang respektvoll verschnürt: »Ein Genie. Bin mit ihm in die Schule gegangen. Ein Genie.«

»Well, Mr. Kálmán«, schloß der Filmgewaltige und lehnte sich zurück. »Wen möchten Sie also fürs Drehbuch haben?«

»Allison, please«, sagte Kálmán.

Oder wie es im Sprichwort heißt: Wer einen Ungarn zum Freund hat, braucht keine Feinde.

Indessen soll hier nicht der Eindruck entstehen, als hätte es in Hollywood *nur* Ungarn gegeben, obwohl es manchmal bedrohlich danach aussah. Möglicherweise hatte ihr Vorhandensein einen gewissen Anteil daran, daß die deutschen und österreichischen Emigranten ihre Rivalitäten und Gegensätzlichkeiten auf Sparflamme abstellten und eine mehr oder weniger kompakte Einheit bildeten, allerdings – und zumal auf österreichischer Seite – mit Ausbuchtungen ins ungarische und ins böhmische Lager, denn auch unter den Abkömmlingen der ehedem habsburgischen Völkerschaften trat die einstige Zusammengehörigkeit jetzt wieder stärker zutage. Ich zweifle, ob es in Hollywood einen einzigen Emigranten gab, der sich nicht mindestens zweien der bestehenden Gruppen verbunden fühlte. Im übrigen nahm man das nicht so genau. Wer kam, war willkommen. Und wenn er nicht willkommen war, lag das nicht an seiner nationalen Herkunft, sondern an seiner persönlichen Unausstehlichkeit.

Daß wir am Abend mit Vorliebe bei Ernst und Anuschka Deutsch zusammenkamen und wie sich's mit ihrer »Festung Europa« verhielt, habe ich schon in der »Tante Jolesch« (S. 237 ff.) berichtet. Es gab aber noch andere abendliche Treffpunkte, etwa bei Gina Kaus, mit der ich von Wien her befreundet war (TJ S. 225), und deren Monographie »Katharina die Große« eben jetzt auf neues Interesse stößt; oder bei Gustav Machatý, dem tschechischen Filmregisseur, der um 1930 mit seinem Film »Ekstase« vor allem deshalb Aufsehen erregt hatte, weil die damalige Hedy Kiesler und nachmalige Hedy Lamarr in einer gewagten Nacktszene zu sehen war.

Zur anheimelnden Atmosphäre im Hause von Gina Kaus trug nicht wenig die Mutter der Gastgeberin bei, die hochbetagte Frau Wiener, die uns mit rührender, ganz und gar europäischer Aufmerksamkeit umsorgte und zugleich auf nicht minder rührende Weise bemüht war, sich in Amerika einzuleben und sich all die neuartigen Begriffe anzueignen, die es da zu bewältigen galt.

Eines Abends verwickelte sie mich in ein Gespräch über meine literarischen Pläne und Möglichkeiten, an denen sie seit jeher lebhaften Anteil genommen hatte.

»Wissen Sie, was Sie einmal schreiben sollten?« fragte sie und hob zu nachdrücklicher Mahnung den Zeigefinger. »Sie sollten einmal einen Bestseller schreiben!«

Ihr Wort drang nicht bis zu Gottes Ohr.

Selbstverständlich sprach man an solchen Abenden immer wieder von der alten Heimat, von den alten Zeiten, von alten Freunden, über deren Schicksal man nichts wußte – und das war noch das Beste, was man wissen konnte, denn es ließ die Hoffnung zu, daß sie vielleicht noch am Leben wären. Von den Bitternissen der Auswanderung wurde erzählt, von Erlebnissen auf der Flucht, vom tödlichen Drangsal jener letzten Zeitspanne, die man unterm Naziregime noch hatte zubringen müssen, ehe alle Schikanen überwunden, alle Dokumente und Stempel und Bewilligungen herbeigeschafft waren und ehe es zum Abschiednehmen kam (vorausgesetzt, daß es noch jemanden gab, von dem man Abschied nehmen konnte).

Aber es waren nicht immer nur böse Erfahrungen, die man da austauschte und miteinander verglich. Dann und wann, zumal als die anfängliche Begeisterung der Österreicher über die Heimkehr ins Reich zu verfliegen begann, war manchem der hier Versammelten von seinen nichtjüdischen Nachbarn und Bekannten auch tatkräftige Hilfe und menschliche Anteilnahme erwiesen worden, teils im Bewußtsein der damit verbundenen Gefahren, teils in purer Ahnungslosigkeit – wie es vermutlich bei jenem oft zitierten Bäcker der Fall war, der kurz vor dem Pessachfest, jahrelanger Gewöhnung folgend, in der Wohnung seiner alten jüdischen Kundschaft erschien und mit den Worten: »Heil Hilter, Frau Kohn, ich bringe die Mazzes«, das übliche Paket abgab. Mochte sich's hier noch um eine Erfindung handeln, so wußte der und jener mit garantiert Selbsterlebtem aufzuwarten: Einer war von einem ehemaligen Mitschüler und jetzigen Sturmbannführer rechtzeitig vor einer Hausdurchsuchung gewarnt worden, ein andrer hatte dank der Intervention eines bei der Gestapo tätigen Freundes in kürzester Zeit die Auswanderungspapiere bekommen, wieder ein andrer verdankte es einem Gestapomann, daß er seine ganze Wohnungseinrichtung hatte mitnehmen dürfen . . .

»Also ich weiß nicht«, ließ sich da kopfschüttelnd die alte Frau Wiener vernehmen. »Bei *uns* hat die Gestapo *gar* nicht funktioniert.«

Ende 1940, kurz nachdem ich in Kalifornien gelandet war, fanden die amerikanischen Präsidentschaftswahlen statt, die einen überlegenen Sieg des zum zweitenmal kandidierenden Roosevelt gegen seinen republikanischen Gegenkandidaten Wendell Willkie erbrachten. Da dieser Ausgang von vornherein keinesweg feststand, herrschte unter den größtenteils noch nicht wahlberechtigten Emigranten, die samt und sonders den Erfolg Roosevelts herbeiwünschten, gewaltige Aufregung – als hätte jeder einzelne sein Einreisevisum von Roosevelt persönlich bekommen und müßte es im Fall eines Wahlsiegs Willkies wieder zurückgeben. Damals machte ich die erste Bekanntschaft mit jener dümmlich klischierten Art von Meinungsbildung, die mich späterhin (und bis auf den heutigen Tag) immer wieder in Rage bringen sollte, weil ihre Verfechter sich penetrant fortschrittlich gebärdeten, ohne zu wissen, um was es überhaupt ging. Sie waren von einer Selbstsicherheit, die nur den wirklich Ahnungslosen gegeben ist, sie duldeten keinen Zweifel daran, daß ein anständiger Mensch für Roosevelt zu sein hatte, und da ich mich in den innerpolitischen Verhältnissen Amerikas noch nicht recht auskannte, war ich für Roosevelt. (Ich wäre damals auch für Roosevelt gewesen, wenn ich mich ausgekannt hätte; aber das steht auf einem andern Blatt.)

Am Abend des Wahltags versammelten wir uns bei Machatý, um den Radiomeldungen entgegenzufiebern. Zu den Anwesenden zählte die herrliche Gisela Werbezirk, deren Schauspielkunst das Fach der »komischen Alten« um eine völlig einmalige tragische Dimension erweitert hat und für die ich eine geradezu kindliche, von ihr mit mütterlichem Wohlwollen aufgenommene Verehrung hegte. Die Werbezirk war in jeder Hinsicht ein Rocher de bronce der österreichischen Kolonie, trug das nichtswürdige Schicksal, das die Emigration ihr auferlegt hatte, mit unerschütterlich souveränem Humor und bewahrte auch an jenem Abend ihre Gelassenheit inmitten der fiebrigen Erregung der anderen, die nicht einmal dem von Frau Machatý angerichteten Buffet zusprachen.

Dann kamen die ersten Meldungen. Roosevelt führte in beinahe allen Staaten der Union, aber das waren nur vorläufige Ergebnisse, und wir wagten noch nicht zu jubeln. Erst als sein Vorsprung immer größer wurde und als sein Sieg (der dann zu einem Erdrutsch gedieh) eindeutig feststand, gaben wir uns dem persönlichen Triumph, den jeder von uns errungen hatte, ungehemmt hin. Wir konnten uns an den von überallher gemeldeten Resultaten gar nicht satt hören und suchten nach immer neuen Regionalsendern, die sie uns bestätigten. Es dauerte eine gute Stunde, ehe die ersten Müdigkeitserscheinungen auftraten. Endlich stellte ein Beherzter das Radio ab; jetzt wüßten wir's ja schon, meinte er nicht mit Unrecht.

Nach ein paar Minuten erhob sich dann doch wieder ein andrer, schlich zum Apparat und ließ sich aufs neue von den triumphalen Ziffern berieseln. Er wurde zurückgerufen.

Da und dort sah man einige Erschöpfte an belegten Brötchen kauen. Gisela Werbezirk strickte an einem Pullover für ihren Sohn. Der Berliner Filmregisseur Max Nosseck, einer der Komischesten unsrer Gruppe und als 1933 Eingewanderter bereits wahlberechtigt, erzählte von einem amerikanischen Kollegen, der ihn gefragt hatte, wen er wählen würde.

»Roosevelt«, antwortete Nosseck.

Ob er ihn auch beim letztenmal gewählt hätte, fragte der andre.

»Nein«, sagte Nosseck.

Ach, da hätte er zuletzt also Hoover gewählt?

»Nein«, sagte Nosseck. »Hindenburg.«

Unterdessen hatte ein Unerstättlicher wieder das Radio angedreht, und da jetzt nicht mehr überall Wahlergebnisse zu hören waren, begann er die Skala nach einer vielleicht noch ergiebigen Station abzusuchen. Er traf auf ein Symphoniekonzert, auf einen Vortrag, auf eine Quizsendung – bis plötzlich ein strahlender Sopran an unsere Ohren drang.

»No also«, stellte erleichtert Gisela Werbezirk fest, ohne von ihrer Strickarbeit aufzublicken. »Die Frau Roosevelt singt schon.«

Sie hat mir noch mit manchem andern Ausspruch das Leben in Amerika verschönt, auch später in New York, als sie in dem aus emigrierten Schauspielern bestehenden Ensemble »Players from

Abroad« auftrat (das sie »Players vom Abort« nannte). Sie war eine grandiose Künsterlin und eine betörend warmherzige Menschennatur. Ich habe sie sehr geliebt, und ich kann nur hoffen, daß mein Nachruf – er findet sich im Anhang dieses Buches – ihrer Persönlichkeit halbwegs gerecht wird.

Manchmal, wenn uns die Hoffnungslosigkeit gar zu heftig überkam, versuchten wir ihr durch allerlei Phantasmagorien beizukommen, in denen wir uns ausmalten, wie es nach unsrer etwaigen Rückkehr in Europa aussehen würde. Einige dieser Gespinste haben sich nachmals grausam bewahrheitet, andere haben die spätere Wirklichkeit nicht minder grausam verfehlt.

Einmal bescherte uns Otto Eis eine himmelschreiend groteske Vision vom Wiedersehen der drei Remigranten McNussenblatt, Fitzpollak und O'Kornblum in einem Wiener Kaffeehaus: der eine beschwert sich über den Lärm der Musicbox, der andre hat ein Renkontre mit dem Kellner, der nicht mehr weiß, was ein Kapuziner ist, und der dritte kommt zu spät, weil er keinen Parkplatz finden konnte. Wir lachten dröhnend. In Wien lachten wir dann nicht mehr.

Weniger haltbar stand es um das Zukunftsbild des wieder erscheinenden »Prager Tagblatts«, das ich gemeinsam mit Franz Werfel entwarf. Leitartikel von Prof. Steiner, Feuilleton von Alfred Polgar, auf der ersten Seite eine Grußbotschaft von Präsident Beneš, auf der Kulturseite eine Abonnementeinladung für das Prager Deutsche Theater – soweit gingen wir konform. Meinungsverschiedenheiten entstanden über den Fortsetzungsroman. Ich plädierte für einen zusammenfassenden Vorspann (»Was bisher geschah«), um die Leser, die sich vielleicht nicht mehr erinnerten, wo der Roman vor Jahren aufgehört hatte, wieder ins Bild zu setzen – Werfel fand das überflüssig, ja fast beleidigend, und wollte mit dem Satz: »Direktor Robitschek legte das Telegramm nachdenklich zur Seite« unmittelbar an die abgebrochene Stelle anschließen. Es kam zu keiner Einigung. Und es kam zu keinem Wiedererscheinen des »Prager Tagblatts«.

Was ich mir als Hollywoodkarriere erträumte, hatte schon in den ersten Tagen meines Aufenthalts Gestalt angenommen: ich wollte genug Geld verdienen, um nach New York übersiedeln zu können. Wenn möglich wollte ich vorher einen Erfolg haben, um mir von niemandem sagen lassen zu müssen, daß ich nur deshalb auf Hollywood schimpfe, weil ich dort keinen Erfolg gehabt habe.

Es vergingen vier Jahre, ehe sich mein Traum in beiden Teilen verwirklichte. Sie erwiesen sich als eine Art Junktim, das heißt, daß ich das nötige Geld mit dem Drehbuch zu einem Film verdiente, der von einer kleinen Außenseiterfirma auf Spekulation produziert und dann tatsächlich von »United Artists« übernommen wurde. Der Film hieß »Voice in the Wind«, und sein Erfolg konfrontierte mich mit einem unvermuteten Dilemma: es wurden mir jetzt nämlich ganz richtige, seriöse Verträge angeboten, darunter ein auf sieben Jahre berechneter Optionsvertrag mit einer von Jahr zu Jahr wachsenden Anfangsgage von 500 Dollar wöchentlich. Das war – es läßt sich nicht leugnen, auch von mir nicht – eine teuflische Versuchung. Nun gab es in Hollywood nicht wenige Schriftsteller, darunter ein paar literarisch hochbegabte, die ähnlichen Versuchungen erlegen und mit der festen Absicht nach Hollywood gekommen waren, nur diesen einen hochdotierten Vertrag zu erfüllen und dann gleich wieder wegzufahren, um fortan in Ruhe und finanzieller Sicherheit ihre Romane zu schreiben. Sie alle blieben in Hollywood hängen, und wenn sie nicht gestorben sind, dann glauben sie noch heute, daß sie sofort nach Ablauf der nächsten Vertragsfrist, diesmal aber ganz bestimmt, mit dem längst geplanten Roman beginnen werden. Ich bin nicht sicher, ob die Welt einen Verlust erlitten hätte, wenn es mir ebenso ergangen wäre – jedenfalls habe ich mich dem lockenden Risiko entzogen und ging für die guten, alten 100 Wochendollar nach New York zum »Time Magazine«. Dort war Willi Schlamm, unter dessen Ägide ich 1933 an der nach Wien übersiedelten »Weltbühne« mitgearbeitet hatte, mit einem interessanten Projekt befaßt: Nach Kriegsende – das sich im Herbst 1944 schon mit einiger Sicherheit voraussehen ließ – sollte eine deutsche »Time«-Ausgabe erscheinen, zum einen Teil auf das Material der amerikanischen Ausgabe gestützt, zum andern, eigens redigierten Teil an die Bedürfnisse des deutschsprachigen Raums angepaßt. Für die redaktionellen Vorbereitungen hatte Schlamm neben Leopold Schwarzschild (dem einstigen Herausgeber des »Tagebuchs«), Alfred Polgar und einigen anderen auch mich engagiert, was mir in jeder Hinsicht zupaß kam und überdies den Fragenkomplex der Rückkehr, der uns immer mehr zu beschäftigen und zu quälen begann, wohltätig neutralisiert hätte. Hätte: denn aus dem deutschen »Time«-Magazin ist nichts geworden. Das weit gediehene Vorhaben – ich bewahre in meinem Kuriositäten-Archiv die im Frühjahr 1945 erschienene »Nullnummer« – wurde eines Tags aus unerfindlichen Gründen eingestellt. Möglicherweise war das der Tag, der ohne Rudolf Augsteins Wissen den »Spiegel« ins Leben rief.

Bald darauf begannen auch andere auf Europa bezogene Projekte anzulaufen. Gottfried Bermann-Fischer, der seinen 1936 aus Berlin nach Wien überführten Verlag 1938 nach Stockholm verlegt und ihn während des Kriegs von Amerika aus dirigiert hatte, bereitete das Wiedererscheinen der »Neuen Rundschau« und eine intensivierte Verlagsproduktion vor, für die er mich nicht nur als Berater, sondern – sozusagen in einem Aufwaschen – auch als Autor heranzog. Zu den Folgen unsrer Zusammenarbeit, an der auch Joachim Maaß teilnahm, gehörten meine Veröffentlichungen in der »Neuen Rundschau«, das von mir herausgegebene »Zehnjahrbuch« des Bermann-Fischer-Verlags (1938–1948) und mein 1948 in Stockholm erschienener Roman »Hier bin ich, mein Vater«. Gottfried und seine Frau Brigitte, im Freundeskreis auf die nicht eben literaturfähigen Rufnamen Goffi und Tutti hörend, kamen aus ihrem Haus in Old Greenwich (Connecticut) häufig zu Besprechungen nach New York, freundeten sich mit meiner 1945 erworbenen Ehegefährtin Marietta an und luden uns zu Gegenbesuchen ein, deren einer, auf Gottfrieds ausdrücklichen Wunsch, mit einer Vorlesung aus dem Manuskript meines Romanes verbunden war – ganz so, wie sich das in früheren Zeiten zwischen Verlegern und Autoren abzuspielen pflegte. Zum täuschend ähnlichen Bild der wiedererstandenen früheren Zeiten gehörte auch die Anwesenheit von Frau Hedwig Fischer, der Witwe des Verlagsgründers, die trotz ihrem hohen Alter ungebrochenes Interesse an literarischen Dingen nahm und mir in lebhaften Farben schilderte, wie Gerhart Hauptmann damals in ihrer Villa im Grunewald aus dem Manuskript der »Weber« vorgelesen hatte. Vielleicht wollte sie mich damit in die richtige Stimmung bringen.

Daß ich an New York mit ungleich freundlicheren Gefühlen zurückdenke als an Hollywood, dürfte nach allem Gesagten klar sein. Ja ich muß gestehen, daß mich bei meinen seither erfolgten Besuchen in New York eine prickelnde Art von Wiedersehensfreude überkam, indessen ich mich in Hollywood nur wundern konnte, wie ich's dort so lange ausgehalten habe. Obwohl meine in Hollywood verbrachten Jahre vom Umgang mit Europäern geprägt waren und obwohl dieser Umgang mir – wie allen an ihm Beteiligten – beinahe den Eindruck vermittelte, in einer europäischen Enklave zu leben, empfand ich in New York vom ersten Augenblick an eine viel kräftigere Europa-Nähe; und damit meine ich nicht die geographische Nähe und nicht, was einer meiner Freunde als den großen Vorzug New Yorks vor allen anderen amerikanischen Städten rühmte: die besten Flugverbindungen nach Europa. Natürlich ist New York, und gerade New York, zugleich auf vehemente Weise amerikanisch, natürlich hat es unsereinem keine Sekunde lang verhehlt, daß er sich in der Fremde befand. Aber es war, wenn man das so sagen kann, eine vertraute Fremde. Es war, als begegnete man einem entfernten Verwandten, den man vorher nie gesehen hatte und an dem man nun plötzlich eine gewisse Familienähnlichkeit entdeckt.

Zweifellos lag das zum Teil (nur zum Teil, nicht zur Gänze) an den unmittelbar und unvermindert europäischen Bestandteilen New Yorks. Der mit Vorliebe so genannte »Schmelztiegel« wird nämlich erst auf Umwegen wirksam, erst wenn die zweite oder dritte Generation der aus Europa Eingewanderten sich assimiliert hat – aber inzwischen ist schon wieder eine neue Generation nachgekommen, die dafür sorgt, daß die nationale Eigenart der einzelnen Gruppen gewahrt bleibt, daß Italiener und Deutsche, Griechen und Ungarn, Tschechen und Skandinavier ihre präzise abgegrenzten Wohnviertel beibehalten, von den kompakten Siedlungsbezirken der osteuropäischen Juden ganz zu schweigen.

Nach meiner Ankunft aus Hollywood hatte ich mich zunächst im Tschechenviertel eingemietet, weil ich mir von meinem ziemlich passablen Tschechisch gewisse Erleichterungen im Alltagsleben erhoffte. Die Hoffnung trog. Es wurde mir in keiner Weise honoriert, daß ich Tschechisch sprach. Man hätte mich scheel angesehen, wenn ich *nicht* Tschechisch gesprochen hätte. Übrigens traf mich manch scheeler Blick auch so, denn die New Yorker Tschechen sprachen damals, in den vierziger Jahren, noch das mit »kuchelböhmischen« Wortbildungen durchsetzte Idiom, wie sie es von der alten Heimat her gewohnt waren, und schienen die notgedrungen korrekte Ausdrucksweise, die ich mir in meinen Prager Jahren angeeignet hatte, für eine neumodische Überheblichkeit zu halten. Der Schneider an der Ecke, bei dem ich mir einen Anzug machen ließ und den ich fragte, wann ich »na skoušku« (zur Probe) kommen könne, belehrte mich in unüberhörbar zurechtweisendem Ton: ich meine wohl »naprubovat« – was soviel wie »anprobieren« heißt und die deutsche Sprachwurzel deutlich erkennen läßt. Hätte ich ein solches Wort in Prag zu verwenden gewagt, wäre mir die umgekehrte Belehrung erteilt worden. (Nähere Angaben zu diesem Thema macht mein im Anhang enthaltener Aufsatz »Als noch geböhmakelt wurde«.)

Das Doppelgesicht New Yorks, der Zusammenklang von amerikanischen und europäischen Elementen, wurde von einem alten jüdischen Kellner – ohne daß er's wußte – auf eine unübertreffliche Kurzformel gebracht. Es hieß (oder nannte sich) Moe, stammte aus Czernowitz, lebte schon seit Jahrzehnten in New York und hatte sich dort total eingewöhnt, bis tief in den bodenständigen Slang hinein, zu dem auch die familiäre Anrede »folks« für seine Gäste gehörte. Sein Arbeitsplatz war ein kleiner, mit der üblichen Imbißstube verbundener Delikatessenladen im Areal zwischen Broadway und Central Park, der auch nachts offenhielt und den wir scherzhaft-liebevoll »Zum Mitternachtsjuden« nannten, weil die gerade am Broadway tätigen Wiener, Berliner, Prager und Budapester Schauspieler sich dort nach Schluß der Vorstellung einfanden, um mit ihren versprengten Landsleuten aus dem Theater- und Literaturbereich – manchmal war auch Ferenc Molnár dabei – noch ein wenig zu plaudern. Und wie begrüßte der Kellner Moe seine europäische Stammkundschaft? Er begrüßte sie mit zwei Worten, in denen zwei Welten beschlossen lagen. Er sagte: »Habedjehre, folks!«

Sowohl am Broadway wie in Hollywood herrschte das strenge Prinzip, die aus Europa stammenden Schauspieler nur in Akzentrollen zu beschäftigen. Das hatte schon damals böse Folgen und mag in einer näheren oder ferneren Zukunft noch bösere zeitigen. Sollte es nämlich diesem Planeten gelingen, sich eines Tags zum größten Teil in die Luft zu sprengen, und sollten künftige Forscher bei den Aufräumungsarbeiten auf Anzeichen für das Vorhandensein sogenannter »Nazi« in der ersten Hälfte des 20. Jahrhunderts stoßen, dann werden sie sich natürlich fragen, wie diese rätselhaften Gesellen ausgesehen haben; und das werden sie, wenn's gutgeht, aus einigen unversehrt ausgegrabenen Hollywoodfilmen erfahren, in denen die Nazis von Schauspielern wie Fritz Kortner, Ernst Deutsch, Franz Lederer oder Otto Preminger dargestellt wurden. Man weiß es heute noch nicht – aber das war die wirkliche Rache der Juden an Hitler.

Sie vollzog sich auch in der zweiten Garnitur, den »B-Pictures«, in deren einem Leo Reuss* den Kapitän eines deutschen Unterseeboots gab. Selbstverständlich trugen er, sein Adjutant und die gesamte Besatzung große Hakenkreuz-Armbinden, denn so entsprach es dem Uniformreglement der Marine, jedenfalls in B-Pictures. Das von Reuss befehligte U-Boot hatte die Aufgabe, einen britischen Öltanker zu torpedieren, und taucht nach Abschuß des Torpedos hoch, um zu erkunden, ob sich – als Zeichen eines

* Über sein abenteuerliches Auftreten in Wien als »Kaspar Brandhofer« vgl. den im Anhang enthaltenen Aufsatz »Tiroler Reis-Auflauf«.

Volltreffers – Öl auf der Wasseroberfläche zeigen würde. Kapitän und Adjutant, martialische Feldstecher über den nicht direkt martialischen Nasen, suchen in sichtlicher Spannung das wogende Meer nach allen Richtungen ab, und es ist der Adjutant, der als erster erfolgreich feldsticht. Ein atemloses »Captain, look!« hervorkeuchend, zupft er seinen Vorgesetzten am Hakenkreuzärmel und weist ihm die richtige Richtung, in die zu Verdeutlichungszwecken auch die Kamera einschwenkt. Der Captain tut desgleichen, grinst schurkisch, setzt den Feldstecher wieder ab, und es ist sein unverschuldetes Pech, daß der Triumphschrei, den das gesichtete Öl ihm entlockt, rettungslos wie ein jüdischer Klagelaut klingt:

»Oil!«

Der Broadway, der mit der Realität ein wenig vorsichtiger und mit Nazimotiven ein wenig sparsamer umging, ließ die emigrierten jüdischen Schauspieler in unverfänglicheren Rollen auftreten – Hauptsache, daß es Rollen mit ausländischer Tonfärbung waren. Manchmal drängten sich ihrer drei oder vier in einem einzigen Stück zusammen, wie etwa in »Ardèle«, der ersten nach Amerika gelangten Komödie Jean Anouilhs. Das New Yorker Publikum legte da eine wahrhaft engelsgleiche Geduld an den Tag, denn die Szenen, die hauptsächlich oder ausschließlich von den Akzentsprechern bestritten wurden, blieben ihm weitgehend unverständlich. Einer meiner amerikanischen Freunde bemerkte in der Pause nicht ohne Fug: »Was dieses Stück braucht, sind englische Untertitel.« Auch erlebte man den großen Albert Bassermann in einer Dramatisierung von Werfels »Veruntreutem Himmel« als den zweifellos einzigen Papst der Weltgeschichte, der Englisch mit Mannheimer Akzent sprach. Aber das verschlug nicht viel. Es war ohnehin ein miserables Schauspiel.

Hingegen wurde Werfels »Jacobowsky and the Colonel« mit Oscar Karlweis als Jacobowsky zu einem sensationellen europäischen Doppelerfolg. Bemerkenswerterweise hatten die Verantwortlichen der »Theatre Guild«, die das Stück produzierte, heftige Bedenken gegen den Namen des Titelhelden; es könnte, so fürchteten sie, dem Publikum allzu schwerfallen, ihn auszusprechen. Sie täuschten sich. In einer Vorverkaufsstelle erschien gleich am ersten Tag ein eiliger, wahrscheinlich in einem der jüdischen Stadtviertel wohnhaften Theaterbesucher mit dem Verlangen: »Geben Sie mir zwei Karten für Jacobowsky und . . . *wie* heißt der andre?«

Ich kann nicht sagen, daß ich mich in New York wohl oder gar heimisch gefühlt hatte. Aber die hunderterlei Reize, die von dieser zügellos gigantischen Stadt ausgingen – sie wären am ehesten der Faszination eines Großbrands auf einen Pyromanen vergleichbar –, ließen mich sogar ihre nervenzermürbenden Kehrseiten ertragen. Wirklich unerträglich war die Witterung (»Heuer fällt der Frühling auf einen Dienstag«, seufzte ein gepeinigter Europäer) und vor allem die lähmende, durch einen aberwitzigen Feuchtigkeitsgehalt verschärfte Hitze. Wer irgend kann, entflieht ihr so weit wie möglich, am sichersten dem Norden zu, in die nahe der kanadischen Grenze gelegenen Gegenden mit ihren Seen und Wäldern. Mir wurde einmal die Vergünstigung eines Sommeraufenthalts in Bar Harbor im Staate Maine zuteil, wo ich außer zahlreichen Europäern auch zahlreiche an Mitteleuropa gemahnende Landschaftsbilder vorfand, die sogar namentlich auf diese Ähnlichkeit pochen – ein vielbesuchter, von immerhin Bergen umrahmter See heißt bespielsweise Lake Lucerne. Als Attraktion wird den Sommergästen unter anderm eine Rundfahrt durch die Bar Harbor Bay geboten, wobei man vom Fremdenführer ganz genau erfährt, wem jeder einzelne der imposanten, in die Bucht hineingeprotzten Sommersitze gehört. Meistens gehören sie Frauen. Die Erzeugung reicher Witwen ist eine der größten Industrien Amerikas.

Als ich dann in New York wieder einmal mit Hans Jaray zusammentraf, dem einstmals wohlgelaunten und jetzt eher trübgestimmten Gefährten so manchen Salzkammergut-Sommers, stellte sich heraus, daß er desgleichen ein paar Wochen in Maine gewesen war. Ob der Lake Lucerne auch ihn an den Altausseer See erinnert hätte, fragte ich.

»Ja«, sagte Jaray und starrte in die stickige New Yorker Luft. »Aber eines ist merkwürdig: der Altausseer See hat mich *nie* an den Lake Lucerne erinnert.«

Einen extremen Fall von Erinnerungssuche berichtete mein in der »Tante Jolesch« wiederholt zitierter Gewährsmann Viky Kahler. Auf der Fifth Avenue kam ihm einmal einer seiner älteren Wiener Freunde entgegen, im Steireranzug und mit einem Operngucker vor der Brust. Nach der Ursache seiner seltsamen Kostümierung befragt, gab er an, daß er in den Central Park ginge, das täte er regelmäßig und das sei dann immer sein schönster Tag in der Woche. Nun bietet der weit ausgedehnte Central Park, der in manchen Teilen noch eine ziemlich naturbelassene Wald- und Wiesenlandschaft ist, ja wirklich sehr viel Anziehendes – aber der älplerisch Gewandete besuchte ihn, wie sich zeigte, zu eher ausgefallenem Zweck:

»Wissen Sie«, erläuterte er, »dort gibt es einen kleinen Hügel, den kann ich noch ohne Mühe ersteigen, und wenn ich oben bin, habe ich eine hübsche Aussicht auf den unten liegenden Teich, um den ein paar Tannenbäume herumstehen. Und dann halte ich mir den Operngucker verkehrt an die Augen und sehe den Teich mit den Tannen in der Verkleinerung – wie in weiter Ferne – so daß er beinahe wie ein See ausschaut – und dazu mache ich ganz kleine Trippelschritte am Ort – und dann bilde ich mir ein, ich bin auf einem Ausflug im Salzkammergut . . .«

Auf die Umfrage einer Emigrantenzeitschrift: »Was gefällt Ihnen am American way of life?« antwortete einer der Befragten: »Daß mich niemand zwingt, nach ihm zu leben.«

Eine, wie mir scheint, sehr gute, sehr mannhafte und – wenn man genauer hinsieht – keineswegs negative Antwort. Weil aber im Vorstehenden soviel Negatives über den American way of life gesagt wurde, möchte ich zum Abschluß von zwei Erfahrungen berichten, die ich mit seinen positiven Seiten gemacht habe.

Bald nach meiner Ankunft in Hollywood hatte ich in der hügeligen, vom filmischen Wohnstil noch unbeleckten Gegend des Laurel Canyon zu einem für mich erschwinglichen Preis einen kleinen, sauberen Wohn-Bungalow gefunden. Er lag auf einem schmalen, zum Canyon hin abfallenden Seitenweg, dem Yucca Trail, und war vom Studio der Warner Brothers in Burbank, das ich allmorgendlich ansteuern mußte, etwa 40 Autominuten entfernt. Eines Tags, als ich mich in meinem auf Raten erworbenen Gebrauchtwagen (kein second hand car, sondern mindestens ein third oder fourth hand) der Kreuzung zwischen Trail und Canyon näherte, bekam ich von einem dort Wartenden das übliche Stoppsignal, und da es in Los Angeles angesichts der gewaltigen Entfernungen als ungeschriebenes Gesetz gilt, Autostopper mitzunehmen, hielt ich an. Aber der Mann wollte nicht mitgenommen werden. Er händigte mir zwei Briefe und 6 Cents ein – das Inlandsporto für einen Brief betrug damals 3 Cents –, bat mich, die Briefe zu frankieren und einzuwerfen, entschuldigte sich für die Mühe, die er mir verursachte, bedankte sich und ging. Daß der völlig Fremde, dem er da Geld und Briefe anvertraute, die Briefe vielleicht lesen oder einfach wegwerfen und das Geld für sich behalten könnte, kam ihm nicht in den Sinn. Ich wage zu bezweifeln, ob irgendwo in Europa etwas Ähnliches möglich wäre.

Die historisierende Erklärung, daß es sich hier um einen Nachhang des einstmals im Wilden Westen gepflegten Pioniergeistes handelte, erwies sich einige Jahre später in New York als untauglich. Dort war auf dem Höhepunkt einer Hitzewelle unser elektrisch betriebener Eiskasten zusammengebrochen, und das bedeutete nicht nur die Unmöglichkeit, unsern permanenten Durst zu stillen, es bedeutete zugleich die drohende Verrottung der aufbewahrten Nahrungsmittel; bei 90° Fahrenheit und 95% Luftfeuchtigkeit braucht so etwas nicht sehr lange. Zum Glück befand sich in unsrer Nähe – wir wohnten mitten in Manhattan, zwischen 6th und 7th Avenue – eine dieser kleinen Steh-Bars, die man in New York fast an jeder Straßenecke antrifft. Ich nahm einen Kübel und ging hinunter, um Eiswürfel zu holen. Das Lokal war, der Hitze entsprechend und sie steigernd, zum Bersten voll, der schwitzende, hemdsärmelige Barkeeper keuchte hinter der Theke unter den pausenlos auf ihn eindrängenden Bestellungen, und es dauerte Minuten, ehe ich mich überhaupt bemerkbar machen konnte. Nach einigen weiteren Minuten kam er auf mich zu, nahm meine Bitte um Eis und die dazugehörige Erklärung wortlos entgegen und füllte den Kübel bis zum Rand mit Eiswürfeln.

»Danke«, sagte ich. »Was bin ich schuldig?«

»Nichts«, sagte er. »Einem Nachbarn hilft man.«

Daß ich ein Nachbar war, konnte er nur aus meinen Hemdsärmeln geschlossen haben. Er sah mich das erste Mal.

Soviel zum American way of life. Natürlich besteht er nicht nur aus solcherlei, ach bei weitem nicht. Aber daß auch solcherlei dazugehört, mußte vermerkt werden.

IV. Hernach

Seit 1945 war Europa wieder in Sicht, die für mich noch runde fünf Jahre lang eine Fernsicht blieb. Ich wollte das gesamte Für und Wider der nunmehr möglichen Rückkehr – es war ja noch gar nicht so lange her, daß sie unwiderruflich jenseits des Möglichen zu liegen schien – erst gründlich geklärt haben, wollte alle Probleme, die ich nach eigenem Ermessen entscheiden konnte, wenigstens theoretisch entschieden haben, um in der Praxis für sie gewappnet zu sein. Immer noch verblieben ihrer genug, die sich erst an Ort und Stelle entscheiden ließen.

Die Vorentscheidung fiel in Paris, dem nahezu programmatischen Gegenteil New Yorks, dem Urgrund und Nährboden aller europäischen Zugehörigkeitsgefühle, denen man sich auch als Nicht-Pariser hingeben darf, ohne vor sich selbst in den peinlichen Verdacht einer Anbiederung zu geraden. Ich war nach einem Nonstopflug aus New York am frühen Vormittag in Le Bourget gelandet und befand mich zwei Stunden später auf dem Weg zum geliebten Jardin du Luxembourg, in dessen Nähe ich zuletzt mit Joseph Roth beisammengesessen war, im »Café de la Poste«, seinem Stammlokal in der Rue Tournon. Die Erinnerungen, die mich beim Bummel durch den Park überkamen, hätte ich zur Not auch in New York heraufbeschwören können. Was mir in

New York niemals geglückt wäre, war das Bummeln an sich. Und *da*zu wiederum hätte es keines Parks bedurft. Dazu taugen in Paris auch die Straßen, die lärmenden nicht minder als die stillen. Paris ist die einzige mir bekannte Stadt, in der einem vom Spazierengehen besser wird.

Mir wurde also besser, viel besser. Ich konnte von diesem Spaziergang gar nicht genug bekommen, und als ich mich endlich entschloß, ihn abzubrechen, wußte ich nicht, wie ich zur nächsten Metro käme. Der spielende Knabe, den ich danach fragte, nahm das Béret vom Kopf, bevor er mir antwortete. Sein amerikanischer Altersgenosse hätte mir statt einer Antwort den Baseballschläger übers Schienbein gedroschen. Ich war wieder in Europa.

Noch nachdrücklicher bestätigte sich das in Zürich, der andern ausführlichen Station meiner Emigrationszeit und der nächsten auf meiner Rückfahrt. Hier, mit einer anfangs verwirrenden Selbstverständlichkeit, umklang mich wieder Muttersprache, Mutterlaut, wonnesam wie im Lied und selbst in der kehligen eidgenössischen Variante wenn schon nicht traut, so doch vertraut. Hier sah ich im Theater wieder eine richtige, eher hervorragende Aufführung in deutscher Sprache, noch dazu in der edelsten, die es gibt, und noch dazu mit Maria Becker – über deren Debüt als blutjunge Anfängerin ich vor vielen Jahren eine begeisterte Kritik geschrieben hatte – in der Titelrolle von Goethes »Iphigenie«. Es bestand jetzt kein Zweifel mehr, daß ich wieder in Europa war.

Ja, und dann war ich also in Wien, und da bin ich geblieben. Darüber etwas mitzuteilen, obliegt nicht mir. Wenn es Mitteilenswertes gibt, muß ich es anderen überlassen. Ich beschränke mich auf die anekdotische Mitteilung einiger unpersönlicher und, wie ich glaube, zeittypischer Vorkommtnisse.

Für die Zeit unmittelbar nach 1945, für ihren wilden, aus »Displaced Persons« und den Angehörigen der Besatzungsmächte unkontrollierbar zusammengewürfelten Schwarzmarkt-Betrieb gibt es wohl keinen präziseren Aufschluß als den folgenden, der sich gerade durch seinen Mangel an Präzision auszeichnet. Man stellte sich einen Schwarzhändler vor, der im einschlägigen Geviert einen andern unter das nächste Haustor zerrt, und man versuche ihren hastigen Dialog Schlag auf Schlag nachzusprechen:

»Wieviel?«

»Fuffzig.»

»Was – fuffzig?«

»Was wieviel?«

Es ist, sozusagen, die platonische Idee des Luftgeschäfts, die hier ihren Ausdruck gefunden hat.

Andern, nicht minder typischen Aufschluß birgt das von ihm selbst berichtete Erlebnis eines meiner Freunde, dem 1938 die Flucht noch ganz knapp geglückt war und der bald nach Kriegsschluß zu Besuch in die alte Heimatstadt kam, wo es ihn trieb, sein Geburts- und einstiges Wohnhaus aufzusuchen. Das Haus, in einer stillen Gasse der Inneren Stadt gelegen, hatte durch einen Bombentreffer den Eckteil des obersten Stockwerks eingebüßt, war aber sonst intakt geblieben, und als mein Freund sich näherte, saß auch der alte Hausmeister auf der kleinen Bank vor dem Haustor. Er sah den Herankommenden, er erkannte ihn, und er deutete mit dem Daumen hinter sich, zum Bombenschaden hinauf:

»Des habts von eure Nazi!« rief er ihm gallenbitter entgegen.

Sein Gedankengang lag klar zutage. Hätte es in Wien nicht so viele Juden gegeben, wäre kein Hitler gekommen – ohne Hitler hätte es keinen Krieg gegeben – und ohne Krieg – – kurz und gut: die Juden waren auch an den Bombenschäden schuld.

Daß die Nazizeit wirklich vorbei und daß er jetzt wirklich frei war, konnte der Rechtsanwalt Dr. Sonnenschein, ein Überlebender des Konzentrationslagers Mauthausen, am Anfang gar nicht glauben. Er glaubte es erst, als er eines Tags in seinem nun wieder gewohnten Nachmittagsschläfchen durch eine draußen lärmende Knabenhorde gestört wurde und als der Hausmeister, der ihn seinerzeit denunziert hatte, auf die Straße hinausstürzte:

»Werd'ts gleich stad sein, Bagage übereinand!« rief er den Ruhestörern zu. »Der Herr von Sonnenschein will schlafen!«

An die amerikanische Hilfe, an Care-Pakete und Konserven und die anderen praktischen Dinge, die Amerika herüberschickte, hatten sich zumal die Wiener mühelos gewöhnt und hielten sie binnen kurzem für etwas Selbstverständliches. Als der Benützer einer öffentlichen Bedürfnisanstalt nach der Benützung feststellen mußte, daß kein Klosettpapier da war, soll er empört ausgerufen haben:
»Was ist los? Schläft Amerika?«

Das folgende, von einem der beiden Partner beglaubigte Gespräch hätte ebensogut in Österreich stattfinden können, fand aber im benachbarten Bayern statt. Ein versöhnlicher Hinblick auf inzwischen erfolgte Wiedergutmachungen veranlaßt mich, nähere Angaben über den Ort der Handlung und über das Hotel, in dem sie vor sich ging, zu unterlassen. Übrigens wurde im altrenommierten Restaurant dieses Hotels den aus Amerika Zurückgekehrten als Wiedergutmachungsaktion ein ausdrücklich so bezeichnetes Remigranten-Menü verabreicht, bestehend aus Pilzlingsuppe, aus Hasenrücken mit Rotkraut und aus Walderdbeeren – denn das alles hatte es in Amerika nicht gegeben.

Ungute Wißbegier stachelte meinen Gewährsmann, den erstrangierten (und seither längst verstorbenen) Portier des Hauses zu fragen, wie sich denn der Herr Chef unterm Naziregime verhalten habe. Er bekam bereitwillig Auskunft:

»Ah, für die Nazi hat er nix übrig gehabt. Wirklich nicht. Das kann ich Ihnen versichern. Stellen S' sich vor: da hat einmal der Himmler bei uns im Restaurant ein Essen gegeben, und der Chef hat's persönlich überwacht und hat sogar selbst serviert. Glauben S', die haben sich bei ihm bedankt? Nicht ein Wort! Nein nein, die Nazi hat er net mögen, der Chef.«

Aber es kursierten nicht nur ungute und kritische Geschichten – auch die Wehmut des Wiedersehens kam zu ihrem anekdotischen Recht. Ein ehemaliger Philharmoniker erschien bei seinem ersten Besuch in Wien auf einer Probe seines ehemaligen Orchesters, setzte sich zu den Streichern, unter denen auch er einmal gesessen war, und blickte, als die Pause kam, ein wenig befremdet um sich.

»Wo sind denn die Alten?« fragte er den neben ihm Sitzenden, den er von früher kannte.

»Die Alten?« fragte jener verwundert zurück. »Das sind doch wir!«

Auch mir waren ein paar melancholische Wiederbegegnungen beschieden und ein paar erfreuliche dazu. So traf ich einen der wenigen in jeder Hinsicht unversehrten Journalistenkollegen von damals und durfte mich auch seiner physischen Unversehrtheit freuen, die er nämlich am Beginn der Nazizeit leichtfertig aufs Spiel gesetzt hatte. Als reinrassiger Arier war er bei seinem Blatt nach der Gleichschaltung auf dem Posten eines Chefreporters belassen worden und unterlag – wie das gesamte ostmärkische Zeitungswesen – den vom Berliner Propagandaministerium ausgegebenen Richtlinien. Goebbels persönlich, so erzählte er mir jetzt, habe einmal die schlappschwänzigen Österreicher zusammengerufen, um ihnen beizubringen, wie man Nachrichten manipulieren und politische Spannung durch schmissige Aufmachung steigern könne. Besonders das Fragezeichen täte da gute Dienste. Nicht: »Polnische Provokationen«, sondern: »Provoziert uns Polen schon wieder?« Nicht: »Chamberlain kommt nach München«, sondern: »Kommt Chamberlain nach München?« Das nahm sich mein Freund zu Herzen und berichtete über einen offiziellen Kurzbesuch Görings unter dem Titel: »War Göring in Wien?« Er hatte Glück und verlor damals lediglich seinen Posten. Jetzt redigierte er wohlbehalten und wohlbestallt die keineswegs schmissige Lokalrubrik eines von den Engländern herausgegebenen Nachmittagsblattes.

Es war zwar keine Wieder-, sondern eine Erstbegegnung, die mir ein Besuch in Berlin einbrachte, aber sie scheint mir aus zwei Gründen dennoch verbuchenswert: erstens um ihrer eigenen Ungewöhnlichkeit willen, und zweitens weil sie mit einer ebenso ungewöhnlichen Erinnerung an meine journalistische Frühzeit verbunden ist.

Um die Mitte der dreißiger Jahre hatte mich der neu gegründete »Prager Mittag« aus Wien weggeholt, mit der unwiderstehlichen Lockung, daß ich Theaterkritiken schreiben *und* die Sportseite redigieren dürfe – und den möchte ich sehen, der sich die Erfüllung dieses Gymanisiastentraums entgehen ließe. Kenner werden sich erinnern, daß es damals in der Nachfolge des legendären Johnny Weißmüller einen amerikanischen Weltrekordschwimmer namens Peter Fick gegeben hat, und als er wieder einmal Weltrekord schwamm, nahm ich – denn wenn beispielsweise das finnische Laufwunder Nurmi einen neuen Rekord aufstellte, wurde das ja auch als neuer Nurmi-Rekord gemeldet –, nahm ich also keinen Anstand, die Meldung mit der Überschrift »Neuer Fick-Rekord« zu versehen. Die Herausgeber des »Prager Mittag« nahmen Anstand und setzten meiner Karriere als Sportjournalist ein jähes Ende.

Ungefähr fünfzehn Jahre später, bei einem Presse-Empfang in Berlin, kam ein dortiger Kollege, als er meinen Namen hörte, mit der Spontaneität eines alten Bekannten auf mich zu:

»Sie sind der Mann mit dem Fick-Rekord?« vergewisserte er sich.

Ich bejahte sowohl überrascht als auch geschmeichelt. Und erfuhr, daß er damals aus dem gleichen Anlaß vom gleichen Schicksal ereilt worden war wie ich. Er wurde entlassen, weil er die Rekordmeldung mit dem Titel »Fick immer schneller!« überschrieben hatte.

Besonders erfreulich und zugleich von besonderer Wehmut durchtränkt war für mich die Wiederbegegnung mit Herrn Hnatek, dem alten Ober des Café Herrenhof (dem mein im Anhang zur »Tante Jolesch« nachgedrucktes »Requiem für einen Oberkellner« eine letzte Ehrung erwiesen hat). Die Wiener Freunde, die mich am Flugfeld – damals noch in Langenlebarn – empfingen, hatten mich unverzüglich ins »Herrenhof« gebracht und hatten nicht nur für den einstmals gewohnten Logentisch vorgesorgt, sondern obendrein für einen rechtzeitigen Telephonanruf, damit Herr Hnatek ganz wie früher mit den Worten »Herr Torberg – bitte Zelle zwei« an den Tisch treten könnte, gleich beim erstenmal, als wäre der Betrieb in vollem Umfang wieder aufgenommen, als wäre alles beim alten. Auch Stöße von Zeitungen wurden herbeigeschleppt, auch der Oberkellner Albert, jetzt Herr Kainz und Besitzer des Lokals, kam von Zeit zu Zeit nachfragen, ob alles in Ordnung sei, und das war es.

Als die Runde sich auflöste, als ich mich nach zwölfjähriger Unterbrechung vom gewohnten Logentisch erheben wollte, beugte sich Herr Hnatek diskret zu mir herab, zückte die mächtige Kellnerbrieftasche und fragte: »Herr Torberg – wenn Sie vielleicht etwas brauchen . . .?«

Es war ein nahtloser Anschluß an jene lang vergangene Zeit, da uns die Oberkellner über gelegentliche Geldnöte hinweggeholfen hatten. Nein, ich brauchte nichts; außer der Frage, ob ich etwas brauchte.

Die Erben der Tante Jolesch

Es hat mich seit jeher mit tiefem Abscheu erfüllt, wenn auf eine präzise Frage, die nach einer eindeutigen Antwort verlangt, mit »Ja und Nein« geantwortet wird oder gar mit »Jein«, diesem Gipfel verbaler Humorlosigkeit, vergleichbar höchstens der grauslichen Mißbildung »nichtsdestotrotz«, die irgendwann an irgendeinem Biertisch aus der scherzhaften Koppelung von »nichtsdestoweniger« mit »trotzdem« entstanden ist und damals vermutlich dröhnendes Gelächter hervorgerufen hat. Heute steht »nichtsdestotrotz« allen Ernstes im Duden, ohne daß sich jemand darüber aufregt.

Aber das gehört nicht hierher, und davon wollte ich ja gar nicht reden. Warum der Umschweif?

Weil ich auf die Frage, ob es Erben der Tante Jolesch gibt, am liebsten mit Ja und Nein antworten möchte. Keine Angst, ich tu's schon nicht. Ich flüchte mich in die freilich ein wenig gewundene Erklärung, daß ich mit den »Erben«, die diesem Buch und seinem abschließenden Kapitel voranstehen, keine eigentlichen Erben meine, sondern eine – vorwiegend atmosphärische – Erbschaft. Auch die selige Tante selbst trat ja nur am Beginn des nach ihr benannten Buchs in Erscheinung, hatte nur dessen Atmosphäre zu versinnbildlichen, war sozusagen die Galionsfigur des Narrenschiffs »Abendland«, als es Kurs auf Untergang nahm.

Sorgfältigen Lesern mag aufgefallen sein, daß die Anfangskapitel des vorliegenden Buchs auch Geschichten enthalten, die nicht mehr aus dem von der Tante Jolesch symbolisierten Zeitraum zwischen 1918 und 1938 stammen, also nicht mehr im »alten« Österreich, in der von Anton Kuh als »Palacinquecento« bezeichneten Epoche spielen, sondern beträchtlich später, in der Zeit nach 1945 und in einem neuen Österreich.

Aber da meldet sich schon ein Widerspruch an, meldet sich im

Chronisten und will sich dem Leser mitteilen: »neu« kann doch wohl nur »erneut« bedeuten, im Sinn von »wiedererstanden« und im Hinblick darauf, daß Österreich nach den insgesamt sieben Jahren, die es vom Tausendjährigen Reich abbekommen hatte, wieder Österreich war. Wobei auch der Ausdruck »wieder« nur unterm Vorbehalt seiner Doppelbödigkeit zu verstehen ist. Denn daß es nun wieder das alte Österreich gäbe, wird niemand behaupten wollen. Eher werden sich welche finden, die der Meinung sind, wir hätten tatsächlich ein neues Österreich vor uns.

Ich bin gegenteiliger Meinung und habe sie an anderen, besser geeigneten Orten ausführlich dargelegt. Hier muß ich mich mit einem Resümee begnügen, welches auf den Unterschied zwischen Kontinuität und Tradition hinausläuft. Wenn eine Kontinuität endet, so ist das nicht unbedingt dem Erlöschen einer Tradition gleichzusetzen, die ja bekanntlich »anknüpfen« kann. Und eben dies scheint mir in Österreich der Fall zu sein. Das neue Österreich nach 1945 ist keine Fortsetzung des alten vor 1938 (indessen mir das alte vor 1938 als Fortsetzung des noch älteren vor 1918 gilt). Aber ich kann mir das neue Österreich nicht ohne das alte vorstellen. Nicht einmal ohne das noch ältere.

Wie dem auch sei – mit der Überschreitung jener für die »Tante Jolesch« ursprünglich abgesteckten Zeitgrenze ist auch der Rahmen gesprengt, in dem sich der Untergang des von ihr und mir gemeinten Abendlandes anekdotisch vollzogen hat. Und wenn das ein sozusagen rechtsgültiger Vollzug war, dann schließt dieser zweite Band zu Unrecht an seinen Vorgänger an, dann sind die Geschichten, die hier aus einer späteren Zeit berichtet werden, geradezu ein Dementi der dort proklamierten Untergangsthese.

Sind sie das wirklich? Nicht ohne Absicht hieß es vorhin, daß die Überschreitung der Zeitgrenze *sorgfältigen* Lesern aufgefallen sein könnte. Minder sorgfältige hätten das ohne meinen Hinweis vielleicht gar nicht gemerkt. Für den Fall eines etwaigen Verdachts, daß mir solch mindere Sorgfalt willkommen wäre, darf ich mich schützend vor sie stellen. Sie ließe sich nämlich auf das durchaus zulässige Gefühl und den durchaus richtigen Eindruck zurückführen, daß die Geschichten aus späterer Zeit genausogut zu einer früheren hätten spielen können, eben zur Zeit der Tante Jolesch, zur Zeit der noch intakten Kaffeehauskultur mit ihren Käuzen und Originalen. Daß sie alle, die Molnár und Marton, die Polgar und Kortner und Csokor und ein paar andere dazu, noch aus jener Zeit stammen und deren Untergang um ein paar Jahre überlebt haben, ändert am Untergang nichts. Und daß seine letzten Zuckungen – wie im vorangegangenen Band gesagt und belegt – noch bis in die Emigration hinein zu spüren waren, bedeutet einen Zuschlag zur Emigration, keinen Abschlag vom Untergang. Die Wechselbeziehung zwischen fortgesetztem Emigrantendasein und fortgesetzter Tradition wurde schon angedeutet. Sie zu analysieren, würde – nicht anders als eine Analyse der Wechselbeziehung zwischen altem und neuem Österreich – zu weit führen. Lassen wir's also und wenden wir uns wieder dem eigentlichen Zweck dieser Aufzeichnungen zu: festzuhalten, was des Festhaltens wert sein mag, gleichgültig, ob sich's zur rechten Zeit zugetragen hat oder in einer späteren, deren Richtigkeit nur noch Erbschaft war. Und als Erbschaftsverwalter, als Erben der Tante Jolesch sind jene Späteren und Heutigen anzusehen, die sich mit ihrer Wesensart und ihrem Witz, mit ihren Geschichten und Aussprüchen in die Atmosphäre der vergangenen Tage einfügen, die in ihrer Lebenshaltung ein letztes Restchen der alten Kaffeehauskultur bewahren und von denen die Tante Jolesch, wenn's ihr vergönnt gewesen wäre, vielleicht gesagt hätte: »Noch ein Glück, daß es sie gibt.«

Die Sache des Kaffeehauses ist in keiner andern Geschichte so gut aufgehoben wie in der nun folgenden. Ich berichte sie aus eigener Zeugenschaft und glaube mich um ihrer fundamentalen Wichtigkeit willen befugt, sie aus ihrem zeitlichen Kontakt zu lösen. Sie spielt im April 1952 in Wien.

Kurz nachdem Ferenc Molnár in New York gestorben war, veranstaltete die Kulturabteilung des Amerikanischen Hochkommissariats – im Wien der Viermächtebesetzung gab es noch keine Botschaften – einen Gedenkabend für ihn. Das Programm bestritten die besten Kräfte der Wiener Theater mit Szenen aus seinen Komödien und kleinen Prosastücken, die Gedenkrede war mir überantwortet. (Sie ist in einer seit damals mehrfach erweiterten Fassung in der »Tante Jolesch« abgedruckt.) Nach Schluß der Veranstaltung wurde ich – wie alle Mitwirkenden – von Anerkennungsspendern umringt und sah mich plötzlich einem grauhaarigen Herrn gegenüber, der mir bewegt die Hand schüttelte. »Gestatten Sie, daß ich mich vorstelle«, begann er mit unüberhörbarem ungarischen Akzent und nannte einen Namen, der mir nichts besagte. Aber es war mir, als hätte ich seinen Träger vor unendlich langen Jahren, bei meinen Besuchen in Budapest, in mindestens drei Kaffeehäusern sitzen sehen, und zwar gleichzeitig.

»Ich danke Ihnen.« Nochmals ergriff er meine Hand. »Ich danke Ihnen von Herzen. Sie haben mir meinen alten Freund Feri so nahe gebracht, daß ich weinen möchte.« Tatsächlich: es standen ihm Tränen in den Augen – ohne daß er mein Mißtrauen, ob es sich da nicht bloß um eine vorgetäuschte »alte Freundschaft« handle, dadurch beseitigt hätte.

Das geschah erst, als er sich nach ein paar anderen Emigranten aus Molnárs engstem Freundeskreis erkundigte, von deren Existenz wirklich nur ein Intimkenner wissen konnte.

Während ich ihm die gewünschten Auskünfte gab, drängten weitere Anerkennungsspender heran und unterbrachen uns, wie denn überhaupt der bei solchen Anlässen unvermeidliche Wirbel herrscht. Mein Gesprächspartner fühlte sich ebenso gestört wie ich.

»Das geht nicht«, sagte er indigniert. »Ich möchte, wenn Sie erlauben, gern einmal etwas ausführlicher mit Ihnen sprechen. Darf ich fragen –«

Und jetzt fragte er mich nicht etwa nach meiner Adresse oder nach meiner Telephonnummer. Sondern er fragte:

»In welchem Kaffeehaus sitzen Sie?«

Er war der würdigste Erbe der Tante Jolesch, dem ich jemals begegnet bin.

Das Kaffeehaus aber, in dem man »sitzt«, in dem man ohne vorherige Verabredung zusammenkommt, in dem zu bestimmten

Stunden bestimmte Menschen weitaus sicherer anzutreffen sind als in ihren Wohnungen, das Kaffeehaus in seiner Eigenschaft als selbstverständlicher Ort der physischen und geistigen Begegnung, der Diskussion und Rivalität, des Einverständnisses und Widerstreits, der Meinungs- und Gruppenbildung – dieses Kaffeehaus gibt es nicht mehr. Gesellschaftliche Umschichtungen, technische Eingriffe und nicht zuletzt das Verschwinden des jüdischen Stammpublikums haben ihm endgültig und unwiderruflich den Garaus gemacht. Und es darf als ein kleines Wunder gelten, daß sein Esprit, sein Witz, seine Anekdotenträchtigkeit sporadisch weiterbestehen, auch unter den neu entstandenen Lebensformen, deren Stil und Atmosphäre so völlig anders geartet sind.

Denn die Lokalitäten, in denen man heute beisammensitzt, haben mit dem einstigen Kaffeehaus nichts gemein, nicht einmal dann, wenn sie Kaffeehaus heißen. Die zur Bestätigung der Regel erforderliche Ausnahme bildet das mittlerweile berühmt gewordene Café Hawelka, das seine eigentliche und echte Kaffeehausfunktion eher wohl vor der Zeit seiner Berühmtheit ausgeübt hat, als es noch zur Gattung »Tschoch« gehörte und in bunter Mischung von Schriftstellern und Malern und Schauspielern bevölkert, aber nie überfüllt war. Heute, da das sorgliche Besitzer-Ehepaar oft größte Mühe hat, selbst alten Stammgästen ein Plätzchen zu verschaffen, muß manch ein Schriftsteller oder Maler oder Schauspieler unverrichteten Kaffees abziehen und drinnen im Lokal all jene sitzen lassen, die gekommen sind, um die Schriftsteller und Maler und Schauspieler dort sitzen zu sehen. Immerhin: das Hawelka ist ein Kaffeehaus. Immerhin: wer es zu nächtlicher Stunde aufsucht, darf sicher sein, wenn schon keinen Platz, so doch Ansprache zu finden. Ein Stammtisch, oder gar ihrer mehrere, wie sie einst unabdingbar zum richtigen Kaffeehaus gehört haben, wird er allerdings vergebens suchen.

Das Café Grünwald anderseits weist zwar einen richtigen Stammtisch auf, enträt jedoch ihrer Mehrzahl und damit der zum richtigen Kaffeehaus gehörigen Möglichkeit, zwischen verschiedenen Stammtischen hin und her zu wechseln. Im Café Grünwald hat man keine Wahl. Die sich dort einfinden, müssen – sie wären denn Kartenspieler, Nachtmahl-Konsumenten oder Gelegenheitsgäste, aber die interessieren uns nicht, uns interessieren hier nur die Angehörigen der Sparte »Kunst und Kultur« unter besonderer Berücksichtigung des Theaters –, und diese also müssen am Stammtisch Ernst Haeussermans Platz nehmen, oder sie brauchen erst gar nicht hinzukommen. Ist das Hawelka ein Lokal ohne Stammtisch, so handelt sich's hier gewissermaßen um einen Stammtisch ohne Lokal.

Ernst Haeusserman, früher Direktor des Burgtheaters mit zehnjähriger Amtsdauer (der dauerhaftesten seit Beginn des 20. Jahrhunderts) und jetzt Direktor des Theater in der Josefstadt, hatte seinen Stammtisch viele Jahre lang im altehrwürdigen Restaurant »Zur Linde«, nach dessen Schleifung er samt allen ihm botmäßigen Stammgästen und Requisiten (einschließlich des Tischtelephons) ins Café Grünwald übersiedelte. Ich bin mit ihm von unsrer gemeinsamen amerikanischen Emigrationszeit her befreundet und kann nicht ausschließen, daß diese Freundschaft – für die er stets aufs loyalste eingestanden ist – meinen kritischen Blick für seine künstlerischen Eskapaden dann und wann ein wenig getrübt hat. Was jedoch seinen Witz betrifft, bedarf es keiner Freundschaft, um ihn als fulminant zu bezeichnen. Er hätte zur Hochblütezeit des Kaffeehauses jedem Tisch zur Zierde gereicht, er kann sich mit den erlauchtesten Vorbildern von damals messen und wäre auch von einem Anton Kuh oder Alfred Polgar anerkannt worden. Mir nötigt er mehr als Anerkennung ab, nämlich Neid.

Es ist vor allem seine Schlagfertigkeit, um die ich Ernst Haeusserman beneide. Ich verwende Metaphern kriegerischer Provenienz nur ungern und halte überdies die Pistole für kein geeignetes Instrument zum Abschießen witziger Bemerkungen – aber für die Art der Haeussermanschen Reaktionen weiß ich mir keinen andern Vergleich. Zufällig war ich im vergangenen Sommer gerade zu Besuch in seinem Landhaus bei Salzburg, als Curd Jürgens, der unter Haeussermans Regie den »Jedermann« spielte, von einer Durchsprechprobe kam und sich ebenso bitterlich wie glaubhaft über eine plötzliche aufgetretene Gedächtnisstörung beklagte, es wären ihm unerklärliche Hänger unterlaufen, er könne sich mitten im Text an ganze Satzteile nicht erinnern und er hätte Angst, daß er sogar beim Vaterunser hängen würde.

»Da ist schon einer bei der Uraufführung gehangen!« kam – nun ja: wie aus der Pistole geschossen – Haeussermans Replik.

Er hatte die Pistole auch an seinem Stammtisch bei sich, wo ein auswärtiger Gast nach einer Josefstädter Premiere an der Gestaltung des Programmheftes Anstoß nahm und sich besonders darüber mokierte, daß nicht nur Inspizient und Souffleuse namentlich genannt waren, sondern obendrein die Lieferanten der Schuhe und Pelze, der Friseur, der Beleuchter, der Tonmeister, der Perückenmacher. Die höhnische Aufzählung schloß mit folgendem knappen Dialog:

»Vielleicht werden Sie nächstens auch die Klosettfrau nennen?«

»Nur bei Durchfall.«

Vor dem Probenbeginn einer von ihm geleiteten Inszenierung kam ein Anruf: Fräulein X, die Darstellerin einer wichtigen Rolle, sei beim Verlassen des Hauses die Treppe hinuntergestürzt und würde sich verspäten.

»Wieso?« fragte Haeusserman. »Da müßte sie doch früher kommen?«

Eine seiner Pointen gehört in die Rubrik »Schwarzer Humor«, älteren Lesern noch unter dem Titel »Heiteres vom Totenbett« geläufig.

Der bekannte Musikkritiker Richard K. war hoffnungslos erkrankt. Um ihn vielleicht doch noch am Leben zu erhalten, wurde ihm ein Bein amputiert, aber er war nicht mehr zu retten und starb wenig später. Gerade als die Todesnachricht in Haeussermans damaligem Stammlokal eingetroffen war, erschien K.'s Fachkollege und enger persönlicher Freund Erwin M., natürlich in Unkenntnis des traurigen Ereignisses. Ehe man sich noch verständigen konnte, wie man's ihm beibringen würde, hatte er schon am Tisch Platz genommen und fragte:

»Wie geht's dem K.?«

Haeusserman besann sich nicht lange:

»Es ist mit einem Fuß im Grab«, sagte er.

Als er einmal einem andern die Pointe überlassen mußte, hatte er sie gar nicht erst angestrebt. Sondern er war mit seinem in der »Linde« bestellten Beefsteak nicht zufrieden und rief nach dem Oberkellner Lehner, um sich zu beschweren:

»Herr Lehner, es tut mir leid – aber dieses Beefsteak kann man nicht essen. Es schmeckt wie eine Schuhsohle.«

»Ausg'schlossen«, verwahrte sich der in Ehren ergraute Ober. »So was gibt's bei uns nicht.«

»Es ist wirklich ungenießbar, Herr Lehner. Bitte kosten Sie.« Und er hielt ihm die Gabel mit einem Bissen Fleisch entgegen.

Der Oberkellner Lehner sah zuerst ihn an und dann die Gabel, ehe er einen tiefen Seufzer von sich gab:

»Jetzt bin ich vierzig Jahr' beim G'schäft«, sagte er. »Und noch *nie* hat mich wer eing'laden, wenn etwas gut ist. Nur die ungenießbaren Sachen – die darf ich kosten.«

Daß der alte Lehner ein echtes Wiener Original war, bekundete er noch bei einer andern Gelegenheit.

In der »Schank«, hochdeutsch Schwemme, ein dem eigentlichen Restaurant vorgelagerter Raum, der von sogenannter »Laufkundschaft« – einer Gästekategorie minderer Qualität – frequentiert wird, hatte sich ein solcher Gast an einem der großen, derben, ungedeckten Tische niedergelassen und ein Krügel Bier bestellt. Als es zum Zahlen kam, erwies sich, daß er vor allem dem Brotkorb und dem hölzernen Gestänge mit den Bretzeln zugesprochen hatte:

»Ein Krügel Bier, drei Bretzeln und sieben Semmeln«, sagte er an.

Herr Lehner quittierte die Ansage mit galligem Nicken und mit einem Ausspruch, der durchaus in der Tradition Nestroys stand:

»Wann S' nächstens wieder so einen Durst haben, gehen S' zum Bäcker!«

Das Gastgewerbe scheint der Entwicklung von Originalen überhaupt förderlich zu sein, nicht nur in Wien, sondern bis tief ins steirische Salzkammergut hinein. Eines dieser Originale ist Herr Schraml, der Wirt des Gasthofs »Zur Post« in Grundlsee, bei dem es die besten Forellen des Erdenrunds gibt. (Mit ihrem Züchter und Lieferanten, dem Herrn Grill, liegt er in ständiger Wortfehde und mußte sich in meiner Gegenwart von ihm sagen lassen, er, Schraml, habe seinen Eltern nur ein einziges Mal wirklich Freude gemacht, nämlich neun Monate vor seiner Geburt.)

Es geschah eines sommerlichen Mittags im schattigen, direkt am See gelegenen Gasthausgarten der »Post«, daß ein bundesdeutscher Feriengast immer wieder und immer lauter nach schnellerer Bedienung verlangte – bis es dem Schraml-Toni zu dumm wurde. Er trat an den Tisch des penetrant Eiligen heran und erkundigte sich mit aller Höflichkeit, deren ein österreichischer Gastwirt fähig ist:

»Sagen Sie, bitte schön – sind Sie auf Urlaub oder auf der Flucht?«

Als unbewußter Wahrer der Nestroy-Tradition prangt in meiner Erinnerung auch jener Schaffner auf der (dermals noch offenen) Plattform einer Wiener Straßenbahn, von dem eine ältliche, offenkundig etwas begriffsstützige Frauensperson immer aufs neue wissen wollte, wann, wo und wie sie vom Ring nach Hütteldorf umzusteigen hätte und der ihr das immer aufs neue erklärte. Als der Ringwagen sich dem schicksalhaften Umschlagplatz näherte, schärfte er ihr nochmals genauestens und langsamst ein, was sie tun müsse:

»Alsdann, daß Sie sich's ganz bestimmt merken, Frau. Wann wir jetzt stehnbleiben, steigen S' aus und gehn S' übern Ring hinüber, auf die andre Straßenseite, zur Kopfstation vom Neunundvierziger. Aber das ist *nicht* die Station linker Hand, die was Sie jetzt sehen, *nicht* die mit'n gedeckten Stationshäusel. *Ihre* Station ist rechts um die Ecke. Passen S' auf, daß Sie das nicht verwechseln, sonst kommen S' nie nach Hütteldorf. Rechts müssen S' gehen, Frau. Rechts!«

Der Wagen hielt, die Frau stieg aus und ging schnurgerade nach links.

Eine Sekunde lang hatte es den Anschein, als wollte ihr der Schaffner etwas nachrufen. Dann machte er eine resignierte Handbewegung und wandte sich an mich:

»Sehen S'«, sagte er. »Dessentwegen hab i net g'heirat'.«

In einer andern altösterreichischen Tradition, die sich mehr von Metternich als von Nestroy herleitet, liegt ein Ausspruch des langjährigen Burgtheatermitglieds Karl Eidlitz, ein Ausspruch von unnachahmlich winkelzügiger Diplomatie. Er erfolgte in einer der vielen Krisenzeiten des Hauses, zu deren Beendigung man insgeheim den Sturz des noch regierenden Direktors Adolf Rott vorbereitete. Wie weit diese Vorbereitungen auch höheren Orts bereits gediehen waren, glaubten Eingeweihte aus einer scheinbar nebensächlichen Bemerkung schließen zu können, die der damalige Unterrichtsminister Drimmel in einen Vortrag einflocht. (Rott befand sich gerade in Deutschland, um Regieverpflichtungen nachzukommen.) Die Expertisen, denen diese Bemerkung nachher unterzogen wurde, resümierte Eidlitz wie folgt:

»Also wenn das vom Minister *nett* für den Direktor gemeint war – also dann hat er sich *sehr* ung'schickt ausgedrückt.«

Eine der in jüngerer Zeit entstandenen österreichischen Literaturtraditionen ist mit Fritz von Herzmanovsky-Orlando verbunden (und ich darf mir schmeicheln, an dieser Verbindung als sein Wiederentdecker und als Herausgeber seines literarischen Nachlasses beteiligt zu sein). Es gibt bereits eine Reihe von Autoren, die unverkennbar und einbekanntermaßen unter Herzmanovskys Einfluß stehen und die kauzig-skurrile Weltschau ihres Meisters – ein deutscher Kritiker nannte ihn »einen ins Groteske umgekippten Franz Kafka« – eigenständig abwandeln und fortsetzen. Der wahrscheinlich begabteste von ihnen ist Herbert Rosendorfer, mit dem ich mich vor vielen Jahren auf der Basis gemeinsamer Herzmanovsky-Verehrung angefreundet habe. Rosendorfer, in Herzmanovskys Wahlheimat Südtirol geboren, übte in München den

Beruf eines Zivilrichters aus, womit er noch einer weiteren, auf Grillparzer zurückgehenden österreichischen Tradition Genüge tut, nämlich der des dichtenden Staatsbeamten. Vielleicht liegt es an gewissen bürokratischen Komponenten seines Wesens, daß er auf die keineswegs segensreiche Tätigkeit des »Kuratoriums unteilbares Deutschland« durch die fiktive Gründung eines »Kuratoriums unteilbares Österreich-Ungarn« reagiert hat. Eine Zeitlang schickte er mir die durchaus glaubhaften Sitzungsprotokolle dieser Körperschaft, mußte dann aber berichten, daß im Präsidium unheilvolle Spaltungstendenzen aufgetreten wären und daß er nunmehr die Stelle eines Vorsitzenden des »Kuratoriums unteilbares Kuratorium unteilbares Österreich-Ungarn« bekleide. Seither hat er von seiner Organisation nichts mehr hören lassen. Ich kann den Verdacht nicht unterdrücken, daß er es vorzieht, Bücher zu schreiben. Aber die Gründung der beiden Kuratorien, an denen Herzmanovsky große Freude gehabt hätte, bleibe ihm unvergessen.

Auch Herzmanovskys Vater muß eine höchst bemerkenswerte Erscheinung gewesen sein. Das geht aus dem achtunggebietenden Eklat hervor, mit dem er seine Karriere im kaiserlich österreichischen Staatsdienst vorzeitig beendet hat und von dem sein Sohn mit sattem Behagen zu erzählen liebte.

Vater Herzmanovsky war Sektionschef im Unterrichtsministerium, und als rangältestem Beamten fiel ihm anläßlich der Übernahme des Ministeriums durch Baron Gautsch die Aufgabe zu, den neuernannten Chef zu begrüßen. Er unterzog sich dieser Aufgabe um so bereitwilliger, als er gemeinsam mit Gautsch das k. k. Theresianum besucht hatte, dessen Schüler nach Absolvierung ihrer exklusiven Lehranstalt in freundschaftlichem Kontakt blieben und einander selbstverständlich auch weiter duzten.

»Mein lieber Gautsch«, begann er also vor versammelter Beamtenschaft seine Begrüßungsansprache, »es ist mir eine besondere Freude, dich als unsern Chef willkommen zu heißen. Ich versichere dir, daß wir nach besten Kräften bemüht sein werden, dir deine Tätigkeit zu erleichtern.« Und nach ein paar weiteren passenden Sätzen schloß er in herzlichstem Ton: »Nicht nur als dein rangältester Mitarbeiter, auch als ein Theresianist dem andern wüsche ich dir in deinem neuen Amt Erfolg und alles Gute.«

Die Herzlichkeit war, wie sich zeigte, fehl am Ort. Der andre Theresianist räusperte sich und ließ es bei einer durch und durch knappen Erwiderung bewenden:

»Mein lieber Sektionschef«, näselte er, »ich nehme Ihre freundlichen Worte gerne zur Kenntnis und hoffe auf eine gedeihliche Zusammenarbeit mit Ihnen und Ihrem Stab. Danke verbindlichst.«

Betretenes Schweigen lastete im Raum. Wie Herzmanovsky fils angab, war die Stille so groß, daß man deutlich zwei Fliegen summen hörte. Dann ergriff Herzmanovsky père nochmals das Wort zu der folgenden, noch knapperen Gegenrede:

»Lieber Gautsch, gestatte mir noch einmal das trauliche Du. Leck mich im Arsch.«

Sprach's, drehte sich um und ging in Pension.

Sei's Nestroy, sei's Metternich, sei's Herzmanovsky-Orlando – mit jeder dieser Traditionen, und mit etlichen anderen dazu, kann es die von den Tschechen hochgehaltene Schwejk-Tradition aufnehmen. Sie hat die Monarchie und die Erste Republik ebenso überstanden wie den klirrenden Frost, der dem Prager Frühling nachkam und der immer noch anhält. Keine zweite Nationalliteratur – nicht die spanische mit ihrem Don Quijote, nicht die flämische mit ihrem Till, nicht die jiddische mit ihrem Tewje – hat eine ähnlich vollsaftig im Volkscharakter verwurzelte Figur hervorgebracht wie die Tschechen mit ihrem Schwejk, ob sie's nun wahrhaben wollen oder nicht. Eine Zeitlang, in den zwanziger Jahren – ich erinnere mich an diese Phase eines entgleisten Patriotismus noch aus eigener Wahrnehmung – wollten sie nicht, ja sie fühlten sich entwürdigt, wenn man den Schwejk als »typisch« für sie ansah. Das hat sich zum Glück im Unglück geändert. Mit dem Humor dieses Volkes war es ja sowieso unvereinbar, obwohl sich's im Grunde verstehen läßt. Denn der Schwejk ist nicht »typisch« für den Tschechen, ist es so wenig wie der Apfel für den Apfelbaum. Es ist ganz einfach ein Bestandteil seiner Wesensart, ein natürlicher, organischer Bestandteil, beim einen mehr und beim andern weniger ausgeprägt, aber in jedem vorhanden, auch wenn er's selbst nicht weiß. Die von Jaroslav Hašek, dem genialen Schöpfer des Schwejk, gegründete »Partei für den gemäßigten Fortschritt innerhalb der gesetzlich zugelassenen Grenzen« – sie hat tatsächlich kandidiert und sogar ein paar hundert Stimmen erhalten – wäre sicherlich in der Lage gewesen, Ordnung in diese noch lange nicht ausgelotete Sachlage zu bringen.

Zu den ausgeprägten Hervorkehrern des immanenten Schwejk-Charakters gehört ein Prager Schauspieler, mit dem ich schon seinerzeit befreundet war und noch heute in gelegentlicher Verbindung stehe. Da ihm die tschechischen Behörden, mit denen er sich nicht gut verträgt, diese Verbindung übelnehmen könnten, verzichte ich lieber auf die Nennung seines Namens. Und da man eine bestimmte Art tschechischer Äußerungen, um ihr spezifisches Aroma halbwegs einzufangen, nur im Deutsch der Schwejk-Übersetzung wiedergeben kann, werde ich mich bei den zwei Aussprüchen, die ich von ihm zu zitieren plane, dieses Idioms bedienen.

Der erste liegt lange zurück, in meinen Prager Jahren. Jenda – so wollen wir ihn nennen – war plötzlich von der Bildfläche verschwunden, und niemand wußte, wohin. Allmählich wurde ruchbar, daß er sich tief in eine Liebesaffäre verstrickt hatte, aber Genaueres ließ sich nicht eruieren. Nach einiger Zeit tauchte er wieder auf, hohlwangig, mißmutig, müde und zusätzlich vergrämt, weil ihm mittlerweile eine Rolle abhanden gekommen war. Ich traf ihn zufällig auf der Straße.

Ob er diese Geschichte nun also hinter sich habe, fragte ich.

Er nickte.

Ob es wenigstens schön gewesen sei, fragte ich weiter.

»Scheen? Ich bitte dich!« wehrte er ab. »Eine platonische Liebe. Nur vägeln und nix zum Fressen.«

Typisch tschechisch? Typisch schwejkisch? Es macht keinen Unterschied.

Die andre Äußerung ist erheblich jüngeren Datums und mit einer noch stärkeren Schlagseite in Richtung Schwejk ausgestattet. Es geschah vor wenigen Jahren, daß die Kohlenzulieferung nach Prag empfindliche Mängel aufzuweisen begann, denen die Behörden durch immer striktere Maßnahmen entgegenwirken mußten: zuerst wurden alle Neon-Lichtreklamen verboten, dann durften die Schaufenster der Geschäfte bei Nacht nicht mehr beleuchtet werden, dann wurden die Heizanlagen gedrosselt, dann wurde die Straßenbeleuchtung eingeschränkt, dann wurde sie noch weiter eingeschränkt – und eines Nachts lag Prag in völligem Dunkel.

Jenda saß mit ein paar Kollegen bei Kerzenlicht in einer Kneipe auf dem Belvedereplateau, ließ den Blick über die verdunkelte Stadt schweifen, seufzte tief auf und sprach:

»Also wann wir jetzt noch a *bissl* mehr Fleisch hätten, wär's wie im Krieg.«

Möge mir der geliebte Schwejk, für den ich im Leben doch auch schon einiges getan habe, noch einmal beistehen und mir zum baldigen Abschluß dieser Aufzeichnungen verhelfen. Es geht um ein Gleichnis.

Ort der Handlung ist das Ausbildungslager der tschechoslowakischen Exilarmee in Frankreich. Zeit: Anfang 1940, als ich einen Schnellsiedekurs für die Offiziersprüfung mitzumachen hatte. Unter den Teilnehmern aus meiner Kompanie befand sich ein herrlicher, völlig eindeutiger und vielleicht sogar absichtlicher Schwejk-Nachkomme, der mit den Vorgesetzten und mit der sogenannten »Tagcharge« wiederholt in Konflikt geraten war und jeglichen Ehrgeizes entriet. Aber das fruchtete ihm nicht. Er wurde auf Grund seiner Schulbildung – nicht etwa seiner militärischen Eignung – dem Offizierskurs zugeteilt.

Ein Major unterwies uns in der für Offiziere zweifellos unerläßlichen Kunst, ein Maschinengewehr auseinanderzunehmen und wieder zusammenzusetzen. Nach einigen Vorübungen mußten wir die ganze Prozedur in einer Zeitspanne von zehn Minuten bewältigen. Sie genügte allen, sogar mir, nur unserm Schwejk genügte sie nicht. Auf seinem Übungstisch lagen nach Ablauf der

Frist zwar die Umrisse eines Maschinengewehrs, aber daneben, in wirrem Durcheinander, alle möglichen Schrauben, Gelenke, Sprungfedern und sonstige Bestandteile.

»Was ist denn mit Ihnen?« fragte unwirsch der Major.

Ich gebe die Antwort, die er bekam, abermals im klassischen Schwejk-Idiom wieder (und lasse außer acht, daß – anders als einst in der k. k. Armee – in der republikanisch tschechoslowakischen nicht »gehorsamst« gemeldet wurde, sondern nur so):

»Melde gehorsamst, Herr Major, mir is da iebriggeblieben auf drei Maschinengewehre.«

So auch mir, wobei es sich allerdings nicht um Material für Maschinengewehre handelt. Wenn ich jetzt nicht bald Schluß mache, bleibt mir noch übrig auf eine dritte »Tante Jolesch«.

Ich mache Schluß. Aber ich mache ihn so, wie ich's mir von Anfang an vorgenommen habe und wie es mir der erschöpfte Leser hoffentlich nachsehen wird. Ich möchte ans Ende dieses Buchs drei Geschichten setzen, denen meine besondere Liebe gilt, drei wunderschöne, von fundamentaler Weisheit und Gedankentiefe zeugende Geschichten, die mit der Tante Jolesch höchstens insoweit zu tun haben, als zwei von ihnen gleichfalls jüdischer Provenienz sind. Und das nütze ich aus, um ihnen noch eine Geschichte aus meinem eigenen Erinnerungsfundus voranzuschicken. Sie handelt von meiner letzten Begegnung mit Martin Buber, dessen Geburtstag sich im Frühjahr 1978 zum 100. Mal gejährt hat.

Um meinen persönlichen Kontakt zu Martin Buber war es weit weniger intensiv bestellt als um die Verehrung, die ich schon als sehr junger Mensch für ihn empfand und die mich frühzeitig unter seinen geistigen und erzieherischen Einfluß brachte. Ihm selbst bin ich im Lauf der Jahrzehnte vier- oder fünfmal begegnet, und vielleicht ebenso oft kam es zu einem Briefwechsel. Anlaß des ergiebigsten war die hebräische Ausgabe meiner Novelle »Mein ist die Rache«, Anlaß unserer letzten Begegnung, im Juni 1959, war ein Besuch Bubers in München.

Buber war gekommen, um eine posthume Ausstellung des ihm befreundeten israelischen Malers Mordechai Kaufmann zu eröffnen, und wir hatten vereinbart, daß ich ihn nachher in der Bayerischen Akademie der Schönen Künste, wo er zu Gast war, aufsuchen sollte. Dort saß ich ihm dann also gegenüber, in einem erst noch tastenden und von meiner Seite ziemlich verlegen geführten Gespräch. Buber, wiewohl von eher kleinem Wuchs, wirkte im Sitzen geradezu imposant. Das lag nicht nur an seiner aufrechten Haltung, sondern mindestens ebensosehr an seinem wunderschönen Patriarchenkopf mit dem weißlich wallenden Vollbart. Rascher, als es mir im Grunde lieb war, erkannte er, warum ich die Begegnung mit ihm gesucht hatte; aus der Hellsichtigkeit seiner achtzig Jahre kam ebenso unvermittelt wie unzweideutig die Frage:

»Und was *tun* Sie eigentlich?«

Ohne großen Nachdruck begann ich ihm meine Aktivitäten herzuzählen, deutete auf das mitgebrachte FORVM-Heft und wollte näher darauf eingehen, als er mich unterbrach:

»Das meine ich nicht. Ich meine: was arbeiten Sie *wirklich?* Es gibt doch eine wirkliche Arbeit für Sie? Sie müssen doch Bücher schreiben, oder nicht?«

»Sie halten die Zeitschrift, die mich daran hindert, in der Hand.«

Buber sah zuerst mich und dann das Heft an, hielt es ein wenig seitwärts von sich weg und rieb das Papier ein paarmal zwischen Daumen und Zeigefinger. In seiner Gebärde schien mir eine leise, keineswegs beleidigende, aber dennoch beabsichtigte Geringschätzung zu liegen, die ich auch aus seiner Frage herauszuhören glaubte:

»Das ist Ihnen so wichtig?«

Ebendieses Wörtchen »wichtig« gab mir eine Antwort ein, von der ich hoffte, daß sie seiner Frage gewachsen wäre und die mich überdies als gelehrigen Kenner seiner »Chassidischen Bücher« ausweisen würde:

»So etwas fragen *Sie,* Herr Professor Buber? Und gerade von Ihnen habe ich gelernt, daß Rabbi Susja auf die Frage, was er für wichtig halte, die Antwort gegeben hat: ›Immer das, womit ich mich beschäftige‹!«

Buber wiegte den Kopf, auf eine Art, die nicht sogleich klarwerden ließ, ob sie Anerkennung oder Tadel bedeuten wollte. Wie sich zeigte, war es ein Tadel, wenn auch ein nachsichtig und lächelnd geäußerter:

»Hören Sie. Das hat nicht Rabbi Susja gesagt, sondern der Kobryner, und eigentlich nicht er, sondern seine Schüler haben einem Neugierigen, der wissen wollte, was ihrem Meister das Wichtigste im Leben sei, diese Antwort gegeben.« Buber machte eine kleine Pause, ehe er fortfuhr. »Von Rabbi Susja stammt ein andrer Ausspruch, und zwar der folgende: ›Wenn ich einmal vor das Antlitz des Heiligen treten sollte, wird er mich nicht fragen: Warum bist du nicht Moses geworden? Er wird mich fragen: Warum bist du nicht Susja geworden?‹ Das ist es, was man uns von Rabbi Susja überliefert hat . . .«

Die Pause jetzt wurde noch länger und Bubers Lächeln noch inniger, nämlich noch mehr nach innen gekehrt; er schien in dieses Lächeln tatsächlich zu versinken. Dann wandte er sich voll zu mir:

»Aber«, sagte er, »es ist zulässig, die beiden Geschichten miteinander zu verwechseln.«

Wäre es allzu verwegen, wenn ich mir einbilde, daß ich auf diese Weise zum wenn auch passiven Helden einer wenn auch späten chassidischen Geschichte geworden bin?

Es folgen, den angekündigten Abschluß herbeizuführen, meine drei Lieblings-Anekdoten. Die erste ist, obwohl sie in China spielt, nicht erfunden, sondern einer noch ziemlich nahen Wirklichkeit entsprungen – und dazu fällt mir prompt der alte Raabe-Jenkins vom »Prager Tagblatt« ein (TJ S. 132 ff.); wenn man dem eine Geschichte dadurch schmackhaft machen wollte, daß man sie ausdrücklich als wahr bezeichnete, pflegte er brummig zu erwidern: »Wahr is egal – gut muß sie sein.« Die folgende Geschichte ist wahr *und* gut.

Sie wurde mir von einem untadeligen Gewährsmann berichtet, der als Diplomat lange in China gelebt hatte, so lange, daß er fast schon chinesisch aussah. Ich lernte ihn nach seiner Rückkehr in den diplomatischen Dienst seines Heimatlandes kennen und fragte ihn im Verlauf eines jeden Hinsicht ergiebigen Gesprächs, ob es sich mit den chinesischen Speisesitten wirklich so zeremoniell verhalten habe, wie man sich's in Europa vorstellt. Das wurde mir im großen und ganzen bestätigt, ja, sagte er, es gäbe in der Tat ein strenges Ritual, demzufolge etwa am Ende eines Gastmahls der Ehrengast die Güte der aufgetischten Speisen enthusiastisch zu preisen habe, der Gastgeber hingegen müsse sich für deren mangelnde Qualität entschuldigen und lebhaft bedauern, daß sein Koch zu nichts Besserem fähig sei. Hierauf verneigen sich die beiden Herren voreinander, und die Tafel ist aufgehoben. Er selbst, so erzählte mein ex-chinesischer Freund, sei einmal einem Festmahl beigezogen worden, das ein hoher Würdenträger der Stadtverwaltung von Peking zu Ehren eines anderen, vielleicht in den Mandarinstand oder in eine sonstwie erlauchte Position beförderten Beamten veranstaltet hatte. Man tafelte aufs exquisiteste mehrere Stunden lang, alles verlief wie gewohnt und vorgeschrieben – aber dann geschah etwas für meinen Freund völlig Unerwartetes und geradezu Ungeheuerliches. Nach Beendigung der Mahlzeit erhob sich der Gastgeber (wohlgemerkt: der Gastgeber, nicht der Ehrengast) und erging sich in hemmungslosen Lobsprüchen über die genossenenen Gaumenfreuden. Daran nicht genug: der Ehrengast widersprach indigniert und erklärte, noch nie im Leben so miserabel gespeist zu haben. Das könne er nicht hinnehmen, beharrte der Gastgeber, es sei vielmehr im Reich der Mitte seit Erlöschen der Ming-Dynastie nichts vergleichbar Köstliches serviert worden. Daraufhin brachte der Ehrengast nochmals seinen Unmut zum Ausdruck, daß man ihm einen solchen Schlangenfraß vorgesetzt hatte, verneigte sich, nahm die Verneigung des Gastgebers entgegen, und das war das Ende.

Für meinen Freund war es das nicht. Er hatte die rätselhafte Prozedur mit wachsendem Befremden beobachtet und forschte nach einer Erklärung. Sie wurde ihm zuteil: Der Koch des Gastgebers war plötzlich erkrankt, und das Festmahl war vom Koch des Ehrengastes zubereitet worden.

Mir ist diese Geschichte deshalb so lieb, weil sie für alle Zeiten die Frage beantwortet, was man unter dem Beriff »Kultur« zu verstehen hat.

Auch die beiden anderen Geschichten gehören in eine Kategorie, die von den Experten ihres informativen Charakters wegen geschätzt wird; es sind sogenannte »Lehrgeschichten«, deren Informationswert in der gleichnishaften Aufdeckung und Klarstellung irdischer Grundsituationen besteht. Sie können sogar, wie die folgende, ihrerseits ein Gleichnis zum Gegenstand haben.

Der Wilnaer Gaon, eine der großen rabbinischen Autoritäten des 19. Jahrhunderts, war dafür berühmt, daß er in seinen Predigten und Disputationen immer besonders treffende, besonders einleuchtende Gleichnisse fand, unfehlbar und für jeden Anlaß, der sich gerade bieten mochte. Von einem andern Rabbiner befragt, wie er das denn anstelle, dachte er ein wenig nach, bevor er zu seiner Antwort ausholte:

»Ich will es Euch mit einem Gleichnis erklären«, sagte er. »Hört mich an. Der junge Graf Lubomirsky wurde von seinen Eltern auf die kaiserliche Militärakademie nach Warschau geschickt, wo er alle Prüfungen mit Glanz bestand und den Ruf erwarb, der beste Reiter und der sicherste Schütze seines Jahrgangs zu sein. Auf dem Heimweg, den er stolzgeschwellt antrat, hielt er Einkehr in einer Herberge, versorgte sein Pferd und begab sich in die Wirtsstube. Nach ein paar Schritten machte er eine merkwürdige Entdekkung: er sah auf einer Stallmauer eine Reihe winzig kleine Kreidekreise, in deren Mitte sich genau gezielt, offenbar von einer Pistole stammende Einschüsse befanden. Da muß ein Meisterschütze am Werk gewesen sein, dachte er, vielleicht gar ein besserer als ich. Die Sache ließ ihm keine Ruhe, und er erkundigte sich beim Wirt, ob er den Urheber jener Einschüsse kenne. Der Wirt bejahte und machte sich anheischig, ihn zur Stelle zu schaffen. Nach einer Weile öffnete sich die Tür, ein blasser, unscheinbarer Talmudjüngling mit Brille und Käppchen erschien auf der Schwelle und näherte sich unter tiefen Bücklingen dem Grafen. Der riß vor Verblüffung den Mund auf. ›Du?!‹ fragte er ungläubig. ›Du bist der Meisterschütze, der in diese winzigen Kreise hineingetroffen hat?!‹ Der Angeredete schüttelte den Kopf. ›Ich bin kein Meisterschütze‹, erwiderte er mit einem bescheidenen Lächeln. ›Und ich habe in diese Kreise nicht hineingetroffen. Ich habe zuerst geschossen und dann um den Einschuß herum einen Kreis gezogen.‹ Das«, schloß der Wilnaer, »ist die Antwort auf Eure Frage, wie ich zu meinen Gleichnissen komme.«

Und nun, so schwer es mir fällt – aber das Maschinengewehr mahnt, es hilft nichts – nun zur letzten der drei Geschichten. Sie spielt in einer kleinen östlichen Judengemeinde, genauer: auf der Landstraße, die zum nächsten größeren Ort führt. Dort wird jeden Donnerstag der Wochenmarkt angehalten, und eines solchen Donnerstags strebt wieder einmal ein Handelsmann mit seinem Pferdewagen dem Markt zu, wie üblich in aller Herrgottsfrühe. Wie keineswegs üblich, sieht er plötzlich auf der staubigen Straße den Zadik dahinschreiten, den anerkannten Gerechten der Gemeinde. Sofort hält er sein Pferdchen an, beugt sich hinunter und fragte erstaunt:

»Wohin des Wegs, Zadik?«

»Zum Wochenmarkt nach Pupidowka«, lautete die Antwort.

Noch um einiges erstaunter kommt des Handelsmanns nächste Frage:

»Wozu? Was sucht ein Zadik auf dem Wochenmarkt in Pupidowka?«

Und es antwortete der Zadik:

»Vielleicht find't sich eine Fuhr' zurück.«

In meinen Augen ist das die Lehrgeschichte kat exochen. Wer sich von ihr belehren läßt, weiß um die Vergeblichkeit des Daseins und was man äußerstenfalls dagegen tun kann.

Kardinal, ich habe das Meinige getan.

Anhang

Als noch geböhmakelt wurde

In den deutschsprachigen Gebieten der einstigen Habsburgermonarchie erfüllte das Böhmakeln die gleiche Funktion wie in Deutschland das Sächseln. Es erfüllte sie auch im heutigen Österreich, besonders in Wien. Es wirkt komisch.

Sei's auf der Bühne, sei's am Stammtisch beim Witze-Erzählen: »Der Böhm« und seine Ausdrucksweise galten seit jeher als etwas Komisches oder gar Lächerliches, dem man mit bestenfalls gutmütigem und schlimmstenfalls verächtlichem Spott begegnete. Selbst der alte Hindenburg, Braunau am Inn mit Braunau in Böhmen verwechselnd, nannte den Emporkömmling Hitler einen »böhmischen Gefreiten«, womit er gewiß keine schmeichlerische Absicht verband.

Und in meinen Kindheitserinnerungen hat sich ein Revolutionslied aus den Umsturztagen von 1918 erhalten (das nachweisbar einzige, zu dem sich die Österreicher damals aufschwangen); es begann mit der Frage: »Wer wird uns die Straßen jetzt kehr'n«, überantwortete dieses Geschäft »den noblichten Herrn mit die goldenen Stern« und fuhr fort:

»Wer wird uns in Wien jetzt regier'n?
Wer wird uns in Wien jetzt regier'n?
Der Tschechoslowak
Mit'n Zylinder und Frack,
Der wird uns in Wien jetzt regier'n!«

Offenbar konnte man der neuen Machtfülle des zum Tschechoslowaken avancierten »Böhm« nur dadurch beikommen, daß man ihn gleichzeitig zur Praterfigur degradierte, zum Budenausrufer »mit Zylinder und Frack«. Es war ein zweigeleisiger Hohn.

Seine Wurzeln lagen in den sozialen Schichtungen der Jahrhundertwende, als aus den böhmischen Kronländern ein gewaltiger Zustrom nach Wien einsetzte und als die Zugeströmten –

größtenteils auf dienstbare oder manuelle Betätigungen angewiesen (Stubenmädchen und Hausbesorger, Köchinnen und Kellner, Schneider und Schuster) – sich nicht nur rasch assimilieren, sondern höher hinauswollten und sich zu beiderlei Behuf möglichst wienerisch gebärdeten.

Assimilation und Karriere sind ihnen mittlerweile weitgehend geglückt: Österreichs Bundespräsident Jonas ist tschechischer Abkunft, und der Nachfolger des Wiener Bürgermeisters Marek heißt ebenso unverkennbar Slavik. Im übrigen erscheinen in Wien noch zwei Wochenzeitungen in tschechischer Sprache, und wer sich den Spaß macht, das Wiener Telephonbuch zu durchblättern, stößt seitenlang auf nichts als tschechische Namen.

Trotzdem wird in Wien kaum mehr geböhmakelt, und es wäre hoch an der Zeit, daß ein Sprachforscher sich der noch vorhandenen Restbestände dieses reizvollen Elements annimmt, ehe es aus dem Farbspektrum der Umgangssprache endgültig verschwindet (wie das aus freilich anderen Gründen mit dem jüdischen Element geschehen ist). Schon jetzt läßt es sich eigentlich nur noch auf der Basis eines historischen Rückblicks erfassen.

Worin bestand es denn, das Böhmakeln? Lediglich im fremdartigen Akzent, in einer Verzerrung der Aussprache und einer Verstümmelung von Wörtern und Wendungen? Es war natürlich weit mehr. Es war eine bei aller Härte behagliche Sprachtönung, der immer ein wenig Küchengeruch zu entströmen schien und die sich für eine bestimmte Gattung heimtückisch nuancierten Humors vortrefflich eignete. Und sie erschöpfte sich keineswegs in der Übernahme einzelner Ausdrücke oder im bloßen Austausch von Lehnwörtern, wie sie schon bei Nestroy auftauchen und wie sie der heutige Wiener mit Selbstverständlichkeit gebraucht, ohne ihren tschechischen Ursprung zu ahnen. Er geht, wenn er sich einen guten Tag machen will, »auf lepschi« (tschechisch »lepš« = besser), und des gemächlichen Genießens wegen verfährt er dabei »hübsch pomali« (tsch. »pomalu« = langsam), auf die Gefahr hin, daß seine Ehefrau ihn bei der Heimkehr ordentlich »trischacken« wird (tsch. »drž ák« = Pracker), das macht ihm nichts aus, das ist ihm »schetzkojedno« (tsch. »všecko jedno« = alles eins). Und so tut er noch manches, was er ohne tschechischen Einfluß nicht täte.

Mit dem, was man sich unter »Böhmakeln« vorstellt, hat das allerdings so wenig zu tun wie das tatsächlich längst und rettungslos ausgestorbene »Kuchelböhmisch«, das auf deutsche Wortstämme tschechische Verästelungen aufpfropfte und das Ergebnis dem eigenen Sprachschatz einverleibt. Mustersatz, in phonetischer Wiedergabe: »Hausmajstr vypucuje fotruv ibacia na klandru« = »Der Hausmeister putzt des Vaters Überzieher am (Stiegen-)Geländer«. Ein heutiger Tscheche würde das weder sagen noch verstehen.

Ist es dann also er, der richtig böhmakelt, wenn er deutsch spricht? Gibt's beispielsweise in Prag noch ein echtes Böhmakeln zu hören?

Höchstens von den Alten, deren Deutsch noch »von früher« stammt, aus jener Zeit (um ein populäres, bemerkenswerterweise neu entstandenes Wienerlied zu zitieren): »Als Böhmen noch bei Österreich war.« Die Jüngeren sprechen ein Deutsch, das ihnen von Lehrern aus der DDR beigebracht wurde und das dem Österreicher eher »piefkisch« klingt. Sie sagen »Kissen« statt Polster und »Schrank« statt Kasten, sie gehen »zur« Schule statt »in« dieselbe und »haben« dort gesessen, wo ihre Väter gesessen »sind«.

Vielleicht, wenn man Glück hat, ertappt man einen von ihnen bei einer wörtlich aus dem Tschechischen übersetzten Redewendung, vielleicht fragt er dich im Gasthaus: »Was gibst du dir?« (»Co si dáš?«), fügt vorsorglich hinzu: »Gib dir keine Knödel, die treffen sie hier nicht machen«, und beantwortet deinen Gegenvorschlag mit einem ablehnenden: »Das will sich mir nicht.« Damit wäre er etwas Böhmakel-Ähnlichem immerhin nahegekommen.

Nur muß man sich da wieder vor einer Verwechslung mit dem »Prager Deutsch« hüten, das etwas andres und Eigenes ist, gekennzeichnet durch die Verschärfung eines jeglichen S am Wortbeginn (»Die Ssonne ßinkt«, würde Lynkeus auf einem in Prag gelegenen Turm anheben) sowie durch grundsätzliche Verhärtung weicher Konsonanten und umgekehrt.

Ich spreche aus der schmerzlichen Erfahrung meiner Prager

Gymnasiastenjahre, als ich, eben erst aus Wien verlagert, noch nicht recht wußte, woran ich war. Unser Lateinprofessor veranstaltete mit Vorliebe Vokabelprüfungen durch raschen Zuruf, den man prompt zu beantworten hatte. »Die Herde«, rief er mir zu, und »grex, gregis«, antwortete ich. »Die – Herde«, akzentuierte er, und »grex, gregis, Herr Professor«, gab ich abermals zurück. »Droddel«, knurrte er, »turidas!« Er meinte die Härte, lateinisch duritas. Und er hat nicht geböhmakelt, sondern er sprach ein Prager Deutsch, das man genauer als »Kleinseitner« und ganz genau als »Kleinßeitner« Deutsch bezeichnen müßte, denn in wirklich unverfälschter Form wurde es nur auf der Kleinseite gesprochen, jenem alten, verwinkelten, verzauberten Stadtteil Prags, der sich unterhalb des Hradschins und des Veitsdoms hügelaufwärts zieht und von den Nachkommen der deutschen Urbevölkerung bewohnt wurde – die ihrerseits auf die späteren, nämlich am linken Moldauufer siedelnden Deutschen mit tiefer Verachtung herabblickten.

Egon Erwin Kisch, der zuverlässige Chronist pragerischer Vielschichtigkeit, hat in einer einschlägigen Abhandlung ein komplettes Lied im Kleinßeitner Deutsch wiedergegeben (»Die gleine Kredl wisste kern . . .«) und will mit eigenen Ohren gehört haben, wie eine ältliche Kleinßeitner Dame, die unversehens in den sonntäglichen Mittagskorso vor dem »Deutschen Haus« am (jenseits gelegenen) Graben geraten war, kopfschüttelnd stehenblieb und sich leicht angewidert an ihre Begleiterin wandte: »Ich pitte dich, Kertrud – was ist das für eine Ssorte Menschen?«

Demgegenüber manifestierte sich das sozusagen »eigentliche« Prager Deutsch etwa in der Erkundigung einer Hausfrau nach dem Brotaufstrich, den die Nachbarin ihrem Dienstmädchen fürs Gabelfrühstück bewilligt: »Was schmieren Sie Ihrer um zehn?« Oder in der hochnäsigen Äußerung eines Blaustrumpfs, dem geistige Werte höher galten als leichtfertige Abenteuer: »Was andre Mädchen Verhältnisse haben, geh *ich* in Vorträge.« War das geböhmakelt? Auch nicht. Hilft es uns weiter, wenn wir als unabdingbares Merkmal korrekten Böhmakelns die Vermeidung sämtlicher Umlaute aufzeigen? Oder das unentbehrliche »herich«, ein verballhorntes »hör' ich«, das prinzipiell im Sinn von »angeblich« gebraucht wird? Es sind Merkmale, gewiß. Wichtige Merkmale, aber keine konklusiven. Wenn das so einfach wäre – »da möchten wir uns gut haben« (to bychom se měli dobře).

Was aber *ist* nun endlich das Böhmakeln? Wo kann man sich seiner Unverwechselbarkeit vergewissern, wo kann man es hören, wo wird es gepflegt? Ich fürchte: nur noch auf der eingangs erwähnten Bühne.

Und selbst dort immer seltener. Hans Moser und Alfred Neugebauer, die es meisterhaft beherrscht haben, sind tot, und von den heute Wirkenden darf man allenfalls bei den Komikern Heinz Conrads und Maxi Böhm noch sicher sein, daß sie wissen, was sie tun (beide sprechen auch Tschechisch). Mehr gibt's nicht.

Ein Idiom, das bis vor wenigen Jahrzehnten einer Unzahl von Menschen zur praktischen Verständigung mit der Umwelt gedient hat, wird nur noch künstlich und in denkbar dünn gepflanzten Kulturen am Leben erhalten. Und da haben wir leider die Antwort. Das Böhmakeln ist eine Kunstsprache geworden.

Als solches besitzt es allerdings ein Monument, das unzerstörbar in unsre zusehends verödende Sprachlandschaft ragt: Die Übersetzung des »Braven Soldaten Schwejk«. Sie war, notabene und wie das bei großen Erfindungen schon geht, wir wissen's vom Schießpulver – sie war nicht so gemeint. Die Übersetzerin Grete Reiner glaubte den Schwejk ins Deutsche übersetzt zu haben. Statt dessen hat sie etwas völlig Einmaliges geschaffen, hat das Böhmakeln in der Literatur verankert und ihm für alle Zeiten einen paradigmatischen Fortbestand gesichert. Von ihrem Namen meldet kein Lied, kein Heldenbuch. Sie sei an dieser Stelle bedankt.

Und Jaroslav Hašek sei bedankt. Und Böhmen. Als es noch bei Österreich war. Als Kaiser Franz Joseph, weil er so gerne spazierenging, den Wienern wie den Pragern unter dem Spitznamen »der alte Prochaska« geläufig war (tschechisch »procházka« = Spaziergang). Als Wien und Prag noch die gleiche Lebensluft atmeten. Als noch geböhmakelt wurde.

(1971)

Tiroler Reis-Auflauf

Eine Reminiszenz an den Fall Brandhofer

»Endlich« – so schrieb die stets auf Bodenständigkeit bedachte »Reichspost« 1936 nach der Premiere – »endlich einmal wehte von der Bühne reine Tiroler Bergluft . . .«

Die reine Tiroler Bergluft kam aus Galizien, und der sie wehen machte, hieß auf dem Theaterzettel Kaspar Brandhofer, in Wirklichkeit jedoch Leo Reuss, ursprünglich sogar Leo Reis. Solcher Ursprung war damals nicht eben vorteilhaft, auch in Östereich nicht und noch weniger in Deutschland, wo seit drei Jahren die Nazi herrschten.

Als der blutjunge Leo kurz nach dem Ersten Weltkrieg aus dem Osten der ehemaligen Monarchie herüberkam, war er ein hoffnungsfroher Schauspielschüler und wollte – wie so viele seinesgleichen, wie Rudolf Schildkraut, Alexander Granach, Paul Baratoff und andere – auf dem deutschen Theater Karriere machen. Sie geriet nicht ganz so glanzvoll wie die der Genannten, aber im Berliner Theaterbetrieb der späten zwanziger und frühen dreißiger Jahre hatte sich Leo Reuss immerhin einen sicheren Platz erworben.

1933 gingen Platz und Sicherheit flöten. Leo Reuss mußte Deutschland verlassen, abermals wie so viele seinesgleichen, nur waren's ihrer jetzt beträchtlich mehr und eine große Anzahl Namhafter darunter: Deutsch und Kortner und Pallenberg, die Bergner und die Mosheim und die Massary, Karlweis und Wallburg und Wohlbrück, um nur die Allerberühmtesten zu nennen (und um die Filmstars von Arno und Bressart bis Lorre und Veidt gar nicht erst aufzuzählen). Die brauchten sich, zumindest am Anfang, keine Sorgen zu machen, für die war vorerst noch Platz, in Wien und in Prag und in der Schweiz, wo eine geschlossene

Gruppe mit Ginsberg, Horwitz, Lindtberg und Steckel den Ruhm des Zürcher Schauspielhauses begründete. Auch etliche nichtjüdische Protagonisten, allen voran der in jeder Hinsicht unvergleichliche Albert Bassermann, zogen die Emigration einem Leben unterm Hakenkreuz vor.

Leo Reuss hat nicht zu dieser Spitzengarnitur gehört. Um ihn gab es, gelinde ausgedrückt, kein Geriß. Für die führenden Theater war er nicht attraktiv genug, für die Kleinkunstbühnen, die damals in Wien aus dem Boden schossen und die ihre Qualität nicht zuletzt der jüngeren Garde emigrierter oder remigrierter Schauspieler verdankten, war er doch schon zu prominent (und wohl auch zu alt). Da und dort gab man ihm eine Nebenrolle, dann und wann kam er in einem Tournee-Ensemble unter, aber was er sich – im Vertrauen auf sein Können, auf seine österreichische Herkunft, auf seine künstlerischen Anfänge – gerade in Wien erhofft hatte, blieb ihm versagt. Und das stand, wie er alsbald merken mußte, in einem gewissen Zusammenhang damit, daß der christliche Ständestaat einen jüdischen Schauspieler nur ungern Fuß fassen ließ.

Nach einiger Zeit verschwand Leo Reuss von der Bildfläche. Da er auch in dieser Hinsicht nur einer von vielen war, fiel sein Abgang nicht weiter auf.

In Filmdrehbüchern heißt das, was jetzt folgt, »Ausblendung«.

Wenn das Bild wieder aufblendet, steht ein Tiroler Bauer mit blondem Vollbart im Schloßpark von Leopoldskron vor der großen Helene Thimig und ringt ihr die Erlaubnis ab, den Tell-Monolog deklamieren zu dürfen. Offenbar ein Theaternarr. Die Erlaubnis wird nachsichtig erteilt. Was kann da schon herauskommen?

Was herauskommt, ist ein kleines Wunder, ist die Entdeckung eines unglaublichen Naturtalents. Der Tiroler Bauer – er stellt sich als Kaspar Brandhofer vor, aber seine Papiere lauten auf Kaspar Altenberger, Brandhofer ist nur sein Deckname, denn für einen Angehörigen des ehrsamen Bauernstandes schickt es sich nicht, den Leuten ein Kasperl abzugeben –, der Kaspar also wird dem Professor Reinhardt vorgeführt, der ihn unverzüglich an sein von Ernst Lothar geleitetes Josefstädter Theater weiterschickt.

Dort wird gerade die Dramatisierung von Schnitzlers »Fräulein Else« vorbereitet. Und die männliche Hauptrolle des Dorsday wird mit Kaspar Brandhofer besetzt.

Wie er die Zeit bis zur Premiere durchsteht, wie er Nerven und Disziplin bewahrt, um den einkalkulierten und ungeahnten Schwierigkeiten zu begegnen, mit denen er's immer wieder zu tun bekommt: das können sich selbst die wenigen Vertrauten, die er über sein Abenteuer auf dem laufenden hält, kaum vorstellen (ich war einer von ihnen und kann's bis heute nicht). Mit dem doppelten Pseudonym und der restlosen, bis zu den Brusthaaren reichenden Erblondung war's ja noch keineswegs getan. Durch hundert Kleinigkeiten in Ausdrucksweise und Gehaben muß er sich als ahnungsloser Mann von der Scholle bekunden. Er läßt sich zeigen, wie man Gabel und Messer richtig handhabt. Er spricht ausschließlich im (sorgfältig erlernten) Dialekt – das Hochdeutsche bleibt der Rolle vorbehalten. Da Schauspieler aus altem Aberglauben im Theater nicht pfeifen dürfen, pfeift er sich eins, wenn er, noch dazu mit Hut, auf der Probe erscheint – bis man ihm beides verwehrt (was er kopfschüttelnd hinnimmt). Als die Szene probiert wird, in der er die zusammengebrochene Else aufhebt und zu einem Fauteuil tragen muß, richtet Rose Stradner die scherzhafte Frage an ihn, ob sie ihm nicht zu schwer sei. »Jo mei, schwerer wie an jung's Kalbl sein S' schon«, lautete die landwirtschaftliche Antwort. Kein Zweifel: da weht Tiroler Luft.

Kein Zweifel? Ach, mehr als einer. Die Sensation hat sich im Bau herumgesprochen. Mißtrauen keimt auf. Allerlei Spürnasen wollen den einstigen Kollegen erkannt haben, schnüffeln – aus welchen Gründen immer – nach Beweisen, legen Fallstricke. Er entgeht ihnen. Nächtliche Telephonanrufe reißen ihn aus dem Schlaf, wollen ihm die Nennung seines richtigen Namens abluchsen, eine weibliche Stimme haucht »Leo?«, kopiert den Tonfall seiner in Berlin zurückgebliebenen Lebensgefährtin Agnes Straub. Er läßt sich nicht überrumpeln. »Ja, bitt schön? Hier ischt Altenberger.« Die obligate Schauspielerprüfung wird fällig. Vorsitzender der Kommission ist jener frühere Intendant aus Frankfurt, bei dem Leo Reuss einmal als Tell gastiert hat und der ihn praktisch nur mit dem blonden Vollbart kennt. Und seinen forschenden Blick nicht von ihm wendet . . .

Reuss besteht die Prüfung, besteht alle Prüfungen, die ihm bis zur Premiere noch auferlegt sind, besteht mit übermenschlicher Nervenanspannung auch den Abend. Erst nach dem Erfolg, erst als die enthusiastischen Kritiken erscheinen, gibt er sich preis.

Von da an wird's uninteressant, ja fast ein bißchen kläglich. Die Maskerade, die zur Demaskierung einer allgemeinen Heuchelei gedient hat, findet keine Anerkennung, bewirkt keine Selbsterkenntnis, weckt nicht einmal ein ehrliches Lachen. Die Zeit ist nicht danach. Man nimmt übel. Der eben noch als Elementarereignis Gefeierte wird – da sich herausstellt, daß er kein bäuerlicher Dilettant, sondern ein gelernter Schauspieler ist – nicht mehr beschäftigt.

In seiner letzten Berliner Rolle, als Gefängniswärter in der von Karl Kraus bearbeiteten »Perichole« Jacques Offenbachs, hatte er ein Auftrittslied:

»Ein Schließer bin ich, aber zart,
Und nur mein Bart, mein Bart ist wild.
Man sagt mir, ich soll scheren den Bart,
Doch dieser Wunsch bleibt unerfüllt.«

Jetzt erfüllt er ihn. Der Bart ist ab. Aber es hilft nichts mehr. In einer mäßigen Aufführung von »Madame sans Gêne« im Theater an der Wien darf Leo Reuss noch den Napoleon spielen, dann ist's vorbei. Mit einem kleinen Vertrag, aus dem auch drüben nichts Größeres wird, geht er nach Hollywood. Als er 1950 stirbt, weiß kaum noch jemand von der Affäre Kaspar Brandhofer.

Hans Weigel hatte sie 1936 in einer dem »Wirtshaus an der Lahn« nachgebildeten Chronik festgehalten, die in Abschriften kursierte – wo hätte damals so etwas auch gedruckt werden sollen? Die Schlußstrophe lautete:

»Und die Moral von der Geschicht'?
Begabung braucht es heute nicht
Im neuen Österreiche.
Es kommt nur auf den Vollbart an.
So streng sind dort die Bräuche.«

Es war eine vollkommen einmalige Geschicht'. Es war die größte Rolle im Leben des Schauspielers Leo Reuss, die Rolle eines Verstellers, der sich vor anderen Verstellern verstellen mußte, eine Köpenickiade unter lauter Hauptmännern von Köpenick. Wir werden nimmer ihresgleichen sehen. Hoffentlich.

(1966)

NACHRUFE

Armin Berg

Armin Berg, vor 72 Jahren in Brünn geboren, zählte zu jener glorreichen Komikergilde, die sich noch vor dem Ersten Weltkrieg in Wien zusammengefunden hatte, teils aus dem Mährischen und teils aus dem Ungarischen kommend: Heinrich Eisenbach, Max und Sandor Rott, Armin Springer und wie sie alle hießen. Er begann seine Karriere in Praterbuden und in den improvisierten Theatersälen längst abgerissener Hotels. Die ersten Honorare wurden ihm, wenn überhaupt, in Gulden ausbezahlt. Ein letztes Stück Wiener Vorstadt-Theatergeschichte sinkt mit ihm ins Grab.

Theatergeschichte? Hat er denn eigentlich zum »Theater« gehört? Zum Theater, wie wir es heute verstehen, wohl nicht. Aber sehr wohl und im höchsten Maße zum Theater in jener urtümlichen Bedeutung, die sich in Wendungen wie »ein Theater machen« erhalten hat. Er war ein Possenreißer von klassischem Gepräge, ein »Pojazzer« so alten (und ehrwürdigen) Stils, daß man statt »alt« auch »zeitlos« sagen könnte. Er war kein Jargonkomiker im engeren Sinn, sondern ein Volkskomiker im weitesten, und war es auch im Smoking, auch auf den Vortragspodien der City. Er sprach die universelle Spache des Humors – eines warmherzigen, wohlgelaunten, ganz und gar unaggressiven Humors. Er hat keinem Menschen je ein Leids getan. Aber er hatte viele Tausende durch viele, viele Jahre hindurch lachen gemacht.

Infolgedessen mußte er 1938 aus seiner Heimat fliehen und sich in der New Yorker Emigration durch Verkauf von Bleistiften und Büromaterial fortbringen. Nie war ein Wort des Jammers oder des Vorwurfs von ihm zu hören. So mancher, dem es besser ging, hätte sich an seiner Haltung ein Beispiel nehmen können.

Manchmal trat er bei privaten Veranstaltungen auf, manchmal bei den wenigen öffentlichen, die sich das neu eingewanderte Publikum allmählich leisten konnte. Als die Möglichkeiten einer Rückkehr in die alte Heimat wieder Gestalt annahmen, entwarf er in einem seiner Couplets eine Zukunftsvision: »Wenn ich wieder so wie früher sing das Lied vom Überzieher . . .«

Er hat das Lied vom Überzieher wieder gesungen, und das Lied vom Maurer dazu, und die unzähligen Couplets mit den melancholischen Kehrzeilen: »Ich glaub', ich bin nicht ganz normal«, »So dreht sich alles auf der Welt«, »Es war einmal, es war einmal« und zahllose andere. Er sang mit einer lebensfroh fettigen, von der Freude an den Späßen des Daseins vibrierenden Stimme, mit zwinkernden Äuglein und meisterhafter Pointierungskunst. Er sang sie »so wie früher«, aber sie hörten sich trotzdem anders an. Das behagliche Lächeln seines Mondgesichtes fand keinen rechten Widerschein mehr in einer Welt, der das Behagen abhanden gekommen war.

Jetzt ist er tot. Der letzte Vollmond eines untergegangenen Planetensystems ist erloschen. Gulasch hier – da das Bier – und da hängt der Überzieh'r, den keiner mehr anziehen wird.

(1956)

Der unwiderruflich Letzte

Jetzt ist es endgültig vorbei.

Eigentlich war die Ära, die er mitrepräsentiert hat, schon 1938 zu Ende. Fritz Grünbaum, ihr legendärer Großmeister, kam in Dachau ums Leben; wo die Engel und Springer, die Rott und Wiesenthal, die Charlotte Waldow und Paula Walden geblieben sind, weiß niemand so genau; und die wenigen, die nach 1945 zurückkehrten – Armin Berg, Fritz Heller, Hermann Leopoldi –, verabschiedeten sich bald darauf für immer. Jetzt, mit Karl Farkas, wird der Letzte aus der Glanzzeit des Wiener Kabaretts zu Grabe getragen, der Letzte, der von sich sagen durfte, daß er mit allen jenen noch auf der Bühne gestanden war. Uns läßt er nur zu sagen übrig, daß wir noch den Farkas auf der Bühne stehen sahen, bis 1971.

Er hat die Emigration nicht nur überlebt, sondern überstanden. Er kam zurück, als ob er niemals fortgewesen wäre. Er war der gleiche wie zuvor. Er war der große Alte und der ewig Junge.

Über die Daten und Einzelheiten seines Lebens und seiner Laufbahn, über seine Erfolge als Kabarettist und Schauspieler, als Regisseur und Theaterleiter, als Bühnen- und Filmautor haben die vielen Nachrufe bereits alles Wissenswerte verlautet. Hier soll der Versuch unternommen werden, das Einmalige seiner künstlerischen und, jawohl: geistigen Erscheinung anzudeuten.

Die Materialien und Kenntnisse, auf die der Versuch sich stützt, umfassen nahezu ein halbes Jahrhundert. Der ihn unternimmt, war nämlich schon als widerwärtig frühreifer Knabe von Karl Farkas fasziniert, hat sich in den zwanziger Jahren als Gymnasiast mit kurzen Hosen zu den Farkas-Gastspielen ins Ischler Kurtheater geschmuggelt (das damals noch kein Kino war), hing atemlos an den Lippen des Wortakrobaten, der oben auf der Bühne seine halsbrecherischen Kunststücke zum besten gab, aus Zurufen blitzschnell Gedichte improvisierte – nicht etwa um des Reimes willen verkrampfte, sondern durchaus sinnvolle Balladen von scheinbar mühelosem Witz. Einmal rief ich ihm sogar einen »Ort der Handlung« zu, und er machte Gebrauch davon.

Etwas später, als meine eigenen literarischen Amibitonen einsetzten und mich immer verhängnisvoller (bis zum Durchfall bei der Matura) von meinen Schulpflichten ablenkten, habe ich ihn persönlich kennengelernt. Die Vermittlung besorgte ein Freund meines Vaters: Fritz Grünbaum, der Liebenswerteste von allen, ein Mann von höchster Bildung und unvergleichlichem Esprit. Mein drängendes Bedürfnis nach der Bekanntschaft mit Karl Fakas schien er allerdings nicht gutzuheißen. »Wenn der Bub noch lang den Farkas verehrt, wird nix aus ihm«, gab er meinem Vater sorgenvoll zu bedenken. Erst als er merkte, daß meine Verehrung für ihn selbst durch Farkas keinen Abbruch erlitt, hielt er mich wieder für begabt.

Es war tatsächlich die meisterhafte Handhabung des Worts

und des Reims, die ich an Karl Farkas bewunderte, es war der entdeckungsfrohe Spürsinn, mit dem er den Windungen der Sprache folgte, der Erfindungsreichtum, mit dem er die sprödesten Worte auseinandernahm und dergestalt wieder zusammenfügte, daß ihm der unwahrscheinliche Reim wie ein natürliches Nebenprodukt zufiel. Diese Fähigkeit ist ihm bis zum Schluß erhalten geblieben. Noch in seinen letzten Programmen reimte sich Goethes westöstlicher Diwan auf »Geniewahn«, erreichte die Schilderung einer UNO-Prozedur den verwegenen Gipfel: »In der geheimen Sprechnische / Bespricht man dann das Technische.« Und schon in seiner Frühzeit, als die Honorare vorerst nur kläglich flossen, wußte er seinem Namen den Reim auf »Quarkgage« abzugewinnen. Wenn er von einstigen Jugendträumen sprach, als er »zum Dichterwald, zu lichten Fichten flüchten« und »hingestreckt im Moos, im dichten, dichten« wollte, oder wenn er vor der Zahlpause im »Simpl« die Zuschauer aufforderte: »Begleichen Sie jetzt unverdrossen / Was Sie und Ihre Genossen genossen«, so waren Doppeldeutigkeiten aufgedeckt und Geheimnisse entschleiert, die tief im Gewebe des zum bloßen Verständigungsmittel degradierten Organismus »Sprache« ruhten. Heutzutage tut sich dergleichen unter dem Banner einer angeblichen »Wiener Schule« als optisch oder phonetisch zergliederte Lyrik auf und beansprucht literarische Ernstnahme. Tausche 2 Jandl gegen 1 Farkas.

Nein, bitte vielmals: mit Karl Kraus hat das alles von weither nichts zu tun, und daß der junge Schauspieler Karl Farkas an der »Neuen Wiener Bühne« unter Berthold Viertels Regie im »Traumstück« von Karl Kraus mitgewirkt hatte, erfüllte mich noch Jahre später mit so gruseliger Neugier, daß ich Genaueres von ihm zu wissen verlangte. Wie sich das denn abgespielt hätte, fragte ich ihn, wie er denn mit dem sprachempfindlichen, die Proben scharf überwachenden Dichter ausgekommen wäre? »Ja, also«, sagte Farkas nach kurzem Besinnen, »ich bin doch ein schlampiger Lerner . . .«, und: »Danke schön«, sagte ich, »mehr brauchen Sie mir nicht zu erzählen.«

Im übrigen war's ein rarer Genuß, ihn von den Anfängen seiner

Schauspielerkarriere berichten zu hören. Unvergeßlich die Geschichte seines Einspringens an irgendeinem deutsch-böhmischen Provinztheater, mit flüchtig überflogenem Text, ohne Probe, ohne die leiseste Ahnung, was in dem Stück überhaupt vorging. Eine Zeitlang vermochte er sich noch zurechtzutasten, entfernte sich jedoch immer weiter von der Handlung – und dann war jener unvermeidlicher Punkt erreicht, an dem völlige Textstille eintrat. Nach einer peinlichen Weile entschloß sich sein Partner zu der unverblümten Frage, ob er die Gräfin nicht von der Oper abholen wolle, Farkas quittierte das mit einem jauchzenden: »Ja, richtig! Gut, daß Sie mich erinnern!«, und das Stück nahm seinen Fortgang. »Es war nicht direkt eine ausgefeilte Aufführung«, bemerkte er zum Abschluß seines Berichts.

Mochte er die eigenen Texte, im Vertrauen auf sein enormes Improvisationstalent, auch noch so »schlampig« behandeln – in jedem übrigen Bühnenbelang, und ihrer sind viele, besaß er die unerbittliche Präzision des Vollblutprofessionals. Ob er nun eine der intimen Kammerrevuen im »Simpl« oder im »Pavillon« inszenierte oder eine der berühmt verschwenderischen Ausstattungsrevuen im Stadttheater: da saß jeder Blackout bis ins kleinste Detail, da klappte auch der scheinbar unwichtigste Auftritt auf die Sekunde, da verzahnten sich szenische Abläufe und musikalische Überleitungen in so rasantem Tempo, daß man kaum noch zu dem wenigen Atem kam, der einem vom Lachen her übriggeblieben war. Und erst die Doppelconférencen mit Fritz Grünbaum – welch ein »timing« war da am Werk, wie unmerklich wurden da die Pointen vorbereitet, um genau in der richtigen Sekunde zu explodieren:

»Fritz, kannst du Rätsel lösen?«

»Sehr gut sogar.«

»Also hör zu. Du gibst es mir heute, und ich geb's dir nächste Woche zurück. Was ist das?«

»Nicht ein Schilling.«

Manchmal, besonders wenn Grünbaum Begriffsstutzigkeit zu mimen hatte, verstieg sich die Ungeduld des vergeblich Belehrenden in fast schon surrealistische Dimensionen. »Ich bitt' dich, tu mich informieren über was ich nicht weiß: wie macht sich ein Krieg?« fragte da etwa der Wissensdurstige und lauschte aufmerksam, bis er's zu verstehen glaubte:

»Aha. Also wenn zum Beispiel Brünn mit Bulgarien Krieg führen will, dann –«

»Brünn kann mit Bulgarien nicht Krieg führen, du Tepp.«

»Nein? Warum nicht?«

»Weil Brünn überhaupt keinen Krieg führen kann.«

»Olmütz ja?«

»Olmütz ja.«

Mit rationalen Mitteln ist die Komik dieser schlichten, sachlichen Aussage nicht zu fassen und nicht zu definieren. Nicht einmal Farkas selbst vermochte das, obwohl er ein Meister der prägnanten Definition war und natürlich sehr genau wußte, wie ein Krieg »sich macht«. Überhaupt waren seine Conférencen keineswegs so harmlos, wie man sie in den letzten Jahren zu etikettieren liebte. Er durchschaute den General de Gaulle sehr bald als »den einzigen Politiker, der Europa vom Westen her angreift«. Und mit Bemerkungen wie: »Jetzt haben wir schon wieder eine neue Regierung – wo wir doch die alte kaum gebraucht haben«, oder: »Ein Minister kann bei uns nur sehr schwer zurücktreten, weil der nächste, der auf seinen Posten wartet, so dicht hinter ihm steht«, hat er die innenpolitische Szene heller erleuchtet als mancher lichtvolle Leitartikel.

Um es nun klar und möglichst kurz zu sagen: Karl Farkas war viel gescheiter, als er sich's anmerken ließ. Er hat sich immer ein wenig unter seinem Wert verkauft und ist immer ein wenig unter sein Niveau gegangen, nur ein wenig, gerade weit genug, um jenen, die seines Niveaus entrieten, nicht zu hoch zu erscheinen und den anderen nicht zu billig. Auf diese Art ist ihm das einmalige Kunststück gelungen, beim »breiten Publikum« ebenso beliebt und erfolgreich zu sein wie bei den Intellektuellen. Auf diese Art hat er sich's auch leisten können, bis zum Schluß »altmodisches« Kabarett zu machen, und darin bestand eine weitere Einmaligkeit, mit der nur noch er aufzuwarten wußte, im weiten Rund nur noch er allein.

Die ganze Glanzzeit des großen Kabarettstils von einst, der ganze Glanz der großen Kabarettisten, die er noch zu Partnern gehabt hat, war in Karl Farkas eingegangen wie in eine Sammellinse. Er war der einzige, der diesen Glanz noch ausgestrahlt hat, der einzige und unwiderruflich letzte. Jetzt ist es endgültig vorbei.

(1971)

Hans Moser

Sie hießen »Die Budapester«, weil sie ursprünglich aus lauter Budapestern bestanden und weil das Theater, in dem sie ihre Schwänke und Soli darboten, sich ursprünglich in Budapest befand. Übrigens wurde damals, vor 1914, auch in Budapest jeweils einer der drei Einakter des Programms in deutscher Sprache gespielt, oder, um es vorsichtiger auszudrücken: in jenem ans Deutsche anklingenden Verständigungsmittel, auf das sich der mährisch-magyarische Kulturkreis mit der Wiener Kultusgemeinde geeinigt hatte und das vom richtigen Jiddisch, wie es im Osten der Monarchie gesprochen wurde, ebenso weit entfernt war wie vom richtigen Deutsch. Es war ein durchaus eigener, auf ganz bestimmte Landschafts- und Gesellschaftsschichten beschränkter Jargon, den man oft schon in Prag nur unter Zuhilfenahme eines Brünner Dolmetschers verstand und den man in Hietzing, ja wohl gar in den besseren israelitischen Kreisen des neunten Bezirks, nicht minder verachtete als in Lemberg oder Czernowitz (wenn auch aus anderen Gründen).

Das also waren die »Budapester«, und die habe ich nicht mehr gekannt. Die kenne ich nur aus schwärmerischen Erzählungen. An ihren Star, den 1925 verstorbenen Heinrich Eisenbach (den Karl Kraus für einen der größten Schauspieler seiner Zeit gehalten hat), kann ich mich zwar aus meiner frühreifen Jugend noch recht genau erinnern, aber ich habe ihn nur auf regulären Bühnen spielen sehen, und selbst als »Budapester« war er kein ganz echter »Budapester« mehr, sondern eigentlich der Star eines schon in Wien ansässigen Ensembles, das von der Originaltruppe außer dem Namen und dem Jargon nur die eine oder andre schauspielerische Auffrischung bezog. Dieses Ensemble, nach Eisenbachs Tod hauptsächlich auf Armin Springer, Sandor Rott, Armin Berg und Paula Walden gestützt, hat unter wechselnden Bezeichnungen und in wechselnden Heimstätten noch bis 1938 gespielt. Und diesem Ensemble habe ich die ersten Begegnungen mit Hans Moser zu danken.

Bei den »Budapestern« – nennen wir sie so, obgleich sie selbst im letzten Jahrzehnt ihres Bestehens sich nicht mehr so genannt haben – gab es zwei Rollenfächer, die nie mit Budapestern im eigentlichen, jargongebundenen Sinn besetzt wurden: das Fach des draufgängerischen Liebhabers und das Fach jedweder manuellen Arbeitsleistung. Jenes wurde irgendeinem zweitklassigen Vorstadt-Beau anvertraut, dieses – mochte sich's nun um einen Gärtner, einen Feuerwehrmann oder einen Pompfuneberer handeln – war eine Zeitlang die unumstrittene Domäne Hans Mosers. Es wurde überhaupt erst durch ihn zur Domäne. Denn vorher gab's da nichts zu dominieren. Und wer sich der strengen, fast schon an die Commedia dell'arte gemahnenden Typologie des Jargonlustspiels entsinnt, wird ermessen können, was es heißt, bei den »Budapestern« in diesem vernachlässigten Rollenfach Karriere zu machen. Er wird auch den vehementen Theaterinstinkt würdigen, der dort obwaltete und der es zuließ, daß Hans Moser seine Handlanger-Figuren vom Rande des Geschehens immer mehr in den Mittelpunkt rückte, bis zur eindeutigen Szenenbeherrschung, bis ihm die Hausdichter des Theaters eigene Moser-Rollen zu schreiben begannen und bis es geschehen konnte, daß der Armenrat Pomeisl, der nur als Aufputz zur Hochzeitstafel des protzigen Parvenus geladen war, sie plötzlich zentral überwuchtete. Unvergeßlich, wie Hans Moser, eben noch intensiv mit dem Essen beschäftigt, auf die lässig hingeworfene Konversationsfrage des Hausherrn »Na, Herr Armenrat, und was tut sich in *Ihrer* Branche?« langsam das Besteck hinlegt, wie er mit zwinkerndem Luchsauge die Chance wahrnimmt, das Gespräch an sich zu reißen, wie er mit immer neuen, immer unerwünschteren Auskünften den vergebens nach Hilfe spähenden Fragesteller umfängt, überwältigt, erdrosselt und völlig lahmlegt – was dann die fürchterlichsten Folgen für die mühsam aufgebaute Sozialstruktur der Tafel und für die ganze Handlung hat. (Es war dieser Sketch, der mich bis heute davon träumen läßt, als Gegenstück zur »Hamburgischen Dramaturgie« eine Art »Budapester Dramaturgie« abzufassen und ihren Einfluß auf die später in aller Welt erfolgreiche panmagyarische Schule des Marton-Verlages nachzuweisen. Vielleicht ist mir das noch einmal vergönnt.)

Oder der arme, ehrsame Uhrmacher, dem sein Gehilfe immer wieder beizubringen versucht, daß er's nie zu etwas bringen würde, wenn er kleine Reparaturen so billig durchführt, statt sie, deren Schwierigkeit doch niemand kontrollieren kann, als möglichst kostspielig hinzustellen. In die Tochter des redlichen Mannes aber – auf die der Gehilfe, in idealer Verknüpfung der Liebesgeschichte mit der Haupt- und Staatsaktion, ein Auge geworfen hat – ist der Sohn eines stinkreichen Fabrikanten verliebt und will sie heiraten. Und natürlich erscheint dieser Fabrikant eines Tages inkognito im Uhrmacherladen, um sich den künftigen Brautvater näher anzusehen. Und reicht ihm die natürlich vollkommen intakte goldene Taschenuhr zur Prüfung. Unvergeßlich, wie Hans Moser, vom teuflischen Gehilfen ermuntert, mit eingeklemmter Lupe zum inneren Kampf antritt und sich ein immer besorgteres Kopfschütteln abringt: »Ts, ts, ts . . . so eine schöne Uhr was das ist . . . und bitte *gar* nicht in Ordnung!« Unvergeßlich, wie er als Sarglieferant irrtümlich in eine Hochzeitsgesellschaft gerät statt zur Trauerfeier, und wie seine Fassungslosigkeit über die allseits herrschende Frohlaune sich erst am Anblick der schluchzenden Brautmutter beschwichtigt, der er denn auch mit einem herzlich befriedigten »So g'hört's es sich!« auf die Schulter klopft. Unvergeßlich noch vieles, vieles andre aus jener Zeit, die ihm schließlich den unerhörten Triumph einbrachte, daß die Budapester Hausautoren für ihn, den Ganz-und-gar-nicht-Budapester (der freilich eine ergiebige Lehrzeit an östlichen Provinzbühnen hinter sich hatte) sogar eigene Jargonrollen schrieben, darunter den Nachtbankier, der sozusagen strichweise auf der Kärntner Straße amtiert, den Heiratsvermittler und den Krankenkassenpatienten.

Von diesem Ritterschlag war es dann nur noch ein Schritt zur Erhebung in den Reinhardtstand ...

Was Hans Moser nach seinem Abgang von der Jargonbühne alles gespielt und geleistet hat, angefangen von den Komikerrollen in den dritten Akten der Kálmán-Operetten bis zum König Menelaus in Offenbachs »Schöner Helena«, vom »Fürwitz« in Hofmannsthals »Großem Salzburger Welttheater« bis zum Hausdiener Melchior und zum Schuster Pfrim bei Nestroy, dem Musiker Weiring in Schnitzlers »Liebelei« und dem »Hohen Alter« in Raimunds »Bauer als Millionär« bis zum Himmels-Offizial in Molnárs »Liliom«, dem letzten Bühnenauftritt des damals schon 82jährigen, über dem wahrhaftig ein nicht mehr ganz irdisches Leuchten lag –: das alles muß hier nicht im Detail aufgezählt werden, so wenig wie die Titel der zahllosen Filme, denen er die eigentliche Breitenwirkung seines Ruhms verdankt und von denen er doch keinen einzigen gebraucht hätte, um sich im Gedächtnis seiner Zeitgenossen als der größte und menschlichste Repräsentant jenes Genres zu verankern, welches mit der Bezeichnung »Volkskomiker« höchst unzulänglich etikettiert ist. Er war neben Max Pallenberg die einzig wirklich unverwechselbare und unersetzliche Erscheinung am komischen Rundhorizont des deutschsprachigen Theaters, und es hat etwas auf sich, daß eine um 1930 in Umlauf gesetzte Anekdote, wenn sie nicht über Pallenberg erzählt wurde, nur über Hans Moser erzählt werden konnte: bei einem Faschingsfest, so hieß es, sei eine Preiskonkurrenz für die drei besten Moser-Imitationen veranstaltet worden, und Hans Moser, maskiert wie alle übrigen Teilnehmer, habe den dritten Preis gewonnen. Tatsächlich gab es um jene Zeit im weiten Bühnenumkreis niemanden, der nicht sofort mit einer Moser-Imitation zur Hand gewesen wäre, und tatsächlich hatte der Begriff Hans Moser so selbstherrliche Gestalt angenommen, daß er die wirkliche beinahe auszustechen drohte. Hans Moser war schon zu Lebzeiten eine Legende.

Sollten Schallplatten, Film und Fernsehen sich einst vor Gottes Thron für all den Unfug verantworten müssen, den sie auf Erden angerichtet haben, dann werden sie geltend machen dürfen, daß uns mit ihrer Hilfe doch etwas Wirklichkeit von der Legende

Hans Moser erhalten geblieben ist. Schade nur, jammerschade, daß sie von den Anfängen, vom sozusagen prälegendären Hans Moser nichts aufbewahren konnten. Darum ist hier, mit notwendig kargen Mitteln, versucht worden, seine Anfänge wenigstens nicht ganz in Vergessenheit geraten zu lassen. Es wäre ihm nämlich – ich weiß es aus wehmütiger Erinnerung an ein letztes Gespräch mit ihm – gar nicht recht, wenn das geschähe. Er hat nämlich an seine Anfänge gern und getreu und hingebungsvoll zurückgedacht, mit aller Hingabe des echten, großen Komödianten, der er zeit seines Lebens war.

(1964)

Gisela Werbezirk
oder
Frau Breier aus Gaya in Hollywood

Hollywood, wie man zu wissen glaubt, ist ein Stadtteil von Los Angeles, der flächenmäßig größten Stadt der Welt. Hingegen ist Gaya – und was jenes Gaya betrifft, aus dem Frau Breier kam, sollte man nicht »ist« sagen, sondern »war« – eine kleine Stadt in Mähren, mit einer seit Jahrhunderten seßhaften Judengemeinde, deren Angehörige, wenn sie's draußen in der Welt zu etwas brachten, ihre Herkunft aus Gaya schamhaft verschwiegen und prahlerisch behaupteten, sie kämen aus Brünn. »Frau Breier aus Gaya« schließlich ist – und man sagt hier abermals besser: war – ein Lustspiel von Arnold und Emil Golz oder vielleicht von Armin Friedmann oder von einem andern der zahlreichen Autoren oder Autorenpaare, die in den zwanziger Jahren solche Lustspiele schrieben, nämlich Lustspiele für die Werbezirk.

Die Werbezirk ihrerseits stammte nicht aus Gaya, sondern aus Preßburg, das auch Pozsony hieß und auch Bratislava und das mit seiner magyarisch-deutsch-slowakisch-jüdischen Mischung ein ganz ähnliches Konzentrat der alten Monarchie darstellte wie Gaya mit seiner deutsch-mährisch-tschechisch-jüdischen. In Wien verloren sich diese Unterschiede sowieso, und wer aus Preßburg nach Wien kam, konnte hier durchaus die gleiche Rolle spielen, als ob er aus Gaya gekommen wäre. Gisela Werbezirk war sehr frühzeitig nach Wien gekommen und spielte sehr frühzeitig die Rolle der Frau Breier aus Gaya. Denn die war es doch immer, auch wenn das Stück zum Beispiel »Hulda Selzer in Venedig« hieß oder »Epsteins Witwe« oder »Frau Pick in Audienz«. Sie spielte, kurzum, schon sehr frühzeitig die »komischen Alten«. Aber durch ihre Komik brach oft genug so elementare Tragik hervor, daß einem das Lachen verging, und ihr Alter war von Anfang an keine Angelegenheit der Jahre, sondern einer zeitlosen, unendlich weisen Distanz zum Leben: in das sie sich dennoch mittenhinein stellte. So echtblütige, so vollsaftige, so daseinsträchtige Gestalten gab es kein zweites Mal. Und es waren bei weitem nicht nur die mährisch-preßburgisch-leopoldstädtischen Typen, an denen sich das erwies; es waren ganz ebenso, und ebenso unverfälscht, die wienerischen oder östereichischen, vom »Kleinen Glück auf der Wieden« über den »Krach im Hinterhaus« bis zu Anzengrubers »Viertem Gebot«. Es war immer das Leben selbst, das die Werbezirk verkörperte, und immer mit jener bezwingenden Beispielhaftigkeit, auf deren höherer Stufe dann eben die Frau Breier aus Gaya sich mit der Greißlerin vom Grund und mit der Schalanterischen Großmutter traf: im Menschlichen. Man könnte sie vielleicht eine Kombination von Hansi Niese und Heinrich Eisenbach nennen, von Wiener Volksstück und »Budapester« Posse (die ja auch der Ausgangspunkt für die Karriere Hans Mosers war und als deren letzter Vertreter Armin Berg übriggeblieben ist). Sie war eine große Volksschauspielerin und eine große Menschendarstellerin, die Werbezirk, und eine Meisterin der Nuance. Sie ließ die Pointen fallen wie Gansgrammeln aus der Einkaufstasche. Sie besaß eine Bühnenpräsenz von schlechthin monströser Wirkung und etablierte sie schon durch ihr bloßes Erscheinen, durch die groteske Überwältigungskraft ihres Äußeren. Und sie besaß die unfehlbare Zauberkraft der Persönlichkeit: das Publikum gänzlich (und dennoch unmerklich) zu beherrschen, ein vor Lachen tobendes Haus in Sekundenschnelle herumzureißen und ihm die Stille des angehaltenen Atems aufzuzwingen, den eben noch nach

Luft Japsenden die Kehle derart abzuschnüren, daß ihnen kein Ausweg blieb als der in die Träne.

Ihre Popularität erreichte gewaltige Ausmaße. Und das brachte so um 1930 herum eine Berufs-Schnorrerin, deren Pferdekopf tatsächlich eine entfernte Ähnlichkeit mit dem der Werbezirk besaß, auf einen grandiosen Einfall. Zündhölzel und die Legende feilbietend, daß sie die arme Schwester der berühmten Schauspielerin sei, durchzog sie die Wiener Nachtcafés und durfte sicher sein, daß man sich jedenfalls auf ein Gespräch mit ihr einlassen würde, welches dann stets mit einer (zumeist erfolgreichen) Schnorraktion endete. Es geschah, was geschehen mußte: eines Nachts, im alten »Café de l'Europe«, stand sie der Werbezirk gegenüber, erbleichte, begann zu stottern, wollte sich entschuldigen. Die Werbezirk griff in die Tasche, zog eine Banknote hervor und sprach: »So, da haben Sie. Aber ab morgen erzählen Sie gefälligst, daß Sie die Schwester von der Jeritza sind!«

Man sollte meinen, daß sich mit solcherlei in andrer Atmosphäre und andrer Sprache, ja auf dem andern Planeten, welcher Hollywood heißt, nichts hätte aufstecken lassen. Dem war nicht so. Die Werbezirk mußte sich im Hollywoodfilm nicht deshalb mit kleinen Rollen zufriedengeben, weil sie zu wenig, sondern weil sie zu viel von sich projizierte. Sie sprengte ihre Szenen und sprengte die streng gestufte Hierarchie der großen Gagenempfänger. Im Manuskript waren ihre Rollen manchmal gar nicht so klein. Aber die Stars, die sich in der und jener Szene von ihr an die Wand gespielt merkten, bestanden darauf, daß man diese Wand niederriß. Einmal, in einem Lubitschfilm, in dem sie eine Pensionsinhaberin gab, hatte sie nichts weiter zu tun als dabeizusein, wie der junge Mann die junge Dame vermittels Klavierspiel zu betören versuchte. Sie tat auch wirklich nichts weiter. Sie saß nur da und glotzte zwischen den beiden hin und her, stumm, mit der vorwurfsvollen Melancholie eines Droschkengauls. Die Szene, von entscheidender Bedeutung für die Liebesgeschichte des Films, ging bei der Vorschau im dröhnenden Gelächter des Publikums unter und wurde derart zusammengeschnitten, daß die Werbezirk nur ein einziges Mal ins Bild kam. Und ich habe selbst etwas Ähnliches mit einem Film erlebt, in den ich eigens eine Rolle für sie hineingeschrieben hatte: das Drehbuch mußte während der Produktion umgearbeitet werden, als auf Betreiben eines Stars die ganze Werbezirk-Sequenz wegfiel.

Die Werbezirk nahm all das mit Gelassenheit hin. Sie war im Leben so wenig aus der Fassung zu bringen wie auf der Bühne. Auch Hollywood insgesamt, das sich von Gaya und von Preßburg und von Wien doch einigermaßen unterscheidet, hat sie nicht aus der Fassung gebracht. »Purkersdorf mit Palmen«, sagte sie und richtete sich dementsprechend ein. Und weil man ihr – was ja die tröstliche Kehrseite der zusammengeschnittenen Rollen war – immer die vollen Gagen auszahlte, konnte sie sich's sogar halbwegs erträglich einrichten. Sie war, um ein andres geflügeltes Wort der Emigration zu zitieren, sogar happy; aber glücklich war sie nicht.

Jetzt ist sie gestorben, 81 Jahre alt, ohne die Heimat wiedergesehen zu haben. Und die Heimat wird nimmer ihresgleichen sehen.

(1956)

Ein Denkmal ihrer selbst

Sie war um mindestens zehn Jahre älter als ihr letzter Ehemann, Franz Werfel, und sie hat ihn um zwanzig Jahre überlebt. Als sie mit Gustav Mahler, dem 1911 Verstorbenen, die erste ihrer Ehen schloß, war sie knappe 19. Sie hat unglaublich früh zu leben begonnen und hat unglaublich lange gelebt. Und zwar bestand das Unglaubliche darin, daß sie von Anfang an im höchsten Grad bewußt gelebt hat. Sie ließ sich nichts entgehen, aber schon gar nichts, sie holte aus dem Leben alles heraus, was sich irgend herausholen ließ, und holte es – meilenfern vom oberflächlichen Erlebnishunger betriebsamer Frauenspersonen – vorsätzlich und beinahe planmäßig in ihr Bewußtsein herein. Erst in den allerletzten Jahren begann das nachzulassen, gewann die Vergangenheit, deren sie übervoll war, allmählich die Oberhand über eine unergiebig werdende Gegenwart, erstarrte Alma Mahler-Werfel auch nach außen hin zu jener Statur, die sich niemals von ungefähr ergibt: zu einem Denkmal ihrer selbst.

In den Augen ihrer Freunde war sie das schon längst gewesen, seit mindestens drei Jahrzehnten schon, jedenfalls seit ich sie kannte. Wann immer sie Unberechenbares oder Ärgerliches tat, wann immer sie einen Plan über den Haufen warf oder einen Eklat hervorrief: man beschied sich alsbald in ein lächelndes Achselzucken und in die verehrungsvoll-resignative Erkenntnis, daß es keinen Sinn hätte, an diese Frau normale Maßstäbe anzulegen oder sich gar über sie zu ärgern. Sie stand bereits zu Lebzeiten unter Denkmalschutz, und sie machte weidlich Gebrauch davon. Sie war die klassische Ausprägung dessen, was man in Amerika eine »take it or leave it«-proposition nennt: nimm's oder laß es bleiben – aber wenn du's nimmst, dann so, wie es ist.

Es war, zugegeben, nicht jedermanns Sache, Alma Mahler-Werfel so zu nehmen. Wer sich jedoch dazu entschlossen hatte, war ihr auf der einen oder andern Ebene (und manchmal auf mehreren zugleich) unweigerlich verfallen, war bereichert um das Erlebnis einer garantiert einmaligen Persönlichkeit, einer Frau von gewaltigem Kunstverstand und Kunstinstinkt, von unheimlichem Spürsinn für Werte und Wirkungen, und von bedingungslosem Glauben ans Aufgespürte. Dieser Glaube war vielleicht der einzige, den sie wirklich ernst nahm (ihr Katholizismus hatte mehr demonstrative Funktionen; im Grund ihres Wesens war sie, und das sagte sie auch, eine Heidin). Wenn sie von jemandes Talent überzeugt war, ließ sie für dessen Inhaber – mit einer oft an Brutalität grenzenden Energie – gar keinen andern Weg mehr offen als den der Erfüllung. Dazu war er dann sich und ihr und der Welt gegenüber verpflichtet, und sie empfand es als persönlichen Affront, wenn eine von ihr erkannte und gar geförderte Begabung nicht allgemein anerkannt wurde. Das geschah übrigens nur wenigen, und denen blieb sie rührend treu.

Erfolg betörte sie, aber Erfolglosigkeit beirrte sie nicht. Ihre Einsatzfreude, ihre Hingabe, ihre Aufopferungsfähigkeit kannte keine Grenzen und mußte schon deshalb faszinierend und aneifernd wirken, weil sie nichts von kritikloser Vergötterung an sich hatte, weil ihre Urteilskraft sich durch nichts vernebeln ließ. Daran lag es wohl auch, daß so viele schöpferische Männer an ihr hängenblieben. Hier setzte ihre eigene Produktivität sich fort und um. (Die achtzehnjährige Alma Maria Schindler hatte nämlich, noch ehe sie Gustav Mahler kennenlernte, selbst komponiert, und einige ihrer Lieder waren in der Universal-Edition erschienen.)

Müßig, darüber nachzusinnen, inwieweit sie das Werk und das Leben der solcherart von ihr Betreuten beeinflußt hat. Nie werde ich die zweischneidige Wehmut vergessen, die in Franz Werfels Stimme lag, als er einmal – auf dem Höhepunkt seiner amerikanischen Bestseller-Erfolge – ein langes nächtliches Gespräch mit diesen Worten abschloß: »Wenn ich die Alma nicht getroffen hätte – ich hätte noch hundert Gedichte geschrieben und wäre selig verkommen . . .«

Wie das gemeint war, weiß ich bis heute nicht. Er kam nie wieder darauf zu sprechen. Aber er hat oft und oft davon gesprochen, wie unvorstellbar ein Leben ohne Alma für ihn gewesen wäre. Und er konnte mitten in einer von ihr beherrschten Gesellschaft – es gab eigentlich keine anderen – mich am Ärmel zupfen und mir mit verklärtem Gymnasiasten-Aufblick zuflüstern: »Schau sie dir an! Ist sie nicht großartig?«

Sie war es. Sie hatte eine Art, zu arrangieren und zu dirigieren, die ihr mit geometrischer Zwangsläufigkeit den Mittelpunkt zuwies, und alle waren dessen froh: denn dieser Mittelpunkt stand fest und setzte die andern in Szene, nicht sich. Dem großen Haus, das sie auch in Amerika führte, waren die kleinen Mittel, mit denen das zumal in der schwierigen Anfangszeit geschah, niemals anzumerken. Es war die selbstverständliche Fortsetzung ihres Wiener Salons, und es trafen dort mit Selbstverständlichkeit alle zusammen, die ihr und ihrem Franzl noch von Wien und von Europa her verbunden waren, Bruno Walter und Arnold Schönberg und Hermann Broch, und es kamen noch Igor Strawinsky hinzu und Remarque und Zuckmayer und Thornton Wilder, und die Ehepaare Thomas Mann und Bruno Frank, und Reinhardt und Lubitsch und die Massary, und es hatte ein jeder, mit dem sie gerade sprach, das Gefühl, dies alles geschähe nur um seinetwillen. Ein solches Gefühl müssen, im weitesten Ausmaß, wohl auch die Männer gehabt haben, mit denen sie verheiratet oder verbunden war, Gustav Mahler und Walter Gropius und Oskar Kokoschka und Franz Werfel (»die nicht gerechnet, die der Fluß verschlang«, wie es so richtig in der »Jungfrau von Orleans« heißt).

Sie war ein Katalysator von unwahrscheinlicher Intensität, sie thronte über dem Getriebe und war zugleich mittendrin, blond bis ins hohe Alter und von imposantem Wuchs, eine verwirrende Mischung aus Patronatsherrin und Patronne eines Maison de Rendezvous – »eine tolle Madame«, wie Gerhart Hauptmann sie einmal mit bewunderndem Kopfschütteln genannt hat.

Am Morgen pflegte sie um 6 Uhr aufzustehen, trank eine Flasche Champagner leer und spielte eine Stunde lang das »Wohltemperierte Klavier«. Ich berichte das aus Erfahrung. Denn ich war meiner Gewohnheit, die zur Deckung des Lebensunterhalts erforderlichen Schreibarbeiten des Nachts zu erledigen, auch in Los Angeles treu geblieben, und es geschah nicht selten, daß im Morgengrauen das Telephon ging, dem dann ohne weitere Formalitäten ihre Stimme entklang: »Bist noch wach? Komm frühstücken!« Und da gab es keinen Widerspruch.

Vor etwa zwei Jahren in New York habe ich sie zum letztenmal gesehen. Sie hatte kurz zuvor einen Schlaganfall überstanden, saß ein wenig mühsam und verschrumpft in einem tiefen Fauteuil, dämmerte vor sich hin – und wurde plötzlich für zehn oder fünfzehn Minuten so unheimlich wach und lebendig wie eh und je, sprach von elektronischer Musik (und so, daß man's verstand), schimpfte auf Clara Schumann, deren Briefe sie anmaßend fand, erklärte mir, warum der »Sturm und Drang«-Dichter Klinger es zu nichts gebracht hätte, wollte mir das an Hand einer bestimmten Stelle der zwölfbändigen Werksausgabe, die sie gerade las, ganz genau beweisen, und schickte mich ins Nebenzimmer, den betreffenden Band zu holen. Die Bände waren an ihrem Bett aufgeschichtet, Teil einer kunstvollen Rundmauer aus Büchern und Partituren, in deren ausgesparter Mitte eine Flasche Benediktiner stand, den ihr der Arzt strengstens verboten hatte.

Als ich ins Zimmer zurückkam, schlief sie wieder. Und eine Viertelstunde später war sie wieder wach und lebendig.

Jetzt ist sie – 85jährig, wenn sie sich nicht vielleicht um zwei Jahre jünger gemacht hat – endgültig hinübergedämmert, hoffentlich sanft und ohne Widerstreben: von dem ihr Leben durchwirkt und bestimmt war, solange sie es noch nach eigenem Geschmack hat führen können. Sie war eine große Figur und eine große Frau. In dieser Ausführung werden sie nicht mehr geliefert. Alma Mahler-Werfel war die letzte.

(1964)

Der Jandak-Brief

Es wird hier ein Brief wiedergegeben: zuerst im Faksimile, damit man's glaubt, dann in originalgetreuem Druck, damit man's besser lesen kann, und schließlich in einer annähernd hochdeutschen Übertragung, damit man's versteht. Der Brief stammt von einer alten böhmischen Köchin namens Katharina Jandak, die jahrzehntelang im Haus einer Wiener Familie beschäftigt war. Sie schrieb ihn bald nach Kriegsschluß an die 1938 emigrierte Frau des Hauses, in phonetischem Deutsch, so wie sie's sprach und wie sie's zu hören meinte, und sie behalf sich dabei mit tschechischen Schriftzeichen. Der Publizist Götz Fehr hat mit seinem 1977 erschienen »Fernkurs in Böhmisch« diese phonetische Schreibweise in die Literatur eingebracht. Aber was sich in der Schreibweise der Köchin Katharina Jandak offenbart, hat nichts mit Literatur zu tun. Eher vielleicht mit Offenbarung. Lache darüber, wer will. Mir sind beim Lesen die Tränen gekommen. Ich kenne kein zweites Document humain, aus dem mit solcher Unmittelbarkeit der Mensch hervorträte, den es dokumentiert.

Die Kenntnis des Briefs – von dem ich gleich damals, Ende 1945 in New York, eine Photokopie anfertigen ließ – verdanke ich einem mir befreundeten Verwandten der Adressatin, die von der Absenderin nicht etwa als »Gnädige Frau« angesprochen wurde, sondern als ihre liebe Frau Kronberg. Denn eine Köchin wie Katharina Jandak war keine Dienstperson. Sie war – das gab's ja bis 1938 noch – ein Mitglied des Haushalts, ein Familienmitglied.

Frau Kronberg ist tot, Katharina Jandak ist tot, mein Freund ist tot. Was lebt und leben bleiben wird, ist dieser Brief.

main. Libe Frau Kronberg musich inen vaszu-
šraibn vonti fremde laite kanich net sofile falanen
unt taič kanich net šraiben pitte lasnsitas jemanten
for lezn Libe Frau Kronber inen švegerin habeich
bezuchen hat ire vonunk in ordunk sešen angerichtet auch šene fogl hat aba laida ter libe Man ire
is gestorben Dezenberk for vainachten hat vainen
soizza gesunt äuch ti Dochta aba traurish ales Libe
Frau Kronberg vonti Poliza vervante sain curik
ge komen var bei Tirkiše krenze ti Frau var beimir
hat vonuk krik in Deblink ich habe si fraidet si
komen aimal cumir vas hama ales mit machn
misn venti peze menčn musma frosain sailma
gesunt hern Got iba ales Libe Frau Kronberg inen
švegerin sain cvai brife von inen curikk gekomen
Vien vaisma net aine von andere vas gešen is

ter nochpa maine hat misis nacht flichtet nima
curigekomen jest sain ti menčn ale afkeret unt
un lib aba ish lasich ina freitmish sihaben
von mir tize brife krik šraibens mir vassi
mechtns vian piati šlästni aimal komen
tan šraibe ich inen ti šlastni hat kenuk
mit mahn
herzlishe krise von ale tize
brif habe ich im lezn lassn tiloize
herzleshe krisse von mir unt maine
švestri
Katherina Jasadak
fiti Got
Libe frau Kronberg misis maine šrife partnallern

priisitas alevissn

abiitis brif in a Merika
bekome ale ire kinda šen konis!!!

Österreichische Zensurstelle W. 166

maine Libe Frau Kronberg musich inen vascušraibn vonti fremde laite kanich net sofill falanen unt taič kanich net šraiben pitte lasnsitas jemanten for lezn Libe Frau Kronber(g) inen *švegerin* habe ich bezuchen hat ire vonunk in ordnunk sešen angerichtet auch šene fogl hat aba laida ter libe Man ire is geštorben dezenberk for vainachten hat vainen soizza gesunt auchti Dochta aba traurich ales Libe Frau Kronberg vonti Poliza vervante sain curik gekomen var bei *Tirkiše* krenze ti Frau var bei mir hat vonunk krik in Deblink ich habe si fraidet *si* komen aimal cumir vas hama ales mitmachn misn venti peze menčn musma frosain saima gesunt hern Got iba ales Libe Frau Kronberg inen frau švegerin sain cvai brife von inen curikk gekomen trum vaisma net aine von andere vas gešen is ter nochpa maine hat misn *nacht* flichtet nima curigekomen ject sain ti menčn ale afkeret unt unlib aba ich lasich ina freitmich sihaben von mir tize brife krik šraibens mir vassi mechtns visn pisti Štastni amal komen tan šraibe ich inen ti Štastni hat kenuk mit machn

herzliche krise von ale tize brif habe ich im lezn lassn tilaite herzliche krisse von mir unt maine švestr

Katherina Jandak
fiti Got

Libe Frau Kronberg misns maine šrift parmallezn pissitas ales vissn

obsitis brif in a Merika bekome ale ire kinda šen krissn

Meine liebe Frau Kronberg, muß ich Ihnen was zuschreiben, von die fremde Leute kann ich net soviel verlangen und deutsch kann ich net schreiben. Bitte lassen Sie das jemanden vorlesen. Liebe Frau Kronberg, Ihre *Schwägerin* habe ich besucht, hat ihre Wohnung in Ordnung, sehr schön eingerichtet, auch schönen Vogel hat (sie). Aber leider der liebe Mann ihrer ist gestorben, Dezember vor Weihnachten. (Sie) hat weinen (müssen). So ist er gesund. Auch die Tochter. Aber traurig alles. Liebe Frau Kronberg, von die Politzer Verwandte sind zurück gekommen, war(en) bei *türkischer* Grenze. Die Frau war bei mir. Hat Wohnung gekriegt in Döbling. Ich habe mich gefreut, *Sie* kommen einmal zu mir. Was haben wir alles mitmachen müssen wegen die bösen Menschen. Muß man froh sein, sind wir gesund. Herr Gott über alles. Liebe Frau Kronberg, Ihrer Frau Schwägerin sind zwei Briefe von Ihnen (?) zurück gekommen, drum weiß man nicht einer vom anderen, was geschehen ist. Der Nachbar meiner hat müssen bei *Nacht* flüchten. Nimmer zurück gekommen. Jetzt sind die Menschen alle aufgeregt und unlieb, aber ich laß ich ihnen. Freut mich, Sie haben von mir diesen Brief gekriegt. Schreiben Sie mir, was Sie möchten wissen. Bis die Stastny einmal kommt, dann schreibe ich Ihnen. Die Stastny hat genug mitgemacht.

Herzliche Grüße von alle die Leute (die ich) diesen Brief habe lesen lassen.

Herzliche Grüße von mir und meiner Schwester.

Katharina Jandak
Behüt dich Gott
(Pfüatdigott)

Liebe Frau Kronberg, müssen Sie meine Schrift paarmal lesen, bis Sie alles wissen.

Ob Sie diesen Brief in Amerika bekommen? Alle Ihre Kinder schön grüßen.

Herr Gott über alles. Sie muß gemerkt haben, daß es der gleiche ist wie in ihrem »fiti Got« am Schluß, sonst hätte sie's zusammengeschrieben, »fitigot«. Und sollte Er, wenn sie dereinst vor Seinem Thron erscheint, die Frage an sie richten: »Womit willst du dir den Himmel verdient haben, Katharina Jandak?«, dann wird sie antworten dürfen: »Mit diese Brief.«